A Ke

perché non
dimentichi
l'italiano e ...
noi.

Auguri per il tuo
futuro Simona

Imperia May 2007

Oscar grandi classici

Italo Calvino

I NOSTRI ANTENATI

Il visconte dimezzato
Il barone rampante
Il cavaliere inesistente

OSCAR MONDADORI

© 1991 by Palomar S.r.l.
e Arnoldo Mondadori Editore S.p.A., Milano
© 2003 by the Estate of Italo Calvino
e Arnoldo Mondadori Editore S.ᴅ.A., Milano

I edizione Oscar grandi classici maggio 1996

ISBN 88-04-52168-6

Questo volume è stato stampato
presso Mondadori Printing S.p.A.
Stabilimento NSM - Cles (TN)
Stampato in Italia - Printed in Italy

Ristampe:

17   18   19   20   21   22

2006   2007   2008   2009

www.librimondadori.it

I NOSTRI ANTENATI

Il visconte dimezzato

C'era una guerra contro i turchi. Il visconte Medardo di Terralba, mio zio, cavalcava per la pianura di Boemia diretto all'accampamento dei cristiani. Lo seguiva uno scudiero a nome Curzio.

Le cicogne volavano basse, in bianchi stormi, traversando l'aria opaca e ferma.

– Perché tante cicogne? – chiese Medardo a Curzio, – dove volano?

Mio zio era nuovo arrivato, essendosi arruolato appena allora, per compiacere certi duchi nostri vicini impegnati in quella guerra. S'era munito d'un cavallo e d'uno scudiero all'ultimo castello in mano cristiana, e andava a presentarsi al quartiere imperiale.

– Volano ai campi di battaglia, – disse lo scudiero, tetro. – Ci accompagneranno per tutta la strada.

Il visconte Medardo aveva appreso che in quei paesi il volo delle cicogne è segno di fortuna; e voleva mostrarsi lieto di vederle. Ma si sentiva, suo malgrado, inquieto.

– Cosa mai può richiamare i trampolieri sui campi di battaglia, Curzio? – chiese.

– Anch'essi mangiano carne umana, ormai, – rispose lo scudiero, – da quando la carestia ha inaridito le campagne e la siccità ha seccato i fiumi. Dove ci son cadaveri, le cicogne e i fenicotteri e le gru hanno sostituito i corvi e gli avvoltoi.

Mio zio era allora nella prima giovinezza: l'età in cui i sentimenti stanno tutti in uno slancio confuso, non distinti ancora in male e in bene; l'età in cui ogni nuova esperienza, anche macabra e inumana, è tutta trepida e calda d'amore per la vita.

– E i corvi? E gli avvoltoi? – chiese. – E gli altri uccelli rapaci? Dove sono andati? – Era pallido, ma i suoi occhi scintillavano.

Lo scudiero era un soldato nerastro, baffuto, che non alzava mai lo sguardo. – A furia di mangiare i morti di peste, la peste ha preso anche loro, – e indicò con la lancia certi neri cespugli, che a uno sguardo più attento si rivelavano non di frasche, ma di penne e stecchite zampe di rapace.

– Ecco che non si sa chi sia morto prima, se l'uccello o l'uomo, e chi si sia buttato sull'altro per sbranarlo, – disse Curzio.

Per sfuggire alla peste che sterminava le popolazioni, famiglie intere s'erano incamminate per le campagne, e l'agonia le aveva colte lì. In groppi di carcasse, sparsi per la brulla pianura, si vedevano corpi d'uomo e donna, nudi, sfigurati dai bubboni e, cosa dapprincipio inspiegabile, pennuti: come se da quelle loro macilente braccia e costole fossero cresciute nere penne e ali. Erano le carogne d'avvoltoio mischiate ai loro resti.

Già il terreno s'andava disseminando dei segni d'avvenute battaglie. L'andatura s'era fatta più lenta perché i due cavalli s'impuntavano in scarti e impennate.

– Cosa prende ai nostri cavalli? – chiese Medardo allo scudiero.

– Signore, – lui rispose, – niente spiace ai cavalli quanto l'odore delle proprie budella.

La fascia di pianura che stavano traversando era infatti cosparsa di carogne equine, talune supine, con gli zoccoli rivolti al cielo, altre prone, col muso infossato nella terra.

– Perché tanti cavalli caduti in questo punto, Curzio? – chiese Medardo.

– Quando il cavallo sente d'essere sventrato, – spiegò Curzio, – cerca di trattenere le sue viscere. Alcuni posano la pancia a terra, altri si rovesciano sul dorso per non farle penzolare. Ma la morte non tarda a coglierli ugualmente.

– Dunque sono soprattutto i cavalli a morire, in questa guerra?

– Le scimitarre turche sembrano fatte apposta per fendere d'un colpo i loro ventri. Più avanti vedrà i corpi degli uomini. Prima tocca ai cavalli e dopo ai cavalieri. Ma ecco, il campo è là.

Ai margini dell'orizzonte s'alzavano i pinnacoli delle tende più alte, e gli stendardi dell'esercito imperiale, e il fumo.

Galoppando avanti, videro che i caduti dell'ultima battaglia erano stati quasi tutti rimossi e seppelliti. Solo se ne scopriva qualche sparso membro, specialmente dita, posato sulle stoppie.

– Ogni tanto c'è un dito che c'indica la strada, – disse mio zio Medardo. – Che vuol dire?

– Dio li perdoni: i vivi mozzano le dita ai morti per portar via gli anelli.

– Chi va là? – disse una sentinella dal cappotto ricoperto di muffe e muschi come la corteccia d'un albero esposto a tramontana.

– Viva la sacra corona imperiale! – gridò Curzio.

– E che il sultano muoia! – replicò la sentinella. – Ma, vi prego, arrivati al comando dite loro quando si decidono a mandarmi il cambio, ché ormai metto radici!

I cavalli ora correvano per sfuggire alla nuvola di mosche che circondava il campo, ronzando sulle montagne d'escrementi.

– Di molti valorosi, – osservò Curzio, – lo sterco d'ieri è ancora in terra, e loro son già in cielo, – e si segnò.

All'ingresso dell'accampamento, fiancheggiarono una fila di baldacchini, sotto ai quali donne ricche e spesse, con lunghe vesti di broccato e i seni nudi, li accolsero con urla e risatacce

– Sono i padiglioni delle cortigiane, – disse Curzio. – Nessun altro esercito ne ha di così belle.

Mio zio già cavalcava col viso voltato indietro, a guardar loro.

– Attento, signore, – aggiunse lo scudiero, – sono tanto sozze e impestate che non le vorrebbero neppure i turchi come preda d'un saccheggio. Ormai non son più soltanto cariche di piattole, cimici e zecche, ma indosso a loro fanno il nido gli scorpioni e i ramarri.

Passarono davanti alle batterie da campo. A sera, gli artiglieri facevano cuocere il loro rancio d'acqua e rape sul bronzo delle spingarde e dei cannoni, arroventato dal gran sparare della giornata.

Arrivavano dei carri pieni di terra e gli artiglieri la passavano al setaccio.

– Già scarseggia la polvere da sparo, – spiegò Curzio, – ma la terra dove si son svolte le battaglie n'è tanto impregnata che, volendo, si può recuperare qualche carica.

Dopo venivano gli stalli della cavalleria, dove, tra le mosche, i veterinari sempre all'opera rabberciavano la pelle dei quadrupedi con cuciture, cinti ed empiastri di catrame bollente, tutti nitrendo e scalciando, anche i dottori.

Gli attendamenti delle fanterie seguitavano poi per un gran tratto. Era il tramonto, e davanti a ogni tenda i soldati erano seduti coi piedi scalzi immersi in tinozze d'acqua tiepida. Soliti com'erano a improvvisi allarmi notte e giorno, anche nell'ora del pediluvio tenevano l'elmo in testa e la picca stretta in pugno. In tende più alte e drappeggiate a chiosco, gli ufficiali s'incipriavano le ascelle e si facevano vento con ventagli di pizzo.

– Non lo fanno per effeminatezza, – disse Curzio, – anzi: vogliono mostrare di trovarsi completamente a loro agio nelle asprezze della vita militare.

Il visconte di Terralba fu subito introdotto alla presenza dell'imperatore. Nel suo padiglione tutto arazzi e trofei, il sovrano studiava sulle carte geografiche i piani di future battaglie. I tavoli erano ingombri di carte srotolate e l'imperatore vi piantava degli spilli, traendoli da un cuscinetto puntaspilli che uno dei marescialli gli porgeva. Le carte erano ormai tanto cariche di spilli che non ci si capiva più niente, e per leggervi qualcosa dovevano togliere gli spilli e poi rimetterceli. In questo togli e metti, per aver libere le mani, sia l'imperatore che i marescialli tenevano gli spilli tra le labbra e potevano parlare solo a mugolii.

Alla vista del giovane che s'inchinava davanti a lui, il sovrano emise un mugolìo interrogativo e si cavò tosto gli spilli dalla bocca.

– Un cavaliere appena giunto dall'Italia, maestà, – lo presentarono, – il visconte di Terralba, d'una delle più nobili famiglie del Genovesato.

– Sia nominato subito tenente.

Mio zio batté gli speroni scattando sull'attenti, mentre l'imperatore faceva un ampio gesto regale e tutte le carte geografiche s'avvolgevano su se stesse e rotolavano giù.

Quella notte, benché stanco, Medardo tardò a dormire. Camminava avanti e indietro vicino alla sua tenda e sentiva i richiami delle sentinelle, i cavalli nitrire e il rotto parlar nel sonno di qualche soldato. Guardava in cielo le stelle di Boemia, pensava al nuovo grado, alla battaglia dell'indomani, e alla patria lontana, al suo fruscìo di canne nei torrenti. In cuore non aveva né nostalgia, né dubbio, né apprensione. Ancora per lui le cose erano intere e indiscutibili, e tale era lui stesso. Se avesse potuto prevedere la terribile sorte che l'attendeva, forse avrebbe trovato anch'essa naturale e compiuta, pur in tutto il suo dolore. Tendeva lo sguardo al margine dell'orizzonte notturno, dove sapeva essere il campo dei nemici, e a braccia conserte si stringeva con le mani le spalle, contento d'aver certezza insieme di realtà lontane e diverse, e della propria presenza in mezzo a esse. Sentiva il sangue di quella guerra crudele, sparso per mille rivi sulla terra, giungere fino a lui, e se ne lasciava lambire, senza provare accanimento né pietà.

II

La battaglia cominciò puntualmente alle dieci del mattino. Dall'alto della sella, il luogotenente Medardo contemplava l'ampiezza dello schieramento cristiano, pronto per l'attacco, e protendeva il viso al vento di Boemia, che sollevava odor di pula come da un'aia polverosa.

– No, non si volti indietro, signore, – esclamò Curzio che, col grado di sergente, era al suo fianco. E, per giustificare la frase perentoria, aggiunse, piano: – Dicono porti male, prima del combattimento.

In realtà, non voleva che il visconte si scorasse, avvedendosi che l'esercito cristiano consisteva quasi soltanto in quella fila schierata, e che le forze di rincalzo erano appena qualche squadra di fanti male in gamba.

Ma mio zio guardava lontano, alla nuvola che s'avvicinava all'orizzonte, e pensava: «Ecco, quella nuvola è i turchi, i veri turchi, e questi al mio fianco che sputano tabacco sono i veterani della cristianità, e questa tromba che ora suona è l'attacco, il primo attacco della mia vita, e questo boato e scuotimento, il bolide che s'insacca in terra guardato con pigra noia dai veterani e dai cavalli è una palla di cannone, la prima palla nemica che io incontro. Così non venga il giorno in cui dovrò dire: "E questa è l'ultima"».

A spada sguainata, si trovò a galoppare per la piana, gli occhi allo stendardo imperiale che spariva e riappariva tra il fumo, mentre le cannonate amiche ruotavano nel cielo sopra il suo capo, e le nemiche già aprivano brecce nella fronte cristiana e improvvisi ombrelli di terriccio. Pensava: «Vedrò i tur chi! Vedrò i turchi!» Nulla piace agli uomini quanto avere dei nemici e poi vedere se sono proprio come ci s'immagina.

Li vide, i turchi. Ne arrivavano due proprio di lì. Coi cavalli intabarrati, il piccolo scudo tondo, di cuoio, la veste a righe nere e zafferano. E il turbante, la faccia color ocra e i baffi come uno che a Terralba era chiamato «Miché il turco». Uno dei due turchi morì e l'altro uccise un altro. Ma ne stavano arrivando chissà quanti e c'era il combattimento all'arma bianca. Visti due turchi era come averli visti tutti. Erano militari pure loro, e tutte quelle robe erano dotazione dell'esercito. Le facce erano cotte e cocciute come i contadini. Medardo, per quel che era vederli, ormai li aveva visti; poteva tornarsene da noi a Terralba in tempo per il passo delle quaglie. Invece aveva fatto la ferma per la guerra. Così correva, scansando i colpi delle scimitarre, finché non trovò un turco basso, a piedi, e l'ammazzò. Visto come si faceva, andò a cercarne uno alto a cavallo, e fece male. Perché erano i piccoli, i dannosi. Andavano fin sotto i cavalli, con quelle scimitarre, e li squartavano.

Il cavallo di Medardo si fermò a gambe larghe. – Che fai? – disse il visconte. Curzio sopraggiunse indicando in basso: – Guardi un po' lì –. Aveva tutte le coratelle digià in terra. Il povero animale guardò in su, al padrone, poi abbassò il capo come volesse brucare gli intestini, ma era solo uno sfoggio d'eroismo: svenne e poi morì. Medardo di Terralba era appiedato.

– Prenda il mio cavallo, tenente, – disse Curzio, ma non riuscì a fermarlo perché cadde di sella, ferito da una freccia turca, e il cavallo corse via.

– Curzio! – gridò il visconte e s'accostò allo scudiero che gemeva in terra.

– Non pensi a me, signore, – fece lo scudiero. – Speriamo solo che all'ospedale ci sia ancora della grappa. Ne tocca una scodella a ogni ferito.

Mio zio Medardo si gettò nella mischia. Le sorti della battaglia erano incerte. In quella confusione, pareva che a vincere fossero i cristiani. Di certo, avevano rotto lo schieramento turco e aggirato certe posizioni. Mio zio, con altri valorosi,

17

s'era spinto fin sotto le batterie nemiche, e i turchi le spostavano, per tenere i cristiani sotto il fuoco. Due artiglieri turchi facevano girare un cannone a ruote. Lenti com'erano, barbuti, intabarrati fino ai piedi, sembravano due astronomi. Mio zio disse: – Adesso arrivo lì e li aggiusto io –. Entusiasta e inesperto, non sapeva che ai cannoni ci s'avvicina solo di fianco o dalla parte della culatta. Lui saltò di fronte alla bocca da fuoco, a spada sguainata, e pensava di fare paura a quei due astronomi. Invece gli spararono una cannonata in pieno petto. Medardo di Terralba saltò in aria.

Alla sera, scesa la tregua, due carri andavano raccogliendo i corpi dei cristiani per il campo di battaglia. Uno era per i feriti e l'altro per i morti. La prima scelta si faceva lì sul campo. – Questo lo prendo io, quello lo prendi tu –. Dove sembrava ci fosse ancora qualcosa da salvare, lo mettevano sul carro dei feriti; dove erano solo pezzi e brani andava sul carro dei morti, per aver sepoltura benedetta; quello che non era più neanche un cadavere era lasciato in pasto alle cicogne. In quei giorni, viste le perdite crescenti, s'era data la disposizione che nei feriti era meglio abbondare. Così i resti di Medardo furono considerati un ferito e messi su quel carro.

La seconda scelta si faceva all'ospedale. Dopo le battaglie l'ospedale da campo offriva una vista ancor più atroce delle battaglie stesse. In terra c'era la lunga fila delle barelle con dentro quegli sventurati, e tutt'intorno imperversavano i dottori, strappandosi di mano pinze, seghe, aghi, arti amputati e gomitoli di spago. Morto per morto, a ogni cadavere facevan di tutto per farlo tornar vivo. Sega qui, cuci là, tampona falle, rovesciavano le vene come guanti e le rimettevano al suo posto, con dentro più spago che sangue, ma rattoppate e chiuse. Quando un paziente moriva, tutto quello che aveva di buono serviva a racconciare le membra di un altro, e così via. La cosa che imbrogliava di più erano gli intestini: una volta srotolati non si sapeva più come rimetterli.

Tirato via il lenzuolo, il corpo del visconte apparve orrendamente mutilato. Gli mancava un braccio e una gamba, non solo, ma tutto quel che c'era di torace e d'addome tra quel braccio e quella gamba era stato portato via, polverizzato da quella cannonata presa in pieno. Del capo restavano un occhio, un orecchio, una guancia, mezzo naso, mezza bocca, mezzo mento e mezza fronte: dell'altra metà del capo c'era più solo una pappetta. A farla breve, se n'era salvato solo metà, la parte destra, che peraltro era perfettamente conservata, senza neanche una scalfittura, escluso quell'enorme squarcio che l'aveva separata dalla parte sinistra andata in bricioli.

I medici: tutti contenti. – Uh, che bel caso! – Se non moriva nel frattempo, potevano provare anche a salvarlo. E gli si misero d'attorno, mentre i poveri soldati con una freccia in un braccio morivano di setticemia. Cucirono, applicarono, impastarono: chi lo sa cosa fecero. Fatto sta che l'indomani mio zio aperse l'unico occhio, la mezza bocca, dilatò la narice e respirò. La forte fibra dei Terralba aveva resistito. Adesso era vivo e dimezzato.

Quando mio zio fece ritorno a Terralba, io avevo sette o otto anni. Fu di sera, già a buio; era ottobre; il cielo era coperto. Il giorno avevamo vendemmiato e attraverso i filari vedevamo nel mare grigio avvicinarsi le vele d'una nave che batteva bandiera imperiale. Ogni nave che si vedeva allora, si diceva: – Questo è Mastro Medardo che ritorna, – non perché fossimo impazienti che tornasse, ma tanto per aver qualcosa da aspettare. Quella volta avevamo indovinato: ne fummo certi alla sera, quando un giovane chiamato Fiorfiero, pigiando l'uva in cima al tino, gridò: – Oh, laggiù –; era quasi buio e vedemmo in fondovalle una fila di torce accendersi per la mulattiera; e poi, quando passò sul ponte, distinguemmo una lettiga trasportata a braccia. Non c'era dubbio: era il visconte che tornava dalla guerra.

La voce si sparse per le vallate; nella corte del castello s'aggruppò gente: familiari, famigli, vendemmiatori, pastori, gente d'arme. Mancava solo il padre di Medardo, il vecchio visconte Aiolfo, mio nonno, che da tempo non scendeva più neanche nella corte. Stanco delle faccende del mondo, aveva rinunciato alle prerogative del titolo a favore dell'unico suo figliolo maschio, prima ch'egli partisse per la guerra. Ora la sua passione per gli uccelli, che allevava dentro il castello in una grande voliera, s'era andata facendo più esclusiva: il vecchio s'era portato in quell'uccelliera anche il suo letto, e ci s'era rinchiuso, e non ne usciva né di giorno né di notte. Gli porgevano i pasti assieme al becchime pei volatili attraverso le inferriate dell'uccelliera, e Aiolfo divideva ogni cosa con quelle creature. E passava le ore accarezzando sul dorso i fagiani, le tortore, in attesa del ritorno dalla guerra di suo figlio.

Nella corte del nostro castello io non avevo mai visto tanta gente: era passato il tempo, di cui ho solo sentito raccontare, delle feste e delle guerre tra vicini. E per la prima volta m'accorsi di come i muri e le torri fossero in rovina, e fangosa la corte, dove usavamo dare l'erba alle capre e riempire il truogolo ai maiali. Tutti, aspettando, discutevano di come il visconte Medardo sarebbe ritornato; da tempo era giunta la notizia di gravi ferite che egli aveva ricevute dai turchi, ma ancora nessuno sapeva di preciso se fosse mutilato, o infermo, o soltanto sfregiato dalle cicatrici: e ora l'aver visto la lettiga ci preparava al peggio.

Ed ecco la lettiga veniva posata a terra, e in mezzo all'ombra nera si vide il brillìo d'una pupilla. La grande vecchia balia Sebastiana fece per avvicinarsi, ma da quell'ombra si levò una mano con un aspro gesto di diniego. Poi si vide il corpo nella lettiga agitarsi in uno sforzo angoloso e convulso, e davanti ai nostri occhi Medardo di Terralba balzò in piedi, puntellandosi a una stampella. Un mantello nero col cappuccio gli scendeva dal capo fino a terra; dalla parte destra era buttato all'indietro, scoprendo metà del viso e della persona stretta alla stampella, mentre sulla sinistra sembrava che tutto fosse nascosto e avvolto nei lembi e nelle pieghe di quell'ampio drappeggio.

Stette a guardarci, noi in cerchio attorno a lui, senza che nessuno dicesse parola; ma forse con quel suo occhio fisso non ci guardava affatto, voleva soltanto allontanarci da sé.

Un'alzata di vento venne su dal mare e un ramo rotto in cima a un fico mandò un gemito. Il mantello di mio zio ondeggiò, e il vento lo gonfiava, lo tendeva come una vela e si sarebbe detto che gli attraversasse il corpo, anzi, che questo corpo non ci fosse affatto, e il mantello fosse vuoto come quello d'un fantasma. Poi, guardando meglio, vedemmo che aderiva come a un'asta di bandiera, e quest'asta era la spalla, il braccio, il fianco, la gamba, tutto quello che di lui poggiava sulla gruccia: e il resto non c'era.

Le capre osservavano il visconte col loro sguardo fisso e

inespressivo, girate ognuna in una posizione diversa ma tutte serrate, con i dorsi disposti in uno strano disegno d'angoli retti. I maiali, più sensibili e pronti, strillarono e fuggirono urtandosi tra loro con le pance, e allora neppure noi potemmo più nascondere d'esser spaventati. – Figlio mio! – gridò la balia Sebastiana e alzò le braccia. – Meschinetto!

Mio zio, contrariato d'aver destato in noi tale impressione, avanzò la punta della stampella sul terreno e con un movimento a compasso si spinse verso l'entrata del castello. Ma sui gradini del portone s'erano seduti a gambe incrociate i portatori della lettiga, tipacci mezzi nudi, con gli orecchini d'oro e il cranio raso su cui crescevano creste o code di capelli. Si rizzarono, e uno con la treccia, che sembrava il loro capo, disse: – Noi aspettiamo il compenso, señor.

– Quanto? – chiese Medardo, e si sarebbe detto che ridesse.

L'uomo con la treccia disse: – Voi sapete qual è il prezzo per il trasporto di un uomo in lettiga...

Mio zio si sfilò una borsa dalla cintola e la gettò tintinnante ai piedi del portatore. Costui la soppesò appena, ed esclamò: – Ma questo è molto meno della somma pattuita, señor!

Medardo, mentre il vento gli sollevava il lembo del mantello, disse: – La metà –. Oltrepassò il portatore e spiccando piccoli balzi sul suo unico piede salì i gradini, entrò per la gran porta spalancata che dava nell'interno del castello, spinse a colpi di gruccia entrambi i pesanti battenti che si chiusero con fracasso, e ancora, poich'era rimasto aperto l'usciolo, lo sbatté, scomparendo ai nostri sguardi.

Da dentro continuammo a sentire i tonfi alternati del piede e della gruccia, che muovevano nei corridoi verso l'ala del castello dov'erano i suoi alloggi privati, e anche là sbattere e inchiavardar di porte.

Fermo dietro l'inferriata dell'uccelliera, lo attendeva suo padre. Medardo non era neppur passato a salutarlo: s'era chiuso nelle sue stanze solo, e non volle mostrarsi o rispondere neppure alla balia Sebastiana che restò a lungo a bussare e a compatirlo.

La vecchia Sebastiana era una gran donna nerovestita e velata, con il viso rosa senza una ruga, tranne quella che quasi le nascondeva gli occhi; aveva dato il latte a tutti i giovani della famiglia Terralba, ed era andata a letto con tutti i più anziani, e aveva chiuso gli occhi a tutti i morti. Ora andava e tornava per le logge dall'uno all'altro dei due rinchiusi, e non sapeva come venire in loro aiuto.

L'indomani, poiché Medardo continuava a non dar segno di vita, ci rimettemmo alla vendemmia, ma non c'era allegria, e nelle vigne non si parlava d'altro che della sua sorte, non perché ci stesse molto a cuore, ma perché l'argomento era attraente e oscuro. Solo la balia Sebastiana rimase nel castello, spiando con attenzione ogni rumore.

Ma il vecchio Aiolfo, quasi prevedendo che il figlio sarebbe ritornato così triste e selvatico, aveva già da tempo addestrato uno dei suoi animali più cari, un'averla, a volare fino all'ala del castello in cui erano gli alloggi di Medardo, allora vuoti, e a entrare per la finestrella della sua stanza. Quel mattino il vecchio aperse lo sportello all'averla, ne seguì il volo fino alla finestra del figlio, poi tornò a spargere il becchime alle gazze e alle cince, imitando i loro zirli.

Di lì a poco, sentì il tonfo d'un oggetto scagliato contro le impannate. Si sporse fuori, e sul cornicione c'era la sua averla stecchita. Il vecchio la raccolse nel cavo delle mani e vide che un'ala era spezzata come avessero tentato di strappargliela, una zampina era troncata come per la stretta di due dita, e un occhio era divelto. Il vecchio strinse l'averla al petto e prese a piangere.

Si mise a letto lo stesso giorno, e i famigli di là dalle inferriate della voliera vedevano che stava molto male. Ma nessuno poté andare a curarlo perché s'era chiuso dentro nascondendo le chiavi. Intorno al suo letto volavano gli uccelli. Da quando s'era coricato avevano preso tutti a svolazzare e non volevano posarsi né smettere di battere le ali.

La mattina dopo, la balia, affacciandosi all'uccelliera, vide che il visconte Aiolfo era morto. Gli uccelli erano tutti posati sul suo letto, come su un tronco galleggiante in mezzo al mare.

IV

Dopo la morte di suo padre, Medardo cominciò a uscire dal castello. Fu ancora la balia Sebastiana la prima a accorgersene, un mattino, trovando le porte spalancate e le stanze deserte. Una squadra di servi fu mandata per la campagna a seguire le tracce del visconte. I servi correvano e passarono sotto un albero di pero che avevan visto, a sera, carico di frutti tardivi ancora acerbi. – Guarda lassù, – disse uno dei servi: videro le pere che pendevano contro il cielo albeggiante e a vederle furono presi da terrore. Perché non erano intere, erano tante metà di pera tagliate per il lungo e appese ancora ciascuna al proprio gambo: d'ogni pera però c'era solo la metà di destra (o di sinistra secondo da dove si guardava, ma erano tutte dalla stessa parte) e l'altra metà era sparita, tagliata o forse morsa.

– Il visconte è passato di qui! – dissero i servi. Certo, dopo essere stato chiuso a digiuno tanti giorni, quella notte gli era venuta fame, e al primo albero era montato su a mangiare pere.

Andando, i servi su una pietra incontrarono mezza rana che saltava, per la virtù delle rane, ancora viva. – Siamo sulla traccia giusta! – e proseguirono. Si smarrirono, perché non avevano visto tra le foglie mezzo melone, e dovettero tornare indietro finché non l'ebbero trovato.

Così dai campi passarono nel bosco e videro un fungo tagliato a mezzo, un porcino, poi un altro, un boleto rosso velenoso, e via via andando per il bosco continuarono a trovare, uno ogni tanto, questi funghi che spuntavano da terra con mezzo gambo e aprivano solo mezzo ombrello. Sembravano divisi con un taglio netto, e dell'altra metà non si trovava neanche una spora. Erano funghi d'ogni specie, vesce, ovuli, agarici; e i velenosi erano pressappoco altrettanti che i mangiabili.

Seguendo questa sparsa traccia i servi arrivarono al prato chiamato «delle monache» dove c'era uno stagno in mezzo all'erba. Era l'aurora e sull'orlo dello stagno la figura esigua di Medardo, ravvolta nel mantello nero, si specchiava nell'acqua, dove galleggiavano funghi bianchi o gialli o colore del terriccio. Erano le metà dei funghi ch'egli aveva portato via, ed ora erano sparse su quella superficie trasparente. Sull'acqua i funghi parevano interi e il visconte li guardava: e anche i servi si nascosero sull'altra riva dello stagno e non osarono dir nulla, fissando anch'essi i funghi galleggianti, finché s'accorsero che erano solo funghi buoni da mangiare. E i velenosi? Se non li aveva buttati nello stagno, cosa mai ne aveva fatto? I servi si ridiedero alla corsa per il bosco. Non ebbero da andar lontano perché sul sentiero incontrarono un bambino con un cesto: dentro aveva tutti quei mezzi funghi velenosi.

Quel bambino ero io. Nella notte giocavo da solo intorno al Prato delle Monache a farmi spavento sbucando d'improvviso di tra gli alberi, quando incontrai mio zio che saltava sul suo piede per il prato al chiaro di luna, con un cestino infilato al braccio.

– Ciao, zio! – gridai: era la prima volta che riuscivo a dirglielo.

Lui sembrò molto contento di vedermi. – Vado per funghi, – mi spiegò.

– E ne hai presi?

– Guarda, – disse mio zio e ci sedemmo in riva a quello stagno. Lui andava scegliendo i funghi e alcuni li buttava in acqua, altri li lasciava nel cestino.

– Te', – disse dandomi il cestino con i funghi scelti da lui – Fatteli fritti.

Io avrei voluto chiedergli perché nel suo cesto c'era solo metà d'ogni fungo; ma capii che la domanda sarebbe stata poco riguardosa, e corsi via dopo aver detto grazie. Stavo andando a farmeli fritti quando incontrai la squadra dei famigli, e seppi che erano tutti velenosi.

La balia Sebastiana, quando le raccontarono la storia, disse: – Di Medardo è ritornata la metà cattiva. Chissà oggi il processo.

Quel giorno doveva esserci un processo contro una banda di briganti arrestati il giorno prima dagli sbirri del castello. I briganti erano gente del nostro territorio e quindi era il visconte che doveva giudicarli. Si fece il giudizio e Medardo sedeva nel seggio tutto per storto e si mordeva un'unghia. Vennero i briganti incatenati: il capo della banda era quel giovane chiamato Fiorfiero che era stato il primo ad avvistare la lettiga mentre pigiava l'uva. Venne la parte lesa ed erano una compagnia di cavalieri toscani che, diretti in Provenza, passavano attraverso i nostri boschi quando Fiorfiero e la sua banda li avevano assaliti e derubati. Fiorfiero si difese dicendo che quei cavalieri erano venuti bracconando nelle nostre terre, e lui li aveva fermati e disarmati credendoli appunto bracconieri, visto che non ci pensavano gli sbirri. Va detto che in quegli anni gli assalti briganteschi erano un'attività molto diffusa, per cui la legge era clemente. Poi i nostri posti erano particolarmente adatti al brigantaggio, cosicché pure qualche membro della nostra famiglia, specie nei tempi torbidi, s'univa alle bande dei briganti. Del bracconaggio non dico, era il delitto più lieve che si potesse immaginare.

Ma le apprensioni della balia Sebastiana erano fondate. Medardo condannò Fiorfiero e tutta la sua banda a morire impiccati, come rei di rapina. Ma siccome i derubati a loro volta erano rei di bracconaggio, condannò anch'essi a morire sulla forca. E per punire gli sbirri, che erano intervenuti troppo tardi, e non avevano saputo prevenire né le malefatte dei bracconieri né quelle dei briganti, decretò la morte per impiccagione anche per loro.

In tutto erano una ventina di persone. Questa crudele sentenza produsse costernazione e dolore in tutti noi, non tanto per i gentiluomini toscani che nessuno aveva visto prima d'allora, quanto per i briganti e per gli sbirri che erano generalmente benvoluti. Mastro Pietrochiodo, bastaio e carpentiere ebbe l'incarico di costruir la forca: era un lavoratore serio e d'intelletto, che si metteva d'impegno a ogni sua opera. Con gran dolore, perché due dei condannati erano suoi parenti, costruì una forca ramificata come un albero, le cui funi salivano tutte insieme manovrate da un solo argano; era una macchina così grande e ingegnosa che ci si poteva impiccare in una sola volta anche più persone di quelle condannate, tanto che il visconte ne approfittò per appender dieci gatti alternati ogni due rei. I cadaveri stecchiti e le carogne di gatto penzolarono tre giorni e dapprima a nessuno reggeva il cuore di guardarli. Ma presto ci si accorse della vista imponente che davano, e anche il nostro giudizio si smembrava in disparati sentimenti, così che dispiacque persino decidersi a staccarli e a disfare la gran macchina.

V

Quelli erano per me tempi felici, sempre per i boschi col dottor Trelawney cercando gusci d'animali marini diventati pietre. Il dottor Trelawney era inglese: era arrivato sulle nostre coste dopo un naufragio, a cavallo d'una botte di bordò. Era stato medico sulle navi per tutta la sua vita e aveva compiuto viaggi lunghi e pericolosi, tra i quali quelli con il famoso capitano Cook, ma non aveva mai visto nulla al mondo perché era sempre sottocoperta a giocare a tresette. Naufragato da noi, aveva fatto subito la bocca al vino chiamato «cancarone», il più aspro e grumoso delle nostre parti, e non sapeva più farne senza, tanto da portarsene sempre a tracolla una borraccia piena. Era rimasto a Terralba e diventato il nostro medico, ma non si preoccupava dei malati, bensì di sue scoperte scientifiche che lo tenevano in giro, – e me con lui, – per campi e boschi giorno e notte. Prima una malattia dei grilli, malattia impercettibile che solo un grillo su mille aveva e non ne pativa nessun danno; e il dottor Trelawney voleva cercarli tutti e trovar la cura adatta. Poi i segni di quando le nostre terre erano ricoperte dal mare; e allora andavamo caricandoci di ciottoli e silici che il dottore diceva essere stati, ai loro tempi, pesci. Infine, l'ultima grande sua passione: i fuochi fatui. Voleva trovare il modo per prenderli e conservarli, e a questo scopo passavamo le notti a scorrazzare nel nostro cimitero, aspettando che tra le tombe di terra e d'erba s'accendesse qualcuno di quei vaghi chiarori, e allora cercavamo d'attirarlo a noi, di farcelo correr dietro e catturarlo, senza che si spegnesse, in recipienti che di volta in volta sperimentavamo: sacchi, fiaschi, damigiane spagliate, scaldini, colabrodi. Il dottor Trelawney s'era fatto la sua abitazione in una bicocca vicino al cimitero, che serviva una volta da casa del becchino, in quei tempi di fasto e guerre e epidemie in cui conveniva tenere un uomo a far solo quel mestiere. Là il dottore aveva impiantato il suo laboratorio, con ampolle d'ogni forma per imbottigliare i fuochi e reticelle come quelle da pesca per acchiapparli; e lambicchi e crogiuoli in cui egli scrutava come dalle terre dei cimiteri e dai miasmi dei cadaveri nascessero quelle pallide fiammelle. Ma non era uomo da restare a lungo assorto nei suoi studi: smetteva presto, usciva e andavamo insieme a caccia di nuovi fenomeni della natura.

Io ero libero come l'aria perché non avevo genitori e non appartenevo alla categoria dei servi né a quella dei padroni. Facevo parte della famiglia dei Terralba solo per tardivo riconoscimento, ma non portavo il loro nome e nessuno era tenuto a educarmi. La mia povera madre era figlia del visconte Aiolfo e sorella maggiore di Medardo, ma aveva macchiato l'onore della famiglia fuggendo con un bracconiere che fu poi mio padre. Io ero nato nella capanna del bracconiere, nei terreni gerbidi sotto il bosco; e poco dopo mio padre fu ucciso in una rissa, e la pellagra finì mia madre rimasta sola in quella misera capanna. Io fui allora accolto nel castello perché mio nonno Aiolfo si prese pietà, e crebbi per le cure della gran balia Sebastiana. Ricordo che quando Medardo era ancora ragazzo e io avevo pochi anni, alle volte mi lasciava partecipare ai suoi giochi come fossimo di pari condizione; poi la distanza crebbe con noi, e io rimasi alla stregua dei servi. Ora nel dottor Trelawney trovai un compagno come mai ne avevo avuto.

Il dottore aveva sessant'anni ma era alto quanto me; aveva un viso rugoso come una castagna secca, sotto il tricorno e la parrucca; le gambe, che le uose inguainavano fino a mezza coscia, sembravano più lunghe, sproporzionate come quelle d'un grillo, anche per via dei lunghi passi che faceva; e indossava una marsina color tortora con le guarnizioni rosse, sopra alla quale portava a tracolla la borraccia del vino «cancarone».

La sua passione per i fuochi fatui ci spingeva a lunghe marce notturne per raggiungere i cimiteri dei paesi vicini, dove si

potevano vedere talvolta fiamme più belle per colore e gran-
dezza di quelle del nostro camposanto abbandonato. Ma guai
se questo nostro armeggiare era scoperto dai paesani: scambia
ti per ladri sacrileghi fummo inseguiti una volta per parecchie
miglia da un gruppo d'uomini armati di roncole e tridenti.

Eravamo in posti scoscesi e torrentizi; io e il dottor Trelawney saltavamo a gambe levate per le rocce ma sentivamo i paesani inferociti avvicinarsi dietro di noi. In un punto chiamato
Salto della Ghigna un ponticello di tronchi attraversava un
abisso profondissimo. Invece di passare il ponticello, io e il
dottore ci nascondemmo in un gradino di roccia proprio sul ciglio dell'abisso, appena in tempo perché già avevamo alle calcagna i paesani. Non ci videro, e gridando: – Dov'è che è che
sono quei bastardi? – corsero difilato per il ponte. Uno schianto, e urlando furono inghiottiti a precipizio nel torrente che
correva laggiù in fondo.

A me e a Trelawney lo spavento per la nostra sorte si tra-
sformò in sollievo per il pericolo scampato e poi di nuovo in
spavento per l'orrenda fine che i nostri inseguitori avevan fatto. Osammo appena sporgerci e guardare giù nel buio dove i
paesani erano scomparsi. Alzando gli occhi vedemmo i resti
del ponticello: i tronchi erano ancora ben saldi, solo che a metà erano spezzati, come se li avessero segati; né in altro modo
potevamo spiegarci come quel grosso legno avesse ceduto con
una rottura così netta.

– C'è la mano di chi so io, – disse il dottor Trelawney, e anch'io avevo già capito.

Infatti, s'udì un rapido zoccolìo e sul ciglio del burrone
comparvero un cavallo e un cavaliere mezz'avvolto in un mantello nero. Era il visconte Medardo, che col suo gelido sorriso
triangolare contemplava la tragica riuscita del tranello, impre-
vista forse anche a lui stesso: certo aveva voluto uccidere noi
due; invece andò che ci salvò la vita. Tremanti, lo vedemmo
correr via su quel suo magro cavallo che saltava per le rocce
come fosse figlio d'una capra.

In quel tempo mio zio girava sempre a cavallo: s'era fatto
costruire dal bastaio Pietrochiodo una sella speciale a una cui
staffa egli poteva assicurarsi con cinghie, mentre all'altra era

fissato un contrappeso. A fianco della sella era agganciata una spada e una stampella. E così il visconte cavalcava con in testa un cappello piumato a larghe tese, che per metà scompariva sotto un'ala del mantello sempre svolazzante. Dove si sentiva il rumor di zoccoli del suo cavallo tutti scappavano peggio che al passaggio di Galateo il lebbroso, e portavano via i bambini e gli animali, e temevano per le piante, perché la cattiveria del visconte non risparmiava nessuno e poteva scatenarsi da un momento all'altro nelle azioni più impreviste e incomprensibili.

Non era stato mai malato e non aveva quindi mai avuto bisogno delle cure del dottor Trelawney; ma in un caso simile non so come il dottore se la sarebbe cavata, lui che faceva di tutto per evitare mio zio e per non sentirne neppur parlare. A dirgli del visconte e delle sue crudeltà, il dottor Trelawney scuoteva il capo e arricciava le labbra mormorando: – Oh, oh, oh!... Zzt, zzt, zzt! – come quando gli si faceva un discorso sconveniente. E, per cambiar discorso, attaccava a raccontare dei viaggi del capitano Cook. Una volta provai a chiedergli come, secondo lui, mio zio potesse vivere così mutilato, ma l'inglese non seppe dirmi altro che quel: – Oh, oh, oh!... Zzt, zzt, zzt! – Pareva che dal punto di vista della medicina, il caso di mio zio non suscitasse nessun interesse nel dottore; ma io cominciavo a pensare ch'egli fosse diventato medico solo per imposizione familiare o convenienza, e di tale scienza non gli importasse affatto. Forse la sua carriera di medico di bordo era dovuta soltanto alla sua abilità nel gioco del tresette, per cui i più famosi navigatori, primo fra tutti il capitano Cook, se lo contendevano come compagno di partita.

Una notte il dottor Trelawney pescava con la rete fuochi fatui nel nostro vecchio cimitero, quando si vide davanti Medardo di Terralba che faceva pascolare il suo cavallo sulle tombe. Il dottore era molto confuso e intimorito, ma il visconte gli si fece vicino e chiese con la difettosissima pronuncia della sua bocca dimezzata: – Lei cerca farfalle notturne, dottore?

– Oh, milord, – rispose il dottore con un fil di voce, – oh, oh, non proprio farfalle, milord... Fuochi fatui, sa? fuochi fatui...

– Già, i fuochi fatui. Spesso anch'io me ne son chiesta l'origine.

– Da tempo, modestamente, ciò è oggetto dei miei studi milord... – fece Trelawney, un po' rinfrancato da quel tono benevolo.

Medardo contorse in un sorriso la sua mezza faccia angolosa, dalla pelle tesa come un teschio. – Come studioso ella merita ogni aiuto, – gli disse. – Peccato che questo cimitero, abbandonato com'è, non sia un buon campo per i fuochi fatui. Ma le prometto che domani stesso provvederò d'aiutarla per quanto m'è possibile.

L'indomani era il giorno stabilito per l'amministrazione della giustizia, e il visconte condannò a morte una decina di contadini, perché, secondo i suoi computi, non avevano corrisposto tutta la parte di raccolto che dovevano al castello. I morti furono seppelliti nella terra delle fosse comuni e il cimitero buttò fuori ogni notte una gran dovizia di fuochi. Il dottor Trelawney era tutto spaventato di quest'aiuto, sebbene lo trovasse molto utile ai suoi studi.

In queste tragiche congiunture, Mastro Pietrochiodo aveva di molto perfezionato la sua arte nel costruire forche. Ormai erano dei veri capolavori di falegnameria e di meccanica, e non solo le forche, ma anche i cavalletti, gli argani e gli altri strumenti di tortura con cui il visconte Medardo strappava le confessioni agli accusati. Io ero spesso nella bottega di Pietrochiodo, perché era molto bello vederlo lavorare con tanta abilità e passione. Ma un cruccio pungeva sempre il cuore del bastaio. Ciò che lui costruiva erano patiboli per innocenti. «Come faccio, – pensava, – a farmi dar da costruire qualcosa d'altrettanto ben congegnato, ma che abbia un diverso scopo? E quali posson essere i nuovi meccanismi che io costruirei più volentieri?» Ma non venendo a capo di questi interrogativi, cercava di scacciarli dalla mente, accanendosi a fare gli impianti più belli e ingegnosi che poteva.

– Devi dimenticarti lo scopo al quale serviranno, – diceva

anche a me. – Guardali solo come meccanismi. Vedi quanto sono belli?

Io guardavo quelle architetture di travi, quel saliscendere di corde, quei collegamenti d'argani e carrucole, e mi sforzavo di non vederci sopra i corpi straziati, ma più mi sforzavo più ero obbligato a pensarci, e dicevo a Pietrochiodo: – Come faccio?

– E come faccio io, ragazzo, – replicava lui, – come faccio io, allora?

Ma malgrado strazi e paure, quei tempi avevano la loro parte di gioia. L'ora più bella veniva quando il sole era alto e il mare d'oro, e le galline fatto l'uovo cantavano, e per i viottoli si sentiva il suono del corno del lebbroso. Il lebbroso passava ogni mattina a far la questua per i suoi compagni di sventura. Si chiamava Galateo, e portava appeso al collo un corno da caccia, il cui suono avvertiva da distante della sua venuta. Le donne udivano il corno e posavano sull'angolo del muretto uova, o zucchini, o pomodori, e alle volte un piccolo coniglio scuoiato; e poi scappavano a nascondersi portando via i bambini, perché nessuno deve rimanere nelle strade quando passa il lebbroso: la lebbra s'attacca da distante e perfino vederlo era pericolo. Preceduto dagli squilli del corno, Galateo veniva pian piano per i viottoli deserti, con l'alto bastone in mano, e la lunga veste tutta stracciata che toccava terra. Aveva lunghi capelli gialli stopposi e una tonda faccia bianca, già un po' sbertucciata dalla lebbra. Raccoglieva i doni, li metteva nella sua gerla, e gridava dei ringraziamenti verso le case dei contadini nascosti, con la sua voce melata, e mettendoci sempre qualche allusione da ridere o maligna.

A quei nostri tempi nelle contrade vicine al mare la lebbra era un male diffuso, e c'era vicino a noi un paesetto, Pratofungo, abitato solo da lebbrosi, ai quali eravamo tenuti a corrispondere dei doni, che appunto raccoglieva Galateo. Quando qualcuno della marina o della campagna veniva colto dalla lebbra, lasciava parenti e amici e andava a Pratofungo a passare il resto della sua vita attendendo d'esser divorato dal male. Si parlava di grandi feste che accoglievano ogni nuovo giunto: da lontano si sentivano fino a notte salire dalle case dei lebbrosi suoni e canti.

Molte cose si dicevano di Pratofungo, sebbene nessuno dei sani mai vi fosse stato; ma tutte le voci erano concordi nel dire che là la vita era una perpetua baldoria. Il paese prima di diventare asilo di lebbrosi era stato un covo di prostitute dove convenivano marinai d'ogni razza e d'ogni religione: e pareva che ancora le donne vi conservassero i costumi licenziosi di quei tempi. I lebbrosi non lavoravano la terra, tranne che una vigna d'uva fragola il cui vinello li teneva tutto l'anno in stato di sottile ebbrezza. La grande occupazione dei lebbrosi era suonare strani strumenti da loro inventati, arpe alle cui corde erano appesi tanti campanellini, e cantare in falsetto, e dipingere le uova con pennellate d'ogni colore come fosse sempre Pasqua. Così, struggendosi in musiche dolcissime, con ghirlande di gelsomino intorno ai visi sfigurati, dimenticavano il consorzio umano dal quale la malattia li aveva divisi.

Nessun medico nostrano aveva mai voluto prendersi cura dei lebbrosi, ma quando Trelawney si stabilì tra noi, qualcuno sperò che egli volesse dedicare la sua scienza a sanare quella piaga delle nostre regioni. Anch'io condividevo queste speranze nel mio modo infantile: da tempo avevo una gran voglia di spingermi fino a Pratofungo e d'assistere alle feste dei lebbrosi; e se il dottore si fosse messo a sperimentare i suoi farmaci su quegli sventurati, m'avrebbe forse qualche volta permesso d'accompagnarlo fin dentro il paese. Ma nulla di questo avvenne: appena sentiva il corno di Galateo, il dottor Trelawney scappava a gambe levate e nessuno sembrava aver più di lui paura del contagio. Qualche volta cercai d'interrogarlo sulla natura di quella malattia, ma lui diede risposte evasive e smarrite, come se la sola parola «lebbra» bastasse a metterlo a disagio.

In fondo, non so perché ci ostinassimo a considerarlo un medico: per le bestie, specie le più piccole, per le pietre, per i fenomeni naturali era pieno d'attenzione, ma gli esseri umani e le loro infermità lo riempivano di ripugnanza e sgomento. Aveva orrore del sangue, toccava solo con la punta delle dita gli ammalati, e di fronte ai casi gravi si tamponava il naso con un fazzoletto di seta bagnato nell'aceto. Pudico come una fanciulla, al vedere un corpo nudo arrossiva; se poi si trattava d'una donna, teneva gli occhi bassi e balbettava; donne, nei suoi lunghi viaggi per gli oceani, pareva non ne avesse conosciute mai · Per fortuna da noi a quei tempi i parti erano faccende da levatrici e non da medici, se no chissà come si sarebbe tratto d'impegno.

A mio zio, venne l'idea degli incendi. Nella notte, tutt'a un tratto, un fienile di miseri contadini bruciava, o un albero da legna, o tutto un bosco. Si stava fino al mattino, allora, a passarci di mano in mano secchi d'acqua per spegnere le fiamme. Le vittime erano sempre poveracci che avevano avuto da dire col visconte, per qualcuna delle sue ordinanze sempre più severe e ingiuste, o per i balzelli che aveva raddoppiato. Non contento d'incendiare i beni, prese a dar fuoco agli abitati: pareva che s'avvicinasse di notte, lanciasse esche infuocate sui tetti, e poi scappasse a cavallo; ma mai nessuno riusciva a coglierlo sul fatto. Una volta morirono due vecchi; una volta un ragazzo restò col cranio come scuoiato. Nei contadini l'odio contro di lui cresceva. I suoi più ostinati nemici erano le famiglie di religione ugonotta che abitavano i casolari di Col Gerbido; là gli uomini montavano la guardia a turno tutta la notte per prevenire incendi.

Senz'alcuna ragione plausibile, una notte andò fin sotto le case di Pratofungo che avevano i tetti di paglia e vi lanciò contro pece e fuoco. I lebbrosi hanno quella virtù che abbruciacchiati non patiscono dolore, e, se colti dalle fiamme nel sonno, non si sarebbero certo più svegliati. Ma galoppando via, il visconte sentì che dal paese s'alzava la cavatina d'un violino: gli abitanti di Pratofungo vegliavano, intenti ai loro giochi. Si scottarono tutti, ma non sentirono male e si divertirono secondo il loro spirito. Spensero presto l'incendio; anche le loro case, forse perché iniettate pur esse di lebbra, patirono pochi danni dalle fiamme.

La cattiveria di Medardo si rivolse anche contro il suo proprio avere: il castello. Il fuoco s'alzò dall'ala dove abitavano i servi e divampò tra urla altissime di chi era rimasto prigioniero, mentre il visconte fu visto cavalcare via per la campagna. Era un attentato ch'egli aveva teso alla vita della sua balia e vicemadre Sebastiana. Con l'ostinazione autoritaria che le donne pretendono di mantenere su coloro che han visto bambini, Sebastiana non mancava mai di rimproverare al visconte ogni nuovo suo misfatto, anche quando tutti s'erano convinti che la sua natura era votata a un'irreparabile, insana crudeltà. Sebastiana fu tratta malconcia fuori dalle mura carbonizzate e dovette tenere il letto molti giorni, per guarire dalle ustioni.

Una sera, la porta della stanza in cui lei giaceva s'aperse e il visconte le apparve accanto al letto.

– Che cosa sono quelle macchie sulla vostra faccia, balia? – disse Medardo, indicando le scottature.

– Un'orma dei tuoi peccati, figlio, – disse la vecchia, serena.

– La vostra pelle è screziata e stravolta; che male avete, balia?

– Un male che è nulla, figlio mio, rispetto a quello che t'aspetta in inferno, se non ti ravvedi.

– Dovreste guarire presto: non vorrei si sapesse in giro, di questo male che avete...

– Non ho da prender marito, per curarmi del mio corpo. Mi basta la buona coscienza. Potessi tu dire altrettanto.

– Eppure il vostro sposo v'aspetta, per portarvi via con sé, non lo sapete?

– Non deridere la vecchiaia, figlio, tu che hai avuto la giovinezza offesa.

– Non scherzo. Ascoltate, balia: c'è il vostro fidanzato che suona sotto la vostra finestra...

Sebastiana tese l'orecchio e sentì fuor dal castello il suono del corno del lebbroso.

L'indomani Medardo mandò a chiamare il dottor Trelawney.

– Macchie sospette sono comparse non si sa come sul viso d'una nostra vecchia servente, – disse al dottore. – Tutti abbiamo paura che sia lebbra. Dottore, ci affidiamo ai lumi della sua sapienza.

36

Trelawney s'inchinò balbettando: – Mio dovere, milord... sempre ai suoi ordini, milord...

Si girò, uscì, sgattaiolò via dal castello, prese con sé un barilotto di vino «cancarone» e scomparve nei boschi. Non lo si vide più per una settimana. Quando tornò, la balia Sebastiana era stata mandata al paese dei lebbrosi.

Aveva lasciato il castello una sera al tramonto, nerovestita e velata, con infilato al braccio un fagotto delle sue robe. Sapeva che la sua sorte era segnata: doveva prendere la via di Pratofungo. Lasciò la stanza dove l'avevano tenuta fin allora, e non c'era nessuno nei corridoi né nelle scale. Scese, attraversò la corte, uscì nella campagna: tutto era deserto, ognuno al suo passaggio si ritirava e si nascondeva. Sentì un corno da caccia modulare un richiamo sommesso su due sole note: avanti sul sentiero c'era Galateo che alzava al cielo la bocca del suo strumento. La balia s'avviò a passi lenti; il sentiero andava verso il sole al tramonto; Galateo la precedeva d'un lungo tratto, ogni tanto si fermava come contemplando i calabroni ronzanti tra le foglie, alzava il corno e levava un mesto accordo; la balia guardava gli orti e le rive che stava abbandonando, sentiva dietro le siepi la presenza della gente che s'allontanava da lei, e riprendeva a andare. Sola, seguendo da distante Galateo, giunse a Pratofungo, e i cancelli del paese si chiusero dietro di lei, mentre le arpe e i violini cominciarono a suonare.

Il dottor Trelawney m'aveva molto deluso. Non aver mosso un dito perché la vecchia Sebastiana non fosse condannata al lebbrosario, – pur sapendo che le sue macchie non erano di lebbra, – era un segno di viltà e io provai per la prima volta un moto d'avversione per il dottore. S'aggiunga che quand'era scappato nei boschi non m'aveva preso con sé, pur sapendo quanto gli sarei stato utile come cacciatore di scoiattoli e cercatore di lamponi. Ora andare con lui per fuochi fatui non mi piaceva più come prima, e spesso giravo da solo, in cerca di nuove compagnie.

Le persone che più m'attraevano adesso erano gli ugonotti che abitavano Col Gerbido. Era gente scappata d'in Francia dove il re faceva tagliare a pezzi tutti quelli che seguivano la loro religione. Nella traversata delle montagne avevano perduto i loro libri e i loro oggetti sacri, e ora non avevano più né Bibbia da leggere, né messa da dire, né inni da cantare, né preghiere da recitare. Diffidenti come tutti quelli che sono passati attraverso persecuzioni e che vivono in mezzo a gente di diversa fede, essi non avevano voluto più ricevere alcun libro religioso, né ascoltare consigli sul modo di celebrare i loro culti. Se qualcuno veniva a cercarli dicendosi loro fratello ugonotto, essi temevano che fosse un emissario del papa travestito, e si chiudevano nel silenzio. Così s'erano messi a coltivare le dure terre di Col Gerbido, e si sfiancavano a lavorare maschi e femmine da prima dell'alba a dopo il tramonto, nella speranza che la grazia li illuminasse. Poco esperti di quel che fosse peccato, per non sbagliarsi moltiplicavano le proibizioni e si erano ridotti a guardarsi l'un l'altro con occhi severi spiando se qualche minimo gesto tradisse un'intenzione colpevole. Ricordando confusamente le dispute della loro chiesa, s'astenevano dal nominare Dio e ogni altra espressione religiosa, per paura di parlarne in modo sacrilego. Così non seguivano nessuna regola di culto, e probabilmente non osavano nemmeno formular pensieri su questioni di fede, pur conservando una gravità assorta come se sempre ci pensassero. Invece, le regole della loro faticosa agricoltura avevano col tempo acquistato un valore pari a quello dei comandamenti, e così le abitudini di parsimonia cui erano costretti, e le virtù casalinghe delle donne.

Erano una gran famiglia piena di nipoti e nuore, tutti lunghi e nodosi, e lavoravano la terra sempre vestiti a festa, neri e abbottonati, col cappello a larghe tese spioventi gli uomini e con la cuffia bianca le donne. Gli uomini portavano lunghe barbe, e giravano sempre con lo schioppo a tracolla, ma si diceva che nessuno di loro avesse mai sparato, fuorché ai passeri, perché lo proibivano i comandamenti.

Dai ripiani calcinosi dove a fatica cresceva qualche misera vite e dello stento frumento, s'alzava la voce del vecchio Ezechiele, che urlava senza posa coi pugni levati al cielo, tremando nella bianca barba caprina, roteando gli occhi sotto il cappello a imbuto: – Peste e carestia! Peste e carestia! – sgridando i familiari chini al lavoro: – Dài con quella zappa, Giona! Strappa l'erba, Susanna! Tobia, spargi il letame! – e dava mille ordini e rimproveri con l'astio di chi si rivolge a un branco d'inetti e di sciuponi, e ogni volta dopo aver gridato le mille cose che dovevano fare perché la campagna non andasse in malora, si metteva a farle lui stesso, scacciando gli altri d'intorno, e sempre gridando: – Peste e carestia!

Sua moglie non gridava mai, invece, e sembrava, a differenza degli altri, sicura d'una sua religione segreta, fissata fin nei minimi particolari, ma di cui non faceva parola ad alcuno. Le bastava guardar fisso, coi suoi occhi tutti pupilla, e dire, a labbra tese: – Ma vi pare il caso, sorella Rachele? Ma vi pare il caso, fratello Aronne? – perché i rari sorrisi scomparissero dalle bocche dei familiari e le espressioni tornassero gravi e intente.

Arrivai una sera a Col Gerbido mentre gli ugonotti stavano pregando. Non che pronunciassero parole e stessero a mani giunte o inginocchiati; stavano ritti in fila nella vigna, gli uomini da una parte e le donne dall'altra, e in fondo il vecchio Ezechiele con la barba sul petto. Guardavano diritto davanti a sé, con le mani strette a pugno che pendevano dalle lunghe braccia nodose, ma benché sembrassero assorti non perdevano la cognizione di quel che li circondava, e Tobia allungò una mano e tolse un bruco da una vite, Rachele con la suola chiodata schiacciò una lumaca, e lo stesso Ezechiele si tolse tutt'a un tratto il cappello per spaventare i passeri scesi sul frumento.

Poi intonarono un salmo. Non ne ricordavano le parole ma soltanto l'aria, e neanche quella bene, e spesso qualcuno stonava o forse tutti stonavano sempre, ma non smettevano mai, e finita una strofa ne attaccavano un'altra, sempre senza pronunciare le parole.

Mi sentii tirare per un braccio e c'era il piccolo Esaù che mi faceva segno di star zitto e di venir con lui. Esaù aveva la mia età; era l'ultimo figlio del vecchio Ezechiele; dei suoi aveva solo l'espressione del viso dura e tesa, ma con un fondo di malizia furfantesca. Carponi per la vigna ci allontanammo, mentre lui mi diceva: – Ce n'hanno per mezz'ora; che barba! Vieni a vedere la mia tana.

La tana di Esaù era segreta. Lui ci si nascondeva perché i suoi non lo trovassero e non lo mandassero a pascolare le capre o a togliere le lumache dagli ortaggi. Vi passava intere giornate in ozio, mentre suo padre lo cercava urlando per la campagna.

Esaù aveva una provvista di tabacco, e appese a una parete teneva due lunghe pipe di maiolica. Ne riempì una, e volle che fumassi. Mi insegnò ad accendere e gettava grandi boccate con un'avidità che non avevo mai visto in un ragazzo. Io era la prima volta che fumavo; mi venne subito male e smisi. Per rinfrancarmi Esaù tirò fuori una bottiglia di grappa e mi versò un bicchiere che mi fece tossire e torcer le budella. Lui lo beveva come fosse acqua.

– Per ubriacarmi ce ne vuole, – disse.

– Dove hai preso tutte queste cose che tieni nella tana? – gli chiesi.

Esaù fece un gesto rampante con le dita: – Rubate.

S'era messo a capo d'una banda di ragazzi cattolici che saccheggiavano le campagne attorno; e non solo spogliavano gli alberi da frutta, ma entravano anche nelle case e nei pollai. E bestemmiavano più forte e più sovente perfino di Mastro Pietrochiodo: sapevano tutte le bestemmie cattoliche e ugonotte, e se le scambiavano tra loro.

– Ma faccio anche tanti altri peccati, – mi spiegò, – dico falsa testimonianza, mi dimentico di dar acqua ai fagioli, non rispetto il padre e la madre, torno a casa la sera tardi. Adesso voglio fare tutti i peccati che ci sono; anche quelli che dicono che non sono abbastanza grande per capire.

– Tutti i peccati? – io gli dissi. – Anche ammazzare?

Si strinse nelle spalle: – Ammazzare adesso non mi conviene e non mi serve.

– Mio zio ammazza e fa ammazzare per gusto, dicono, – feci io, per aver qualcosa da parte mia da contrapporre a Esaù.

Esaù sputò.

– Un gusto da scemi, – disse.

Poi tuonò e fuori della tana prese a piovere.

- A casa ti cercheranno, - dissi a Esaù. A me nessuno mi cercava mai, ma vedevo che gli altri ragazzi erano sempre cercati dai genitori, specie quando veniva brutto tempo, e credevo fosse una cosa importante.

- Aspettiamo qui che spiova, - disse Esaù, - intanto giocheremo ai dadi.

Tirò fuori i dadi e una pila di denari. Denaro io non ne avevo, così mi giocai zufoli, coltelli e fionde e persi tutto.

- Non scoraggiarti, - mi disse alla fine Esaù, - sai: io baro.

Fuori: tuoni e lampi e pioggia dirotta. La grotta d'Esaù s'andò allagando. Lui mise in salvo il tabacco e le altre sue cose e disse: - Diluvierà tutta notte: è meglio correre a ripararci a casa.

Eravamo zuppi e infangati quando arrivammo al casolare del vecchio Ezechiele. Gli ugonotti erano seduti intorno al tavolo, alla luce d'un lumino, e cercavano di ricordarsi qualche episodio della Bibbia, badando bene a raccontarli come cose che pareva loro d'aver letto una volta, di significato e verità insicuri.

- Peste e carestia! - gridò Ezechiele menando un pugno sul tavolo, che spense il lumino, quando suo figlio Esaù comparve con me nel vano della porta.

Io presi a battere i denti. Esaù fece spallucce. Fuori sembrava che tutti i tuoni e i fulmini si scaricassero su Col Gerbido. Mentre riaccendevano il lumino, il vecchio coi pugni alzati enumerava i peccati di suo figlio come i più nefandi che mai essere umano avesse commesso, ma non ne conosceva che una piccola parte. La madre assentiva muta, e tutti gli altri figli e generi e nuore e nipoti ascoltavano col mento sul petto e il viso nascosto tra le mani. Esaù morsicava una mela come se quella predica non lo riguardasse.

Io, tra quei tuoni e la voce d'Ezechiele, tremavo come un giunco.

La sgridata fu interrotta dal ritorno degli uomini di guardia, con sacchi per cappuccio, tutti zuppi di pioggia. Gli ugonotti facevano la guardia a turno per tutta la nottata, armati di schioppi, roncole e forche fienaie, per prevenire le incursioni proditorie del visconte, ormai loro nemico dichiarato.

– Padre! Ezechiele! – dissero quegli ugonotti. – È una notte da lupi. Certo lo Zoppo non verrà. Possiamo ritirarci in casa, padre?

– Non ci sono segni del Monco, intorno? – chiese Ezechiele.

– No, padre, se si eccettua il puzzo di bruciato che lasciano i fulmini. Non è notte per l'Orbo, questa.

– Restate in casa e cambiatevi i panni, allora. Che la tempesta porti pace allo Sfiancato e a noi.

Lo Zoppo, il Monco, l'Orbo, lo Sfiancato erano alcuni degli appellativi con cui gli ugonotti indicavano mio zio; né li sentii mai chiamarlo col suo vero nome. Essi ostentavano in questi discorsi una specie di confidenza col visconte, come se la sapessero lunga su di lui, quasi lui fosse un antico nemico. Si lanciavano tra loro brevi frasi accompagnate da ammicchi e risatine: – Eh, eh, il Monco... Proprio così, il Mezzo Sordo... – come se tutte le tenebrose follie di Medardo fossero per loro chiare e prevedibili.

Stavano così parlando, quando nella bufera s'udì un pugno battuto alla porta. – Chi bussa con questo tempo? – disse Ezechiele. – Presto, gli sia aperto.

Aprirono e sulla soglia c'era il visconte ritto sull'unica gamba, avvolto nel nero mantello stillante, col cappello piumato fradicio di pioggia.

– Ho legato il mio cavallo nella vostra stalla, – disse. – Date ospitalità anche a me, vi prego. La notte è brutta per il viandante.

Tutti guardarono Ezechiele. Io m'ero nascosto sotto il tavolo, perché mio zio non scoprisse che frequentavo quella casa nemica.

– Sedetevi al fuoco, – disse Ezechiele. – L'ospite in questa casa è sempre il benvenuto.

Vicino alla soglia c'era un mucchio di lenzuoli di quelli da stender sotto gli alberi per raccogliere le olive; Medardo ci si sdraiò e s'addormentò.

Nel buio, gli ugonotti si raccolsero attorno ad Ezechiele.

– Padre, l'abbiamo in nostra mano, ora, lo Zoppo! – bisbigliarono. – Dobbiamo lasciarcelo scappare? Dobbiamo permettere che commetta altri delitti contro gli innocenti? Ezechiele, non è giunta l'ora che paghi il fio, lo Snaticato?

Il vecchio alzò i pugni contro il soffitto: – Peste e carestia! – gridò, se si può dir che gridi chi parla senza emetter quasi suono ma con tutta la sua forza. – In casa nostra nessun ospite ha mai ricevuto torto. Andrò a montar la guardia io stesso per proteggere il suo sonno.

E con lo schioppo a tracolla si piantò accanto al visconte coricato. L'occhio di Medardo s'aperse. – Che fate lì, Mastro Ezechiele?

– Proteggo il vostro sonno, ospite. Molti vi odiano.

– Lo so, – disse il visconte, – non dormo al castello perché temo che i servi m'uccidano nel sonno.

– Neppure in casa mia v'amiamo, Mastro Medardo. Però stanotte sarete rispettato.

Il visconte stette un poco in silenzio, poi disse: – Ezechiele, voglio convertirmi alla vostra religione.

Il vecchio non disse nulla.

– Sono circondato da gente infida, – continuò Medardo. · Vorrei disfarmi di tutti loro, e chiamare gli ugonotti al castello. Voi, Mastro Ezechiele, sarete il mio ministro. Dichiarerò Terralba territorio ugonotto e inizierò la guerra contro i prìncipi cattolici. Voi e i vostri familiari sarete i capi. Siete d'accordo, Ezechiele? Potete convertirmi?

Il vecchio stava ritto immobile col gran petto traversato dalla banda del fucile. – Troppe cose ho dimenticato della nostra religione, – disse, – perché possa osare di convertir qualcuno. Io resterò nelle mie terre secondo la mia coscienza. Voi nelle vostre con la vostra.

Il visconte s'alzò sul gomito: – Sapete, Ezechiele, che non ho ancora reso conto all'Inquisizione della presenza d'eretici nel mio territorio? E che le vostre teste mandate in regalo al nostro vescovo mi farebbero tornare subito nelle grazie della curia?

– Le nostre teste sono ancora attaccate ai nostri colli, signore, – disse il vecchio, – ma c'è qualcosa che è ancor più difficile strapparci.

Medardo balzò in piedi e aperse l'uscio. – Dormirò più volentieri sotto quella rovere laggiù, che in casa di nemici –. E saltò via sotto la pioggia.

Il vecchio chiamò gli altri: – Figli, era scritto che per primo venisse lo Zoppo, a visitarci. Ora se n'è andato; il sentiero della nostra casa è sgombro; non disperate, figli: forse un giorno passerà un miglior viandante.

Tutti i barbuti ugonotti e le donne incuffiettate chinarono il capo.

– E se anche non verrà nessuno, – aggiunse la moglie d'Ezechiele, – noi resteremo al nostro posto.

In quel momento una folgore squarciò il cielo, e il tuono fece tremare le tegole e le pietre delle mura. Tobia gridò: – Il fulmine è caduto sulla rovere! Ora brucia!

Corsero fuori con le lanterne, e videro il grande albero carbonizzato per metà, dalla vetta alle radici, e l'altra metà era intatta. Lontano sotto la pioggia sentirono gli zoccoli d'un cavallo e a un lampo videro la figura ammantellata del sottile cavaliere.

– Tu ci hai salvati, padre, – dissero gli ugonotti. – Grazie, Ezechiele.

Il cielo si schiariva a levante e c'era l'alba.

Esaù mi chiamò in disparte: – Di' se sono scemi, – mi disse piano, – guarda io intanto cos'ho fatto, – e mostrò una manciata d'oggetti luccicanti, – tutte le borchie d'oro della sella, gli ho preso, mentre il cavallo era legato nella stalla. Di' se sono stati scemi, loro, a non pensarci.

Questo modo di fare di Esaù non mi garbava, e quello dei suoi parenti mi metteva soggezione. E allora preferivo starmene per conto mio e andare alla marina a raccogliere patelle e a cacciar granchi. Mentre su una punta di scoglio cercavo di stanare un granchiolino, vidi nell'acqua calma sotto di me specchiarsi una lama sopra il mio capo, e dallo spavento caddi in mare.

– Tienti qua, – disse mio zio, perché era lui che s'era avvicinato alle mie spalle. E voleva m'afferrassi alla sua spada, dalla parte della lama.

– No, faccio da me, – risposi, e m'arrampicai su uno sperone che un braccio d'acqua separava dal resto della scogliera.

– Vai per granchi? – disse Medardo, – io per polpi, – e mi fece vedere la sua preda. Erano grossi polpi bruni e bianchi. Erano tagliati in due con un colpo di spada, ma continuavano a muovere i tentacoli.

– Così si potesse dimezzare ogni cosa intera, – disse mio zio coricato bocconi sullo scoglio, carezzando quelle convulse metà di polpo, – così ognuno potesse uscire dalla sua ottusa e ignorante interezza. Ero intero e tutte le cose erano per me naturali e confuse, stupide come l'aria; credevo di veder tutto e non era che la scorza. Se mai tu diventerai metà di te stesso, e te l'auguro, ragazzo, capirai cose al di là della comune intelligenza dei cervelli interi. Avrai perso metà di te e del mondo, ma la metà rimasta sarà mille volte più profonda e preziosa. E tu pure vorrai che tutto sia dimezzato e straziato a tua immagine, perché bellezza e sapienza e giustizia ci sono solo in ciò che è fatto a brani.

– Uh, uh, – dicevo io, – che moltitudine di granchi, qui! – e fingevo interesse solo alla mia caccia, per tenermi lontano dalla spada di mio zio. Non tornai a riva finché non si fu allontanato coi suoi polpi. Ma l'eco delle sue parole continuava a turbarmi e non trovavo riparo a questa sua furia dimezzatrice. Da qualsiasi parte mi voltassi, Trelawney, Pietrochiodo, gli ugonotti, i lebbrosi, tutti eravamo sotto il segno dell'uomo dimezzato, era lui il padrone che servivamo e da cui non riuscivamo a liberarci.

VI

Affibbiato alla sella del suo cavallo saltatore, Medardo di Terralba saliva e scendeva di buon'ora per le balze, e si sporgeva a valle scrutando con occhio di rapace. Così vide la pastorella Pamela in mezzo a un prato assieme alle sue capre.

Il visconte si disse: «Ecco che io tra i miei acuti sentimenti non ho nulla che corrisponda a quello che gli interi chiamano amore. E se per loro un sentimento così melenso ha pur tanta importanza, quello che per me potrà corrispondere a esso, sarà certo magnifico e terribile». E decise d'innamorarsi di Pamela, che grassottella e scalza, con indosso una semplice vesticciuola rosa, se ne stava bocconi sull'erba, dormicchiando, parlando con le capre e annusando i fiori.

Ma i pensieri che egli aveva freddamente formulato non devono trarci in inganno. Alla vista di Pamela, Medardo aveva sentito un indistinto movimento del sangue, qualcosa che da tempo più non provava, ed era corso a quei ragionamenti con una specie di fretta impaurita.

Sulla via del ritorno, a mezzogiorno, Pamela vide che tutte le margherite dei prati avevano solo la metà dei petali e l'altra metà della raggera era stata sfogliata. «Ahimè, – si disse, – di tutte le ragazze della valle, doveva capitare proprio a me!» Aveva capito che il visconte s'era innamorato di lei. Colse tutte le mezze margherite, le portò a casa e le mise tra le pagine del libro da messa.

Il pomeriggio andò al Prato delle Monache a pascolare le anatre e a farle nuotare nello stagno. Il prato era cosparso di bianche pastinache, ma anche a questi fiori era toccata la sorte delle margherite, come se parte d'ogni corimbo fosse stata tagliata via con una forbiciata. «Ahimè di me, – si disse, – sono proprio io quella che lui vuole!» e raccolse in un mazzo le pastinache dimezzate, per infilarle nella cornice dello specchio del comò.

Poi non ci pensò più, si legò la treccia intorno al capo, si tolse la vestina e fece il bagno nel laghetto assieme alle sue anatre.

Alla sera, venendo a casa per i prati c'era pieno di tarassachi detti anche «soffioni». E Pamela vide che avevano perduto i piumini da una parte sola, come se qualcuno si fosse steso a terra a soffiarci sopra da una parte, o con mezza bocca soltanto. Pamela colse qualcuna di quelle mezze spere bianche, ci soffiò su e il loro morbido spiumìo volò lontano. «Ahimemè di me, – si disse, – mi vuole proprio. Come andrà a finire?»

Il casolare di Pamela era così piccolo che una volta fatte entrare le capre al primo piano e le anatre al pianterreno non ci si stava più. Tutt'intorno era circondato d'api, perché tenevano pure gli alveari. E sottoterra c'era pieno di formicai, che bastava posare una mano in qualsiasi posto per tirarla su nera e formicolante. Stando così le cose la mamma di Pamela dormiva nel pagliaio, il babbo dormiva in una botte vuota, e Pamela in un'amaca sospesa tra un fico e un olivo.

Sulla soglia Pamela s'arrestò. C'era una farfalla morta. Un'ala e metà del corpo erano stati schiacciati da una pietra. Pamela mandò uno strillo e chiamò il babbo e la mamma.

– Chi c'è stato, qui? – disse Pamela.

– È passato il nostro visconte poco fa, – dissero babbo e mamma, – ha detto che stava rincorrendo una farfalla che l'aveva punto.

– Quando mai le farfalle hanno punto qualcuno? – disse Pamela.

– Mah, anche noi ce lo chiediamo.

– La verità è, – disse Pamela, – che il visconte s'è innamorato di me e dobbiamo esser preparati al peggio.

– Uh, uh, non ti montar la testa, non esagerare, – risposero i vecchi, come sempre i vecchi usano rispondere, quando non sono i giovani a risponder loro così.

L'indomani quando giunse alla pietra dove usava sedere pascolando le capre, Pamela lanciò un urlo. Orrendi resti bruttavano la pietra: erano metà d'un pipistrello e metà d'una medusa, l'una stillante nero sangue e l'altra viscida materia, l'una con l'ala spiegata e l'altra con le molli frange gelatinose. La pastorella capì ch'era un messaggio. Voleva dire: appuntamento stasera in riva al mare. Pamela si fece coraggio e andò.

Sulla riva del mare si sedette sui ciottoli e ascoltava il fruscìo dell'onda bianca. E poi uno scalpitìo sui ciottoli e Medardo galoppava per la riva. Si fermò, si sfibbiò, scese di sella.

– Io, Pamela, ho deciso d'essere innamorato di te, – egli le disse.

– Ed è per questo, – saltò su lei, – che straziate tutte le creature della natura?

– Pamela, – sospirò il visconte, – nessun altro linguaggio abbiamo per parlarci se non questo. Ogni incontro di due esseri al mondo è uno sbranarsi. Vieni con me, io ho la conoscenza di questo male e sarai più sicura che con chiunque altro; perché io faccio del male come tutti lo fanno; ma, a differenza degli altri, io ho la mano sicura.

– E strazierete anche me come le margherite o le meduse?

– Io non lo so quel che farò con te. Certo l'averti mi renderà possibili cose che neppure immagino. Ti porterò nel castello e ti terrò lì e nessun altro ti vedrà e avremo giorni e mesi per capire quel che dovremo fare e inventar sempre nuovi modi per stare insieme.

Pamela era sdraiata sulla ghiaia e Medardo le s'era inginocchiato vicino. Parlando gesticolava sfiorandola tutt'intorno con la mano, ma senza toccarla.

– Ebbene: io devo sapere prima cosa mi farete. E potete ben darmene un assaggio ora e io deciderò se venire o no al castello.

Il visconte lentamente avvicinò alla guancia di Pamela la sua mano sottile e adunca. La mano tremava e non si capiva se fosse tesa verso una carezza o verso un graffio. Ma non era ancora arrivato a toccarla, quando ritrasse la mano d'un tratto e si rizzò.

– È al castello che ti voglio, – disse issandosi a cavallo,

– vado a preparare la torre dove abiterai. Ti lascio ancora un giorno per pensarci e poi dovrai esserti decisa.

E in così dire spronò via per quelle spiagge.

L'indomani Pamela salì come al solito sul gelso per cogliere le more e sentì gemere e starnazzare tra le fronde. Per poco non cascò dallo spavento. A un ramo alto era legato un gallo per le ali, e grossi bruchi azzurri e pelosi lo stavan divorando: un nido di processionarie, cattivi insetti che vivono sui pini, gli era stato posato proprio sulla cresta.

Era certo un altro degli orribili messaggi del visconte. E Pamela l'interpretò: «Domani all'alba ci vedremo al bosco».

Con la scusa di riempire un sacco di pigne Pamela salì al bosco, e Medardo sbucò da dietro un tronco appoggiato alla sua gruccia.

– Allora, – chiese a Pamela, – ti sei decisa a venire al castello?

Pamela era sdraiata sugli aghi di pino. – Decisa a non andarci, – disse voltandosi appena. – Se mi volete, venitemi a trovare qui nel bosco.

– Verrai al castello. La torre dove dovrai abitare è preparata e ne sarai l'unica padrona.

– Voi volete tenermi lì prigioniera e poi magari farmi bruciare dall'incendio o rodere dai topi. No, no. V'ho detto: sarò vostra se lo volete ma qui sugli aghi di pino.

Il visconte s'era accosciato accanto alla testa di lei. Aveva un ago di pino in mano; l'avvicinò al suo collo e glielo passò intorno. Pamela si sentì venir la pelle d'oca ma stette ferma. Vedeva il viso del visconte chino su di lei, quel profilo che restava profilo anche visto di fronte, e quelle mezze chiostre di denti scoperte in un sorriso a forbice. Medardo strinse l'ago di pino nel pugno e lo spezzò. Si rialzò. – È chiusa nel castello che voglio averti, è chiusa nel castello!

Pamela capì che poteva azzardarsi, e muoveva nell'aria i piedi scalzi dicendo: – Qui nel bosco, non dico di no; al chiuso, neanche morta.

– Saprò ben portartici io! – disse Medardo posando la mano sulla spalla del cavallo che s'era avvicinato come passasse

49

lì per caso. Salì sulla staffa e spronò via per i sentieri della foresta.

Quella notte Pamela dormì nella sua amaca appesa tra l'olivo e il fico, e al mattino, orrore! si trovò una piccola carogna sanguinante in grembo. Era un mezzo scoiattolo, tagliato come il solito per il lungo, ma con la fulva coda intatta.

– Ahimè povera me, – disse ai genitori, – questo visconte non mi lascia vivere.

Il babbo e la mamma si passarono di mano in mano la carogna dello scoiattolo.

– Però, – disse il babbo, – la coda l'ha lasciata intera. Forse è un buon segno...

– Forse sta cominciando a diventare buono... – disse la mamma.

– Taglia sempre tutto in due, – disse il babbo, – ma quel che lo scoiattolo ha di più bello, la coda, lo rispetta...

– Questo messaggio forse vuol dire, – fece la mamma, che quanto tu hai di buono e di bello lui lo rispetterà...

Pamela si mise le mani nei capelli. – Cosa devo sentire da voi, padre e madre! Qui c'è qualcosa sotto: il visconte v'ha parlato...

– Parlato no, – disse il babbo, – ma ci ha fatto dire che vuol venirci a trovare e che s'interesserà delle nostre miserie.

– Padre, se viene a parlarti scoperchia gli alveari e manda gli incontro le api.

– Figlia, forse Mastro Medardo sta diventando migliore. – disse la vecchia.

– Madre, se viene a parlarvi, legatelo sul formicaio e lascia telo lì.

Quella notte il pagliaio dove dormiva la mamma prese fuoco e la botte dove dormiva il babbo si sfasciò. Al mattino i due vecchietti contemplavano i resti del disastro quando apparve il visconte.

– Mi dispiace avervi spaventato, stanotte, – disse, – ma non sapevo come entrare in argomento. Il fatto è che mi piace vostra figlia Pamela e vorrei portarmela al castello. Perciò vi chiedo formalmente di darla in mano mia. La sua vita cambierà, e anche la vostra.

– Si figuri noi se non saremmo contenti, signoria! – disse il vecchietto. – Ma lei sapesse mia figlia il carattere che ha! Pensi che ha detto di aizzarle contro le api degli alveari...

– Pensi un po', signoria... – disse la madre, – si figuri che ha detto di legarla sul formicaio...

Fortuna che Pamela rincasò presto quel giorno. Trovò suo padre e sua madre legati e imbavagliati uno sull'alveare, l'altra sul formicaio. E fortuna che le api conoscevano il vecchio e le formiche avevano altro da fare che mordere la vecchia Così poté salvarli tutti e due.

– Avete visto com'è diventato buono, il visconte? – disse Pamela.

Ma i due vecchietti covavano qualcosa. E l'indomani legarono Pamela e la chiusero in casa con le bestie; e andarono al castello a dire al visconte che se voleva la loro figlia la mandasse pur a prendere, ché loro erano disposti a consegnargliela.

Ma Pamela sapeva parlare alle sue bestie. A beccate le anatre la liberarono dai lacci, e a cornate le capre sfondarono la porta. Pamela corse via, prese con sé la capra e l'anatra preferite, e andò a vivere nel bosco. Stava in una grotta nota solo a lei e a un bambino che le portava i cibi e le notizie.

Quel bambino ero io. Con Pamela nel bosco era un bel vivere. Le portavo frutta, formaggio e pesci fritti e lei in cambio mi dava qualche tazza di latte della capra e qualche uovo d'anatra. Quando lei si bagnava negli stagni e nei ruscelli io facevo la guardia perché nessuno la vedesse.

Per il bosco passava alle volte mio zio, ma si teneva al largo, pur manifestando la sua presenza nei tristi modi consueti a lui. Alle volte una frana di sassi sfiorava Pamela e le sue bestie; alle volte un tronco di pino a cui lei s'appoggiava cedeva, minato alla base da colpi d'accetta; alle volte una sorgente si scopriva inquinata da resti d'animali uccisi.

Mio zio aveva preso a andare a caccia, con una balestra ch'egli riusciva a manovrare con l'unico braccio. Ma s'era fatto ancor più cupo e sottile, come se nuove pene rodessero quel rimasuglio del suo corpo.

Un giorno il dottor Trelawney andava per i campi con me

quando il visconte ci venne incontro a cavallo e quasi lo investì, facendolo cadere. Il cavallo s'era fermato con lo zoccolo sul petto dell'inglese, e mio zio disse: – Mi spieghi lei, dottore: ho un senso come se la gamba che non ho fosse stanca per un gran camminare. Cosa può esser questo?

Trelawney si confuse e balbettò com'era solito, e il visconte spronò via. Ma la domanda doveva aver colpito il dottore, che si mise a rifletterci, reggendosi il capo con le mani. Mai avevo visto in lui tanto interesse per una questione di medicina umana.

VII

Attorno a Pratofungo crescevano cespugli di menta piperita e siepi di rosmarino, e non si capiva se fosse natura selvatica o aiole d'un orto degli aromi. Io m'aggiravo col petto carico d'un respiro dolciastro e cercavo la via per raggiungere la vecchia balia Sebastiana.

Da quando Sebastiana era sparita per il sentiero che portava al villaggio dei lebbrosi, io mi ricordavo più spesso d'esser orfano. Mi disperavo di non saper più nulla di lei; ne chiedevo a Galateo, gridando arrampicato in cima a un albero quando lui passava; ma Galateo era nemico dei bambini che alle volte gli gettavano addosso lucertole vive dalla cima degli alberi, e dava risposte canzonatorie e incomprensibili, con la sua voce melata e squillante. E ora in me alla curiosità d'entrare in Pratofungo s'aggiungeva quella di ritrovare la gran balia, e giravo senza requie tra i cespugli odorosi.

Ed ecco che da una macchia di timo s'alzò una figura vestita di chiaro, con un cappello di paglia, e camminò verso il paese. Era un vecchio lebbroso, e io volevo chiedergli della balia, e avvicinandomi quel tanto che bastava per farmi udire, ma senza gridare, dissi: – Ehi, là, signor lebbroso!

Ma in quel momento, forse svegliata dalle mie parole, proprio vicino a me un'altra figura si levò a sedere e si stirò. Aveva il viso tutto scaglioso come una scorza secca, e una lanosa rada barba bianca. Prese in tasca uno zufolo e lanciò un trillo verso di me, come mi canzonasse. M'accorsi allora che il pomeriggio di sole era pieno di lebbrosi sdraiati, nascosti nei cespugli, e adesso si levavano pian piano nei loro chiari sai, e camminavano controluce verso Pratofungo, reggendo in mano strumenti musicali o da giardiniere, e con essi facevano rumore. Io m'ero ritratto per allontanarmi da quell'uomo barbuto, ma quasi finii addosso a una lebbrosa senza naso che si stava pettinando tra le fronde d'un lauro, e per quanto saltassi per la macchia capitavo sempre contro altri lebbrosi e m'accorgevo che i passi che potevo muovere erano solo in direzione di Pratofungo, i cui tetti di paglia adorni di festoni d'aquilone erano ormai vicini, al piede di quella china.

I lebbrosi rivolgevano a me l'attenzione solo di quando in quando, con strizzate d'occhio e accordi d'organetto, però mi sembrava che al centro di quella loro marcia ci fossi proprio io e mi stessero accompagnando a Pratofungo come un animale catturato. Nel villaggio le mura delle case erano dipinte di lilla e a una finestra una donna mezzo discinta, con macchie lilla sul viso e sul petto, suonatrice di lira, gridò: – Son tornati i giardinieri! – e suonò la lira. Altre donne s'affacciarono alle finestre e alle altane agitando sonagliere e cantando: – Bentornati, giardinier!

Io badavo a tenermi nel mezzo di quella viuzza e a non toccar nessuno; ma mi trovai come in un crocicchio, con lebbrosi tutt'attorno, seduti uomini e donne sulle soglie delle loro case, coi sai laceri e sbiaditi dai quali trasparivano bubboni e vergogne, e tra i capelli fiori di biancospino e anemone.

I lebbrosi tenevano un concertino che avrei detto in mio onore. Alcuni inclinavano i violini verso di me con esagerati indugi dell'archetto, altri appena li guardavo facevano il verso della rana, altri mi mostravano strani burattini che salivano e scendevano su un filo. Di tanti e così discordi gesti e suoni era appunto fatto il concertino, ma c'era una specie di ritornello che essi ripetevano ogni tanto: – Il pulcino senza macchia, va per more e si macchiò.

– Io cerco la mia balia, – dissi forte, – la vecchia Sebastiana: sapete dov'è?

Scoppiarono a ridere, con quella loro aria saputa e maligna.

– Sebastiana! – gridai. – Sebastiana! dove sei?

– Ecco, bambino, – disse un lebbroso, – buono, bambino, – e indicò una porta.

La porta s'aperse e ne uscì una donna olivastra, forse saracena, seminuda e tatuata, con addosso code d'aquilone, che cominciò una danza licenziosa. Non capii bene cosa successe poi: uomini e donne si buttarono gli uni addosso agli altri e iniziarono quella che poi appresi doveva essere un'orgia.

Mi feci piccino piccino quando tutt'a un tratto la gran vecchia Sebastiana si fece largo in quella cerchia.

– Brutti sporcaccioni, – disse. – Almeno un po' di riguardo per un'anima innocente.

Mi prese per mano e mi tirò via mentre loro cantavano: – Il pulcino senza macchia, va per more e si macchiò!

Sebastiana era vestita in panni viola chiaro di foggia quasi monacale e già qualche macchia deturpava le sue guance senza rughe. Io ero felice di aver ritrovato la balia, ma disperato perché mi aveva preso per mano e attaccato certamente la lebbra. E glielo dissi.

– Non aver paura, – rispose Sebastiana, – mio padre era un pirata e mio nonno un eremita. Io so le virtù di tutte le erbe, contro le malattie sia nostrane che moresche. Loro si stuzzicano con l'origano e la malva; io invece zitta zitta con la borragine e il crescione mi faccio certi decotti che la lebbra non la piglierò mai finché campo.

– Ma quelle macchie che hai in faccia, balia? – chiesi io, molto sollevato ma non ancora del tutto persuaso.

– Pece greca. Per far loro credere che ho la lebbra anch'io. Vieni qui da me che ti faccio bere una delle mie tisane calda calda, perché a girare in questi posti la prudenza non è mai troppa.

M'aveva portato a casa sua, una capannuccia un po' discosta, pulita, con la roba stesa; e discorremmo.

– E Medardo? E Medardo? – m'interrogava lei, e ogni volta che parlavo mi toglieva la parola di bocca. – Ah che briccone! Ah che malandrino! Innamorato! Ah povera ragazza! E qui, e qui, voi non v'immaginate! Sapessi la roba che sprecano! Tutta roba che ci togliamo noi di bocca per darla a Galateo, e qui sai cosa ne fanno? Già quel Galateo è un poco di buono, sai? Un cattivo soggetto, e non è il solo! Le cose che fanno la notte! E al giorno, poi! E queste donne, delle svergognate così non ne ho mai viste! Almeno sapessero aggiustare la roba, ma neanche quello! Disordinate e straccione! Oh, io gliel'ho detto in faccia... E loro, sai cosa m'han risposto, loro?

Molto contento di questa visita alla balia l'indomani andai a pescare anguille.

Misi la lenza in un laghetto del torrente e aspettando m'addormentai. Non so quanto durò il mio sonno; un rumore mi svegliò. Apersi gli occhi e vidi una mano alzata sulla mia testa, e su quella mano un peloso ragno rosso. Mi girai ed era mio zio nel suo nero mantello.

Balzai pieno di spavento, ma in quel momento il ragno morse la mano di mio zio e rapidissimo scomparve. Mio zio portò la mano alle labbra, succhiò lievemente la ferita e disse:
– Dormivi e ho visto un ragno velenoso filare giù sul tuo collo da quel ramo. Ho messo avanti la mia mano ed ecco che m'ha punto.

Io non credetti neanche una parola: già tre volte a dir poco aveva attentato alla mia vita con simili sistemi. Ma certo ora quel ragno gli aveva morso la mano e la mano gli gonfiava.

– Tu sei mio nipote, – disse Medardo.

– Sì, – risposi un po' sorpreso perché era la prima volta che mostrava di riconoscermi.

– T'ho riconosciuto subito, – lui disse. E aggiunse: – Ah, ragno! Ho un'unica mano e tu vuoi avvelenarmela! Ma certo, meglio che sia toccato alla mia mano che al collo di questo fanciullo.

Ch'io sapessi, mio zio non aveva mai parlato così. Il dubbio che dicesse la verità e che fosse tutt'a un tratto diventato buono m'attraversò la mente, ma subito lo scacciai: finzioni e tranelli erano abituali in lui. Certo, appariva molto cambiato, con un'espressione non più tesa e crudele ma languida e accorata, forse per la paura e il dolore del morso. Ma era anche il vestiario impolverato e di foggia un po' diversa dal solito, a dar quell'impressione: il suo mantello nero era un po' sbrindellato, con foglie secche e ricci di castagne appiccicati ai lembi; anche l'abito non era del solito velluto nero, ma d'un fustagno spelacchiato e stinto, e la gamba non era più inguainata dall'alto stivale di cuoio, ma da una calza di lana a strisce azzurre e bianche.

Per mostrare che non m'interessavo di lui, andai a guardare se mai un'anguilla avesse abboccato alla mia lenza. Di anguille non ce n'era, ma vidi che infilato all'amo brillava un anello d'oro con diamante. Lo tirai su e sulla pietra c'era lo stemma dei Terralba.

Il visconte mi seguiva con lo sguardo e disse: – Non stupirti. Passando di qui ho visto un'anguilla dibattersi presa all'amo e m'ha fatto tanta pena che l'ho liberata; poi pensando al danno che avevo col mio gesto arrecato al pescatore, ho voluto ripagarlo col mio anello, ultima cosa di valore che mi resta.

Io ero rimasto a bocca aperta. E Medardo continuò:

– Ancora non sapevo che il pescatore eri tu. Poi t'ho trovato addormentato tra l'erba e il piacere di vederti s'è subito mutato in apprensione per quel ragno che ti scendeva addosso. Il resto, già lo sai, – e così dicendo si guardò tristemente la mano gonfia e viola.

Poteva darsi che fosse tutto un seguito di crudeli inganni; ma io pensavo a quanto bella sarebbe stata una sua improvvisa conversione di sentimenti, e quanta gioia avrebbe portato anche a Sebastiana, a Pamela, a tutte le persone che pativano per la sua crudeltà.

– Zio, – dissi a Medardo, – aspettami qui. Corro dalla balia Sebastiana che conosce tutte le erbe e mi faccio dare quella che guarisce i morsi dei ragni.

– La balia Sebastiana... – disse il visconte, stando sdraiato con la mano sul petto. – Come sta, dunque?

Non mi fidai di dirgli che Sebastiana non aveva preso la lebbra e mi limitai a dire: – Eh, così così. Io vado, – e corsi via, desideroso più d'ogni altra cosa di domandare a Sebastiana cosa pensasse di questi strani fenomeni.

Ritrovai la balia nella sua capannuccia. Ero affannato per la corsa e l'impazienza, e le feci un racconto un po' confuso, ma la vecchia s'interessò di più al morso che agli atti di bontà di Medardo. – Un ragno rosso, dici? Sì, sì, conosco l'erba che ci vuole... A un boscaiolo gonfiò un braccio, una volta... È diventato buono, dici? Mah, cosa vuoi che ti dica, è sempre

stato un ragazzo così, anche lui bisogna saperlo prendere...
Ma dove ho messo quell'erba? Basta fargli un impacco. Un
briccone fin da piccolo, Medardo... Ecco l'erba, ne avevo
messo in serbo un sacchettino... Però, sempre così: quando si
faceva male veniva a piangere dalla balia... È profondo questo morso?

– Ha la mano sinistra gonfia così, – dissi.

– Ah, ah, bambino... – rise la balia. – La sinistra... E dove
ce l'ha, Mastro Medardo, la sinistra? L'ha lasciata là in Boemia da quei turchi, che il diavolo li porti, l'ha lasciata là, tutta
la metà sinistra del suo corpo...

– Eh già, – feci io, – eppure... lui era lì, io ero qui, lui aveva la mano voltata così... Come può essere?

– Non riconosci più la destra dalla sinistra, adesso? – disse
la balia. – Eppure l'hai imparato fin da quando avevi cinque
anni...

Io non mi raccapezzavo più. Certo Sebastiana aveva ragione, io però ricordavo tutto all'incontrario.

– Portagli quest'erba, allora, da bravo, – disse la balia e io
corsi via.

Arrivai trafelato al torrente ma mio zio non c'era più.
Guardai dovunque intorno: era sparito con la sua mano gonfia e avvelenata.

Veniva sera e giravo tra gli olivi. Ed ecco che lo vedo, avvolto nel mantello nero, in piedi su una riva appoggiato a un
tronco. Mi dava le spalle e guardava verso il mare. Io sentii la
paura riprendermi e, a fatica, con un fil di voce, riuscii a dire:

– Zio, qui è l'erba per il morso...

Il mezzo viso si voltò subito, contratto in una smorfia feroce.

– Che erba, che morso? – gridò.

– Ma l'erba per guarire... – dissi. Ecco che quell'espressione dolce di prima gli era scomparsa, era stato un momento
passeggero; ora forse lentamente gli ritornava, in un sorriso
teso, ma si vedeva bene ch'era una finzione.

– Sì... bravo... mettila nel cavo di quel tronco... la prende-
rò più tardi... – disse.

Io obbedii e cacciai la mano nel cavo. Era un nido di vespe.

Mi volarono tutte contro. Presi a correre, inseguito dallo sciame, e mi buttai nel torrente. Nuotai sott'acqua e riuscii a disperdere le vespe. Levando il capo, udii la buia risata del visconte che s'allontanava.

Una volta ancora era riuscito a ingannarci. Ma molte cose non capivo, e andai dal dottor Trelawney per parlargliene. L'inglese era nella sua casetta da becchino, al lume d'una lucernetta, chino su un libro d'anatomia umana, caso raro.

– Dottore, – gli chiesi, – s'è mai dato che un uomo morso dal ragno rosso uscisse incolume?

– Ragno rosso, tu dici? – saltò su il dottore. – Chi ha ancora morso il ragno rosso?

– Il mio visconte zio, – dissi, – e già gli avevo portata l'erba della balia quando da buono che sembrava divenuto è tornato cattivo e ha rifiutato il mio soccorso.

– Or ora ho curato il visconte dal morso d'un ragno rosso alla mano, – disse Trelawney.

– E mi dica, dottore: le è parso buono o cattivo?

Allora il dottore mi raccontò com'era andata.

Dopo che io avevo lasciato il visconte sdraiato sull'erba con la mano enfiata, era passato di lì il dottor Trelawney. S'accorge del visconte, e preso come sempre da paura, cerca di nascondersi tra gli alberi. Ma Medardo ha sentito i passi e s'alza e grida: – Ehi, chi è là? – L'inglese pensa: «Se scopre che son io che mi nascondo, chissà che cosa m'almanacca contro!» e scappa per non esser riconosciuto. Ma inciampa e cade nel laghetto del torrente. Pur avendo passato la vita sulle navi, il dottor Trelawney non sa nuotare, e starnazza in mezzo al laghetto, e grida aiuto. Allora il visconte dice: – Aspetta me, – e va sulla riva, scende nell'acqua tenendosi appeso, con la sua mano dolorante, a una radice d'albero che sporge, s'allunga finché il suo piede può essere afferrato dal dottore. Lungo e sottile com'è, gli fa da corda perché lui possa raggiungere la riva.

Ecco che sono in salvo e il dottore balbetta: – Oh, oh, mi lord… grazie, vero, milord… come posso… – e gli starnuta in faccia, perché s'è preso un raffreddore.

– Salute a lei! – dice Medardo, – ma si copra, la prego, – e gli mette il suo mantello sulle spalle.

Il dottore si schermisce, confuso più che mai. E il visconte gli fa: – Tenga, è suo.

Allora Trelawney s'accorse della mano gonfia di Medardo.

– Quale bestia l'ha punto?

– Un ragno rosso.

– Lasci che la curi, milord.

E lo porta alla sua casetta da becchino, dove acconcia la mano con farmachi e con bende. Intanto il visconte discorre con lui pieno d'umanità e di cortesia. Si lasciano con la promessa di rivedersi presto e rafforzare l'amicizia.

– Dottore! – dissi io, dopo aver ascoltato il suo racconto. – Il visconte che lei ha curato, è tornato poco dopo in preda alla sua crudele follia e m'ha snidato contro un nugolo di vespe.

– Non quello che ho curato io, – disse il dottore e strizzò l'occhio.

– Che vuol dire, dottore?

– Saprai in seguito. Ora non farne parola ad alcuno. E lasciami ai miei studi, ché si preparano tempi contrastati.

E il dottor Trelawney non si curò più di me: risprofondò in quell'inconsueta sua lettura del trattato d'anatomia umana. Doveva avere un suo progetto in testa, e per tutti i giorni che seguirono rimase reticente e assorto.

Ma da più parti cominciavano a giungere notizie d'una doppia natura di Medardo. Bambini smarriti nel bosco venivano con gran loro paura raggiunti dal mezz'uomo con la gruccia che li riportava per mano a casa e regalava loro fichi-fiori e frittelle; povere vedove venivano da lui aiutate a trasportar fascine; cani morsi dalla vipera venivano curati, doni misteriosi venivano ritrovati dai poveri sui davanzali e sulle soglie, alberi da frutta sradicati dal vento venivano raddrizzati e rincalzati nelle loro zolle prima che i proprietari avessero messo il naso fuor dell'uscio.

Nello stesso tempo però le apparizioni del visconte mezz'avvolto nel mantello nero segnavano tetri avvenimenti: bimbi rapiti venivano poi trovati prigionieri in grotte ostruite da sassi; frane di tronchi e rocce rovinavano sopra le vecchiette; zucche appena mature venivano fatte a pezzi per solo spirito malvagio.

La balestra del visconte da tempo colpiva solo più le rondini; e in modo non da ucciderle ma solo da ferirle e da storpiarle. Però ora si cominciavano a vedere nel cielo rondini con le zampine fasciate e legate a stecchi di sostegno, o con le ali incollate o incerottate; c'era tutto uno stormo di rondini così bardate che volavano con prudenza tutte assieme, come convalescenti d'un ospedale uccellesco, e inverosimilmente si diceva che lo stesso Medardo ne fosse il dottore.

Una volta un temporale colse Pamela in un distante luogo incolto, con la sua capra e la sua anatra. Sapeva che lì vicino era una grotta, seppur piccola, una cavità appena accennata nella roccia, e vi si diresse. Vide che ne usciva uno stivale frusto e rabberciato, e dentro c'era rannicchiato il mezzo corpo avvolto nel mantello nero. Fece per fuggire ma già il visconte l'aveva scorta e uscendo sotto la pioggia scrosciante le disse:

– Riparati qui, ragazza, vieni.

– No che non mi ci riparo, – disse Pamela, – perché ci si sta appena in uno, e voi volete farmici stare spiacciata.

– Non aver paura, – disse il visconte. – Io resterò fuori e tu potrai stare a tuo agio al riparo, insieme alla tua capra e alla tua anatra.

– Capra e anatra posson prendersi anche l'acqua.

– Vedrai che ripariamo anche loro.

Pamela, che aveva sentito raccontare degli strani accessi di bontà del visconte, si disse: «Vediamo un po'» e si raggomitolò nella grotta, serrandosi contro le due bestie. Il visconte, ritto lì davanti, teneva il mantello come una tenda in modo che non si bagnassero neppure l'anatra e la capra. Pamela guardò la mano di lui che teneva il mantello, rimase un momento sovrappensiero, si mise a guardar le proprie mani, le confrontò l'una con l'altra, e poi scoppiò in una gran risata.

– Son contento che tu sia allegra, ragazza, – disse il visconte, – ma perché ridi, se è lecito?

– Rido perché ho capito quel che fa andar matti tutti i miei compaesani.

– Cosa?

– Che voi siete un po' buono e un po' cattivo. Adesso tutto è naturale.

– E perché?

– Perché mi son accorta che siete l'altra metà. Il visconte che vive nel castello, quello cattivo, è una metà. E voi siete l'altra metà, che si credeva dispersa in guerra e ora invece è ritornata. Ed è una metà buona.

– Questo è gentile. Grazie.

– Oh, è così, non è per farvi un complimento.

Ecco dunque la storia di Medardo, come Pamela l'apprese quella sera. Non era vero che la palla di cannone avesse sbriciolato parte del suo corpo: egli era stato spaccato in due metà; l'una fu ritrovata dai raccoglitori di feriti dell'esercito; l'altra restò sepolta sotto una piramide di resti cristiani e turchi e non fu vista. Nel cuor della notte passarono per il campo due eremiti, non si sa bene se fedeli alla retta religione o negromanti, i quali, come accade a certuni nelle guerre, s'erano ridotti a vivere nelle terre deserte tra i due campi, e forse, ora si dice, tentavano d'abbracciare insieme la Trinità cristiana e l'Allah di Maometto. Nella loro bizzarra pietà, quegli eremiti, trovato il corpo dimezzato di Medardo, l'avevano portato alla loro spelonca, e lì, con balsami e unguenti da loro preparati, l'avevano medicato e salvato. Appena ristabilito in forze, il ferito s'era accomiatato dai salvatori e, arrancando còn la sua stampella, aveva percorso per mesi e anni le nazioni cristiane per tornare al suo castello, meravigliando le genti lungo la via coi suoi atti di bontà.

Dopo aver raccontato a Pamela la sua storia, il mezzo visconte buono volle che la pastorella gli raccontasse la propria E Pamela spiegò come il Medardo cattivo la insidiasse e come ella fosse fuggita di casa e vagasse per i boschi.

Al racconto di Pamela il Medardo buono si commosse, e divise la sua pietà tra la virtù perseguitata della pastorella, la tristezza senza conforto del Medardo cattivo, e la solitudine dei poveri genitori di Pamela.

– Quelli poi! – disse Pamela. – I miei genitori sono due vecchi malandrini. Non è proprio il caso che li compiangiate

– Oh, pensa a loro, Pamela, come saran tristi a quest'ora nella loro vecchia casa, senza nessuno che li badi e faccia i lavori dei campi e della stalla.

– Rovinasse sulle loro teste, la stalla! – disse Pamela. – Comincio a capire che siete un po' troppo tenerello e invece di prendervela con l'altro vostro pezzo per tutte le bastardate che combina, pare quasi che abbiate pietà anche di lui.

– E come non averne? Io che so cosa vuole dire esser metà d'un uomo, non posso non compiangerlo.

– Ma voi siete diverso; un po' tocco anche voi, ma buono.

Allora il buon Medardo disse: – O Pamela, questo è il bene dell'essere dimezzato: il capire d'ogni persona e cosa al mondo la pena che ognuno e ognuna ha per la propria incompletezza. Io ero intero e non capivo, e mi muovevo sordo e incomunicabile tra i dolori e le ferite seminati dovunque, là dove meno da intero uno osa credere. Non io solo, Pamela, sono un essere spaccato e divelto, ma tu pure e tutti. Ecco ora io ho una fraternità che prima, da intero, non conoscevo: quella con tutte le mutilazioni e le mancanze del mondo. Se verrai con me, Pamela, imparerai a soffrire dei mali di ciascuno e a curare i tuoi curando i loro.

– Questo è molto bello, – disse Pamela, – ma io sono in un gran guaio, con quell'altro vostro pezzo che s'è innamorato di me e non si sa cosa vuol farmi.

Mio zio lasciò cadere il mantello perché il temporale era finito.

– Anch'io sono innamorato di te, Pamela.

Pamela saltò fuor della grotta: – Che gioia! C'è l'arcobaleno in cielo e io ho trovato un nuovo innamorato. Dimezzato anche questo, però d'animo buono.

Camminavano sotto rami ancora stillanti per sentieri tutti fangosi. La mezza bocca del visconte s'arcuava in un dolce incompleto sorriso.

– Allora, cosa facciamo? – disse Pamela.

– Io direi d'andare dai tuoi genitori, poverini, a aiutarli un po' nelle faccende.

– Vacci tu se ne hai voglia, – disse Pamela.

– Io sì che ne ho voglia, cara, – fece il visconte.

– E io resto qui, – disse Pamela e si fermò con l'anatra e la capra.

– Fare insieme buone azioni è l'unico modo per amarci.

– Peccato. Io credevo che ci fossero altri modi.

– Addio, cara. Ti porterò della torta di mele –. E s'allontanò sul sentiero a spinte di stampella.

– Che ne dici, capra? Che ne dici, anitrina? – fece Pamela, sola con le sue bestie. – Tutti tipi così devono capitarmi?

VIII

Da quando fu noto a tutti che era tornata l'altra metà del visconte, buona quanto la prima era cattiva, la vita a Terralba fu molto diversa.

Al mattino accompagnavo il dottor Trelawney nel suo giro di visite ai malati; perché il dottore a poco a poco aveva ripreso a praticar la medicina e s'era accorto di quanti mali soffrisse la nostra gente, cui le lunghe carestie dei tempi andati avevano minato la fibra, mali di cui non s'era mai prima dato cura.

Andavamo per le vie di campagna e vedevamo i segni che mio zio ci aveva preceduti. Mio zio il buono, intendo, il quale ogni mattina faceva anch'egli il giro non solo dei malati, ma pure dei poveri, dei vecchi, di chiunque avesse bisogno di soccorso.

Nell'orto di Bacciccia, il melograno aveva i frutti maturi fasciati ognuno con una pezzuola annodata intorno. Capimmo che Bacciccia aveva male ai denti. Mio zio aveva fasciato i melograni perché non si squarciassero e sgranassero ora che il male impediva al proprietario d'uscire a coglierli; ma anche come segnale per il dottor Trelawney, che passasse a visitare il malato e portasse le tenaglie.

Il priore Cecco aveva un girasole sul terrazzo, stento che non fioriva mai. Quel mattino trovammo tre galline legate lì, sulla ringhiera, che mangiavano becchime a tutt'andare e scaricavano sterco bianco nel vaso del girasole. Capimmo che il priore doveva aver la cagarella. Mio zio aveva legato le galline per concimare il girasole, ma anche per avvertire il dottor Trelawney di quel caso urgente.

Sulla scala della vecchia Giromina vedemmo una fila di lumache che saliva su verso la porta: lumaconi di quelli da mangiare cotti. Era un regalo che mio zio aveva portato dal bosco a Giromina, ma anche un segnale che il mal di cuore della povera vecchia era peggiorato e che il dottore facesse piano entrando, per non spaventarla.

Tutti questi segni di comunicazione erano usati dal buon Medardo per non allarmare i malati con una richiesta troppo brusca delle cure del dottore, ma anche perché Trelawney avesse subito un'idea di cosa si trattava, già prima d'entrare, e così vincesse la sua ritrosia a metter piede nelle case altrui e ad avvicinare malati che non sapeva cos'avessero.

A un tratto per la valle correva l'allarme: – Il Gramo! Arriva il Gramo!

Era la metà grama di mio zio che era stata vista cavalcare nei paraggi. Allora ognuno correva a nascondersi, e primo di tutti il dottor Trelawney, con me dietro.

Passavamo davanti alla casa di Giromina e sulla scala c'era una striscia di lumache spiaccicate, tutta bava e schegge di gusci.

– È già passato di qui! Gambe!

Sul terrazzo del priore Cecco le galline erano legate al graticcio dov'erano messi a seccare i pomodori, e stavano bruttando tutto quel ben di Dio.

– Gambe!

Nell'orto di Bacciccia i melograni erano tutti sfracellati in terra e dai rami pendevano le staffe delle pezzuole vuote.

– Gambe!

Così tra carità e terrore trascorrevano le nostre vite. Il Buono (com'era chiamata la metà sinistra di mio zio, in contrapposizione al Gramo, ch'era l'altra) era tenuto ormai in conto di santo. Gli storpi, i poverelli, le donne tradite, tutti quelli che avevano una pena correvano da lui. Avrebbe potuto approfittarne e diventare lui visconte. Invece continuava a fare il vagabondo, a girare mezz'avvolto nel suo lacero mantello nero, appoggiato alla stampella, con la calza bianca e azzurra piena di rammendi, a far del bene tanto a chi glielo chiedeva come a chi lo cacciava in malo modo. E non c'era pecora che si spezzasse gamba in burrone, non bevitore che traesse coltello in taverna, non sposa adultera che corresse nottetempo ad amante, che non se lo vedessero apparire lì come piovuto dal cielo, nero e secco e col dolce sorriso, a soccorrere, a dar buoni consigli, a prevenire violenze e peccati.

Pamela stava sempre nel bosco. S'era fatta un'altalena tra due pini, poi una più solida per la capra e un'altra più leggera per l'anatra e passava le ore a dondolarsi assieme alle sue bestie. Ma a una certa ora, arrancando tra i pini, arrivava il Buono, con un fagotto legato alla spalla. Era roba da lavare e rammendare che lui raccoglieva dai mendicanti, dagli orfani e dai malati soli al mondo; e la faceva lavare a Pamela, dando modo anche a lei di far del bene. Pamela, che a star sempre nel bosco s'annoiava, lavava la roba nel ruscello e lui l'aiutava. Poi lei stendeva tutto a asciugare sulle corde delle altalene, e il Buono seduto su una pietra le leggeva la *Gerusalemme Liberata*.

A Pamela della lettura non importava niente e se ne stava sdraiata in panciolle sull'erba, spidocchiandosi (perché vivendo nel bosco s'era presa un bel po' di bestioline), grattandosi con una pianta detta pungiculo, sbadigliando, sollevando sassi per aria con i piedi scalzi, e guardandosi le gambe che erano rosa e cicciose quanto basta. Il Buono, senz'alzar l'occhio dal libro, continuava a declamare un'ottava dopo l'altra, nell'intento d'ingentilire i costumi della rustica ragazza.

Ma lei, che non seguiva il filo e s'annoiava, zitta zitta incitò la capra a leccare sulla mezza faccia il Buono e l'anatra a posarglisi sul libro. Il Buono fece un balzo indietro e alzò il libro che si chiuse; ma proprio in quel momento il Gramo sbucò di tra gli alberi al galoppo, brandendo una gran falce tesa contro il Buono. La lama della falce incontrò il libro e lo tagliò di netto in due metà per il lungo. La parte della costola restò in mano al Buono, e la parte del taglio si sparse in mille mezze pagine per l'aria. Il Gramo sparì galoppando; certo aveva tentato di falciar via la mezza testa del Buono, ma le due bestie erano capitate lì al momento giusto. Le pagine del Tasso con i margini bianchi e i versi dimezzati volarono sul vento e si posarono sui rami dei pini, sulle erbe e sull'acqua dei torrenti. Dal ciglio d'un poggio Pamela guardava quel bianco svolare e diceva: – Che bello!

Qualche mezzo foglio arrivò fin sul sentiero per il quale passavamo il dottor Trelawney e io. Il dottore ne prese uno al volo, lo girò e rigirò, provò a decifrare quei versi senza capo o senza coda e scosse la testa: – Ma non si capisce niente... Zzt... zzt...

La fama del Buono era giunta anche tra gli ugonotti, e il vecchio Ezechiele spesso era stato visto fermarsi sul più alto ripiano della gialla vigna, guardando la mulattiera sassosa che saliva da valle.

– Padre, – gli disse uno dei figli, – vi vedo guardare a valle come attendeste l'arrivo di qualcuno.

– È dell'uomo attendere, – rispose Ezechiele, – e dell'uomo giusto, attendere con fiducia; dell'ingiusto, con paura.

– È lo Zoppo-dall'-altra-gamba, che attendete, padre?

– Ne hai sentito parlare?

– Non si parla d'altro, a valle, che del Monco-mancino. Pensate che verrà fino da noi quassù?

– Se la nostra è terra di gente che vive nel bene, e lui vive nel bene, non c'è ragione perché non venga.

– La mulattiera è ripida per chi ha da farla a forza di stampella.

– Ci fu già uno Spiedato che trovò un cavallo per salirci.

Udendo parlare Ezechiele, gli altri ugonotti gli s'erano radunati intorno, sbucando di tra i filari. E al sentire alludere al visconte, rabbrividirono in silenzio.

– Padre nostro, Ezechiele, – dissero, – quando venne il Sottile, quella notte, e il fulmine incendiò mezza rovere, voi diceste che forse un giorno saremmo stati visitati da un viandante migliore.

Ezechiele assentì abbassando la barba fin sul petto.

– Padre, questo di cui ora si parlava è uno Sciancato uguale e opposto all'altro, sia nel corpo che nell'anima: pietoso come l'altro era crudele. Che sia il visitatore preannunciato dalle vostre parole?

- Ogni viandante d'ogni strada può esserlo, - disse Ezechiele, - quindi, anche lui.

- Allora tutti speriamo che lo sia, - dissero gli ugonotti.

La moglie d'Ezechiele veniva avanti con lo sguardo fisso
davanti a sé, spingendo una carriola di sarmenti. - Noi speriamo sempre ogni cosa buona, - disse, - però anche se chi zop-
pica per questi nostri colli è solo qualche povero mutilato della guerra, buono o cattivo d'animo, noi ogni giorno dobbiamo continuare a agire secondo giustizia e a coltivare i nostri
campi.

- Questo è inteso, - risposero gli ugonotti, - abbiamo detto
qualcosa che signifchi il contrario?

- Bene, se siamo tutti d'accordo, - disse la donna, - possiamo tornare tutti alle zappe e ai bidenti.

- Peste e carestia! - scoppiò Ezechiele. - Chi v'ha detto di
smetter di zappare?

Gli ugonotti si sparsero tra i filari per raggiungere gli attrezzi abbandonati nei solchi, ma in quel momento Esaù, che
vedendo suo padre disattento s'era arrampicato sul fico a
mangiare i frutti primaticci, gridò: - Laggiù! Chi arriva su
quel mulo?

Un mulo infatti veniva su per la salita con un mezz'uomo
legato sopra il basto. Era il Buono, che aveva comprato quella
vecchia bestia scorticata mentre stavano per annegarla nel torrente, perché era tanto malandata che non serviva neanche
più per il macello.

«Tanto, io peso la metà d'un uomo, - si disse, - e il vecchio mulo potrà ancora sopportarmi. E avendo anch'io la mia
cavalcatura, potrò andar più lontano a far del bene». Così,
come primo viaggio, se ne veniva a trovare gli ugonotti.

Gli ugonotti lo accolsero schierati e impalati, cantando un
salmo. Poi il vecchio gli andò vicino e lo salutò come fratello.
Il Buono, sceso dal mulo, rispose cerimoniosamente a quei saluti, baciò la mano alla moglie di Ezechiele che stette dura e
arcigna, s'informò della salute di tutti, allungò la mano per
carezzare l'ispida testa d'Esaù che si tirò indietro, s'interessò
ai fastidi di ciascuno, si fece raccontare la storia delle loro
persecuzioni, commuovendosi e recriminando. Naturalmente,

ne parlarono senz'insistere sulla controversia religiosa, come d'una sequela di disgrazie imputabili alla generale cattiveria umana. Medardo sorvolò sul fatto che le persecuzioni venivano da parte della chiesa cui lui apparteneva, e gli ugonotti da parte loro non s'imbarcarono in affermazioni di fede, anche per timore di dire cose teologicamente errate. Così finirono in vaghi discorsi caritatevoli, disapprovando ogni violenza e ogni eccesso. Tutti d'accordo, ma l'insieme fu un po' freddo.

Poi il Buono visitò la campagna, li compianse per gli scarsi raccolti, e fu contento perché se non altro avevano avuto una buon'annata di segala.

– A quanto la vendete? – chiese loro.

– Tre scudi la libbra, – disse Ezechiele.

– Tre scudi la libbra? Ma i poveri di Terralba muoiono di fame, amici, e non possono neanche comprare un pugno di segala. Forse voi non sapete che la grandine ha distrutto i raccolti della segala, a valle, e voi siete i soli che potete sollevare tante famiglie dalla fame?

– Lo sappiamo, – disse Ezechiele, – è proprio per questo che possiamo vender bene...

– Ma pensate alla carità che sarebbe per quei poveretti, se voi abbassaste il prezzo della segala... Pensate al bene che potete fare...

Il vecchio Ezechiele si fermò davanti al Buono a braccia conserte e tutti gli ugonotti lo imitarono.

– Fare la carità, fratello, – disse, – non vuol dire rimetterci sui prezzi.

Il Buono andava per i campi e vedeva vecchi ugonotti scheletriti zappare sotto il sole.

– Avete una brutta cera, – disse a un vecchio con la barba tanto lunga che ci zappava sopra, – forse non vi sentite bene?

– Bene come può sentirsi uno che zappa per dieci ore a settant'anni con una minestra di rape nella pancia.

– È mio cugino Adamo, – disse Ezechiele, – un lavoratore eccezionale.

– Ma voi dovete riposarvi e nutrirvi, vecchio come siete! – stava dicendo il Buono, ma Ezechiele lo trascinò via bruscamente.

– Tutti qui ci guadagniamo il pane molto duramente, fratello, – disse in tono da non ammetter replica.

Prima, appena smontato dal mulo, il Buono aveva voluto legare lui stesso la sua bestia, e aveva chiesto un sacco di biada per rinfrancarlo della salita. Ezechiele e sua moglie s'erano guardati, perché secondo loro per un mulo così poteva bastare una manciata di cicoria selvatica; ma erano nel momento più caloroso dell'accoglienza all'ospite, e avevano fatto portare la biada. Adesso, però, ripensandoci, il vecchio Ezechiele non poteva proprio ammettere che quella carcassa di mulo mangiasse la poca biada che avevano, e senza farsi sentir dall'ospite, chiamò Esaù e gli disse:

– Esaù, vai pian piano dal mulo, levagli la biada e dàgli qualcos'altro.

– Un decotto per l'asma?

– Torsoli di granturco, involucri di ceci, quel che vuoi.

Esaù andò, tolse il sacco al mulo e si prese un calcio che lo fece camminare zoppo per un pezzo. Per rifarsi nascose la biada rimasta per venderla per conto suo, e disse che il mulo l'aveva già finita tutta.

Era il tramonto. Il Buono era con gli ugonotti in mezzo ai campi e non sapevano più che cosa dirsi.

– Noi abbiamo ancora un'ora buona di lavoro davanti a noi, ospite, – disse la moglie d'Ezechiele.

– Allora io tolgo l'incomodo.

– Buona fortuna, ospite.

E il buon Medardo ritornò sul suo mulo.

– Un povero mutilato di guerra, – disse la donna quando se ne fu andato. – Quanti ve ne sono in questa regione! Poveretti!

– Poveretti, davvero, – convennero tutti i familiari.

– Peste e carestia! – urlava il vecchio Ezechiele girando per i campi, a pugna levate davanti ai lavori malfatti e ai danni della siccità. – Peste e carestia!

IX

Spesso, il mattino andavo alla bottega di Pietrochiodo a vedere le macchine che l'ingegnoso maestro stava costruendo. Il carpentiere viveva in angosce e rimorsi sempre maggiori, da quando il Buono veniva a trovarlo nottetempo e gli rimproverava il tristo fine delle sue invenzioni, e lo incitava a costruire meccanismi messi in moto dalla bontà e non dalla sete di sevizie.

– Ma quale macchina debbo dunque costruire, Mastro Medardo? – chiedeva Pietrochiodo.

– Ora ti spiego: potresti per esempio... – e il Buono cominciava a descrivergli la macchina che avrebbe ordinato lui, se fosse stato visconte al posto dell'altra sua metà, e s'aiutava nella spiegazione tracciando confusi disegni.

A Pietrochiodo parve dapprincipio che questa macchina dovesse essere un organo, un gigantesco organo i cui tasti muovessero musiche dolcissime, e già si disponeva a cercare il legno adatto per le canne, quando da un altro colloquio col Buono tornò con le idee più confuse, perché pareva che egli volesse far passare per le canne non aria ma farina. Insomma doveva essere un organo ma anche un mulino, che macinasse per i poveri, e anche, possibilmente, un forno, per fare le focacce. Il Buono ogni giorno perfezionava la sua idea e impiastricciava di disegni carte e carte, ma Pietrochiodo non riusciva a tenergli dietro: perché quest'organo-mulino-forno doveva pure tirar l'acqua su dai pozzi risparmiando la fatica agli asini, e spostarsi su ruote per contentare i diversi paesi, e anche nei giorni delle feste sospendersi per aria e acchiappare, con reti tutt'intorno, le farfalle.

E al carpentiere veniva il dubbio che costruir macchine buone fosse al di là delle possibilità umane, mentre le sole che veramente potessero funzionare con praticità ed esattezza fossero i patiboli e i tormenti. Difatti, appena il Gramo esponeva a Pietrochiodo l'idea d'un nuovo meccanismo, subito al maestro veniva in mente il modo per realizzarlo e si metteva all'opera, e ogni particolare gli appariva insostituibile e perfetto, e lo strumento finito un capolavoro di tecnica e d'ingegno.

Il maestro s'angustiava: – Sarà forse nel mio animo questa cattiveria che mi fa riuscire solo macchine crudeli? – Ma intanto continuava a inventare, con zelo e abilità, altri tormenti.

Un giorno lo vidi lavorare intorno a uno strano patibolo, in cui una forca bianca incorniciava una parete di legno nero, e la corda, pure bianca, scorreva attraverso due buchi nella parete, proprio nel punto del laccio scorsoio.

– Cos'è questa macchina, maestro? – gli domandai.

– Una forca per impiccare di profilo, – disse.

– E per chi l'avete costruita?

– Per un uomo solo che condanna ed è condannato. Con metà testa condanna se stesso alla pena capitale, e con l'altra metà entra nel nodo scorsoio ed esala l'ultimo fiato. Io avrei voglia che si confondesse tra le due.

Compresi che il Gramo, sentendo crescere la popolarità della metà buona di se stesso, aveva stabilito di sopprimerla al più presto.

Difatti chiamò gli sbirri e disse:

– Un losco vagabondo da troppo tempo infesta il nostro territorio seminando zizzania. Entro domani, catturate il mestatore, e portatelo a morte.

– Sarà fatto, signoria, – dissero gli sbirri e se ne andarono. Guercio com'era, il Gramo non s'accorse che rispondendogli s'erano strizzato l'occhio tra di loro.

Bisogna sapere che una congiura di palazzo era stata ordita in quei giorni e ne facevano parte anche gli sbirri. Si trattava d'imprigionare e sopprimere l'attuale mezzo visconte e consegnare il castello e il titolo all'altra metà. Questa però non ne sapeva niente. E la notte, nel fienile dove abitava si svegliò circondata dagli sbirri.

– Non abbiate paura, – disse il caposbirro, – il visconte ci ha mandato a trucidarvi, ma noi, stanchi della sua crudele tirannia, abbiamo deciso di trucidare lui e mettere voi al suo posto.

– Che sento mai? E l'avreste già fatto? Dico: il visconte, l'avreste digià trucidato?

– No, ma lo faremo senz'altro in mattinata.

– Ah, sia ringraziato il cielo! No, non macchiatevi d'altro sangue, ché troppo già ne è stato sparso. Che bene potrebbe venire da una signoria che nasce dal delitto?

– Fa niente: lo chiudiamo nella torre e possiamo star tranquilli.

– Non alzate le mani su di lui né su nessuno, vi scongiuro! Anche a me addolora la prepotenza del visconte: eppure non c'è altro rimedio che dargli il buon esempio, mostrandoglisi gentili e virtuosi.

– Allora dobbiamo trucidare voi, signore.

– E no! Vi ho detto che non dovete trucidare nessuno.

– Come si fa? Se non sopprimiamo il visconte, dobbiamo obbedirgli.

– Tenete quest'ampolla. Contiene alcune once, le ultime che mi rimangono, dell'unguento con cui gli eremiti boemi mi guarirono e che m'è stato finora prezioso quando, al mutare del tempo, mi duole la smisurata cicatrice. Portatelo al visconte e ditegli solo: è il regalo d'uno che sa cosa vuol dire aver le vene che finiscono in un tappo.

Gli sbirri andarono al visconte con l'ampolla e il visconte li condannò al patibolo. Per salvare gli sbirri, gli altri congiurati decisero d'insorgere. Maldestri, scoprirono le fila della rivolta che fu soffocata nel sangue. Il Buono portò fiori sulle tombe e consolò vedove e orfani.

Chi non si lasciò mai commuovere dalla bontà del Buono fu la vecchia Sebastiana. Andando per le sue zelanti imprese, il Buono si fermava spesso alla capanna della balia e le faceva visita, sempre gentile e premuroso. E lei ogni volta si metteva a fargli un predicozzo. Forse per via del suo indistinto amor materno, forse perché la vecchiaia cominciava a offuscarle i pensieri, la balia non faceva gran conto della separazione di Medardo in due metà: sgridava una metà per le malefatte dell'altra, dava all'una consigli che solo l'altra poteva seguire e così via.

– E perché hai tagliato la testa al gallo di nonna Bigin, poverina, che aveva solo quello? Grande come sei, ne fai una per colore...

– Ma perché lo dici a me, balia? Sai che non sono stato io...

– O bella! E sentiamo un po': chi è stato?

– Io. Ma...

– Ah! Vedi!

– Ma non io qui...

– Eh, se sono vecchia mi credi anche ingrullita? Io quando sento raccontare qualche birberia subito capisco se è una delle tue. E dico tra me: giurerei che c'è lo zampino di Medardo...

– Ma sbagliate sempre...!

– Mi sbaglio... Voi giovani dite a noi vecchi che sbaglia mo... E voialtri? Tu hai regalato la tua stampella al vecchio Isidoro...

– Sì, quello son stato proprio io...

– E te ne vanti? Gli serviva per bastonare sua moglie, pove retta...

– Lui m'ha detto che non poteva camminare per la gotta...

– Faceva finta... E tu subito gli regali la stampella... Ora l'ha rotta sulla schiena di sua moglie e tu giri appoggiandoti a un ramo forcelluto... Sei senza testa, ecco come sei! Sempre così! E quando hai ubriacato il toro di Bernardo con la grappa?...

– Quello non ero...

– Eh sì, non eri tu! Se lo dicono tutti: è sempre lui, il visconte!

Le frequenti visite del Buono a Pratofungo erano dovute, oltre che al suo attaccamento filiale per la balia, al fatto che egli in quel tempo si dedicava a soccorrere i poveri lebbrosi. Immunizzato dal contagio (sempre, pare, per le cure misteriose degli eremiti), girava per il villaggio informandosi minutamente dei bisogni di ciascuno, e non lasciando loro tregua finché non s'era prodigato per loro in tutti i modi. Spesso, sul dorso del suo mulo, faceva la spola tra Pratofungo e la casetta del dottor Trelawney, chiedendo consigli e medicine. Non che il dottore avesse ora il coraggio d'avvicinarsi ai lebbrosi, ma pareva cominciasse, con il buon Medardo per intermediario, a interessarsi di loro.

Però l'intento di mio zio andava più lontano: non s'era proposto di curare solo i corpi dei lebbrosi, ma pure le anime. Ed era sempre in mezzo a loro a far la morale, a ficcare il naso nei loro affari, a scandalizzarsi e a far prediche. I lebbrosi non lo potevano soffrire. I tempi beati e licenziosi di Pratofungo erano finiti. Con questo esile figuro ritto su una gamba sola, nerovestito, cerimonioso e sputasentenze, nessuno poteva fare il piacer suo senz'essere recriminato in piazza suscitando malignità e ripicche. Anche la musica, a furia di sentirsela rimproverare come futile, lasciva e non ispirata a buoni sentimenti, venne loro in uggia, e i loro strani strumenti si coprirono di polvere. Le donne lebbrose, senza più quello sfogo di far baldoria, si trovarono a un tratto sole di fronte alla malattia, e passavano le sere piangendo e disperandosi.

– Delle due metà è peggio la buona della grama, – si cominciava a dire a Pratofungo.

Ma non era soltanto tra i lebbrosi che l'ammirazione per il Buono era andata scemando.

– Meno male che la palla di cannone l'ha solo spaccato in due, – dicevano tutti, – se lo faceva in tre pezzi, chissà cosa ancora ci toccava di vedere.

Gli ugonotti ora facevano i turni di guardia per proteggersi anche da lui, che ormai aveva perso ogni rispetto verso di loro e veniva a tutte le ore a spiare quanti sacchi vi fossero nei loro granai e a far prediche sui prezzi troppo alti e dopo andava a raccontarlo in giro rovinando i loro commerci.

Così passavano i giorni a Terralba, e i nostri sentimenti si facevano incolori e ottusi, poiché ci sentivamo come perduti tra malvagità e virtù ugualmente disumane.

X

Non c'è notte di luna in cui negli animi malvagi le idee perverse non s'aggroviglino come nidiate di serpenti, e in cui negli animi caritatevoli non sboccino gigli di rinuncia e dedizione. Così tra i dirupi di Terralba le due metà di Medardo vagavano tormentate da rovelli opposti.

Presa entrambe la propria decisione, al mattino si mossero per metterla in pratica.

La mamma di Pamela, andando a attinger acqua, cadde in un trabocchetto e sprofondò nel pozzo. Appesa ad una corda, urlava: – Aiuto! – quando vide nel cerchio del pozzo, contro il cielo, la sagoma del Gramo che le disse:

– Volevo solo parlarvi. Ecco quanto io ho pensato: in compagnia di vostra figlia Pamela si vede spesso un vagabondo dimezzato. Dovete costringerlo a sposarla: ormai l'ha compromessa e se è un gentiluomo deve riparare. Ho pensato così; non chiedete che vi spieghi altro.

Il babbo di Pamela portava al frantoio un sacco di olive del suo olivo, ma il sacco aveva un buco, e una scia d'olive lo seguiva pel sentiero. Sentendo alleggerito il carico, il babbo tolse il sacco dalla spalla e s'accorse che era quasi vuoto. Ma dietro vide che veniva il Buono: raccoglieva le olive una per una e le metteva nel mantello.

– Vi seguivo per parlarvi e ho avuto la fortuna di salvarvi le olive. Ecco quanto ho in cuore. Da tempo penso che l'infelicità altrui ch'è mio intento soccorrere, forse è alimentata proprio dalla mia presenza. Me ne andrò da Terralba. Ma solo se questa mia partenza ridarà pace a due persone: a vostra figlia che dorme in una tana mentre le spetta un nobile destino, e alla mia infelice parte destra che non deve restare così sola. Pamela e il visconte devono unirsi in matrimonio.

Pamela stava ammaestrando uno scoiattolo quando incontrò sua mamma che fingeva d'andar per pigne.

– Pamela, – disse la mamma, – è giunto il tempo che quel vagabondo chiamato il Buono ti debba sposare.

– Donde viene quest'idea? – disse Pamela.

– Lui t'ha compromessa, lui ti sposi. È tanto gentile che se gli dici così non vorrà dir di no.

– Ma come ti sei messa in testa questa storia?

– Zitta: sapessi chi me l'ha detto non faresti più tante domande: il Gramo in persona, me l'ha detto, il nostro illustrissimo visconte!

– Accidenti! – disse Pamela lasciando cadere lo scoiattolo d'in grembo, – chissà che tranello vuole preparare.

Di lì a poco, stava imparando a fischiare con una foglia d'erba tra le mani quando incontrò suo babbo che faceva finta d'andare per legna.

– Pamela, – disse il babbo, – è ora che tu dica di sì al visconte Gramo, al solo patto che ti sposi in chiesa.

– È un'idea tua o qualcuno te l'ha detto?

– Non ti piace diventare viscontessa?

– Rispondimi a quello che t'ho domandato.

– Bene; pensa che lo dice l'anima meglio intenzionata che ci sia: il vagabondo che chiamano il Buono.

– Ah, non ne ha più da pensare, quello lì. Vedrai cosa combino!

Andando con il magro cavallo per le fratte, il Gramo rifletteva sul suo stratagemma: se Pamela si sposava col Buono, di fronte alla legge era sposa di Medardo di Terralba, cioè era sua moglie. Forte di questo diritto, il Gramo avrebbe potuto facilmente toglierla al rivale, così arrendevole e poco combattivo.

Ma s'incontra con Pamela che gli dice: – Visconte, ho deciso che se voi ci state, ci sposiamo.

– Tu e chi? – fa il visconte.

– Io e voi, e verrò al castello e sarò la viscontessa.

Il Gramo questa non se l'aspettava, e pensò: «Allora è inutile montare tutta la commedia di farla sposare all'altra mia metà: me la sposo io e tutto è fatto».

Così, disse: – Ci sto.

E Pamela: – Mettetevi d'accordo con mio babbo.

Di lì a un po', Pamela incontrò il Buono sul suo mulo.

– Medardo, – disse lei, – ho capito che sono proprio innamorata di te e se vuoi farmi felice devi chiedere la mia mano di sposa.

Il poverino, che per il bene di lei aveva fatto quella gran rinuncia, rimase a bocca aperta. «Ma se è felice a sposare me, non posso più farla sposare all'altro», pensò, e disse: – Cara, corro a predisporre tutto per la cerimonia.

– Mettiti d'accordo con mia mamma, mi raccomando, – disse lei.

Tutta Terralba fu sossopra, quando si seppe che Pamela si sposava. Chi diceva che sposava l'uno, chi diceva l'altro. I genitori di lei pareva facessero apposta per imbrogliar le idee. Certo, al castello stavano lustrando e ornando tutto come per una gran festa. E il visconte s'era fatto fare un abito di velluto nero con un grande sbuffo alla manica e un altro alla braca. Ma anche il vagabondo aveva fatto strigliare il povero mulo e s'era fatto rattoppare il gomito e il ginocchio. A ogni buon conto, in chiesa lucidarono tutti i candelieri.

Pamela disse che non avrebbe lasciato il bosco che al momento del corteo nuziale. Io facevo le commissioni per il corredo. Si cucì un vestito bianco con il velo e lo strascico lunghissimo e si fece corona e cintura di spighe di lavanda. Poiché di velo le avanzava ancora qualche metro, fece una veste da sposa per la capra e una veste da sposa anche per l'anatra, e corse così per il bosco, seguita dalle bestie, finché il velo non si strappò tutto tra i rami, e lo strascico non raccolse tutti gli aghi di pino e i ricci di castagne che seccavano per i sentieri.

Ma la notte prima del matrimonio era pensierosa e un po' spaurita. Seduta in cima a una collinetta senz'alberi, con lo strascico avvolto attorno ai piedi, la coroncina di lavanda di sghimbescio, poggiava il mento su una mano e guardava i boschi intorno sospirando.

Io ero sempre con lei perché dovevo fare da paggetto, insieme a Esaù che però non si faceva mai vedere.

– Chi sposerai, Pamela? – le chiesi.

– Non so, – lei disse, – non so proprio che succederà. Andrà bene? Andrà male?

Dai boschi si levava ora una specie di grido gutturale, ora un sospiro. Erano i due pretendenti dimezzati, che in preda all'eccitazione della vigilia vagavano per anfratti e dirupi del bosco, avvolti nei neri mantelli, l'uno sul suo magro cavallo, l'altro sul suo mulo spelacchiato, e mugghiavano e sospiravano tutti presi nelle loro ansiose fantasticherie. E il cavallo saltava per balze e frane, il mulo s'arrampicava per pendii e versanti, senza che mai i due cavalieri s'incontrassero.

Finché, all'alba, il cavallo spinto al galoppo non si azzoppò giù per un burrone; e il Gramo non poté arrivare in tempo alle nozze. Il mulo invece andava piano e sano, e il Buono arrivò puntuale in chiesa, proprio mentre giungeva la sposa con lo strascico sorretto da me e da Esaù che si faceva trascinare.

A veder arrivare come sposo soltanto il Buono che s'appoggiava alla sua stampella, la folla rimase un po' delusa. Ma il matrimonio fu regolarmente celebrato, gli sposi dissero sì e si scambiarono l'anello, e il prete disse: – Medardo di Terralba e Pamela Marcolfi, io vi congiungo in matrimonio.

In quella dal fondo della navata, sorreggendosi alla gruccia, entrò il visconte, con l'abito nuovo di velluto a sbuffi zuppo d'acqua e lacero. E disse: – Medardo di Terralba sono io e Pamela è mia moglie.

Il Buono arrancò di fronte a lui. – No, il Medardo che ha sposato Pamela sono io.

Il Gramo buttò via la stampella e mise la mano alla spada. Al Buono non restava che fare altrettanto.

– In guardia!

Il Gramo si lanciò in un a-fondo, il Buono si chiuse in difesa, ma erano già rotolati per terra tutti e due.

Convennero che era impossibile battersi tenendosi in equilibrio su una gamba sola. Bisognava rimandare il duello per poterlo preparare meglio.

– E io sapete cosa faccio? – disse Pamela, – me ne torno al bosco –. E prese la corsa via dalla chiesa, senza più paggetti che le reggessero lo strascico. Sul ponte trovò la capra e l'anatra che la stavano aspettando e s'affiancarono a lei trotterellando.

Il duello fu fissato per l'indomani all'alba al Prato delle Monache. Mastro Pietrochiodo inventò una specie di gamba di compasso, che fissata alla cintura dei dimezzati permetteva loro di star ritti e di spostarsi e pure d'inclinare la persona avanti e indietro, tenendo infissa la punta nel terreno per star fermi. Il lebbroso Galateo, che da sano era stato un gentiluomo, fece da giudice d'armi; i padrini del Gramo furono il padre di Pamela e il caposbirro; i padrini del Buono due ugonotti. Il dottor Trelawney assicurò l'assistenza, e venne con una balla di bende e una damigiana di balsamo, come avesse da curare una battaglia. Buon per me, che dovendo aiutarlo a portar tutta quella roba potei assistere allo scontro.

C'era l'alba verdastra; sul prato i due sottili duellanti neri erano fermi con le spade sull'attenti. Il lebbroso soffiò il corno: era il segnale; il cielo vibrò come una membrana tesa, i ghiri nelle tane affondarono le unghie nel terriccio, le gazze senza togliere il capo di sotto l'ala si strapparono una penna dall'ascella facendosi dolore, e la bocca del lombrico mangiò la propria coda, e la vipera si punse coi suoi denti, e la vespa si ruppe l'aculeo sulla pietra, e ogni cosa si voltava contro se stessa, la brina delle pozze ghiacciava, i licheni diventavano pietra e le pietre lichene, la foglia secca diventava terra, e la gomma spessa e dura uccideva senza scampo gli alberi. Così l'uomo s'avventava contro di sé, con entrambe le mani armate d'una spada.

Ancora una volta Pietrochiodo aveva lavorato da maestro: i compassi disegnavano cerchi sul prato e gli schermidori si lanciavano in assalti scattanti e legnosi, in parate e in finte. Ma non si toccavano. In ogni a-fondo, la punta della spada pareva dirigersi sicura verso il mantello svolazzante dell'avversario, ognuno sembrava s'ostinasse a tirare dalla parte in cui non c'era nulla, cioè dalla parte dove avrebbe dovuto esser lui stesso. Certo, se invece di mezzi duellanti fossero stati duellanti interi, si sarebbero feriti chissà quante volte. Il Gramo si batteva con rabbiosa ferocia, eppure non riusciva mai a portare i suoi attacchi dove davvero era il suo nemico; il Buono aveva la corretta maestria dei mancini, ma non faceva che crivellare il mantello del visconte.

A un certo punto si trovarono elsa contro elsa: le punte di compasso erano infitte nel suolo come erpici. Il Gramo si liberò di scatto e già stava perdendo l'equilibrio e rotolando al suolo, quando riuscì a menare un terribile fendente, non proprio addosso all'avversario, ma quasi: un fendente parallelo alla linea che interrompeva il corpo del Buono, e tanto vicino a essa che non si capì subito se era più in qua o più in là. Ma presto vedemmo il corpo sotto il mantello imporporarsi di sangue dalla testa all'attaccatura della gamba e non ci furono più dubbi. Il Buono s'accasciò, ma cadendo, in un'ultima movenza ampia e quasi pietosa, abbatté la spada anch'egli vicinissimo al rivale, dalla testa all'addome, tra il punto in cui il corpo del Gramo non c'era e il punto in cui prendeva a esserci. Anche il corpo del Gramo ora buttava sangue per tutta l'enorme antica spaccatura: i fendenti dell'uno e dell'altro avevano rotto di nuovo tutte le vene e riaperto la ferita che li aveva divisi, nelle sue due facce. Ora giacevano riversi, e i sangui che già erano stati uno solo ritornavano a mescolarsi per il prato.

Tutto preso da quest'orrenda vista non avevo badato a Trelawney, quando m'accorsi che il dottore stava spiccando salti di gioia con le sue gambe da grillo, battendo le mani e gridando: – È salvo! È salvo! Lasciate fare a me.

Dopo mezz'ora riportammo in barella al castello un unico ferito. Il Gramo e il Buono erano bendati strettamente assieme; il dottore aveva avuto cura di far combaciare tutti i visceri e le arterie dell'una parte e dell'altra, e poi con un chilometro di bende li aveva legati così stretti che sembrava, più che un ferito, un antico morto imbalsamato.

Mio zio fu vegliato giorni e notti tra la morte e la vita. Un mattino, guardando quel viso che una linea rossa attraversava dalla fronte al mento, continuando poi giù per il collo, fu la balia Sebastiana a dire: – Ecco: s'è mosso.

Un sussulto di lineamenti stava infatti percorrendo il volto di mio zio, e il dottore pianse di gioia al vedere che si trasmetteva da una guancia all'altra.

Alla fine Medardo schiuse gli occhi, le labbra; dapprincipio la sua espressione era stravolta: aveva un occhio aggrottato e l'altro supplice, la fronte qua corrugata là serena, la bocca sorrideva da un angolo e dall'altro digrignava i denti. Poi a poco a poco ritornò simmetrico.

Il dottor Trelawney disse: – Ora è guarito.

Ed esclamò Pamela: – Finalmente avrò uno sposo con tutti gli attributi.

Così mio zio Medardo ritornò uomo intero, né cattivo né buono, un miscuglio di cattiveria e bontà, cioè apparentemente non dissimile da quello ch'era prima di esser dimezzato. Ma aveva l'esperienza dell'una e l'altra metà rifuse insieme, perciò doveva essere ben saggio. Ebbe vita felice, molti figli e un giusto governo. Anche la nostra vita mutò in meglio. Forse ci s'aspettava che, tornato intero il visconte, s'aprisse un'epoca di felicità meravigliosa; ma è chiaro che non basta un visconte completo perché diventi completo tutto il mondo.

Intanto Pietrochiodo non costruì più forche ma mulini; e Trelawney trascurò i fuochi fatui per i morbilli e le risipole. Io invece, in mezzo a tanto fervore d'interezza, mi sentivo sempre più triste e manchevole. Alle volte uno si crede incompleto ed è soltanto giovane.

Ero giunto sulle soglie dell'adolescenza e ancora mi nascondevo tra le radici dei grandi alberi del bosco a raccontarmi storie. Un ago di pino poteva rappresentare per me un cavaliere, o una dama, o un buffone; io lo facevo muovere dinanzi ai miei occhi e m'esaltavo in racconti interminabili. Poi mi prendeva la vergogna di queste fantasticherie e scappavo.

E venne il giorno in cui anche il dottor Trelawney m'abbandonò. Un mattino nel nostro golfo entrò una flotta di navi impavesate, che battevano bandiera inglese, e si mise alla raɑa. Tutta Terralba venne sulla riva a vederle, tranne io che non lo sapevo. Ai parapetti delle murate e sulle alberature c'era pieno di marinai che mostravano ananassi e testuggini e srotolavano cartigli su cui erano scritte delle massime latine e inglesi. Sul cassero, in mezzo agli ufficiali in tricorno e parrucca, il capitano Cook fissava con il cannocchiale la riva e appena scorse il dottor Trelawney diede ordine che gli trasmettessero con le bandiere il messaggio: «Venga a bordo subito, dottore, dobbiamo continuare quel tresette».

Il dottore salutò tutti a Terralba e ci lasciò. I marinai intonarono un inno: «Oh, Australia!» e il dottore fu issato a bordo a cavalcioni d'una botte di vino «cancarone». Poi le navi levarono le ancore.

Io non avevo visto nulla. Ero nascosto nel bosco a raccontarmi storie. Lo seppi troppo tardi e presi a correre verso la marina, gridando: – Dottore! Dottor Trelawney! Mi prenda con sé! Non può lasciarmi qui, dottore!

Ma già le navi stavano scomparendo all'orizzonte e io rimasi qui, in questo nostro mondo pieno di responsabilità e di fuochi fatui.

[1951]

Il barone rampante

Fu il 15 di giugno del 1767 che Cosimo Piovasco di Rondò, mio fratello, sedette per l'ultima volta in mezzo a noi. Ricordo come fosse oggi. Eravamo nella sala da pranzo della nostra villa d'Ombrosa, le finestre inquadravano i folti rami del grande elce del parco. Era mezzogiorno, e la nostra famiglia per vecchia tradizione sedeva a tavola a quell'ora, nonostante fosse già invalsa tra i nobili la moda, venuta dalla poco mattiniera Corte di Francia, d'andare a desinare a metà del pomeriggio. Tirava vento dal mare, ricordo, e si muovevano le foglie. Cosimo disse: – Ho detto che non voglio e non voglio! – e respinse il piatto di lumache. Mai s'era vista disubbidienza più grave.

A capotavola era il Barone Arminio Piovasco di Rondò, nostro padre, con la parrucca lunga sulle orecchie alla Luigi XIV, fuori tempo come tante cose sue. Tra me e mio fratello sedeva l'Abate Fauchelafleur, elemosiniere della nostra famiglia ed aio di noi ragazzi. Di fronte avevamo la Generalessa Corradina di Rondò, nostra madre, e nostra sorella Battista, monaca di casa. All'altro capo della tavola, rimpetto a nostro padre, sedeva, vestito alla turca, il Cavalier Avvocato Enea Silvio Carrega, amministratore e idraulico dei nostri poderi, e nostro zio naturale, in quanto fratello illegittimo di nostro padre.

Da pochi mesi, Cosimo avendo compiuto i dodici anni ed io gli otto, eravamo stati ammessi allo stesso desco dei nostri genitori; ossia, io avevo beneficiato della stessa promozione di mio fratello prima del tempo, perché non vollero lasciarmi di là a mangiare da solo. Dico beneficiato così per dire: in realtà sia per Cosimo che per me era finita la cuccagna, e rimpiangevamo i desinari nella nostra stanzetta, noi due soli con l'Abate Fauchelafleur. L'Abate era un vecchietto secco e grinzoso, che aveva fama di giansenista, ed era difatti fuggito dal Delfinato, sua terra natale, per scampare a un processo dell'Inquisizione. Ma il carattere rigoroso che di lui solitamente tutti lodavano, la severità interiore che imponeva a sé e agli altri, cedevano continuamente a una sua fondamentale vocazione per l'indifferenza e il lasciar correre, come se le sue lunghe meditazioni a occhi fissi nel vuoto non avessero approdato che a una gran noia e svogliatezza, e in ogni difficoltà anche minima vedesse il segno d'una fatalità cui non valeva opporsi. I nostri pasti in compagnia dell'Abate cominciavano dopo lunghe orazioni, con movimenti di cucchiai composti, rituali, silenziosi, e guai a chi alzava gli occhi dal piatto o faceva anche il più lieve risucchio sorbendo il brodo; ma alla fine della minestra l'Abate era già stanco, annoiato, guardava nel vuoto, schioccava la lingua a ogni sorso di vino, come se soltanto le sensazioni più superficiali e caduche riuscissero a raggiungerlo; alla pietanza noi già ci potevamo mettere a mangiare con le mani, e finivamo il pasto tirandoci torsoli di pera, mentre l'Abate faceva cadere ogni tanto uno dei suoi pigri: – ... Ooo *bien!...* Ooo *alors!*

Adesso, invece, stando a tavola con la famiglia, prendevano corpo i rancori familiari, capitolo triste dell'infanzia. Nostro padre, nostra madre sempre lì davanti, l'uso delle posate per il pollo, e sta' dritto, e via i gomiti dalla tavola, un continuo! e per di più quell'antipatica di nostra sorella Battista. Cominciò una serie di sgridate, di ripicchi, di castighi, d'impuntature, fino al giorno in cui Cosimo rifiutò le lumache e decise di separare la sua sorte dalla nostra.

Di quest'accumularsi di risentimenti familiari mi resi conto solo in seguito: allora avevo otto anni, tutto mi pareva un gioco, la guerra di noi ragazzi contro i grandi era la solita di tutti i ragazzi, non capivo che l'ostinazione che ci metteva mio fratello celava qualcosa di più fondo.

Il Barone nostro padre era un uomo noioso, questo è certo, anche se non cattivo: noioso perché la sua vita era dominata da pensieri stonati, come spesso succede nelle epoche di trapasso. L'agitazione dei tempi a molti comunica un bisogno d'agitarsi anche loro, ma tutto all'incontrario, fuori strada: così nostro padre, con quello che bolliva allora in pentola, vantava pretese al titolo di Duca d'Ombrosa, e non pensava ad altro che a genealogie e successioni e rivalità e alleanze con i potentati vicini e lontani.

Perciò a casa nostra si viveva sempre come si fosse alle prove generali d'un invito a Corte, non so se quella dell'Imperatrice d'Austria, di Re Luigi, o magari di quei montanari di Torino. Veniva servito un tacchino, e nostro padre a guatarci se lo scalcavamo e spolpavamo secondo tutte le regole reali, e l'Abate quasi non ne assaggiava per non farsi cogliere in fallo, lui che doveva tener bordone a nostro padre nei suoi rimbrotti. Del Cavalier Avvocato Carrega, poi, avevamo scoperto il fondo d'animo falso: faceva sparire cosciotti interi sotto le falde della sua zimarra turca, per poi mangiarseli a morsi come piaceva a lui, nascosto nella vigna; e noi avremmo giurato (sebbene mai fossimo riusciti a coglierlo sul fatto, tanto leste erano le sue mosse) che venisse a tavola con una tasca piena d'ossicini già spolpati, da lasciare nel suo piatto al posto dei quarti di tacchino fatti sparire sani sani. Nostra madre Generalessa non contava, perché usava bruschi modi militari anche nel servirsi a tavola, - *So! Noch ein wenig! Gut!* - e nessuno ci trovava da ridire; ma con noi teneva, se non all'etichetta, alla disciplina, e dava man forte al Barone coi suoi ordini da piazza d'armi, - *Sitz' ruhig!* E pulisciti il muso! - L'unica che si trovasse a suo agio era Battista, la monaca di casa, che scarnificava pollastri con un accanimento minuzioso, fibra per fibra, con certi coltellini appuntiti che aveva solo lei, specie di lancette da chirurgo. Il Barone, che pure avrebbe dovuto portarcela ad esempio, non osava guardarla, perché, con quegli occhi stralunati sotto le ali della cuffia inamidata, i denti stretti in quella sua gialla faccina da topo, faceva paura anche a lui. Si capisce quindi come fosse la tavola il luogo dove venivano alla luce tutti gli antagonismi, le incompatibilità tra noi, e anche tutte le nostre follie e ipocrisie; e come proprio a tavola si determinasse la ribellione di Cosimo. Per questo mi dilungo a raccontare, tanto di tavole imbandite nella vita di mio fratello non ne troveremo più, si può esser certi.

Era anche l'unico posto in cui ci incontravamo coi grandi. Per il resto della giornata nostra madre stava ritirata nelle sue stanze a fare pizzi e ricami e filé, perché la Generalessa in verità solo a questi lavori tradizionalmente donneschi sapeva accudire e solo in essi sfogava la sua passione guerriera. Erano pizzi e ricami che rappresentavano di solito mappe geografiche; e stesi su cuscini o drappi d'arazzo, nostra madre li punteggiava di spilli e bandierine, segnando i piani di battaglia delle Guerre di Successione, che conosceva a menadito. Oppure ricamava cannoni, con le varie traiettorie che partivano dalla bocca da fuoco, e le forcelle di tiro, e gli angoli di proiezione, perché era molto competente di balistica, e aveva per di più a disposizione tutta la biblioteca di suo padre il Generale, con trattati d'arte militare e tavole di tiro e atlanti. Nostra madre era una Von Kurtewitz, Konradine, figlia del Generale Konrad von Kurtewitz, che vent'anni prima aveva occupato le nostre terre al comando delle truppe di Maria Teresa d'Austria. Orfana di madre, il Generale se la portava dietro al campo; niente di romanzesco, viaggiavano ben equipaggiati, alloggiati nei castelli migliori, con uno stuolo di serve, e lei passava le giornate facendo pizzi al tombolo; quello che si racconta, che andasse in battaglia anche lei, a cavallo, sono tutte leggende; era sempre stata una donnetta con la pelle rosata e il naso in su come ce la ricordiamo noi, ma le era rimasta quella paterna passione militare, forse per protesta contro suo marito.

Nostro padre era tra i pochi nobili delle nostre parti che si fossero schierati con gli Imperiali in quella guerra: aveva accolto a braccia aperte il Generale von Kurtewitz nel suo feudo, gli aveva messo a disposizione i suoi uomini, e per meglio dimostrare la sua dedizione alla causa imperiale aveva sposato Konradine, tutto sempre nella speranza del Ducato, e gli andò male anche allora, come al solito, perché gli Imperiali sloggiarono presto e i Genovesi lo caricarono di tasse. Però ci aveva guadagnato una brava sposa, la Generalessa, come venne chiamata dopo che il padre morì nella spedizione di Provenza, e Maria Teresa le mandò un collare d'oro su un cuscino di damasco; una sposa con cui egli andò quasi sempre d'accordo, anche se lei, allevata negli accampamenti, non sognava che eserciti e battaglie e lo rimproverava di non essere altro che un maneggione sfortunato.

Ma in fondo erano tutt'e due rimasti ai tempi delle Guerre di Successione, lei con le artiglierie per la testa, lui con gli alberi genealogici; lei che sognava per noi figlioli un grado in un esercito non importa quale, lui che ci vedeva invece sposati a qualche granduchessa elettrice dell'Impero... Con tutto questo, furono degli ottimi genitori, ma talmente distratti che noi due potemmo venir su quasi abbandonati a noi stessi. Fu un male o un bene? E chi può dirlo? La vita di Cosimo fu tanto fuori del comune, la mia così regolata e modesta, eppure la nostra fanciullezza trascorse insieme, indifferenti entrambi a questi rovelli degli adulti, cercando vie diverse da quelle battute dalla gente.

Ci arrampicavamo sugli alberi (questi primi giochi innocenti si caricano adesso nel mio ricordo come d'una luce d'iniziazione, di presagio; ma chi ci pensava, allora?), risalivamo i torrenti saltando da uno scoglio all'altro, esploravamo caverne in riva al mare, scivolavamo per le balaustre di marmo delle scalinate della villa. Fu da una di queste scivolate che ebbe origine per Cosimo una delle più gravi ragioni d'urto coi genitori, perché fu punito, ingiustamente, egli ritenne, e da allora covò un rancore contro la famiglia (o la società? o il mondo in genere?) che s'espresse poi nella sua decisione del 15 giugno.

Di scivolare per la balaustra di marmo delle scale, a dire il vero, eravamo stati digià diffidati, non per paura che ci rompessimo una gamba o un braccio, che di questo i nostri genitori non si preoccuparono mai e fu perciò - io credo - che non ci rompemmo mai nulla; ma perché crescendo e aumentando di peso potevamo buttar giù le statue di antenati che nostro padre aveva fatto porre sui pilastrini terminali delle balaustre a ogni rampa di scale. Difatti, Cosimo una volta aveva già fatto crollare un trisavolo vescovo, con la mitria e

tutto; fu punito, e da allora imparò a frenare un attimo pri
ma d'arrivare alla fine della rampa e a saltar giù proprio a un
pelo dallo sbattere contro la statua. Anch'io imparai, perché
lo seguivo in tutto, solo che io, sempre più modesto e pruden-
te, saltavo giù a metà rampa, oppure facevo le scivolate a
pezzettini, con frenate continue. Un giorno lui scendeva per
la balaustra come una freccia, e chi c'era che saliva per le scale? L'Abate Fauchelafleur che se n'andava a zonzo col breviario aperto davanti, ma con lo sguardo fisso nel vuoto come una gallina. Fosse stato mezz'addormentato come il solito! No, era in uno di quei momenti che pure gli venivano,
d'estrema attenzione e apprensione per tutte le cose. Vede
Cosimo, pensa: balaustra, statua, ora ci sbatte, ora sgridano
anche me (perché ad ogni monelleria nostra veniva sgridato
anche lui che non sapeva sorvegliarci) e si butta sulla balaustra a trattenere mio fratello. Cosimo sbatte contro l'Abate,
lo travolge giù per la balaustra (era un vecchiettino pelle e ossa), non può frenare, cozza con raddoppiato slancio contro la
statua del nostro antenato Cacciaguerra Piovasco crociato in
Terrasanta, e diroccano tutti a piè delle scale: il crociato in
frantumi (era di gesso), l'Abate e lui. Furono ramanzine a
non finire, frustate, pensi, reclusione a pane e minestrone
freddo. E Cosimo, che si sentiva innocente perché la colpa
non era stata sua ma dell'Abate, uscì in quell'invettiva feroce:
– Io me n'infischio di tutti i vostri antenati, signor padre! –
che già annunciava la sua vocazione di ribelle.

Nostra sorella lo stesso, in fondo. Anche lei, se pure l'isolamento in cui viveva le era stato imposto da nostro padre,
dopo la storia del Marchesino della Mela, era sempre stata un
animo ribelle e solitario. Come fosse andata quella volta del
Marchesino, non si seppe mai bene. Figlio d'una famiglia a
noi ostile, come s'era intrufolato in casa? E perché? Per se-
durre, anzi, per violentare nostra sorella, si disse nella lunga
lite che ne seguì tra le famiglie. Di fatto, quel bietolone len-
tigginoso non riuscimmo mai a immaginarcelo come un se-
duttore, e meno che mai con nostra sorella, certo più forte di
lui, e famosa per fare a braccio di ferro anche con gli stallieri.
E poi: perché fu lui a gridare? E come mai fu trovato, dai

servi accorsi insieme a nostro padre, con i calzoni a brandelli, lacerati come dagli artigli d'una tigre? I Della Mela mai vollero ammettere che loro figlio avesse attentato all'onore di Battista e consentire al matrimonio. Così nostra sorella finì sepolta in casa, con gli abiti da monaca, pur senz'aver pronunciato voti neppure di terziaria, data la sua dubbia vocazione.

Il suo animo tristo s'esplicava soprattutto nella cucina. Era bravissima nel cucinare, perché non le mancava né la diligenza né la fantasia, doti prime d'ogni cuoca, ma dove metteva le mani lei non si sapeva che sorprese mai potessero arrivarci in tavola: certi crostini di paté, aveva preparato una volta, finissimi a dire il vero, di fegato di topo, e non ce l'aveva detto che quando li avevamo mangiati e trovati buoni; per non dire delle zampe di cavalletta, quelle di dietro, dure e seghettate, messe a mosaico su una torta; e i codini di porco arrostiti come fossero ciambelle; e quella volta che fece cuocere un porcospino intero, con tutte le spine, chissà perché, certo solo per farci impressione quando si sollevò il coprivivande, perché neanche lei, che pure mangiava sempre ogni razza di roba che avesse preparato, lo volle assaggiare, ancorché fosse un porcospino cucciolo, rosa, certo tenero. Infatti, molta di questa sua orrenda cucina era studiata solo per la figura, più che per il piacere di farci gustare insieme a lei cibi dai sapori raccapriccianti. Erano, questi piatti di Battista, delle opere di finissima oraferia animale o vegetale: teste di cavolfiore con orecchie di lepre poste su un colletto di pelo di lepre; o una testa di porco dalla cui bocca usciva, come cacciasse fuori la lingua, un'aragosta rossa, e l'aragosta nelle pinze teneva la lingua del maiale come se glie l'avesse strappata. Poi le lumache: era riuscita a decapitare non so quante lumache, e le teste, quelle teste di cavallucci molli molli, le aveva infisse, credo con uno stecchino, ognuna su un bignè, e parevano, come vennero in tavola, uno stormo di piccolissimi cigni. E ancor più della vista di quei manicaretti faceva impressione pensare dello zelante accanimento che certo Battista v'aveva messo a prepararli, immaginare le sue mani sottili mentre smembravano quei corpicini d'animali.

Il modo in cui le lumache eccitavano la macabra fantasia

di nostra sorella, ci spinse, mio fratello e me, a una ribellione, che era insieme di solidarietà con le povere bestie straziate, di disgusto per il sapore delle lumache cotte e d'insofferenza per tutto e per tutti, tanto che non c'è da stupirsi se di lì Cosimo maturò il suo gesto e quel che ne seguì.

Avevamo architettato un piano. Come il Cavalier Avvocato portava a casa un canestro pieno di lumache mangerecce, queste erano messe in cantina in un barile, perché stessero in digiuno, mangiando solo crusca, e si purgassero. A spostare la copertura di tavole di questo barile appariva una specie d'inferno, in cui le lumache si muovevano su per le doghe con una lentezza che era già un presagio d'agonia, tra rimasugli di crusca, strie d'opaca bava aggrumata e lumacheschi escrementi colorati, memoria del bel tempo dell'aria aperta e delle erbe. Quale di loro era tutta fuori del guscio, a capo proteso e corna divaricate, quale tutta rattrappita in sé, sporgendo solo diffidenti antenne; altre a crocchio come comari, altre addormentate e chiuse, altre morte con la chiocciola riversa. Per salvarle dall'incontro con quella sinistra cuoca, e per salvare noi dalle sue imbandigioni, praticammo un foro nel fondo del barile, e di lì tracciammo, con fili d'erba tritata e miele, una strada il più possibile nascosta, dietro botti e attrezzi della cantina, per attrarre le lumache sulla via della fuga, fino a una finestrella che dava in un'aiola incolta e sterposa.

Il giorno dopo, quando scendemmo in cantina a controllare gli effetti del nostro piano, e a lume di candela ispezionammo i muri e gli anditi, – Una qui!... E un'altra qua! – ... E vedi questa dov'è arrivata! – già una fila di lumache a non lunghi intervalli percorreva dal barile alla finestrella il pavimento e i muri, seguendo la nostra traccia. – Presto, lumachine! Fate presto, scappate! – non potemmo trattenerci dal dir loro, vedendo le bestiole andare lemme lemme, non senza deviare in giri oziosi sulle ruvide pareti della cantina, attratte da occasionali depositi e muffe e ingrommature; ma la cantina era buia, ingombra, accidentata: speravamo che nessuno potesse scoprirle, che avessero il tempo di scappare tutte.

Invece, quell'anima senza pace di nostra sorella Battista percorreva la notte tutta la casa a caccia di topi, reggendo un candeliere, e con lo schioppo sotto il braccio. Passò in cantina, quella notte, e la luce del candeliere illuminò una lumaca sbandata sul soffitto, con la scia di bava argentea. Risuonò una fucilata. Tutti nei letti sobbalzammo, ma subito riaffondammo il capo nei guanciali, avvezzi com'eravamo alle cacce notturne della monaca di casa. Ma Battista, distrutta la lumaca e fatto crollare un pezzo d'intonaco con quella schioppettata irragionevole, cominciò a gridare con la sua vocetta stridula: – Aiuto! Scappano tutte! Aiuto! – Accorsero i servi mezzo spogliati, nostro padre armato d'una sciabola, l'Abate senza parrucca, e il Cavalier Avvocato, prim'ancora di capir nulla, per paura di seccature scappò nei campi e andò a dormire in un pagliaio.

Al chiaror delle torce tutti si misero a dar la caccia alle lumache per la cantina, sebbene a nessuno stessero a cuore, ma ormai erano svegliati e non volevano, per il solito amor proprio, ammettere d'esser stati disturbati per nulla. Scoprirono il buco nel barile e capirono subito che eravamo stati noi. Nostro padre ci venne ad agguantare in letto, con la frusta del cocchiere. Finimmo ricoperti di striature viola sulla schiena le natiche e le gambe, chiusi nello stanzino squallido che ci faceva da prigione.

Ci tennero lì tre giorni, a pane acqua insalata cotenne di bue e minestrone freddo (che, fortunatamente, ci piaceva). Poi, primo pasto in famiglia, come niente fosse stato, tutti a puntino, quel mezzogiorno del 15 giugno: e cos'aveva preparato nostra sorella Battista, sovrintendente alla cucina? Zuppa di lumache e pietanza di lumache. Cosimo non volle toccare neanche un guscio. – Mangiate o subito vi rinchiudiamo nello stanzino! – Io cedetti, e cominciai a trangugiare quei molluschi. (Fu un po' una viltà, da parte mia, e fece sì che mio fratello si sentisse più solo, cosicché nel suo lasciarci c'era anche una protesta contro di me, che l'avevo deluso; ma avevo solo otto anni, e poi a che vale paragonare la mia forza di volontà, anzi, quella che potevo avere da bambino, con l'ostinazione sovrumana che contrassegnò la vita di mio fratello?)

– E allora? – disse nostro padre a Cosimo.

– No, e poi no! – fece Cosimo, e respinse il piatto.

– Via da questa tavola!

Ma già Cosimo aveva voltato le spalle a tutti noi e stava uscendo dalla sala.

– Dove vai?

Lo vedevamo dalla porta a vetri mentre nel vestibolo prendeva il suo tricorno e il suo spadino.

– Lo so io! – Corse in giardino.

Di lì a poco, dalle finestre, lo vedemmo che s'arrampicava su per l'elce. Era vestito e acconciato con grande proprietà, come nostro padre voleva venisse a tavola, nonostante i suoi dodici anni: capelli incipriati col nastro al codino, tricorno, cravatta di pizzo, marsina verde a code, calzonetti color malva, spadino, e lunghe ghette di pelle bianca a mezza coscia, unica concessione a un modo di vestirsi più intonato alla nostra vita campagnola. (Io, avendo solo otto anni, ero esentato dalla cipria sui capelli, se non nelle occasioni di gala, e dallo spadino, che pure mi sarebbe piaciuto portare). Così egli saliva per il nodoso albero, muovendo braccia e gambe per i rami con la sicurezza e la rapidità che gli venivano dalla lunga pratica fatta insieme.

Ho già detto che sugli alberi noi trascorrevamo ore e ore, e non per motivi utilitari come fanno tanti ragazzi, che ci salgono solo per cercar frutta o nidi d'uccelli, ma per il piacere di superare difficili bugne del tronco e inforcature, e arrivare più in alto che si poteva, e trovare bei posti dove fermarci a guardare il mondo laggiù, a fare scherzi e voci a chi passava sotto. Trovai quindi naturale che il primo pensiero di Cosimo, a quell'ingiusto accanirsi contro di lui, fosse stato d'arrampicarsi sull'elce, albero a noi familiare, e che protendendo i rami all'altezza delle finestre della sala, imponeva il suo contegno sdegnoso e offeso alla vista di tutta la famiglia.

– *Vorsicht! Vorsicht!* Ora casca, poverino! – esclamò piena d'ansia nostra madre, che ci avrebbe visto volentieri alla carica sotto le cannonate, ma intanto stava in pena per ogni nostro gioco.

Cosimo salì fino alla forcella d'un grosso ramo dove poteva stare comodo, e si sedette lì, a gambe penzoloni, a braccia incrociate con le mani sotto le ascelle, la testa insaccata nelle spalle, il tricorno calcato sulla fronte.

Nostro padre si sporse dal davanzale. – Quando sarai stanco di star lì cambierai idea! – gli gridò.

– Non cambierò mai idea, – fece mio fratello, dal ramo.

– Ti farò vedere io, appena scendi!

– E io non scenderò più! – E mantenne la parola.

II

Cosimo era sull'elce. I rami si sbracciavano, alti ponti sopra la terra. Tirava un lieve vento; c'era sole. Il sole era tra le foglie, e noi per vedere Cosimo dovevamo farci schermo con la mano. Cosimo guardava il mondo dall'albero: ogni cosa, vista di lassù, era diversa, e questo era già un divertimento. Il viale aveva tutt'un'altra prospettiva, e le aiole, le ortensie, le camelie, il tavolino di ferro per prendere il caffè in giardino. Più in là le chiome degli alberi si sfittivano e l'ortaglia digradava in piccoli campi a scala, sostenuti da muri di pietre; il dosso era scuro di oliveti, e, dietro, l'abitato d'Ombrosa sporgeva i suoi tetti di mattone sbiadito e ardesia, e ne spuntavano pennoni di bastimenti, là dove sotto c'era il porto. In fondo si stendeva il mare, alto d'orizzonte, ed un lento veliero vi passava.

Ecco che il Barone e la Generalessa, dopo il caffè, uscivano in giardino. Guardavano un rosaio, ostentavano di non badare a Cosimo. Si davano il braccio, ma poi subito si staccavano per discutere e far gesti. Io venni sotto l'elce, invece, come giocando per conto mio, ma in realtà cercando d'attirare l'attenzione di Cosimo; lui però mi serbava rancore e restava lassù a guardar lontano. Smisi, e m'accoccolai dietro una panca per poter continuare a osservarlo senz'essere veduto.

Mio fratello stava come di vedetta. Guardava tutto, e tutto era come niente. Tra i limoneti passava una donna con un cesto. Saliva un mulattiere per la china, reggendosi alla coda della mula. Non si videro tra loro; la donna, al rumore degli zoccoli ferrati, si voltò e si sporse verso strada, ma non fece in tempo. Si mise a cantare allora, ma il mulattiere passava già la svolta, tese l'orecchio, schioccò la frusta e alla mula disse: – Aah! – E tutto finì lì. Cosimo vedeva questo e quello.

Per il viale passò l'Abate Fauchelafleur col breviario aperto. Cosimo prese un qualcosa dal ramo e glielo lasciò cadere in testa; non capii cos'era, forse un ragnetto, o una scheggia di scorza; non lo prese. Con lo spadino Cosimo si mise a frugare in un buco del tronco. Ne uscì una vespa arrabbiata, lui la cacciò via sventolando il tricorno e ne seguì il volo con lo sguardo fino ad una pianta di zucche, dove s'acquattò. Veloce come sempre, il Cavalier Avvocato uscì di casa, prese per le scalette del giardino e si perse tra i filari della vigna; Cosimo, per vedere dove andava, s'arrampicò su un altro ramo. Lì, di tra il fogliame, s'udì un frullo, e s'alzò a volo un merlo. Cosimo ci restò male perché era stato lassù tutto quel tempo e non se n'era accorto. Stette a guardare controsole se ce n'erano degli altri. No, non ce n'erano.

L'elce era vicino a un olmo; le due chiome quasi si toccavano. Un ramo dell'olmo passava mezzo metro sopra a un ramo dell'altro albero; fu facile a mio fratello fare il passo e così conquistare la sommità dell'olmo, che non avevamo mai esplorato, per esser alto di palco e poco arrampicabile da terra. Dall'olmo, sempre cercando dove un ramo passava gomito a gomito con i rami d'un'altra pianta, si passava su un carrubo, e poi su un gelso. Così vedevo Cosimo avanzare da un ramo all'altro, camminando sospeso sul giardino.

Certi rami del grande gelso raggiungevano e scavalcavano il muro di cinta della nostra villa, e di là c'era il giardino dei D'Ondariva. Noi, benché confinanti, non sapevamo nulla de' Marchesi d'Ondariva e Nobili d'Ombrosa, perché godendo essi da parecchie generazioni di certi diritti feudali su cui nostro padre vantava pretese, un astio reciproco divideva le due famiglie, così come un muro alto che pareva un mastio di fortezza divideva le nostre ville, non so se fatto erigere da nostro padre o dal Marchese. S'aggiunga a ciò la gelosia di cui gli Ondariva circondavano il loro giardino, popolato, a quanto si diceva, di specie di piante mai vedute. Infatti, digià il padre degli attuali Marchesi, discepolo di Linneo, aveva mosso tutte le vaste parentele che la famiglia contava alle Corti di Francia e d'Inghilterra, per farsi mandare le più preziose rarità botaniche delle colonie, e per anni i bastimenti avevano sbarcato a Ombrosa sacchi di semi, fasci di talee, arbusti in vaso, e perfino alberi interi, con enormi involti di pan di terra attorno alle radici; finché in quel giardino era cresciuta – dicevano – una mescolanza di foreste delle Indie e delle Americhe, se non addirittura della Nuova Olanda.

Tutto quel che ne potevamo vedere noi era l'affacciarsi all'orlo del muro delle foglie oscure d'una pianta nuovamente importata dalle colonie americane, la *magnolia*, che sui rami neri sporgeva un carnoso fiore bianco. Dal nostro gelso Cosimo fu sulla cornice del muro, fece qualche passo in equilibrio, e poi, tenendosi con le mani, si calò dall'altra parte, dov'era no le foglie e il fiore di magnolia. Di lì scomparve alla mia vista; e quello che ora dirò, come molte delle cose di questo racconto della sua vita, mi furono riferite da lui in seguito, oppure fui io a ricavarle da sparse testimonianze ed induzioni.

Cosimo era sulla magnolia. Benché fitta di rami questa pianta era ben praticabile a un ragazzo esperto di tutte le specie d'alberi come mio fratello; e i rami resistevano al peso, ancorché non molto grossi e d'un legno dolce che la punta delle scarpe di Cosimo sbucciava, aprendo bianche ferite nel nero della scorza; ed avvolgeva il ragazzo in un profumo fresco di foglie, come il vento le muoveva, voltandone le pagine in un verdeggiare ora opaco ora brillante.

Ma era tutto il giardino che odorava, e se Cosimo ancora non riusciva a percorrerlo con la vista, tanto era irregolarmente folto, già lo esplorava con l'olfatto, e cercava di discernerne i vari aromi, che pur gli erano noti da quando, portati dal vento, giungevano fin nel nostro giardino e ci parevano una cosa sola col segreto di quella villa. Poi guardava le fronde e vedeva foglie nuove, quali grandi e lustre come ci corresse sopra un velo d'acqua, quali minuscole e pennate, e tronchi tutti lisci o tutti scaglie.

C'era un gran silenzio. Solo un volo si levò di piccolissimi luì, gridando. E si sentì una vocetta che cantava: – Oh là là là! La *ba-la-nçoire...* – Cosimo guardò giù. Appesa al ramo d'un grande albero vicino dondolava un'altalena, con seduta una bambina sui dieci anni.

Era una bambina bionda, con un'alta pettinatura un po' buffa per una bimba, un vestito azzurro anche quello troppo da grande, la gonna che ora, sollevata sull'altalena, traboccava di trine. La bambina guardava a occhi socchiusi e naso in su, come per un suo vezzo di far la dama, e mangiava una mela a morsi, piegando il capo ogni volta verso la mano che doveva insieme reggere la mela e reggersi alla fune dell'altalena, e si dava spinte colpendo con la punta degli scarpini il terreno ogni volta che l'altalena era al punto più basso del suo arco, e soffiava via dalle labbra i frammenti di buccia di mela morsicata, e cantava: – Oh là là là! La *ba-la-nçoire*... – come una ragazzina che ormai non le importa più nulla né dell'altalena, né della canzone, né (ma pure un po' di più) della mela, e ha già altri pensieri per il capo.

Cosimo, d'in cima alla magnolia, era calato fino al palco più basso, ed ora stava coi piedi piantati uno qua uno là in due forcelle e i gomiti appoggiati a un ramo davanti a lui come a un davanzale. I voli dell'altalena gli portavano la bambina proprio sotto il naso.

Lei non stava attenta e non se n'era accorta. Tutt'a un tratto se lo vide lì, ritto sull'albero, in tricorno e ghette. – Oh! – disse.

La mela le cadde di mano e rotolò al piede della magnolia. Cosimo sguainò lo spadino, s'abbassò giù dall'ultimo ramo, raggiunse la mela con la punta dello spadino, la infilzò e la porse alla bambina che nel frattempo aveva fatto un percorso completo d'altalena ed era di nuovo lì. – La prenda, non s'è sporcata, è solo un po' ammaccata da una parte.

La bambina bionda s'era già pentita d'aver mostrato tanto stupore per quel ragazzetto sconosciuto apparso lì sulla magnolia, e aveva ripreso la sua aria sussiegosa a naso in su. – Siete un ladro? – disse.

– Un ladro? – fece Cosimo, offeso; poi ci pensò su: lì per lì l'idea gli piacque. – Io sì, – disse, calcandosi il tricorno sulla fronte. – Qualcosa in contrario?

– E cosa siete venuto a rubare?

101

Cosimo guardò la mela che aveva infilzato sulla punta dello spadino, e gli venne in mente che aveva fame, che non aveva quasi toccato cibo in tavola. – Questa mela, – disse, e prese a sbucciarla con la lama dello spadino, che teneva, a dispetto dei divieti familiari, affilatissima.

– Allora siete un ladro di frutta, – disse la ragazza.

Mio fratello pensò alle masnade dei ragazzi poveri d'Ombrosa, che scavalcavano i muri e le siepi e saccheggiavano i frutteti, una genìa di ragazzi che gli era stato insegnato di disprezzare e di sfuggire, e per la prima volta pensò a quanto doveva essere libera e invidiabile quella vita. Ecco: forse poteva diventare uno come loro, e vivere così, d'ora in avanti. – Sì, – disse. Aveva tagliato a spicchi la mela e si mise a masticarla.

La ragazzina bionda scoppiò in una risata che durò tutto un volo d'altalena, su e giù. – Ma va'! I ragazzi che rubano la frutta io li conosco! Sono tutti miei amici! E quelli vanno scalzi, in maniche di camicia, spettinati, non con le ghette e il parrucchino!

Mio fratello diventò rosso come la buccia della mela. L'esser preso in giro non solo per l'incipriatura, cui non teneva affatto, ma anche per le ghette, cui teneva moltissimo, e l'esser giudicato d'aspetto inferiore a un ladro di frutta, a quella genìa fino a un momento prima disprezzata, e soprattutto lo scoprire che quella damigella che faceva da padrona nel giardino dei D'Ondariva era amica di tutti i ladri di frutta ma non amica sua, tutte queste cose insieme lo riempirono di dispetto, vergogna e gelosia.

– Oh là là là... Con le ghette e il parrucchin! – canterellava la bambina sull'altalena.

A lui prese un ripicco d'orgoglio. – Non sono un ladro di quelli che conoscete voi! – gridò. – Non sono affatto un ladro! Dicevo così per non spaventarvi: perché se sapeste chi sono io sul serio, morireste di paura: sono un brigante! Un terribile brigante!

La ragazzina continuava a volargli fin sul naso, si sarebbe detto volesse arrivare a sfiorarlo con le punte dei piedi. – Ma va'! E dov'è lo schioppo? I briganti hanno tutti lo schioppo!

O la spingarda! Io li ho visti! A noi ci hanno fermato cinque volte la carrozza, nei viaggi dal castello a qua!

– Ma il capo no! Io sono il capo! Il capo dei briganti non ha lo schioppo! Ha solo la spada! – e protese il suo spadino.

La ragazzina si strinse nelle spalle. – Il capo dei briganti, – spiegò, – è uno che si chiama Gian dei Brughi e viene sempre a portarci dei regali, a Natale e a Pasqua!

– Ah! – esclamò Cosimo di Rondò, raggiunto da un'ondata di faziosità familiare. – Allora ha ragione mio padre, quando dice che il Marchese d'Ondariva è il protettore di tutto il brigantaggio e il contrabbando della zona!

La bambina passò vicino a terra, invece di darsi la spinta frenò con un rapido sgambettio, e saltò giù. L'altalena vuota sobbalzò in aria sulle corde. – Scendete subito di lassù! Come vi siete permesso d'entrare nel nostro terreno! – fece, puntando un indice contro il ragazzo, incattivita.

– Non sono entrato e non scenderò, – disse Cosimo con pari calore. – Sul vostro terreno non ho mai messo piede, e non ce lo metterei per tutto l'oro del mondo!

La ragazzina allora, con gran calma, prese un ventaglio che era posato su una poltrona di vimini, e sebbene non facesse molto caldo, si sventolò passeggiando avanti e indietro. – Adesso, – fece con tutta calma, – chiamerò i servi e vi farò prendere e bastonare. Così imparerete a intrufolarvi nel nostro terreno! – Cambiava sempre tono, questa bambina, e mio fratello tutte le volte restava stonato.

– Dove son io non è terreno e non è vostro! – proclamò Cosimo, e già gli veniva la tentazione di aggiungere: «E poi io sono il Duca d'Ombrosa e sono il signore di tutto il territorio!» ma si trattenne, perché non gli piaceva di ripetere le cose che diceva sempre suo padre, adesso che era scappato via da tavola in lite con lui; non gli piaceva e non gli pareva giusto, anche perché quelle pretese sul Ducato gli erano sempre parse fissazioni; che c'entrava che ci si mettesse anche lui Cosimo, ora, a millantarsi Duca? Ma non voleva smentirsi e continuò il discorso come gli veniva. – Qui non è vostro, – ripeté, – perché vostro è il suolo, e se ci posassi un piede allora sarei uno che s'intrufola. Ma quassù no, e io vado dappertutto dove mi pare.

– Sì, allora è tuo, lassù...

– Certo! Territorio mio personale, tutto quassù, – e fece un vago gesto verso i rami, le foglie controsole, il cielo. – Sui rami degli alberi è tutto mio territorio. Di' che vengano a prendermi, se ci riescono!

Adesso, dopo tante rodomontate, s'aspettava che lei lo prendesse in giro chissà come. Invece si mostrò imprevedibilmente interessata. – Ah sì? E fin dove arriva, questo tuo territorio?

– Tutto fin dove si riesce ad arrivare andando sopra gli alberi, di qua, di là, oltre il muro, nell'oliveto, fin sulla collina, dall'altra parte della collina, nel bosco, nelle terre del Vescovo...

– Anche fino in Francia?

– Fino in Polonia e in Sassonia, – disse Cosimo, che di geografia sapeva solo i nomi sentiti da nostra madre quando parlava delle Guerre di Successione. – Ma io non sono egoista come te. Io nel mio territorio ti ci invito –. Ormai erano passati a darsi del tu tutt'e due, ma era lei che aveva cominciato.

– E l'altalena di chi è? – disse lei, e ci si sedette, col ventaglio aperto in mano.

– L'altalena è tua, – stabilì Cosimo, – ma siccome è legata a questo ramo, dipende sempre da me. Quindi, se tu ci stai mentre tocchi terra coi piedi, stai nel tuo, se ti sollevi per aria sei nel mio.

Lei si dette la spinta e volò, le mani strette alle funi. Cosimo dalla magnolia saltò sul grosso ramo che reggeva l'altalena, e di là afferrò le funi e si mise lui a farla dondolare. L'altalena andava sempre più in su.

– Hai paura?

– Io no. Come ti chiami?

– Io Cosimo... E tu?

– Violante ma mi dicono Viola.

– A me mi chiamano Mino, anche, perché Cosimo è un nome da vecchi.

– Non mi piace.

– Cosimo?

– No, Mino.

– Ah... Puoi chiamarmi Cosimo.

– Neanche per idea! Senti, tu, dobbiamo fare patti chiari.

– Come dici? – fece lui, che continuava a restarci male ogni volta.

– Dico: io posso salire nel tuo territorio e sono un'ospite sacra, va bene? Entro ed esco quando voglio. Tu invece sei sacro e inviolabile finché sei sugli alberi, nel tuo territorio, ma appena tocchi il suolo del mio giardino diventi mio schiavo e vieni incatenato.

– No, io non scendo nel tuo giardino e nemmeno nel mio. Per me è tutto territorio nemico ugualmente. Tu verrai su con me, e verranno i tuoi amici che rubano la frutta, forse anche mio fratello Biagio, sebbene sia un po' vigliacco, e faremo un esercito tutto sugli alberi e ridurremo alla ragione la terra e i suoi abitanti.

– No, no, niente di tutto questo. Lascia che ti spieghi come stanno le cose. Tu hai la signoria degli alberi, va bene?, ma se tocchi una volta terra con un piede, perdi tutto il tuo regno e resti l'ultimo degli schiavi. Hai capito? Anche se ti si spezza un ramo e caschi, tutto perduto!

– Io non sono mai caduto da un albero in vita mia!

– Certo, ma se caschi, se caschi diventi cenere e il vento ti porta via.

– Tutte storie. Io non vado a terra perché non voglio.

– Oh, come sei noioso.

– No, no, giochiamo. Per esempio, sull'altalena potrei starci?

– Se ti riuscisse di sederti sull'altalena senza toccar terra, sì.

Vicino all'altalena di Viola ce n'era un'altra, appesa allo stesso ramo, ma tirata su con un nodo alle funi perché non s'urtassero. Cosimo dal ramo si lasciò scendere giù aggrappato a una delle funi, esercizio in cui era molto bravo perché nostra madre ci faceva fare molte prove di palestra, arrivò al nodo, lo sciolse, si pose in piedi sull'altalena e per darsi lo slancio spostò il peso del corpo piegandosi sulle ginocchia e scattando avanti. Così si spingeva sempre più in su. Le due altalene andavano una in un senso una nell'altro e ormai arrivavano alla stessa altezza, e si passavano vicino a metà percorso.

– Ma se tu provi a sederti e a darti una spinta coi piedi, vai più in alto, – insinuò Viola.

Cosimo le fece uno sberleffo.

– Vieni giù a darmi una spinta, sii bravo, – fece lei, sorridendogli, gentile.

– Ma no, io, s'era detto che non devo scendere a nessun costo... – e Cosimo ricominciava a non capire.

– Sii gentile.

– No.

– Ah, ah! Stavi già per cascarci. Se mettevi un piede per terra avevi già perso tutto! – Viola scese dall'altalena e prese a dare delle leggere spinte all'altalena di Cosimo. – Uh! – Aveva afferrato tutt'a un tratto il sedile dell'altalena su cui mio fratello teneva i piedi e l'aveva rovesciato. Fortuna che Cosimo si teneva ben saldo alle corde! Altrimenti sarebbe piombato a terra come un salame!

– Traditrice! – gridò, e s'arrampicò su, stringendosi alle due corde, ma la salita era molto più difficile della discesa, soprattutto con la bambina bionda che era in uno dei suoi momenti maligni e tirava le corde da giù in tutti i sensi.

Finalmente raggiunse il grosso ramo, e ci si mise a cavalcioni. Con la cravatta di pizzo s'asciugò il sudore dal viso. – Ah! ah! Non ce l'hai fatta!

– Per un pelo!

– Ma io ti credevo mia amica!

– Credevi! – e riprese a sventagliarsi.

– Violante! – proruppe in quel momento un'acuta voce femminile. – Con chi stai parlando?

Sulla scalinata bianca che portava alla villa era apparsa una signora: alta, magra, con una larghissima gonna; guardava con l'occhialino. Cosimo si ritrasse tra le foglie, intimidito.

– Con un giovane, *ma tante*, – disse la bambina, – che è nato in cima a un albero e per incantesimo non può metter piede a terra.

Cosimo, tutto rosso, domandandosi se la bambina parlava così per prenderlo in giro davanti alla zia, o per prendere in

giro la zia davanti a lui, o solo per continuare il gioco, o perché non le importava nulla né di lui né della zia né del gioco,
si vedeva scrutato dall'occhialino della dama, che s'avvicinava
all'albero come per contemplare uno strano pappagallo.

– *Uh, mais c'est un des Piovasques, ce jeune homme, je
crois. Viens, Violante.*

Cosimo avvampava d'umiliazione: l'averlo riconosciuto
con quell'aria naturale, nemmeno domandandosi perché lui
era lì, e l'aver subito richiamato la bambina, con fermezza ma
senza severità, e Viola che docile, senza neanche voltarsi, seguiva il richiamo della zia; tutto pareva sottintendere ch'egli
era persona di nessun conto, che quasi non esisteva nemmeno.
Così quel pomeriggio straordinario sprofondava in una nube
di vergogna.

Ma ecco che la bambina fa segno alla zia, la zia abbassa il
capo, la bambina le dice qualcosa nell'orecchio. La zia ripun-
ta l'occhialino su Cosimo. – Allora, signorino, – gli dice, –
vuol favorire a prendere una tazza di cioccolata? Così faremo
conoscenza anche noi, – e dà un'occhiata di sbieco a Viola, –
visto che è già amico di famiglia.

Restò lì a guardare zia e nipote a occhi tondi, Cosimo. Gli
batteva forte il cuore. Ecco che era invitato dai D'Ondariva e
D'Ombrosa, la famiglia più sussiegosa di quei posti, e l'umiliazione d'un momento prima si trasformava in rivincita e si
vendicava di suo padre, venendo accolto da avversari che l'a-
vevano sempre guardato dall'alto in basso, e Viola aveva in-
terceduto per lui, e lui era ormai ufficialmente accettato come
amico di Viola, e avrebbe giocato con lei in quel giardino diverso da tutti i giardini. Tutto questo provò Cosimo, ma, insieme, un sentimento opposto, se pur confuso: un sentimento
fatto di timidezza, orgoglio, solitudine, puntiglio; e in questo
contrasto di sentimenti mio fratello s'afferrò al ramo sopra di
sé, s'arrampicò, si spostò nella parte più frondosa, passò su di
un altro albero, disparve.

III

Fu un pomeriggio che non finiva mai. Ogni tanto si sentiva un tonfo, un fruscio, come spesso nei giardini, e correvamo fuori sperando che fosse lui, che si fosse deciso a scendere. Macché, vidi oscillare la cima della magnolia col fiore bianco e Cosimo apparire di là dal muro e scavalcarlo.

Gli andai incontro sul gelso. Vedendomi, parve contrariato; era ancora arrabbiato con me. Si sedette su un ramo del gelso più in su di me e si mise a farci delle tacche con lo spadino, come se non volesse rivolgermi parola.

– Si sale bene sul gelso, – dissi, tanto per parlare, – prima non c'eravamo mai saliti...

Lui continuò a scalfire il ramo con la lama, poi disse, agro
– Allora, ti son piaciute le lumache?

Io protesi un canestro: – T'ho portato due fichi secchi, Mino, e un po' di torta...

– T'hanno mandato *loro*? – fece lui, sempre scostante, ma già guardava il canestro inghiottendo saliva.

– No, sapessi, ho dovuto scappare di nascosto dall'Abate! – dissi in fretta. – Volevano tenermi a far lezione tutta la sera, perché non comunicassi con te, ma il vecchio s'è addormentato! La mamma è in pensiero che tu possa cadere e vorrebbe che ti si cercasse, ma il babbo da quando non t'ha visto più sull'elce dice che sei sceso e ti sei rimpiattato in qualche angolo a meditare sul malfatto e non c'è da aver paura.

– Io non sono mai sceso! – disse mio fratello.

– Sei stato nel giardino dei D'Ondariva?

– Sì, ma sempre da un albero all'altro, senza mai toccar terra!

– Perché? – chiesi io; era la prima volta che lo sentivo enunciare quella sua regola, ma ne aveva parlato come d'una cosa già convenuta tra noi, quasi tenesse a rassicurarmi di non avervi trasgredito; tanto che io non osai più insistere nella mia richiesta di spiegazioni.

– Sai, – disse, invece di rispondermi, – è un posto che ci vuole dei giorni a esplorarlo tutto, dai D'Ondariva! Con alberi delle foreste dell'America, vedessi! – Poi si ricordò che con me era in lite e che quindi non doveva avere alcun piacere a comunicarmi le sue scoperte. Troncò, brusco: – Comunque non ti ci porto. Tu puoi andare a spasso con Battista, d'ora in avanti, o col Cavalier Avvocato!

– No, Mino, portamici! – feci io, – non devi avercela con me per le lumache, erano schifose, ma io non ne potevo più di sentirli gridare!

Cosimo stava ingozzandosi di torta. – Ti metterò alla prova, – disse, – devi dimostrarmi d'essere dalla parte mia, non dalla loro.

– Dimmi tutto quello che vuoi che faccia.

– Devi procurarmi delle corde, lunghe e forti, perché per fare certi passaggi devo legarmi; poi una carrucola, e ganci, chiodi di quelli grossi...

– Ma cosa vuoi fare? Una gru?

– Dovremo trasportare su molta roba, vedremo in seguito: tavole, canne...

– Vuoi costruire una capannuccia su un albero! E dove?

– Se sarà il caso. Il posto lo sceglieremo. Intanto il mio recapito è là da quella quercia cava. Calerò il cestino con la fune e tu potrai metterci tutto quello di cui avrò bisogno.

– Ma perché? Parli come se tu restassi chissà quanto nascosto... Non credi che ti perdoneranno?

Si voltò rosso in viso. – Che me ne importa se mi perdonano? E poi non sono nascosto: io non ho paura di nessuno! E tu, hai paura di aiutarmi?

Non che io non avessi capito che mio fratello per ora si rifiutava di scendere, ma facevo finta di non capire per obbligarlo a pronunciarsi, a dire: «Sì, voglio restare sugli alberi fino all'ora di merenda, o fino al tramonto, o all'ora di cena, o finché non è buio», qualcosa che insomma segnasse un limite, una proporzione al suo atto di protesta. Invece non diceva nulla di simile, e io ne provavo un po' paura.

Chiamarono, da basso. Era nostro padre che gridava: – Cosimo! Cosimo! – e poi, già persuaso che Cosimo non dovesse rispondergli: – Biagio! Biagio! – chiamava me.

– Vado a vedere cosa vogliono. Poi ti vengo a raccontare, – dissi in fretta. Questa premura d'informare mio fratello, l'ammetto, si combinava a una mia fretta di svignarmela, per paura d'esser colto a confabulare con lui in cima al gelso e dover dividere con lui la punizione che certo l'aspettava. Ma Cosimo non parve leggermi in viso quest'ombra di codardia: mi lasciò andare, non senz'aver ostentato con un'alzata di spalle la sua indifferenza per quel che nostro padre poteva avergli da dire.

Quando tornai era ancora lì; aveva trovato un buon posto per star seduto, su di un tronco capitozzato, teneva il mento sulle ginocchia e le braccia strette attorno agli stinchi.

– Mino! Mino! – feci, arrampicandomi, senza fiato. – T'hanno perdonato! Ci aspettano! C'è la merenda in tavola, e babbo e mamma sono già seduti e ci mettono le fette di torta nel piatto! Perché c'è una torta di crema e cioccolato, ma non fatta da Battista, sai! Battista dev'essersi chiusa in camera sua, verde dalla bile! Loro m'hanno carezzato sulla testa e m'hanno detto così: «Va' dal povero Mino e digli che facciamo la pace e non ne parliamo più!» Presto, andiamo!

Cosimo mordicchiava una foglia. Non si mosse.

– Di', – fece, – cerca di prendere una coperta, senza farti vedere, e portamela. Deve far freddo, qua, la notte.

– Ma non vorrai passare la notte sugli alberi!

Lui non rispondeva, il mento sui ginocchi, masticava una foglia e guardava dinanzi a sé. Seguii il suo sguardo, che finiva dritto sul muro del giardino dei D'Ondariva, là dove faceva capolino il bianco fior di magnolia, e più in là volteggiava un aquilone.

Così fu sera. I servi andavano e venivano apparecchiando tavola; nella sala i candelieri erano già accesi. Cosimo dall'albero doveva veder tutto; ed il Barone Arminio rivolto alle ombre fuori della finestra gridò: – Se vuoi restare lassù, morrai di fame!

Quella sera per la prima volta ci sedemmo a cena senza Cosimo. Lui era a cavallo d'un ramo alto dell'elce, di lato, cosicché ne vedevamo solo le gambe ciondoloni. Vedevamo, dico, se ci facevamo al davanzale e scrutavamo nell'ombra, perché la stanza era illuminata e fuori buio.

Perfino il Cavalier Avvocato si sentì in dovere d'affacciarsi e dir qualcosa, ma come suo solito riuscì a non esprimere un giudizio sulla questione. Disse: – Oooh... Legno robusto... Dura cent'anni... – poi alcune parole turche, forse il nome dell'elce; insomma, come se si stesse parlando dell'albero e non di mio fratello.

Nostra sorella Battista invece tradiva nei riguardi di Cosimo una specie d'invidia, come se, abituata a tener la famiglia col fiato sospeso per le sue stranezze, ora avesse trovato qualcuno che la superava; e continuava a mordersi le unghie (se le mangiava non alzando un dito alla bocca, ma abbassandolo, con la mano a rovescio, il gomito alzato).

Alla Generalessa venne in mente di certi soldati di vedetta sugli alberi in un accampamento non so più se in Slavonia o in Pomerania, e di come riuscirono, avvistando i nemici, a evitare un'imboscata. Questo ricordo, tutt'a un tratto, da smarrita che era per apprensione materna, la riportò al clima militare suo favorito, e, come fosse riuscita finalmente a darsi ragione del comportamento di suo figlio, divenne più tranquilla e quasi fiera. Nessuno le diede retta, tranne l'Abate Fauchelafleur che assentì con gravità al racconto guerresco e al parallelo che mia madre ne traeva, perché si sarebbe aggrappato a qualsiasi argomento pur di trovar naturale quel che stava succedendo e di sgombrar il capo da responsabilità e preoccupazioni.

Dopo cena, noi s'andava presto a dormire, e non cambiammo orario neppure quella sera. Ormai i nostri genitori erano decisi a non dar più a Cosimo la soddisfazione di badargli, aspettando che la stanchezza, la scomodità e il freddo della notte lo snidassero. Ognuno salì nei suoi quartieri e sulla facciata della casa le candele accese aprivano occhi d'oro nel riquadro delle impannate. Che nostalgia, che ricordo di calore doveva dare quella casa tanto nota e vicina, a mio fratello che pernottava al sereno! M'affacciai alla finestra della nostra stanza, e indovinai la sua ombra rannicchiata in un incavo dell'elce, tra ramo e tronco, avvolta nella coperta, e – credo – legata a più giri con la corda per non cadere.

La luna si levò tardi e risplendeva sopra i rami. Nei nidi dormivano le cincie, rannicchiate come lui. Nella notte, all'aperto, il silenzio del parco attraversavano cento fruscii e rumori lontani, e trascorreva il vento. A tratti giungeva un remoto mugghio: il mare. Io dalla finestra tendevo l'orecchio a questo frastagliato respiro e cercavo d'immaginarlo udito senza l'alveo familiare della casa alle spalle, da chi si trovava pochi metri più in là soltanto, ma tutto affidato ad esso, con solo la notte intorno a sé; unico oggetto amico cui tenersi abbracciato un tronco d'albero dalla scorza ruvida, percorso da minute gallerie senza fine in cui dormivano le larve.

Andai a letto, ma non volli spegnere la candela. Forse quella luce alla finestra della sua stanza poteva tenergli compagnia. Avevamo una camera in comune, con due lettini ancora da ragazzi. Io guardavo il suo, intatto, e il buio fuor dalla finestra in cui egli stava, e mi rivoltavo tra le lenzuola avvertendo forse per la prima volta la gioia dello stare spogliato, a piedi nudi, in un letto caldo e bianco, e come sentendo insieme il disagio di lui legato lassù nella coperta ruvida, le gambe allacciate nelle ghette, senza potersi girare, le ossa rotte. È un sentimento che non m'ha più abbandonato da quella notte, la coscienza di che fortuna sia aver un letto, lenzuola pulite, materasso morbido! In questo sentimento i miei pensieri, per tante ore proiettati sulla persona che era oggetto di tutte le nostre ansie, vennero a richiudersi su di me e così m'addormentai.

IV

Io non so se sia vero quello che si legge nei libri, che in antichi tempi una scimmia che fosse partita da Roma saltando da un albero all'altro poteva arrivare in Spagna senza mai toccare terra. Ai tempi miei di luoghi così fitti d'alberi c'era solo il golfo d'Ombrosa da un capo all'altro e la sua valle fin sulle creste dei monti; e per questo i nostri posti erano nominati dappertutto.

Ora, già non si riconoscono più, queste contrade. S'è cominciato quando vennero i Francesi, a tagliar boschi come fossero prati che si falciano tutti gli anni e poi ricrescono. Non sono ricresciuti. Pareva una cosa della guerra, di Napoleone, di quei tempi: invece non si smise più. I dossi sono nudi che a guardarli, noi che li conoscevamo da prima, fa impressione.

Allora, dovunque s'andasse, avevamo sempre rami e fronde tra noi e il cielo. L'unica zona di vegetazione più bassa erano i limoneti, ma anche là in mezzo si levavano contorti gli alberi di fico, che più a monte ingombravano tutto il cielo degli orti, con le cupole del pesante loro fogliame, e se non erano fichi erano ciliegi dalle brune fronde, o più teneri cotogni, peschi, mandorli, giovani peri, prodighi susini, e poi sorbi, carrubi, quando non era un gelso o un noce annoso. Finiti gli orti, cominciava l'oliveto, grigio-argento, una nuvola che sbiocca a mezza costa. In fondo c'era il paese accatastato, tra il porto in basso e in su la rocca; ed anche lì, tra i tetti, un continuo spuntare di chiome di piante: lecci, platani, anche roveri, una vegetazione più disinteressata e altera che prendeva sfogo

– un ordinato sfogo – nella zona dove i nobili avevano costruito le ville e cinto di cancelli i loro parchi.

Sopra gli olivi cominciava il bosco. I pini dovevano un tempo aver regnato su tutta la plaga, perché ancora s'infiltravano in lame e ciuffi di bosco giù per i versanti fino sulla spiaggia del mare, e così i larici. Le roveri erano più frequenti e fitte di quel che oggi non sembri, perché furono la prima e più pregiata vittima della scure. Più in su i pini cedevano ai castagni, il bosco saliva la montagna, e non se ne vedevano confini. Questo era l'universo di linfa entro il quale noi vivevamo, abitanti d'Ombrosa, senza quasi accorgercene.

Il primo che vi fermò il pensiero fu Cosimo. Capì che, le piante essendo così fitte, poteva passando da un ramo all'altro spostarsi di parecchie miglia, senza bisogno di scendere mai. Alle volte, un tratto di terra spoglia l'obbligava a lunghissimi giri, ma lui presto s'impratichì di tutti gli itinerari obbligati e misurava le distanze non più secondo i nostri estimi, ma sempre con in mente il tracciato contorto che doveva seguire lui sui rami. E dove neanche con un salto si raggiungeva il ramo più vicino, prese a usare degli accorgimenti; ma questo lo dirò più in là; ora siamo ancora all'alba in cui svegliandosi si trovò in cima a un elce, tra lo schiamazzo degli storni, madido di rugiada fredda, intirizzito, le ossa rotte, il formicolio alle gambe ed alle braccia, e felice si diede a esplorare il nuovo mondo.

Giunse sull'ultimo albero dei parchi, un platano. Giù digradava la valle sotto un cielo di corone di nubi e fumo che saliva da qualche tetto d'ardesia, casolari nascosti dietro le ripe come mucchi di sassi; un cielo di foglie alzate in aria dai fichi e dai ciliegi; e più bassi prugni e peschi divaricavano tarchiati rami; tutto si vedeva, anche l'erba, fogliolina a fogliolina, ma non il colore della terra, ricoperta dalle pigre foglie della zucca o dall'accesparsi di lattughe o verze nei semenzai; e così era da una parte e dall'altra del V in cui s'apriva la valle ad un imbuto alto di mare.

E in questo paesaggio correva come un'onda, non visibile e nemmeno, se non di tanto in tanto, udibile, ma quel che se n'udiva bastava a propagarne l'inquietudine: uno scoppio di

gridi acuti tutt'a un tratto, e poi come un croscio di tonfi e
forse anche lo scoppio d'un ramo spezzato, e ancora grida,
ma diverse, di vociacce infuriate, che andavano convergendo
nel luogo da cui prima erano venuti i gridi acuti. Poi niente,
un senso fatto di nulla, come d'un trascorrere, di qualcosa che
c'era da aspettarsi non là ma da tutt'altra parte, e difatti riprendeva quell'insieme di voci e rumori, e questi luoghi di
probabile provenienza erano, di qua o di là della valle, sempre
dove si muovevano al vento le piccole foglie dentate dei ciliegi. Perciò Cosimo, con la parte della sua mente che veleggiava
distratta – un'altra parte di lui invece sapeva e capiva tutto in
precedenza – formulò questo pensiero: le ciliege parlano.

Era verso il più vicino ciliegio, anzi una fila d'alti ciliegi
d'un bel verde frondoso, che Cosimo si dirigeva, e carichi di
ciliege nere, ma mio fratello ancora non aveva l'occhio a distinguere subito tra i rami quello che c'era e quello che non
c'era. Stette lì: prima ci si sentiva del rumore ed ora no. Lui
era sui rami più bassi, e tutte le ciliege che c'erano sopra di lui
se le sentiva addosso, non avrebbe saputo spiegare come, parevano convergere su di lui, pareva insomma un albero con
occhi invece che ciliege. Cosimo alzò il viso e una ciliegia
troppo matura gli cascò sulla fronte con un ciacc! Socchiuse le
palpebre per guardare in su controcielo (dove il sole cresceva)
e vide che su quello e sugli alberi vicini c'era pieno di ragazzi
appollaiati.

Al vedersi visti non stettero più zitti, e con voci acute benché smorzate dicevano qualcosa come: – Guardalo lì quanto
l'è bello! – e spartendo davanti a sé le foglie ognuno dal ramo
in cui stava scese a quello più basso, verso il ragazzo col tricorno in capo. Loro erano a capo nudo o con sfrangiati cappelli di paglia, e alcuni incappucciati in sacchi; vestivano lacere camicie e brache; ai piedi chi non era scalzo aveva fasce di
pezza, e qualcuno legati al collo portava gli zoccoli, tolti per
arrampicarsi; erano la gran banda dei ladruncoli di frutta, da
cui Cosimo ed io c'eravamo sempre – in questo obbedienti alle
ingiunzioni familiari – tenuti ben lontani. Quel mattino invece
mio fratello sembrava non cercasse altro, pur non essendo
nemmeno a lui ben chiaro che cosa se ne ripromettesse.

Stette fermo ad aspettarli mentre calavano indicandoselo e lanciandogli, in quel loro agro sottovoce, motti come: – Cos'è ch'è qui che cerca questo qui? – e sputandogli anche qualche nocciolo di ciliegia o tirandogliene qualcuna di quelle bacate o beccate da un merlo, dopo averle fatte vorticare in aria su¹ picciòlo con mossa da frombolieri.

– Uuuh! – fecero tutt'a un tratto. Avevano visto lo spadino che gli pendeva dietro. – Lo vedete cosa ci ha? – E giù risate. – Il battichiappe!

Poi fecero silenzio e soffocavano le risa perché stava per succedere una cosa da diventare matti dal divertimento: due di questi piccoli manigoldi, zitti zitti, si erano portati su di un ramo proprio sopra a Cosimo e gli calavano la bocca d'un sacco sulla testa (uno di quei lerci sacchi che a loro servivano certo per metterci il bottino, e quando erano vuoti si acconciavano in testa come cappucci che scendevano sulle spalle). Tra poco mio fratello si sarebbe trovato insaccato senza neanche capir come e lo potevano legare come un salame e caricarlo di pestoni.

Cosimo fiutò il pericolo, o forse non fiutò niente: si sentì deriso per lo spadino e volle sfoderarlo per punto d'onore. Lo brandì alto, la lama sfiorò il sacco, lui lo vide, e con un'accartocciata lo strappò di mano ai due ladroncelli e lo fece volar via.

Era una buona mossa. Gli altri fecero degli «Oh!» insieme di disappunto e meraviglia, e ai due compari che s'erano lasciati portar via il sacco lanciarono insulti dialettali come: – *Cuiasse! Belinùi!*

Non ebbe tempo di rallegrarsi del successo, Cosimo. Una furia opposta si scatenò da terra; latravano, tiravano dei sassi, gridavano: – Stavolta non ci scappate, bastardelli ladri! – e s'alzavano punte di forcone. Tra i ladruncoli sui rami ci fu un rannicchiarsi, un tirar su di gambe e gomiti. Era stato quel chiasso attorno a Cosimo a dar l'allarme agli agricoltori che stavano all'erta.

L'attacco era preparato in forze. Stanchi di farsi rubar la frutta man mano che maturava, parecchi dei piccoli proprietari e dei fittavoli della vallata s'erano federati tra loro; per-

ché alla tattica dei furfantelli di dar la scalata tutti insieme a
un frutteto, saccheggiarlo e scappare da tutt'altra parte, e lì
daccapo, non c'era da opporre che una tattica simile: cioè far
la posta tutti insieme in un podere dove prima o poi sarebbero
venuti, e prenderli in mezzo. Ora i cani sguinzagliati abbaia-
vano rampando al piede dei ciliegi con bocche irte di denti, e
in aria si protendevano le forche da fieno. Dei ladruncoli tre o
quattro saltarono a terra giusto in tempo per farsi bucare la
schiena dalle punte dei tridenti e il fondo dei calzoni dal morso dei cani, e correre via urlando e sfondando a testate i filari
delle vigne. Così nessuno osò più scendere: stavano sbigottiti
sui rami, tanto loro che Cosimo. Già gli agricoltori mettevano
le scale contro i ciliegi e salivano facendosi precedere dai denti
puntati dei forconi.

Ci vollero alcuni minuti prima che Cosimo capisse che essere lui spaventato perché era spaventata quella banda di vagabondi era una cosa senza senso, com'era senza senso quell'i-
dea che loro fossero tanto in gamba e lui no. Il fatto che se ne
stessero lì come dei tonti era già una prova: cosa aspettavano
a scappare sugli alberi intorno? Mio fratello così era giunto
fin lì e così poteva andarsene: si calcò il tricorno in testa, cercò il ramo che gli aveva fatto da ponte, passò dall'ultimo ciliegio a un carrubo, dal carrubo penzolandosi calò su di un susi-
no, e così via. Quelli, al vederlo girare per quei rami come
fosse in piazza, capirono che dovevano tenergli subito dietro,
se no prima di ritrovare la sua strada chissà quanto avrebbero
penato; e lo seguirono zitti, carponi per quell'itinerario tor-
tuoso. Lui intanto, salendo per un fico, scavalcava la siepe del
campo, calava su di un pesco, tenero di rami tanto che bisognava passarci uno alla volta. Il pesco serviva solo ad aggrapparsi al tronco storto d'un olivo che sporgeva da un muro;
dall'olivo con un salto s'era su una rovere che allungava un
robusto braccio oltre il torrente, e si poteva passare sugli alberi di là.

Gli uomini con le forche, che credevano ormai d'avere in
mano i ladri di frutta, se li videro scappare per l'aria come uccelli. Li inseguirono, correndo insieme ai cani latranti, ma dovettero aggirare la siepe, poi il muro, poi in quel punto del

torrente non c'erano ponti, e per trovare un guado persero tempo ed i monelli erano lontani che correvano.

Correvano come cristiani, con i piedi per terra. Sui rami c'era rimasto solo mio fratello. – Dov'è finito quel saltimpalo con le ghette? – si chiedevano loro, non vedendoselo più davanti. Alzarono lo sguardo: era là che rampava per gli olivi. – Ehi, tu, cala dabbasso, ormai non ci pigliano! – Lui non calò, saltò tra fronda e fronda, da un olivo passò a un altro, sparì alla vista tra le fitte foglie argentee.

Il branco dei piccoli vagabondi, con i sacchi per cappuccio e in mano canne, ora assaltava certi ciliegi in fondo valle. Lavoravano con metodo, spogliando ramo dopo ramo, quando, in cima alla pianta più alta, appollaiato con le gambe intrecciate, spiccando con due dita i piccioli delle ciliege e mettendole nel tricorno posato sulle ginocchia, chi videro? Il ragazzo con le ghette! – Ehi, di dove arrivi? – gli chiesero, arroganti. Ma c'erano restati male perché pareva proprio che fosse venuto lì volando.

Mio fratello ora prendeva a una a una le ciliege dal tricorno e le portava alla bocca come fossero canditi. Poi soffiava via i noccioli con uno sbuffo delle labbra, attento che non gli macchiassero il panciotto.

– Questo mangiagelati, – disse uno, – cosa avanza da noi? Perché ci viene tra i piedi? Perché non si mangia quelle del suo giardino, di ciliege? – Ma erano un po' intimiditi, perché avevano capito che sugli alberi era più in gamba lui di tutti loro.

– Tra questi mangiagelati, – disse un altro, – ogni tanto ne nasce per sbaglio uno più in gamba: vedi la Sinforosa...

A questo nome misterioso, Cosimo tese l'orecchio e, non sapeva nemmeno lui perché, arrossì.

– La Sinforosa ci ha tradito! – disse un altro.

– Ma era in gamba, per essere una mangiagelati pure lei, e se ci fosse stata ancora lei a suonare il corno stamane non ci avrebbero preso.

– Può stare con noi anche un mangiagelati, si capisce, se vuole essere dei nostri!

(Cosimo capì che *mangiagelati* voleva dire abitante delle ville, o nobile, o comunque persona altolocata).

– Senti tu, – gli disse uno, – patti chiari: se vuoi essere con noi, le battute le fai con noi e ci insegni tutti i passi che sai.

– E ci lasci entrare nel frutteto di tuo padre! – disse un altro. – A me una volta mi ci hanno sparato col sale!

Cosimo li stava a sentire, ma come assorto in un suo pensiero. Poi fece: – Ma ditemi, chi è la Sinforosa?

Allora tutti quegli straccioncelli tra le fronde scoppiarono a ridere, a ridere, tanto che qualcuno per poco non cadeva dal ciliegio, e qualcuno si buttava indietro tenendosi con le gambe al ramo, e qualcuno si lasciava penzolare appeso per le mani, sempre sghignazzando e urlando. Con quel chiasso, si capisce, riebbero gli inseguitori alle calcagna. Anzi doveva esser proprio lì, la squadra di quelli coi cani, perché si levò un alto abbaio e rieccoli lì tutti con le forche. Solo che questa volta, fatti esperti dallo scacco subito, per prima cosa occuparono gli alberi intorno salendoci con scale a pioli, e di là coi tridenti e i rastrelli li circondavano. A terra, i cani, in quel diramare di uomini su per le piante, non capirono subito da che parte aizzarsi e restarono un po' sparpagliati ad abbaiare a muso all'aria. Così i ladruncoli poterono buttarsi svelti a terra, correre via ognuno da una parte, in mezzo ai cani disorientati, e se qualcuno di loro prese un morso in un polpaccio o una bastonata o una pietrata, i più sgombrarono sani il campo.

Sull'albero restò Cosimo. – Scendi! – gli gridavano gli altri salvandosi. – Che fai? Dormi? Salta a terra finché la via è sgombra! – Ma lui, stretto coi ginocchi al ramo, sguainò lo spadino. Dagli alberi vicini, gli agricoltori sporgevano le forche legate in cima a bastoni per arrivarlo, e Cosimo, mulinando lo spadino, le teneva lontane, finché non glie ne puntarono una in pieno petto inchiodandolo al tronco.

– Ferma! – gridò una voce. – È il Baroncino di Piovasco! Cosa fa, signorino, costassù? Come mai s'è mischiato con quella marmaglia?

Cosimo riconobbe Giuà della Vasca, un manente di nostro padre.

Le forche si ritirarono. Molti della squadra si tolsero il cappello. Anche mio fratello sollevò con due dita il tricorno dal capo e s'inchinò.

– Ehi, voi di giù, legate i cani! – gridarono quelli. – Fatelo scendere! Può scendere, signorino, ma stia attento che l'albero è alto! Aspetti, le mettiamo una scala! Poi la riaccompagno a casa io!

– No, grazie, grazie – disse mio fratello. – Non v'incomodate, so la mia strada, so la mia strada da me!

Sparì dietro il tronco e riapparve su un altro ramo, girò ancora dietro il tronco e riapparve un ramo più su, risparì dietro il tronco ancora e se ne videro solamente i piedi su un ramo più alto, perché sopra c'erano fitte fronde, e i piedi saltarono, e non si vide più niente.

– Dov'è andato? – si dicevano gli uomini, e non sapevano dove guardare, su o giù.

– Eccolo! – Era in cima a un altro albero, distante, e risparì.

– Eccolo! – Era in cima a un altro ancora, ondeggiava come portato dal vento, e fece un salto.

– È caduto! No! È là! – Se ne vedeva, sopra lo svettare del verde, solo il tricorno ed il codino.

– Ma che padrone ci hai? – chiesero quelli a Giuà della Vasca. – È uomo o animale selvatico? O è il diavolo in persona?

Giuà della Vasca era restato senza parola. Si segnò.

S'udì il canto di Cosimo, una specie di grido solfeggiato.

– O la Sin-fo-ro-saaa...!

V

La Sinforosa: a poco a poco, dai discorsi dei ladruncoli Cosimo apprese molte cose sul conto di questo personaggio. Con quel nome essi chiamavano una ragazzina delle ville, che girava su di un cavallino nano bianco, ed era entrata in amicizia con loro straccioni, e per un certo tempo li aveva protetti e anche, prepotente com'era, comandati. Correva sul cavallino bianco le strade e i sentieri, e quando vedeva frutta matura in frutteti incustoditi, li avvertiva, e accompagnava i loro assalti da cavallo come un ufficiale. Portava appeso al collo un corno da caccia; mentre loro saccheggiavano mandorli o peri, incrociava sul cavallino su e giù per le costiere, donde si dominava la campagna, e appena vedeva movimenti sospetti di padroni o contadini che potevano scoprire i ladri e piombar loro addosso, dava fiato al corno. A quel suono, i monelli saltavano dagli alberi e correvano via; così non erano stati mai sorpresi, finché la bambina era rimasta con loro.

Cosa fosse successo poi, era più difficile da capire: quel «tradimento» che Sinforosa aveva commesso ai loro danni un po' pareva fosse l'averli attirati nella sua villa a mangiar frutta e poi fatti bastonare dai servi; un po' pareva fosse l'aver prediletto uno di loro, un certo Bel-Loré, che per questo veniva ancora canzonato, e nello stesso tempo un altro, un certo Ugasso, e averli messi l'uno contro l'altro; e che appunto quella bastonatura dei servi non fosse stata in occasione d'un furto di frutta ma d'una spedizione dei due beniamini gelosi, che si erano finalmente alleati contro di lei; oppure si parlava anche di certe torte che lei aveva promesso a loro ripetute volte e finalmente dato, ma condite d'olio di ricino, per cui erano stati a torcersi la pancia per una settimana. Qualche episodio di questi o sul tipo di questi oppure tutti questi episodi insieme, avevano fatto sì che tra Sinforosa e la banda ci fosse stata una rottura, ed essi ora parlavano di lei con rancore ma insieme con rimpianto.

Cosimo ascoltava queste cose tutt'orecchi, assentendo come se ogni particolare si ricomponesse in un'immagine a lui nota, e alla fine si decise a chiedere: – Ma in che villa sta, questa Sinforosa?

– Ma come, vuoi dire che non la conosci? Se siete vicini! La Sinforosa della villa d'Ondariva!

Cosimo non aveva certo bisogno di quella conferma per esser sicuro che l'amica dei vagabondi era Viola, la bambina dell'altalena. Era – io credo – proprio perché lei gli aveva detto di conoscere tutti i ladri di frutta dei dintorni, che lui s'era messo subito in cerca della banda. Pure, da quel momento, la smania che lo muoveva, se pur sempre indeterminata, si fece più acuta. Avrebbe voluto ora guidare la banda a saccheggiare le piante della villa d'Ondariva, ora mettersi al servizio di lei contro di loro, magari prima incitandoli ad andare a darle noia per poi poterla difendere, ora far bravure che indirettamente le giungessero all'orecchio; e in mezzo a questi propositi seguiva sempre più straccamente la banda e quando loro scendevano dagli alberi lui restava solo e un velo di malinconia passava sul suo viso, come le nuvole passano sul sole.

Poi scattava d'improvviso e svelto come un gatto s'arrampicava per i rami e trascorreva su frutteti e giardini, cantarellando tra i denti chissacché, un cantarellare nervoso, quasi muto, gli occhi fissi in avanti che pareva non vedessero niente e lui si tenesse in equilibrio per istinto proprio come i gatti.

Così invasato lo vedemmo diverse volte passare sui rami del nostro giardino. – È là! È là! – scoppiavamo a gridare, perché ancora, qualunque cosa cercassimo di fare, era sempre lui il nostro pensiero, e contavamo le ore, i giorni che lui era sugli alberi, e nostro padre diceva: – È matto! È indemoniato! – e se la pigliava con l'Abate Faucheraleur: – Non c'è che esorcizzarlo! Che aspettate, voi, dico a voi, *l'abbé*, cosa state lì con le mani in mano! Ha il demonio in corpo, mio figlio, capite, *sacré nom de Dieu!*

L'Abate pareva riscuotersi tutt'a un tratto, la parola «demonio» pareva risvegliargli in mente una precisa concatenazione di pensieri, e iniziava un discorso teologico molto complicato su come andasse rettamente intesa la presenza del demonio, e non si capiva se volesse contraddire mio padre o parlare così in generale: insomma, non si pronunciava sul fatto se una relazione tra il demonio e mio fratello fosse da reputarsi possibile o da escludersi a priori.

Il Barone si spazientiva, l'Abate perdeva il filo, io m'ero già annoiato. In nostra madre, invece, lo stato d'ansietà materna, da sentimento fluido che sovrasta tutto, s'era consolidato, come in lei dopo un po' tendeva a fare ogni sentimento, in decisioni pratiche e ricerche di strumenti adatti, come devono risolversi appunto le preoccupazioni d'un generale. Aveva scovato un cannocchiale da campagna, lungo, col treppiede; ci applicava l'occhio, e così passava le ore sulla terrazza della villa, regolando continuamente le lenti per tenere a fuoco il ragazzo in mezzo al fogliame, anche quando noi avremmo giurato che era fuori raggio.

– Lo vedi ancora? – le chiedeva dal giardino nostro padre, che andava avanti e indietro sotto gli alberi e non riusciva a scorgere mai Cosimo, se non quando l'aveva proprio sulla testa. La Generalessa faceva cenno di sì e insieme di star zitti, che non la disturbassimo, come seguisse movimenti di truppe su una altura. Era chiaro che a volte non lo vedeva per nulla, ma s'era fatta l'idea, chissà perché, che dovesse rispuntare in quel dato posto e non altrove, e ci teneva puntato il cannocchiale. Ogni tanto tra sé e sé doveva pur ammettere d'essersi sbagliata, e allora staccava l'occhio dalla lente e si metteva a esaminare una mappa catastale che teneva aperta sulle ginocchia, con una mano ferma sulla bocca in atteggiamento pensoso e l'altra che seguiva i geroglifici della carta finché non stabiliva il punto in cui suo figlio doveva esser giunto, e, calcolata l'angolazione, puntava il cannocchiale su una qualsiasi cima d'albero in quel mare di foglie, metteva lentamente a fuoco le lenti, e da come le appariva sulle labbra un trepido sorriso capivamo che l'aveva visto, che lui era lì davvero!

Allora, ella poneva mano a certe bandierine colorate che aveva accanto allo sgabello, e ne sventolava una e poi l'altra con movimenti decisi, ritmati, come messaggi in un linguaggio convenzionale. (Io ne provai un certo dispetto, perché non sapevo che nostra madre possedesse quelle bandierine e le sapesse maneggiare, e certo sarebbe stato bello se ci avesse insegnato a giocare con lei alle bandierine, soprattutto prima, quand'eravamo tutti e due più piccoli; ma nostra madre non faceva mai nulla per gioco, e adesso non c'era più da sperare).

Devo dire che con tutta la sua attrezzatura da battaglia, rimaneva pur sempre madre lo stesso, col cuore stretto in gola, e il fazzoletto appallottolato in mano, però si sarebbe detto che fare la generalessa la riposasse, o che vivere quest'apprensione in veste da generalessa anziché di semplice madre le impedisse d'esserne straziata, proprio perché era una donnina delicata, che per unica difesa aveva quello stile militare ereditato dai Von Kurtewitz.

Era lì che agitava una di quelle sue banderuole guardando nel cannocchiale, ed ecco che s'illumina tutta in viso e ride. Capimmo che Cosimo le aveva risposto. Come non so, forse sventolando il cappello, o facendo svettare un ramo. Certo che da allora nostra madre cambiò, non ebbe più l'apprensione di prima, e se pure il suo destino di madre fu così diverso da quello d'ogni altra, con un figlio così strano e perduto alla consueta vita degli affetti, lei questa stranezza di Cosimo finì per accettarla prima di tutti noi, come fosse paga, ora, di quei saluti che di là in poi ogni tanto imprevedibilmente le mandava, di quei silenziosi messaggi che si scambiavano.

Il curioso fu che nostra madre non si fece alcuna illusione che Cosimo, avendole mandato un saluto, si disponesse a metter fine alla sua fuga e a tornare tra noi. In questo stato d'animo invece viveva perpetuamente nostro padre e ogni pur minima novità che riguardasse Cosimo lo faceva almanaccare: – Ah sì? Avete visto? Tornerà? – Ma nostra madre, la più lontana da lui, forse, pareva la sola che riuscisse ad accettarlo com'era, forse perché non tentava di darsene una spiegazione.

Ma torniamo a quel giorno. Dietro a nostra madre fece capolino un momento pure Battista, che non s'affacciava quasi mai, e con aria soave protendeva un piatto con certa pappa e alzava un cucchiaino: – Cosimo... Vuoi? – Si prese uno schiaffo da suo padre e tornò in casa. Chissà quale mostruosa poltiglia aveva preparato. Nostro fratello era scomparso.

Io smaniavo di seguirlo, soprattutto adesso che lo sapevo partecipe alle imprese di quella banda di piccoli pezzenti, e mi pareva che m'avesse aperto le porte d'un regno nuovo, da guardare non più con paurosa diffidenza ma con solidale entusiasmo. Facevo la spola tra la terrazza e un abbaino alto da dove potevo spaziare sulle chiome degli alberi, e di là, più con l'udito che con la vista, seguivo gli scoppi di gazzarra della banda per gli orti, vedevo le cime dei ciliegi agitarsi, ogni tanto affiorarne una mano che tastava e strappava, una testa spettinata o incappucciata in un sacco, e tra le voci sentivo anche quella di Cosimo e mi chiedevo: «Ma come fa a essere laggiù? Ora è poco era qui nel parco! Va già più svelto d'uno scoiattolo?»

Erano sui rossi susini sopra la Vasca Grande, ricordo, quando si sentì il corno. Anch'io lo udii, ma non ci feci caso, non sapendo cos'era. Ma loro! Mio fratello mi raccontò che restarono ammutoliti, e nella sorpresa di risentire il corno pareva non si ricordassero che era un segno d'allarme, ma si domandavano soltanto se avevano sentito bene, se era di nuovo Sinforosa che girava per le strade col cavallino nano per avvertirli dei pericoli. A un tratto si scatenarono via dal frutteto ma non fuggivano per fuggire, fuggivano per cercare lei, per raggiungerla.

Solo Cosimo restò lì, il viso rosso come una fiamma. Ma appena ebbe visto correre i monelli e capito che andavano da lei, prese a spiccar salti sui rami rischiando di rompersi il collo ad ogni passo.

Viola era a una curva d'una strada in salita, ferma, una mano con le briglie posata sulla criniera del cavallino, l'altra che brandiva il frustino. Guardava di sotto in su questi ragazzi e si portava la punta del frustino alla bocca, mordicchiandolo. Il vestito era azzurro, il corno era dorato, appeso con una catenina al collo. I ragazzi s'erano fermati tutti insieme e anche loro mordicchiavano, susine o dita, o cicatrici che avevano sulle mani o sulle braccia, o lembi dei sacchi. E pian piano, dalle loro bocche mordicchianti, quasi costretti per vincere un disagio, non spinti da un vero sentimento, se mai desiderosi d'essere contraddetti, principiarono a dire frasi quasi senza voce, che suonavano in cadenza come se cercassero di cantare: – Cosa sei... venuta a fare... Sinforosa... ora ritorni... non sei più... nostra compagna... ah, ah, ah... ah, vigliacca...

Uno sfrascar sui rami ed ecco, da un alto fico affaccia il capo Cosimo, tra foglia e foglia, ansando. Lei, di sotto in su, con quel frustino in bocca, guardava lui e loro appiattiti tutti nello stesso sguardo. Cosimo non resse: ancora con la lingua fuori sbottò: – Sai che non sono mai sceso dagli alberi da allora?

Le imprese che si basano su di una tenacia interiore devono essere mute e oscure; per poco uno le dichiari o se ne glori, tutto appare fatuo, senza senso o addirittura meschino. Così mio fratello appena pronunciate quelle parole non avrebbe mai voluto averle dette, e non gli importava più niente di niente, e gli venne addirittura voglia di scendere e farla finita. Tanto più quando Viola si tolse lentamente il frustino di bocca e disse, con un tono gentile:

– Ah sì?... Bravo merlo!

Dalle bocche di quei pidocchiosi cominciò a muggire una risata, prima ancora che si aprissero e scoppiassero in ululati a crepapancia, e Cosimo lassù sul fico ebbe un tale soprassalto di rabbia che il fico essendo di legno traditore non resse, un ramo si spaccò sotto i suoi piedi. Cosimo precipitò come una pietra.

Cadde a braccia aperte, non si tenne. Fu quella l'unica volta, a dire il vero, durante il suo soggiorno sugli alberi di questa terra, che non ebbe la volontà e l'istinto di tenersi aggrappato. Senonché, un lembo di coda della marsina gli s'impigliò a un ramo basso: Cosimo a quattro spanne da terra si ritrovò appeso per aria con la testa in giù.

Il sangue alla testa gli pareva spinto dalla stessa forza del rossore di vergogna. E il suo primo pensiero sbarrando gli oc-

chi all'incontrario e vedendo capovolti i ragazzi ululanti, ora
presi da una generale furia di capriole in cui ricomparivano a
uno a uno tutti per il verso giusto come aggrappati a una terra
ribaltata sull'abisso, e la bambina bionda volante sul cavallino impennato, il suo pensiero fu soltanto che quella era stata
la prima volta che lui aveva parlato del suo stare sugli alberi e
sarebbe stata anche l'ultima.

Con un guizzo dei suoi s'attaccò al ramo e si riportò a cavalcioni. Viola, ricondotto il cavallino alla calma, ora pareva
non aver badato a nulla di ciò che era successo. Cosimo di-
menticò all'istante il suo smarrimento. La bambina portò il
corno alle labbra e levò la cupa nota dell'allarme. A quel suono i monelli (cui – commentò più tardi Cosimo – la presenza
di Viola metteva in corpo un'eccitazione stranita come di lepri
al chiar di luna) si lasciarono andare alla fuga. Si lasciarono
andare così, come a un istinto, pur sapendo che lei aveva fatto
per gioco, e facendo anche loro per gioco, e correvano giù per
la discesa imitando il suono del corno, dietro a lei che galoppava sul cavallino dalle gambe corte.

E andavano così alla cieca giù a rotta di collo, che ogni tanto non se la trovavano più davanti. Aveva scartato, era corsa
fuori strada, seminandoli lì. Per dove andare? Galoppava giù
per gli oliveti che scendevano a valle in uno smussato digradar
di prati, e cercava l'olivo sul quale in quel momento stava arrancando Cosimo, e gli faceva un giro intorno al galoppo, e
rifuggiva via. Poi di nuovo eccola al piede d'un altro olivo,
mentre tra le fronde s'appigliava mio fratello. E così, seguendo linee contorte come i rami degli olivi, scendevano insieme
per la valle.

I ladruncoli, quando se n'accorsero, e videro la tresca di
quei due di ramo in sella, tutti insieme principiarono a fischiare, un fischio maligno di dileggio. E levando alto questo fischio, s'allontanavano giù verso Porta Capperi.

La bambina e mio fratello restarono soli a rincorrersi nel-
l'oliveto, ma con delusione Cosimo notò che, sparita la marmaglia, l'allegria di Viola a quel gioco tendeva a sbiadire, come già stesse per cedere alla noia. E gli venne il sospetto che
lei facesse tutto solo per far arrabbiare quegli altri, ma insie-

me anche la speranza che adesso facesse apposta per fare arrabbiare lui: quel che è certo è che aveva sempre bisogno di far arrabbiare qualcuno per farsi più preziosa. (Tutti sentimenti appena percepiti, questi, da Cosimo ragazzo: in realtà rampava per quelle ruvide cortecce senza capir nulla, come un allocco, immagino).

Al giro d'un dosso ecco si leva una minuta violenta sassaiola di ghiaino. La bambina protegge il capo dietro il collo del cavallino e scappa; mio fratello, su un gomito di ramo ben in vista, rimane sotto il tiro. Ma i sassolini arrivano lassù troppo obliqui per far male, tranne qualcuno in fronte o nelle orecchie. Fischiano e ridono, quegli scatenati, gridano: – Sin-fo-ro-sa è una schi-fosa... – e scappano via.

Ora i monelli sono arrivati a Porta Capperi, guarnita di cascate verdi di capperi giù per le mura. Dalle catapecchie intorno viene un gridìo di madri. Ma questi sono bambini che la sera le madri non gridano per farli tornare, ma gridano perché sono tornati, perché vengono a cena a casa, invece d'andare a cercarsi da mangiare altrove. Attorno a Porta Capperi, in casupole e baracche d'assi, carrozzoni zoppicanti, tende, era assiepata la gente più povera d'Ombrosa, così povera da essere tenuta fuori dalle porte della città e lontana dalle campagne, gente sciamata via da terre e paesi lontani, cacciata dalla carestia e dalla miseria che s'espandeva in ogni Stato. Era il tramonto, e donne spettinate con bimbi al seno sventolavano fornelli fumosi, e mendicanti si stendevano al fresco sbendando le piaghe, altri giocando ai dadi con rotti urli. I compagni della banda della frutta ora si mischiavano a quel fumo di frittura e a quegli alterchi, prendevano manrovesci dalle madri, s'azzuffavano tra loro rotolando nella polvere. E già i loro stracci avevano preso il colore di tutti gli altri stracci, e la loro allegria da uccelli invischiata in quell'aggrumarsi umano si sfaceva in una densa insulsaggine. Tanto che, all'apparizione della bambina bionda al galoppo e di Cosimo sugli alberi intorno, alzarono appena gli occhi intimiditi, si ritirarono in là, cercarono di perdersi tra il polverone e il fumo dei fornelli, come se tra loro si fosse d'improvviso alzato un muro.

Tutto questo per loro due fu un momento, un girare d'occhi. Ora Viola s'era lasciata alle spalle il fumo delle baracche che si mischiava con l'ombra della sera e gli strilli delle donne e dei bambini, e correva tra i pini della spiaggia.

Là c'era il mare. Si sentiva rotolare nei sassi. Era scuro. Un rotolìo più sferragliante: era il cavallino che correva sprizzando scintille contro i ciottoli. Da un basso pino contorto, mio fratello guardava l'ombra chiara della bambina bionda attraversare la spiaggia. Un'onda appena crestata si levò dal mare nero, s'innalzò rimboccandosi, ecco veniva avanti tutta bianca, si rompeva e l'ombra del cavallo con la ragazzina l'aveva sfiorata a gran carriera e sul pino a Cosimo uno spruzzo bianco d'acqua salata bagnò il viso.

VI

Quelle prime giornate di Cosimo sugli alberi non avevano scopi o programmi ma erano dominate soltanto dal desiderio di conoscere e possedere quel suo regno. Avrebbe voluto subito esplorarlo fino agli estremi confini, studiare tutte le possibilità che esso gli offriva, scoprirlo pianta per pianta e ramo per ramo. Dico: avrebbe voluto, ma di fatto ce lo vedevamo di continuo ricapitare sulle nostre teste, con quell'aria indaffarata e rapidissima degli animali selvatici, che magari li si vedono anche fermi acquattati, ma sempre come se fossero sul punto di balzare via.

Perché tornava nel nostro parco? A vederlo volteggiare da un platano a un leccio nel raggio del cannocchiale di nostra madre si sarebbe detto che la forza che lo spingeva, la sua passione dominante era pur sempre quella polemica con noi, il farci stare in pena o in rabbia. (Dico noi perché di me non ero ancora riuscito a capire cosa pensasse: quando aveva bisogno di qualcosa pareva che l'alleanza con me non potesse mai esser messa in dubbio; altre volte mi passava sulla testa come nemmeno mi vedesse).

Invece qui era soltanto di passaggio. Era il muro della magnolia che l'attirava, era là che lo vedevamo scomparire a tutte le ore, anche quando la ragazzina bionda non era certo ancora alzata o quando già lo stuolo di governanti o zie doveva averla fatta ritirare. Nel giardino dei D'Ondariva i rami si protendevano come proboscidi di straordinari animali, e dal suolo s'aprivano stelle di foglie seghettate dalla verde pelle di rettile, e ondeggiavano gialli e lievi bambù con rumore di carta. Dall'albero più alto Cosimo nella smania di godere fino in fondo quel diverso verde e la diversa luce che ne traspariva e il diverso silenzio, si lasciava andare a testa in giù e il giardino capovolto diventava foresta, una foresta non della terra, un mondo nuovo.

Allora appariva Viola. Cosimo la vedeva all'improvviso già sull'altalena che si dava lo slancio, oppure sulla sella del cavallo nano, o sentiva levarsi dal fondo del giardino la cupa nota del corno da caccia.

I Marchesi d'Ondariva delle scorribande della bambina non s'erano mai dati pensiero. Finché lei andava a piedi, aveva tutte le zie dietro; appena montava in sella era libera come l'aria, perché le zie non andavano a cavallo e non potevano vedere dove andava. E poi la sua confidenza con quei vagabondi era un'idea troppo inconcepibile per poter sfiorare le loro teste. Ma di quel Baroncino che s'intrufolava su per i rami, se n'erano subito accorte, e stavano all'erta, pur con una certa aria di superiore disdegno.

Nostro padre, invece, dell'amarezza per la disubbidienza di Cosimo, ne faceva tutt'uno con la sua avversione per i D'Ondariva, quasi volesse dar la colpa a loro, come se fossero loro che attiravano suo figlio nel loro giardino, e l'ospitavano, e lo incoraggiavano in quel gioco ribelle. Tutt'a un tratto, prese la decisione di fare una battuta per catturare Cosimo, e non nei nostri poderi, ma proprio mentre si trovava nel giardino dei D'Ondariva. Quasi a sottolineare quest'intenzione aggressiva verso i nostri vicini, non volle essere lui a guidare la battuta, a presentarsi di persona ai D'Ondariva chiedendo che gli restituissero suo figlio – il che, per quanto ingiustificato, sarebbe stato un rapporto su di un piano dignitoso, tra nobiluomini –, ma ci mandò una truppa di servitori agli ordini del Cavalier Avvocato Enea Silvio Carrega.

Vennero questi servitori armati di scale e corde ai cancelli dei D'Ondariva. Il Cavalier Avvocato, in zimarra e fez, farfugliò se li lasciavano entrare e tante scuse. Lì per lì i famigli dei D'Ondariva credettero che fossero venuti per certe potature di piante nostre che sporgevano nel loro; poi, alle mezze parole che diceva il Cavaliere: – Acchiappiam... acchiappiam... – guardando tra i rami a naso in su e facendo piccole corse tutte sghembe, domandarono: – Ma cos'è che v'è scappato: un pappagallo?

– Il figlio, il primogenito, il rampollo, – disse il Cavalier Avvocato in fretta in fretta, e fatta appoggiare una scala a un castagno d'India, prese a salirci lui stesso. Tra i rami si vedeva seduto Cosimo che dondolava le gambe come niente fosse. Viola, come niente fosse anche lei, se ne andava pei vialetti a giocare col cerchio. I servitori porgevano al Cavalier Avvocato delle corde che chissà mai come manovrate dovevano servire a catturare mio fratello. Ma Cosimo, prima che il Cavaliere fosse giunto a metà scala, era già in cima a un'altra pianta. Il Cavaliere fece spostare la scala, e così quattro o cinque volte, e ogni volta rovinava un'aiuola, e Cosimo in due salti passava sull'albero vicino. Viola si vide tutt'a un tratto circondata da zie e da vice zie, condotta in casa e chiusa dentro perché non assistesse a quel trambusto. Cosimo spezzò un ramo e brandendolo con due mani diede una bastonata fischiante nel vuoto.

– Ma non potete andare nel vostro spazioso parco a continuare questa caccia, cari signori? – disse il Marchese d'Ondariva apparendo solennemente sulla gradinata della villa, in vestaglia e papalina, il che lo rendeva stranamente simile al Cavalier Avvocato. – Dico a voi, famiglia tutta Piovasco di Rondò! – e fece un largo gesto circolare che abbracciava il baroncino sull'albero, lo zio naturale, i servitori e, di là dal muro, tutto quel che v'era di nostro sotto il sole.

A quel punto Enea Silvio Carrega cambiò tono. Trotterellò vicino al Marchese e come niente fosse, farfugliando, prese a parlargli dei giochi d'acqua della vasca lì davanti e di come gli era venuta l'idea di uno zampillo ben più alto e d'effetto, che poteva anche servire, cambiando una rosetta, ad annaffiare i prati. Questa era una nuova prova di quanto imprevedibile e infida fosse l'indole del nostro zio naturale: era stato mandato lì dal Barone con un preciso incarico, e con un'intenzione di ferma polemica nei riguardi dei vicini; che c'entrava di mettersi a ciarlare amichevolmente col Marchese come volesse ingraziarselo? Tanto più che queste qualità di conversatore il Cavalier Avvocato le dimostrava soltanto quando gli tornava comodo e proprio le volte che si faceva affidamento sul suo carattere ritroso. E il bello fu che il Marchese gli diede retta e gli fece domande e lo portò con sé a esaminare tutte le vasche e gli zampilli, vestiti uguale, entrambi con quelle palandrane lunghe lunghe, alti pressapoco uguale che si poteva scambiarli, e dietro la gran truppa dei famigli nostri e loro, alcuni con scale sulle spalle, che non sapevano più cosa fare.

Intanto Cosimo saltava indisturbato sugli alberi vicini alle finestre della villa, cercando di scoprire oltre le tendine la stanza dove avevano chiuso Viola. La scoperse, finalmente, e gettò una bacca contro l'impannata.

S'aperse la finestra, apparve il viso della ragazzina bionda e disse:

– Per colpa tua sono qui reclusa, – rinchiuse, tirò la tenda.

Cosimo fu a un tratto disperato.

Quando mio fratello era preso dalle sue furie, c'era davvero di che stare in ansia. Lo vedevamo correre (se la parola correre ha senso tolta dalla superficie terrestre e riferita a un mondo di sostegni irregolari a diverse altezze, con in mezzo il vuoto) e da un momento all'altro pareva che dovesse mancargli il piede e cadere, cosa che mai avvenne. Saltava, muoveva passi rapidissimi su di un ramo obliquo, s'appendeva e sollevava di scatto a un ramo superiore, e in quattro o cinque di questi precari zig-zag era sparito.

Dove andava? Quella volta corse e corse, dai lecci agli olivi ai faggi, e fu nel bosco. Si fermò ansante. Sotto di lui si distendeva un prato. Il vento basso vi muoveva un'onda, per i ciuffi fitti dell'erba, in un cangiare sfumature di verde. Volavano impalpabili piume dalle sfere di quei fiori detti soffioni. In mezzo c'era un pino isolato, irraggiungibile, con pigne oblunghe. I rampichini, rapidissimi uccelli color marrone picchiettato, si posavano sulle fronde fitte d'aghi, in punta, in posizioni sghembe, alcuni capovolti con la coda in su e il becco in basso, e beccavano bruchi e pinoli.

Quel bisogno d'entrare in un elemento difficilmente possedibile che aveva spinto mio fratello a far sue le vie degli alberi, ora gli lavorava ancora dentro, malsoddisfatto, e gli comunicava la smania d'una penetrazione più minuta, d'un rapporto che lo legasse a ogni foglia e scaglia e piuma e frullo. Era quell'amore che ha l'uomo cacciatore per ciò che è vivo e non sa esprimerlo altro che puntandoci il fucile; Cosimo ancora non lo sapeva riconoscere e cercava di sfogarlo accanendosi nella sua esplorazione.

Il bosco era fitto, impraticabile. Cosimo doveva aprirsi la strada a colpi di spadino, e a poco a poco dimenticava ogni sua smania, tutto preso dai problemi cui via via si trovava di fronte e da una paura (che non voleva riconoscere ma c'era) di star troppo allontanandosi dai luoghi familiari. Così facendosi largo nel folto, giunse nel punto dove vide due occhi che lo fissavano, gialli, tra le foglie, dritto davanti a sé. Cosimo mise avanti lo spadino, scostò un ramo, lo lasciò ritornare piano al suo posto. Trasse un sospiro di sollievo, rise del timore provato; aveva visto di chi erano quegli occhi gialli, erano d'un gatto.

L'immagine del gatto, appena vista scostando il ramo, restava nitida nella sua mente, e dopo un momento Cosimo era di nuovo tremante di paura. Perché quel gatto, in tutto uguale a un gatto, era un gatto terribile, spaventoso, da mettersi a gridare al solo vederlo. Non si può dire cosa avesse di tanto spaventoso: era una specie di soriano, più grosso di tutti i soriani, ma questo non voleva dire niente, era terribile nei baffi dritti come aculei d'istrice, nel soffio che si sentiva quasi più con la vista che con l'udito uscire di tra una doppia fila di denti affilati come uncini; negli orecchi che erano qualcosa di più che aguzzi, erano due fiamme di tensione, guernite d'una falsamente tenue peluria; nel pelo, tutto ritto, che gonfiava attorno al collo rattratto un collare biondo, e di lì si dipartivano le strie che fremevano sui fianchi come carezzandosi da sé; nella coda ferma in una posa così innaturale da parere insostenibile: a tutto questo che Cosimo aveva visto in un secondo dietro il ramo subito lasciato tornare al proprio posto s'aggiungeva quello che non aveva fatto in tempo a vedere ma s'immaginava: il ciuffo esagerato di pelo che attorno alle zampe mascherava la forza lancinante degli unghielli, pronti a scagliarsi contro di lui; e quello che vedeva ancora: le iridi gialle che lo fissavano tra le foglie ruotando intorno alla pupilla nera; e quello che sentiva: il bofonchio sempre più cupo e intenso; tutto questo gli fece capire di trovarsi davanti al più feroce gatto selvatico del bosco.

Tacevano tutti i cinguettii ed i frulli. Saltò, il gatto selvatico, ma non contro il ragazzo, un salto quasi verticale che stupì Cosimo più che spaventarlo. Lo spavento venne dopo, vedendosi il felino su un ramo proprio sopra la sua testa. Era là, rattratto, ne vedeva la pancia dal lungo pelo quasi bianco, le zampe tese con le unghie nel legno, mentre inarcava il dorso e faceva: fff... e si preparava certo a piombare su di lui. Cosimo, con un perfetto movimento neppure ragionato, passò su di un ramo più basso. Fff... fff... fece il gatto selvatico, e ad ognuno dei fff... faceva un salto, uno in là uno in qua, e si ritrovò sul ramo sopra Cosimo. Mio fratello ripeté la sua mossa, ma venne a trovarsi a cavalcioni del ramo più basso di quel faggio. Sotto, il salto fino a terra era di una certa altezza, ma non tanto che non fosse preferibile saltar giù piuttosto che aspettare cosa avrebbe fatto la bestia, appena avesse finito d'emettere quello straziante suono tra il soffio e il gnaulìo.

Cosimo sollevò una gamba, quasi fosse per saltar giù, ma come in lui si scontrassero due istinti – quello naturale di porsi in salvo e quello dell'ostinazione di non scendere a costo della vita – strinse nello stesso tempo le cosce e le ginocchia al ramo; al gatto parve che fosse quello il momento di buttarsi, mentre il ragazzo era lì oscillante; gli volò addosso in un arruffio di pelo, unghie irte e soffio; Cosimo non seppe far di meglio che chiudere gli occhi e avanzare lo spadino, una mossa da scemo, che il gatto facilmente evitò e gli fu sulla testa, sicuro di portarlo giù con sé sotto le unghie. Un'artigliata prese Cosimo sulla guancia, ma invece di cadere, serrato com'era al ramo coi ginocchi, s'allungò riverso lungo il ramo. Tutto il contrario di quel che s'aspettava il gatto, il quale si trovò sbalestrato di fianco, a cader lui. Volle trattenersi, piantare gli unghielli nel ramo, ed in quel guizzo girò su se stesso nell'aria; un secondo, quanto bastò a Cosimo, in un improvviso slancio di vittoria, per avventargli contro un a-fondo nella pancia e infilarlo gnaulante allo spadino.

Era salvo, lordo di sangue, con la bestia selvatica stecchita sullo spadino come su uno spiedo, e una guancia strappata da sotto l'occhio al mento da una triplice unghiata. Urlava di dolore e di vittoria e non capiva niente e si teneva stretto al ramo, alla spada, al cadavere di gatto, nel momento disperato di chi ha vinto la prima volta ed ora sa che strazio è vincere, e sa che è ormai impegnato a continuare la via che ha scelto e non gli sarà dato lo scampo di chi fallisce.

Così lo vidi arrivare per le piante, tutto insanguinato fin sul panciotto, il codino disfatto sotto il tricorno sformato, e reggeva per la coda quel gatto selvatico morto che adesso pareva un gatto e basta.

Corsi dalla Generalessa sul terrazzo. – Signora madre, – gridai, – è ferito!

– *Was?* Ferito come? – e già puntava il cannocchiale.

– Ferito che sembra un ferito! – dissi io, e la Generalessa parve trovare pertinente la mia definizione, perché tenendogli dietro col cannocchiale mentre saltava più svelto che mai, disse: – *Das stimmt*.

Subito si diede da fare a preparare garza e cerotti e balsami come dovesse rifornire l'ambulanza d'un battaglione, e diede tutto a me, che glielo portassi, senza che nemmeno la sfiorasse la speranza che lui, dovendosi far medicare, si decidesse a ritornare a casa. Io, col pacco delle bende, corsi nel parco e mi misi ad aspettarlo sull'ultimo gelso vicino al muro dei D'Ondariva, perché lui era già scomparso giù per la magnolia.

Nel giardino dei D'Ondariva egli apparve trionfante con la bestia uccisa in mano. E cosa vide nello spiazzo davanti alla villa? Una carrozza pronta per partire, con i servi che caricavano i bagagli sull'imperiale, e, in mezzo a uno stuolo di governanti e zie nere e severissime, Viola vestita da viaggio che abbracciava il Marchese e la Marchesa.

– Viola! – gridò, e alzò il gatto per la coda. – Dove vai?

Tutta la gente attorno alla carrozza alzò lo sguardo sui rami e al vederlo, lacero, sanguinante, con quell'aria di pazzo, con quella bestia morta in mano, ebbero un moto di raccapriccio. – *De nouveau ici! Et arrangé de quelle façon!* – e come prese da una furia tutte le zie spingevano la bambina verso la carrozza.

Viola si voltò a naso in su, e con aria di dispetto, un dispetto annoiato e sussiegoso contro i parenti che però poteva essere anche contro Cosimo, scandì (certo rispondendo alla domanda di lui): – Mi mandano in collegio! – e si voltò per salire in carrozza. Non l'aveva degnato d'uno sguardo, né lui né la sua caccia.

Già era chiuso lo sportello, il cocchiere era in serpa, e Cosimo che ancora non poteva ammettere quella partenza, cercò d'attrarre l'attenzione di lei, di farle capire che dedicava a lei quella cruenta vittoria, ma non seppe spiegarsi altrimenti che gridandole: – Io ho vinto un gatto!

La frusta diede uno schiocco, la carrozza tra lo sventolio dei fazzoletti delle zie partì e dallo sportello si udì un: – Ma bravo! – di Viola, non si capì se d'entusiasmo o di dileggio.

Questo fu il loro addio. E in Cosimo, la tensione, il dolore dei graffi, la delusione di non aver gloria dalla sua impresa, la disperazione di quell'improvvisa separazione, tutto s'ingorgò e diruppe in un pianto feroce, pieno d'urla e di strida e rametti strappati.

– *Hors d'ici! Hors d'ici! Polisson sauvage! Hors de notre jardin!* – inveivano le zie, e tutti i famigli dei D'Ondariva accorrevano con lunghi bastoni o tirando sassi per cacciarlo.

Cosimo scagliò il gatto morto in faccia a chi gli venne sotto, singhiozzando e urlando. I servi raccattarono la bestia per la coda e la buttarono in un letamaio.

Quando seppi che la nostra vicina era partita, per un poco sperai che Cosimo sarebbe sceso. Non so perché, collegavo con lei, o anche con lei, la decisione di mio fratello di restare sugli alberi.

Invece non se ne parlò nemmeno. Salii io a portargli bende e cerotti, e si medicò da sé i graffi del viso e delle braccia. Poi volle una lenza con un uncino. Se ne servì per ripescare, dall'alto d'un ulivo che sporgeva sul letamaio dei D'Ondariva, il gatto morto. Lo scuoiò, conciò alla meglio il pelo e se ne fece un berretto. Fu il primo dei berretti di pelo che gli vedemmo portare per tutta la vita

VII

L'ultimo tentativo di catturare Cosimo fu fatto da nostra sorella Battista. Iniziativa sua, naturalmente, compiuta senza consultarsi con nessuno, in segreto, come faceva lei le cose. Uscì nottetempo, con una caldaia di vischio e una scala a pioli, e invischiò un carrubo dalla cima al piede. Era un albero su cui Cosimo usava posarsi ogni mattino.

Al mattino, sul carrubo si trovarono appiccicati cardellini che battevano le ali, scriccioli tutti avviluppati nella poltiglia, farfalle notturne, foglie portate dal vento, una coda di scoiattolo, e anche una falda strappata dalla marsina di Cosimo. Chissà se egli s'era seduto su un ramo ed era poi riuscito a liberarsi, o se invece – più probabilmente, dato che da un po' non lo vedevo portare la marsina – quel brandello ce l'aveva messo apposta per prenderci in giro. Comunque, l'albero restò laidamente imbrattato di vischio e poi seccò.

Cominciammo a convincerci che Cosimo non sarebbe più tornato, anche nostro padre. Da quando mio fratello saltava per gli alberi di tutto il territorio d'Ombrosa, il Barone non osava più farsi vedere in giro, perché temeva che la dignità ducale fosse compromessa. Si faceva sempre più pallido e scavato in volto e non so fino a che punto la sua fosse ansia paterna e fino a che punto preoccupazione di conseguenze dinastiche: ma le due cose ormai facevano tutt'uno, perché Cosimo era il suo primogenito, erede del titolo, e se mal si può dare un Barone che salta sui rami come un francolino, meno ancora si può ammettere che lo faccia un Duca, sia pur fanciullo, e il titolo controverso non avrebbe certo in quella condotta dell'erede trovato un argomento di sostegno

Preoccupazioni inutili, s'intende, perché delle velleità di nostro padre gli Ombrosotti ridevano; e i nobili che avevano ville là intorno lo tenevano per matto. Ormai tra i nobili era invalso l'uso d'abitare in villa in luoghi ameni, più che nei castelli dei feudi, e questo faceva già sì che si tendesse a vivere come privati cittadini, a evitare le noie. Chi andava più a pensare all'antico Ducato d'Ombrosa? Il bello d'Ombrosa è che era casa di tutti e di nessuno: legata a certi diritti verso i Marchesi d'Ondariva, signori di quasi tutte le terre, ma da tempo libero Comune, tributario della Repubblica di Genova; noi ci potevamo star tranquilli, tra quelle terre che avevamo ereditato ed altre che avevamo comprato per niente dal Comune in un momento che era pieno di debiti. Cosa si poteva chiedere di più? C'era una piccola società nobiliare, lì intorno, con ville e parchi ed orti fin sul mare; tutti vivevano in allegria facendosi visita e andando a caccia, la vita costava poco, s'avevano certi vantaggi di chi sta a Corte senza gli impicci, gli impegni e le spese di chi ha una famiglia reale cui badare, una capitale, una politica. Nostro padre invece queste cose non le gustava, lui si sentiva un sovrano spodestato, e coi nobili del vicinato aveva finito per rompere tutti i rapporti (nostra madre, straniera, si può dire che non ne avesse mai avuti); il che aveva anche i suoi vantaggi, perché non frequentando nessuno risparmiavamo molte spese, e mascheravamo la penuria delle nostre finanze.

Col popolo d'Ombrosa non è da dire che avessimo rapporti migliori; sapete come sono gli Ombrosotti, gente un po' gretta, che bada ai suoi negozi; in quei tempi si cominciavano a vender bene i limoni, con l'usanza delle limonate zuccherate che si diffondeva nelle classi ricche; e avevano piantato orti di limoni dappertutto, e riattato il porto rovinato dalle incursioni dei pirati tanto tempo prima. In mezzo tra Repubblica di Genova, possessi del Re di Sardegna, Regno di Francia e territori vescovili, trafficavano con tutti e s'infischiavano di tutti, non ci fossero stati quei tributi che dovevano a Genova e che facevano sudare a ogni data d'esazione, motivo ogni anno di tumulti contro gli esattori della Repubblica.

Il Barone di Rondò, quando scoppiavano questi tumulti

per le tasse, credeva sempre che fossero sul punto di venirgli a offrire la corona ducale. Allora si presentava in piazza, s'offriva agli Ombrosotti come protettore, ma ogni volta doveva fare presto a scappare sotto una gragnuola di limoni marci. Allora, diceva che era stata tessuta una congiura contro di lui: dai Gesuiti, come al solito. Perché si era messo in testa che tra i Gesuiti e lui ci fosse una guerra mortale, e la Compagnia non pensasse ad altro che a tramare ai suoi danni. In effetti, c'erano stati degli screzi, per via d'un orto la cui proprietà era contesa tra la nostra famiglia e la Compagnia di Gesù; ne era sorta una lite e il Barone, essendo allora in buona con il Vescovo, era riuscito a far allontanare il Padre provinciale dal territorio della Diocesi. Da allora nostro padre era sicuro che la Compagnia mandasse i suoi agenti ad attentare alla sua vita e ai suoi diritti; e da parte sua cercava di mettere insieme una milizia di fedeli che liberassero il Vescovo, a suo parere caduto prigioniero dei Gesuiti; e dava asilo e protezione a quanti dai Gesuiti si dichiaravano perseguitati, cosicché aveva scelto come nostro padre spirituale quel mezzogiansenista con la testa tra le nuvole.

D'una sola persona nostro padre si fidava, ed era il Cavalier Avvocato. Il Barone aveva un debole per quel fratello naturale, come per un figliolo unico e disgraziato; e ora non so dire se ce ne rendessimo conto, ma certo doveva esserci, nel nostro modo di considerare il Carrega, un po' di gelosia perché nostro padre aveva più a cuore quel fratello cinquantenne che noi ragazzi. Del resto, non eravamo i soli a guardarlo di traverso: la Generalessa e Battista fingevano di portargli rispetto, invece non lo potevano soffrire; lui sotto quell'apparenza sottomessa se ne infischiava di tutto e di tutti, e forse ci odiava tutti, anche il Barone cui tanto doveva. Il Cavalier Avvocato parlava poco, certe volte lo si sarebbe detto sordomuto, o che non capisse la lingua: chissà come riusciva a fare l'avvocato, prima, e se già allora era così stranito, prima dei Turchi. Forse era pur stato persona di intelletto, se aveva imparato dai Turchi tutti quei calcoli d'idraulica, l'unica cosa cui adesso fosse capace di applicarsi, e per cui mio padre ne faceva lodi esagerate. Non seppi mai bene il suo passato, né chi fosse stata sua madre, né quali fossero stati in gioventù i suoi rapporti con nostro nonno (certo anche lui doveva essergli affezionato, per averlo fatto studiare da avvocato e avergli fatto attribuire il titolo di Cavaliere), né come fosse finito in Turchia. Non si sapeva neanche bene se era proprio in Turchia che aveva soggiornato tanto a lungo, o in qualche stato barbaresco, Tunisi, Algeri, ma insomma in un paese maomettano, e si diceva che si fosse fatto maomettano pure lui. Tante se ne dicevano: che avesse ricoperto cariche importanti, gran dignitario del Sultano, Idraulico del Divano o altro di simile, e poi una congiura di palazzo o una gelosia di donne o un debito di gioco l'avesse fatto cadere in disgrazia e vendere per schiavo. Si sa che fu trovato incatenato a remare tra gli schiavi in una galera ottomana presa prigioniera dai Veneziani, che lo liberarono. A Venezia, viveva poco più che come un accattone, finché non so cos'altro aveva combinato, una rissa (con chi potesse rissare, un uomo così schivo, lo sa il cielo) e finì di nuovo in ceppi. Lo riscattò nostro padre, tramite i buoni uffici della Repubblica di Genova, e ricapitò tra noi, un omino calvo con la barba nera, tutto sbigottito, mezzo mutolo (ero bambino ma la scena di quella sera m'è rimasta impressa), infagottato in larghi panni non suoi. Nostro padre l'impose a tutti come una persona di autorità, lo nominò amministratore, gli destinò uno studio che s'andò riempiendo di carte sempre in disordine. Il Cavalier Avvocato vestiva una lunga zimarra e una papalina a fez, come usavano allora nei loro gabinetti di studio molti nobili e borghesi; solo che lui nello studio a dir la verità non ci stava quasi mai, e lo si cominciò a veder girare vestito così anche fuori, in campagna. Finì col presentarsi anche a tavola in quelle fogge turche, e la cosa più strana fu che nostro padre, così attento alle regole, mostrò di tollerarlo.

Nonostante i suoi compiti d'amministratore, il Cavalier Avvocato non scambiava quasi mai parola con castaldi o fittavoli o manenti, data la sua indole timida e la difficoltà di favella; e tutte le cure pratiche, il dare ordini, lo star dietro alla gente, toccavano sempre in effetti a nostro padre. Enea Silvio

Carrega teneva i libri dei conti, e non so se i nostri affari andassero così male per il modo in cui lui teneva i conti, o se i suoi conti andassero così male per il modo in cui andavano i nostri affari. E poi faceva calcoli e disegni d'impianti di irrigazione, e riempiva di linee e cifre una gran lavagna, con parole in scrittura turca. Ogni tanto nostro padre si chiudeva con lui nello studio per ore (erano le più lunghe soste che il Cavalier Avvocato vi faceva), e dopo poco dalla porta chiusa giungeva la voce adirata del Barone, gli accenti ondosi d'un diverbio, ma la voce del Cavaliere non s'avvertiva quasi. Poi la porta s'apriva, il Cavalier Avvocato usciva con i suoi passetti rapidi nelle falde della zimarra, il fez ritto sul cocuzzolo, prendeva per una porta-finestra e via per il parco e la campagna. – Enea Silvio! Enea Silvio! – gridava nostro padre correndogli dietro, ma il fratellastro era già tra i filari della vigna, o in mezzo ai limoneti, e si vedeva solo il fez rosso procedere ostinato tra le foglie. Nostro padre l'inseguiva chiamandolo; dopo un po' li vedevamo ritornare, il Barone sempre discutendo, allargando le braccia, e il Cavaliere piccolo vicino a lui, ingobbito, i pugni stretti nelle tasche della zimarra.

VIII

In quei giorni Cosimo faceva spesso sfide con la gente che stava a terra, sfide di mira, di destrezza, anche per saggiare le possibilità sue, di tutto quel che riusciva a fare di là in cima. Sfidò i monelli al tiro delle piastrelle. Erano in quei posti vicino a Porta Capperi, tra le baracche dei poveri e dei vagabondi. Da un leccio mezzo secco e spoglio, Cosimo stava giocando a piastrelle, quando vide avvicinarsi un uomo a cavallo, alto, un po' curvo, avvolto in un mantello nero. Riconobbe suo padre. La marmaglia si disperse; dalle soglie delle catapecchie le donne stavano a guardare.

Il Barone Arminio cavalcò fin sotto l'albero. Era il rosso tramonto. Cosimo era tra i rami spogli. Si guardarono in viso. Era la prima volta, dopo il pranzo delle lumache, che si trovavano così, faccia a faccia. Erano passati molti giorni, le cose erano diventate diverse, l'uno e l'altro sapevano che ormai non c'entravano più le lumache, né l'obbedienza dei figli o l'autorità dei padri; che di tante cose logiche e sensate che si potevano dire, tutte sarebbero state fuori posto; eppure qualche cosa dovevano pur dire.

– Date un bello spettacolo di voi! – cominciò il padre, amaramente. – E proprio degno di un gentiluomo! – (Gli aveva dato il voi, come faceva nei rimproveri più gravi, ma ora quell'uso ebbe un senso di lontananza, di distacco).

– Un gentiluomo, signor padre, è tale stando in terra come stando in cima agli alberi, – rispose Cosimo, e subito aggiunse: – se si comporta rettamente.

– Una buona sentenza, – ammise gravemente il Barone, – quantunque, ora è poco, rubavate le susine a un fittavolo.

Era vero. Mio fratello era preso in castagna. Cosa doveva rispondere? Fece un sorriso, ma non altero o cinico: un sorriso di timidezza, e arrossì.

Anche il padre sorrise, un sorriso mesto, e chissà perché arrossì anche lui. – Ora fate comunella coi peggiori bastardi ed accattoni, – disse poi.

– No, signor padre, io sto per conto mio, e ognuno per il proprio, – disse Cosimo, fermo.

– Vi invito a venire a terra, – disse il Barone, con voce pacata, quasi spenta, – e a riprendere i doveri del vostro stato.

– Non intendo obbedirvi, signor padre, – fece Cosimo, – me ne duole.

Erano a disagio tutti e due, annoiati. Ognuno sapeva quel che l'altro avrebbe detto. – Ma i vostri studi? E le vostre devozioni di cristiano? – disse il padre. – Intendete crescere come un selvaggio delle Americhe?

Cosimo tacque. Erano pensieri che non s'era ancora posto e non aveva voglia di porsi. Poi fece: – Per essere pochi metri più su, credete che non sarò raggiunto dai buoni insegnamenti?

Anche questa era una risposta abile, ma era già come uno sminuire la portata del suo gesto: segno di debolezza, dunque.

L'avvertì il padre e si fece più stringente: – La ribellione non si misura a metri, – disse. – Anche quando pare di poche spanne, un viaggio può restare senza ritorno.

Adesso mio fratello avrebbe potuto dare qualche altra nobile risposta, magari una massima latina, che ora non me ne viene in mente nessuna ma allora ne sapevamo tante a memoria. Invece s'era annoiato a star lì a fare il solenne; cacciò fuori la lingua e gridò: – Ma io dagli alberi piscio più lontano! – frase senza molto senso, ma che troncava netto la questione.

Come se avessero sentito quella frase, si levò un gridio di monelli intorno a Porta Capperi. Il cavallo del Barone di Rondò ebbe uno scarto, il Barone strinse le redini e s'avvolse nel mantello, come pronto ad andarsene. Ma si voltò, trasse fuori un braccio dal mantello e indicando il cielo che s'era rapidamente caricato di nubi nere, esclamò: – Attento, figlio, c'è Chi può pisciare su tutti noi! – e spronò via.

La pioggia, da lungo tempo attesa nelle campagne, cominciò a cadere a grosse rade gocce. Di tra le catapecchie si sparse un fuggi fuggi di monelli incappucciati in sacchi, che cantavano: – *Ciêuve! Ciêuve! L'aiga va pe êuve!* – Cosimo sparì abbrancandosi alle foglie già grondanti che a toccarle rovesciavano docce d'acqua in testa.

Io, appena m'accorsi che pioveva, fui in pena per lui. L'immaginavo zuppo, mentre si stringeva contro un tronco senza riuscire a scampare alle acquate oblique. E già sapevo che non sarebbe bastato un temporale a farlo ritornare. Corsi da nostra madre: – Piove! Che farà Cosimo, signora madre?

La Generalessa scostò la tendina e guardò piovere. Era calma. – Il più grave inconveniente delle piogge è il terreno fangoso. Stando lassù ne è immune.

– Ma basteranno le piante a ripararlo?

– Si ritirerà nei suoi attendamenti.

– Quali, signora madre?

– Avrà ben pensato a prepararli in tempo.

– Ma non credete che farei bene a cercarlo per dargli un ombrello?

Come se la parola «ombrello» d'improvviso l'avesse strappata dal suo posto d'osservazione campale e ributtata in piena preoccupazione materna, la Generalessa prese a dire: – *Ja, ganz gewiss!* E una bottiglia di sciroppo di mele, ben caldo, avvolta in una calza di lana! E un panno d'incerato, da stendere sul legno, che non trasudi umidità... Ma dove sarà, ora, poverino... Speriamo tu riesca a trovarlo...

Uscii carico di pacchi nella pioggia, sotto un enorme paracqua verde, e un altro paracqua lo tenevo chiuso sotto il braccio, da dare a Cosimo.

Lanciavo il nostro fischio, ma mi rispondeva solo il croscio senza fine della pioggia sulle piante. Era buio; fuori dal giardino non sapevo dove andare, muovevo i passi a caso per pietre scivolose, prati molli, pozzanghere, e fischiavo, e per mandare in alto il fischio inclinavo indietro l'ombrello e l'acqua mi frustava il viso e mi lavava via il fischio dalle labbra. Volevo andare verso certi terreni del demanio pieni d'alberi alti, dove all'ingrosso pensavo che potesse essersi fatto il suo rifugio, ma in quel buio mi persi, e stavo lì serrandomi tra le braccia ombrelli e pacchi, e solo la bottiglia di sciroppo avvoltolata nella calza di lana mi dava un poco di calore.

Quand'ecco, in alto nel buio vidi un chiarore tra mezzo agli alberi, che non poteva essere né di luna né di stelle. Al mio fischio mi parve d'intendere il suo, in risposta.

– Cosimooo!

– Biagiooo! – una voce tra la pioggia, lassù in cima.

– Dove sei?

– Qua...! Ti vengo incontro, ma fa' presto, che mi bagno!

Ci trovammo. Lui, imbacuccato in una coperta, scese sin sulla bassa forcella d'un salice per mostrarmi come si saliva, attraverso un complicato intrico di ramificazioni, fino al faggio dall'alto tronco, dal quale veniva quella luce. Gli diedi subito l'ombrello e un po' di pacchi, e provammo ad arrampicarci con gli ombrelli aperti, ma era impossibile, e ci bagnavamo lo stesso. Finalmente arrivai dove lui mi guidava; non vidi nulla, tranne un chiarore come di tra i lembi d'una tenda.

Cosimo sollevò uno di quei lembi e mi fece passare. Al chiarore d'una lanterna mi trovai in una specie di stanzetta, coperta e chiusa da ogni parte da tende e tappeti, attraversata dal tronco del faggio, con un piancito d'assi, il tutto poggiato ai grossi rami. Lì per lì mi parve una reggia, ma presto dovetti accorgermi di quant'era instabile, perché già l'esserci dentro in due ne metteva in forse l'equilibrio, e Cosimo dovette subito darsi da fare a riparare falle e cedimenti. Mise fuori anche i due ombrelli che avevo portato, aperti, a coprire due buchi del soffitto; ma l'acqua colava da parecchi altri punti, ed eravamo tutt'e due bagnati, e quanto a fresco era come stare fuori. Però c'era ammassata una tale quantità di coperte che ci si poteva seppellire sotto lasciando fuori solo il capo. La lanterna mandava una luce incerta, guizzante, e sul soffitto e le pareti di quella strana costruzione i rami e le foglie proiettavano ombre intricate. Cosimo beveva sciroppo di mele a grandi sorsi, facendo: – Puah! Puah!

– È una bella casa, – dissi io.

– Oh, è ancora provvisoria, – s'affrettò a rispondere Cosimo. – Devo studiarla meglio.

– L'hai costruita tutta da te?

– E con chi, allora? È segreta.

– Io potrò venirci?

– No, mostreresti la strada a qualcun altro.

– Il babbo ha detto che non ti farà più cercare.

– Dev'essere segreta lo stesso.

– Per via di quei ragazzi che rubano? Ma non sono tuoi amici?

– Qualche volta sì e qualche volta no.

– E la ragazza col cavallino?

– Che t'importa?

– Volevo dire se è tua amica, se ci giochi insieme.

– Qualche volta sì e qualche volta no.

– Perché qualche volta no?

– Perché o non voglio io o non vuole lei.

– E quassù, lei quassù, la faresti salire?

Cosimo, scuro in volto, cercava di tendere una stuoia accavallata sopra un ramo. – ... Se ci venisse, la farei salire, – disse gravemente.

– Non vuole lei?

Cosimo si buttò coricato. – È partita.

– Di', – feci sottovoce, – siete fidanzati?

– No, – rispose mio fratello e si chiuse in lungo silenzio.

L'indomani faceva bel tempo e fu deciso che Cosimo avrebbe ripreso le lezioni dall'Abate Fauchelafleur. Non fu detto come. Semplicemente e un po' bruscamente, il Barone invitò l'Abate (– Invece di star qui a guardare le mosche, *l'Abbé...* –) ad andare a cercare mio fratello dove si trovava e fargli tradurre un po' del suo Virgilio. Poi temette d'aver messo l'Abate troppo in imbarazzo e cercò di facilitargli il compito; disse a me: – Va' a dire a tuo fratello che si trovi in giardino tra mezz'ora per la lezione di latino –. Lo disse col tono più naturale che poteva, il tono che voleva tenere d'ora in poi: con Cosimo sugli alberi tutto doveva continuare come prima.

Così ci fu la lezione. Mio fratello seduto a cavalcioni d'un ramo d'olmo, le gambe penzoloni, e l'Abate sotto, sull'erba, seduto su uno sgabelletto, ripetendo in coro esametri. Io giocavo lì intorno e per un po' li perdetti di vista; quando tornai, anche l'Abate era sull'albero; con le sue lunghe esili gambe nelle calze nere cercava d'issarsi su una forcella, e Cosimo l'aiutava reggendolo per un gomito. Trovarono una posizione comoda per il vecchio, e insieme compitarono un difficile passo, chini sul libro. Mio fratello pareva desse prova di gran diligenza.

Poi non so come fu, come l'allievo scappasse via, forse perché l'Abate lassù s'era distratto ed era restato allocchito a guardare nel vuoto come al solito, fatto sta che rannicchiato tra i rami c'era solo il vecchio prete nero, col libro sulle ginocchia, e guardava una farfalla bianca volare e la seguiva a bocca aperta. Quando la farfalla sparì, l'Abate s'accorse d'essere là in cima, e gli prese paura. S'abbracciò al tronco, cominciò a gridare: – *Au secours! Au secours!* – finché non venne gente con una scala e pian piano egli si calmò e discese.

IX

Insomma, Cosimo, con tutta la sua famosa fuga, viveva accosto a noi quasi come prima. Era un solitario che non sfuggiva la gente. Anzi si sarebbe detto che solo la gente gli stesse a cuore. Si portava sopra i posti dove c'erano i contadini che zappavano, che spargevano il letame, che falciavano i prati, e gettava voci cortesi di saluto. Quelli alzavano il capo stupiti e lui cercava di far capire subito dov'era, perché gli era passato il vezzo, tanto praticato quando andavamo insieme sugli alberi *prima*, di fare cucù e scherzi alla gente che passava sotto. Nei primi tempi i contadini, a vederlo varcare tali distanze tutto per i rami, non si raccapezzavano, non sapevano se salutarlo cavandosi il cappello come si fa coi signori o vociargli contro come a un monello. Poi ci presero l'abitudine e scambiavano con lui parole sui lavori, sul tempo, e mostravano pure d'apprezzare il suo gioco di star lassù, non più bello né più brutto di tanti altri giochi che vedevano fare ai signori.

Dall'albero, egli stava delle mezz'ore fermo a guardare i loro lavori e faceva domande sugli ingrassi e le semine, cosa che camminando sulla terra non gli era mai venuto di fare, trattenuto da quella ritrosia che non gli faceva mai rivolgere parola ai villici ed ai servi. A volte, indicava se il solco che stavano zappando veniva diritto o storto, o se nel campo del vicino erano già maturi i pomodori; a volte s'offriva di far loro piccole commissioni come andare a dire alla moglie d'un falciatore che gli desse una cote, o ad avvertire che girassero l'acqua in un orto. E quando aveva da muoversi con simili incarichi di fiducia per i contadini, allora se in un campo di frumento vedeva posarsi un volo di passeri, faceva strepito e agitava il berretto per farli scappare.

Nei suoi giri solitari per i boschi, gli incontri umani erano, se pur più rari, tali da imprimersi nell'animo, incontri con gente che noi non s'incontra. A quei tempi tutta una povera gente girovaga veniva ad accamparsi nelle foreste: carbonai, calderai, vetrai, famiglie spinte dalla fame lontano dalle loro campagne, a buscarsi il pane con instabili mestieri. Piazzavano i loro laboratori all'aperto, e tiravano su capannucce di rami per dormire. Dapprincipio, il giovinetto coperto di pelo che passava sugli alberi faceva loro paura, specie alle donne che lo prendevano per uno spirito folletto; ma poi egli entrava in amicizia, stava delle ore a vederli lavorare e la sera quando si sedevano attorno al fuoco lui si metteva su un ramo vicino, a sentire le storie che narravano.

I carbonai, sullo spiazzo battuto di terra cenerina, erano i più numerosi. Urlavano «Hura! Hota!» perché erano gente bergamasca e non la si capiva nel parlare. Erano i più forti e chiusi e legati tra loro: una corporazione che si propagava in tutti i boschi, con parentele e legami e liti. Cosimo alle volte faceva da tramite tra un gruppo e l'altro, dava notizie, veniva incaricato di commissioni.

– M'hanno detto quelli di sotto la Rovere Rossa di dirvi che Hanfa la Hapa Hota 'l Hoc!

– Rispondigli che Hegn Hobet Hò de Hot!

Lui teneva a mente i misteriosi suoni aspirati, e cercava di ripeterli, come cercava di ripetere gli zirli degli uccelli che lo svegliavano il mattino.

Se ormai s'era sparsa la voce che un figlio del Barone di Rondò da mesi non scendeva dalle piante, nostro padre ancora con la gente che veniva da fuori cercava di tenere il segreto. Vennero a trovarci i Conti d'Estomac, diretti in Francia, dove avevano, nella baia di Tolone, dei possessi, e in viaggio vollero far sosta da noi. Non so che giro di interessi ci fosse sotto: per rivendicare certi beni, o confermare una curia a un figlio vescovo, avevano bisogno dell'assenso del Barone di Rondò; e nostro padre, figurarsi, su quell'alleanza costruiva un castello di progetti per le sue pretese dinastiche su Ombrosa.

Ci fu un pranzo, da morire di noia tanti salamelecchi fecero, e gli ospiti avevano con loro un figlio zerbinotto, un cacastecchi imparruccato. Il Barone presenta i figli, cioè me solo, e poi: – Poverina, – dice, – mia figlia Battista vive così ritirata, è molto pia, non so se la potrete vedere, – ed ecco che si presenta quella scema, con la cuffia da monaca, ma tutta messa su con nastri e gale, la cipria in viso, i mezzi guanti. Bisognava capirla, da quella volta del Marchesino della Mela non aveva mai più visto un giovanotto, se non garzoni o villani. Il Contino d'Estomac, giù inchini: lei, risatine isteriche. Al Barone, che ormai sulla figlia aveva fatto una croce, il cervello prese a mulinare nuovi possibili progetti.

Ma il Conte faceva mostra d'indifferenza. Chiese: – Ma non ne avevate un altro, di maschio, Monsieur Arminio?

– Sì, il maggiore, – disse nostro padre, – ma, combinazione, è a caccia.

Non aveva mentito, perché in quell'epoca Cosimo era sempre nel bosco col fucile, a far la posta a lepri e a tordi. Il fucile glie l'avevo procurato io, quello, leggero, che usava Battista contro i topi, e che da un po' di tempo ella – trascurando le sue cacce – aveva abbandonato appeso a un chiodo.

Il Conte prese a chiedere della selvaggina dei dintorni. Il Barone rispondeva tenendosi sulle generali, perché, privo com'era di pazienza e d'attenzione per il mondo circostante, non sapeva cacciare. Interloquii io, benché mi fosse vietato metter bocca nei discorsi dei grandi.

– E tu cosa ne sai, così piccino? – fece il Conte.

– Vado a prendere le bestie abbattute da mio fratello, e gliele porto sugli... – stavo dicendo, ma nostro padre m'interruppe:

– Chi t'ha invitato a conversazione? Va' a giocare!

Eravamo in giardino, era sera e faceva ancora chiaro, essendo estate. Ed ecco per i platani e per gli olmi, tranquillo se ne veniva Cosimo, col berretto di pel di gatto in capo, il fucile a tracolla, uno spiedo a tracolla dall'altra parte, e le gambe nelle ghette.

– Ehi, ehi! – fece il Conte alzandosi e muovendo il capo per meglio vedere, divertito. – Chi è là? Chi è lassù sulle piante?

– Cosa c'è? Non so proprio... Ma le sarà parso... – faceva nostro padre, e non guardava nella direzione indicata, ma negli occhi del Conte come per assicurarsi che ci vedesse bene.

Cosimo intanto era giunto proprio sopra di loro, fermo a gambe larghe su una forcella.

– Ah, è mio figlio, sì, Cosimo, sono ragazzi, per farci una sorpresa, vede, s'è arrampicato lassù in cima...

– È il maggiore?

– Sì, sì, dei due maschi è il più grande, ma di poco, sa, sono ancora due bambini, giocano...

– Però è in gamba ad andare così per i rami. E con quell'arsenale addosso...

– Eh, giocano... – e con un terribile sforzo di malafede che lo fece diventare rosso in viso: – Che fai lassù? Eh? Vuoi scendere? Vieni a salutare il signor Conte!

Cosimo si cavò il berretto di pel di gatto, fece un inchino. – Riverisco, signor Conte.

– Ah, ah, ah! – rideva il Conte, – bravissimo, bravissimo! Lo lasci star su, lo lasci star su, Monsieur Arminio! Bravissimo giovanotto che va per gli alberi! – E rideva.

E quello scimunito del Contino: – *C'est original, ça. C'est très original!* – non sapeva che ripetere.

Cosimo si sedette lì sulla forcella. Nostro padre cambiò discorso, e parlava parlava, cercando di distrarre il Conte. Ma il Conte ogni tanto alzava gli occhi e mio fratello era sempre lassù, su quell'albero o su un altro, che puliva il fucile, o ungeva di grasso le ghette, o si metteva la flanella pesante perché veniva notte.

– Ah, ma guarda! Sa far tutto, lassù in cima, il giovanotto! Ah, quanto mi piace! Ah, lo racconterò a Corte, la prima volta che ci vado! Lo racconterò a mio figlio vescovo! Lo racconterò alla Principessa mia zia!

Mio padre schiattava. Per di più, aveva un altro pensiero: non vedeva più sua figlia, ed era scomparso anche il Contino.

Cosimo che s'era allontanato in uno dei suoi giri d'esplora-

zione, tornò trafelato. – Gli ha fatto venire il singhiozzo! Gl
ha fatto venire il singhiozzo!

Il Conte s'impensierì. – Oh, è spiacevole. Mio figlio soffre
molto di singhiozzo. Va', bravo giovanotto, va' a vedere se gli
passa. Di' che tornino.

Cosimo saltò via, e poi tornò, più trafelato di prima: – Si
rincorrono. Lei vuole mettergli una lucertola viva sotto la camicia per fargli passare il singhiozzo! Lui non vuole! – E ri-
scappò a vedere.

Così passammo quella serata in villa, non dissimile in verità dalle altre, con Cosimo sugli alberi che partecipava come di
straforo alla nostra vita, ma stavolta c'erano gli ospiti, e la fama dello strano comportamento di mio fratello s'espandeva
per le Corti d'Europa, con vergogna di nostro padre. Vergogna immotivata, tant'è vero che il Conte d'Estomac ebbe una
favorevole impressione della nostra famiglia, e così avvenne
che nostra sorella Battista si fidanzò col Contino.

X

Gli olivi, per il loro andar torcendosi, sono a Cosimo vie comode e piane, piante pazienti e amiche, nella ruvida scorza, per passarci e per fermarcisi, sebbene i rami grossi siano pochi per pianta e non ci sia gran varietà di movimenti. Su un fico, invece, stando attento che regga il peso, non s'è mai finito di girare; Cosimo sta sotto il padiglione delle foglie, vede in mezzo alle nervature trasparire il sole, i frutti verdi gonfiare a poco a poco, odora il lattice che geme nel collo dei peduncoli. Il fico ti fa suo, t'impregna del suo umore gommoso, dei ronzii dei calabroni; dopo poco a Cosimo pareva di stare diventando fico lui stesso e, messo a disagio, se ne andava. Sul duro sorbo, o sul gelso da more, si sta bene; peccato siano rari. Così i noci, che anche a me, che è tutto dire, alle volte vedendo mio fratello perdersi in un vecchio noce sterminato, come in un palazzo di molti piani e innumerevoli stanze, veniva voglia d'imitarlo, d'andare a star lassù; tant'è la forza e la certezza che quell'albero mette a essere albero, l'ostinazione a esser pesante e duro, che gli s'esprime persino nelle foglie.

Cosimo stava volentieri tra le ondulate foglie dei lecci (o elci, come li ho chiamati finché si trattava del parco di casa nostra, forse per suggestione del linguaggio ricercato di nostro padre) e ne amava la screpolata corteccia, di cui quand'era sovrappensiero sollevava i quadrelli con le dita, non per istinto di far del male, ma come d'aiutare l'albero nella sua lunga fatica di rifarsi. O anche desquamava la bianca corteccia dei platani, scoprendo strati di vecchio oro muffito. Amava anche i tronchi bugnati come ha l'olmo, che ai bitorzoli ricaccia getti teneri e ciuffi di foglie seghettate e di cartacee samare;

ma è difficile muovercisi perché i rami vanno in su, esili e folti, lasciando poco varco. Nei boschi, preferiva faggi e querce: perché sul pino le impalcate vicinissime, non forti e tutte fitte di aghi, non lasciano spazio né appiglio; ed il castagno, tra foglia spinosa, ricci, scorza, rami alti, par fatto apposta per tener lontani.

Queste amicizie e distinzioni Cosimo le riconobbe poi col tempo a poco a poco, ossia riconobbe di conoscerle; ma già in quei primi giorni cominciavano a far parte di lui come istinto naturale. Era il mondo ormai a essergli diverso, fatto di stretti e ricurvi ponti nel vuoto, di nodi o scaglie o rughe che irruvidiscono le scorze, di luci che variano il loro verde a seconda del velario di foglie più fitte o più rade, tremanti al primo scuotersi d'aria sui peduncoli o mosse come vele insieme all'incurvarsi dell'albero. Mentre il nostro, di mondo, s'appiattiva là in fondo, e noi avevamo figure sproporzionate e certo nulla capivamo di quel che lui lassù sapeva, lui che passava le notti ad ascoltare come il legno stipa le sue cellule i giri che segnano gli anni nell'interno dei tronchi, e le muffe allargano la chiazza al vento tramontano, e in un brivido gli uccelli addormentati dentro il nido ricantucciano il capo là dove più morbida è la piuma dell'ala, e si sveglia il bruco, e si schiude l'uovo dell'averla. C'è il momento in cui il silenzio della campagna si compone nel cavo dell'orecchio in un pulviscolo di rumori, un gracchio, uno squittio, un fruscio velocissimo tra l'erba, uno schiocco nell'acqua, uno zampettio tra terra e sassi, e lo strido della cicala alto su tutto. I rumori si tirano un con l'altro, l'udito arriva a sceverarne sempre di nuovi come alle dita che disfano un bioccolo di lana ogni stame si rivela intrecciato di fili sempre più sottili ed impalpabili. Le rane intanto continuano il gracidio che resta nello sfondo e non muta il flusso dei suoni, come la luce non varia per il continuo ammicco delle stelle. Invece a ogni levarsi o scorrer via del vento, ogni rumore cambiava ed era nuovo. Solo restava nel cavo più profondo dell'orecchio l'ombra di un mugghio o murmure: era il mare.

Venne l'inverno, Cosimo si fece un giubbotto di pelliccia. Lo cucì da sé con pezzi di pelli di varie bestie da lui cacciate: lepri, volpi, martore e furetti. In testa portava sempre quel berretto di gatto selvatico. Si fece anche delle brache, di pelo di capra col fondo e le ginocchia di cuoio. In quanto a scarpe, capì finalmente che per gli alberi la cosa migliore erano delle pantofole, e se ne fece un paio non so con che pelle, forse tasso.

Così si difendeva dal freddo. Bisogna dire che a quei tempi da noi gli inverni erano miti, non con quel freddo d'ora che si dice Napoleone abbia stanato dalla Russia e si sia fatto correr dietro fin qui. Ma anche allora passar le notti d'inverno al sereno non era un bel vivere.

Per la notte Cosimo aveva trovato il sistema dell'otre di pelo; non più tende o capanne: un otre col pelo dalla parte di dentro, appeso a un ramo. Ci si calava dentro, ci spariva tutto e s'addormentava rannicchiato come un bambino. Se un rumore insolito traversava la notte, dalla bocca del sacco usciva il berretto di pelo, la canna del fucile, poi lui a occhi sgranati. (Dicevano che gli occhi gli fossero diventati luminosi nel buio come i gatti e i gufi: io però non me ne accorsi mai).

Al mattino invece, quando cantava la ghiandaia, dal sacco uscivano fuori due mani strette a pugno, i pugni s'alzavano e due braccia si allargavano stirandosi lentamente, e quello stirarsi sollevava fuori la sua faccia sbadigliante, il suo busto col fucile a tracolla e la fiaschetta della polvere, le sue gambe arcuate (gli cominciavano a venire un po' storte, per l'abitudine a stare e muoversi sempre carponi o accoccolato). Queste gambe saltavano fuori, si sgranchivano, e così, con uno scrollar di schiena, una grattata sotto il giubbotto di pelo, sveglio e fresco come una rosa Cosimo incominciava la sua giornata.

Andava alla fontana, perché aveva una sua fontana pensile, inventata da lui, o meglio costruita aiutando la natura. C'era un rivo che in un punto di strapiombo scendeva giù a cascata, e là vicino una quercia alzava i suoi alti rami. Cosimo, con un pezzo di corteccia di pioppo, lungo un paio di metri, aveva fatto una specie di grondaia, che portava l'acqua dalla cascata ai rami della quercia, e poteva così bere e lavarsi. Che si lavasse, posso assicurarlo, perché l'ho visto io diverse volte; non molto e neppure tutti i giorni, ma si lavava; aveva anche il sapone. Col sapone, certe volte che gli saltava il ticchio, faceva pure il bucato; s'era portato apposta sulla quercia una tinozza. Poi stendeva la roba ad asciugare su corde da un ramo all'altro.

Tutto faceva, insomma, sopra gli alberi. Aveva trovato anche il modo d'arrostire allo spiedo la selvaggina cacciata, sempre senza scendere. Faceva così: dava fuoco a una pigna con un acciarino e la buttava a terra in un luogo predisposto a focolare (quello glie l'avevo messo su io, con certe pietre lisce), poi ci lasciava cadere sopra stecchi e rami da fascina, regolava la fiamma con paletta e molle legate a lunghi bastoni, in modo che arrivasse allo spiedo, appeso tra due rami. Tutto ciò richiedeva attenzione, perché è facile nei boschi provocare un incendio. Non per nulla questo focolare era anch'esso sotto la quercia, vicino alla cascata da cui si poteva trarre, in caso di pericolo, tutta l'acqua che si voleva.

Così, un po' mangiando di quel che cacciava, un po' facendone cambio coi contadini per frutta e ortaggi, campava proprio bene, anche senza bisogno che da casa gli passassero più niente. Un giorno apprendemmo che beveva latte fresco ogni mattino; s'era fatta amica una capra, che andava ad arrampicarsi su una forcella d'ulivo, un posto facile, a due palmi da terra, anzi, non che ci s'arrampicasse, ci saliva con le zampe di dietro, cosicché lui sceso con un secchio sulla forcella la mungeva. Lo stesso accordo aveva con una gallina, una rossa, padovana, molto brava. Le aveva fatto un nido segreto, nel cavo d'un tronco, e un giorno sì e uno no ci trovava un uovo, che beveva dopo averci fatto due buchi con lo spillo.

Altro problema: fare i suoi bisogni. Dapprincipio, qua o là, non ci badava, il mondo è grande, la faceva dove capita. Poi comprese che non era bello. Allora trovò, sulla riva del torrente Merdanzo, un ontano che sporgeva sul punto più propizio e appartato, con una forcella sulla quale si poteva comodamente star seduti. Il Merdanzo era un torrente oscuro, nascosto tra le canne, rapido di corso, e i paesi viciniori vi gettavano le acque di scolo. Così il giovane Piovasco di Rondò viveva civilmente, rispettando il decoro del prossimo e suo proprio.

Ma un necessario complemento umano gli mancava, nella sua vita di cacciatore: un cane. C'ero io, che mi buttavo per le fratte, nei cespugli, per cercare il tordo, il beccaccino, la quaglia, caduti incontrando in mezzo al cielo il suo sparo, o anche le volpi quando, dopo una notte di posta, ne fermava una a coda lunga distesa appena fuori dai brughi. Ma solo qualche volta io potevo scappare a raggiungerlo nei boschi: le lezioni con l'Abate, lo studio, il servir messa, i pasti coi genitori mi trattenevano; i cento doveri del viver familiare cui io mi sottomettevo, perché in fondo la frase che sentivo sempre ripetere: «In una famiglia, di ribelle ne basta uno», non era senza ragione, e lasciò la sua impronta su tutta la mia vita.

Cosimo dunque andava a caccia quasi sempre da solo, e per recuperare la selvaggina (quando non succedeva il caso gentile del rigogolo che restava con le gialle ali stecchite appese a un ramo), usava delle specie d'arnesi da pesca: lenze con spaghi, ganci o ami, ma non sempre ci riusciva, e alle volte una beccaccia finiva nera di formiche nel fondo d'un roveto.

Ho detto finora dei compiti dei cani da riporto. Perché Cosimo allora faceva quasi soltanto caccia da posta, passando mattine o nottate appollaiato sul suo ramo, attendendo che il tordo si posasse sulla vetta d'un albero, o la lepre apparisse in uno spiazzo di prato. Se no, girava a caso, seguendo il canto degli uccelli, o indovinando le piste più probabili delle bestie da pelo. E quando udiva il latrato dei segugi dietro la lepre o la volpe, sapeva di dover girare al largo, perché quella non era bestia sua, di lui cacciatore solitario e casuale. Rispettoso delle norme com'era, anche se dai suoi infallibili posti di vedetta poteva scorgere e prendere di mira la selvaggina rincorsa dai cani altrui, non alzava mai il fucile. Aspettava che per il sentiero arrivasse il cacciatore ansante, a orecchio teso e occhio smarrito, e gli indicava da che parte era andata la bestia.

Un giorno vide correre una volpe: un'onda rossa in mezzo all'erba verde, uno sbuffo feroce, irta nei baffi; attraversò il prato e scomparve nei brughi. E dietro: – Uauauaaa! – i cani.

Giunsero al galoppo, misurando la terra con i nasi, due volte si trovarono senza più odore di volpe nelle narici e svoltarono ad angolo retto.

Erano già distanti quando con un uggiolio: – Uì, uì, – fendette l'erba uno che veniva a salti più da pesce che da cane, una specie di delfino che nuotava affiorando un muso più aguzzo e delle orecchie più ciondoloni d'un segugio. Dietro, era pesce; pareva nuotasse sguazzando pinne, oppure zampe da palmipede, senza gambe e lunghissimo. Uscì nel pulito: era un bassotto.

Certamente, s'era unito al branco dei segugi ed era rimasto indietro, giovane com'era, anzi quasi ancora un cucciolo. Il rumore dei segugi era adesso un – Buaf, – di dispetto, perché avevano perso la pista e la corsa compatta si diramava in una rete di ricerche nasali tutt'intorno a una radura gerbida, con troppa impazienza di ritrovare il filo d'odore perduto per cercarlo bene, mentre lo slancio si perdeva, e già qualcuno ne approfittava per fare una pisciatina contro un sasso.

Così il bassotto, trafelato, col suo trotto a muso alto ingiustificatamente trionfale, li raggiunse. Faceva, sempre ingiustificatamente, degli uggiolii di furbizia, – Uài! Uài!

Subito i segugi, – Aurrrch! – gli ringhiarono, lasciarono lì per un momento la ricerca d'odor di volpe e puntarono contro di lui, aprendo bocche da morsi, – Ggghrr! – Poi, rapidi, tornarono a disinteressarsene, e corsero via.

Cosimo seguiva il bassotto, che muoveva passi a caso là intorno, e il bassotto, ondeggiando a naso distratto, vide il ragazzo sull'albero e gli scodinzolò. Cosimo era convinto che la volpe fosse ancora nascosta lì. I segugi erano sbandati lontano, li si udiva a tratti passare sui dossi di fronte con un abbaio rotto e immotivato, sospinti dalle voci soffocate e incitanti dei cacciatori. Cosimo disse al bassotto: – Dài! Dài! Cerca!

Il cane giovane si buttò ad annusare, e ogni tanto si voltava a guardare in su il ragazzo. – Dài! Dài!

Ora non lo vedeva più. Sentì uno sfascìo di cespugli, poi, a scoppio: – Auauauaaa! Iaì, iaì, iaì! – Aveva levata la volpe!

Cosimo vide la bestia correre nel prato. Ma si poteva sparare a una volpe levata da un cane altrui? Cosimo la lasciò passare e non sparò. Il bassotto alzò il muso verso di lui, con lo sguardo dei cani quando non capiscono e non sanno che possono aver ragione a non capire, e si ributtò a naso sotto, dietro la volpe.

– Iaì, iaì, iaì! – Le fece fare tutto un giro. Ecco, tornava. Poteva sparare o non poteva sparare? Non sparò. Il bassotto guardò in su con un occhio di dolore. Non abbaiava più, la lingua più penzoloni delle orecchie, sfinito, ma continuava a correre.

La sua levata aveva disorientato segugi e cacciatori. Sul sentiero correva un vecchio con un greve archibugio. – Ehi, – gli fece Cosimo, – quel bassotto è vostro?

– Ti andasse nell'anima a te e a tutti i tuoi parenti! – gridò il vecchio che doveva aver le sue lune. – Ti sembriamo tipi da cacciare coi bassotti?

– Allora a quel che leva, io ci sparo, – insisté Cosimo, che voleva proprio essere in regola.

– E spara anche al santo che t'ha in gloria! – rispose quello, e corse via.

Il bassotto gli riportò la volpe. Cosimo sparò e la prese. Il bassotto fu il suo cane; gli mise nome Ottimo Massimo.

Ottimo Massimo era un cane di nessuno, unitosi al branco dei segugi per giovanile passione. Ma da dove veniva? Per scoprirlo, Cosimo si lasciò guidare da lui.

Il bassotto, rasente la terra, attraversava siepi e fossi; poi si voltava a vedere se il ragazzo di lassù riusciva a seguire il suo cammino. Tanto inconsueto era questo itinerario, che Cosimo non s'accorse subito dov'erano arrivati. Quando capì, gli balzò il cuore in petto: era il giardino dei Marchesi d'Ondariva.

La villa era chiusa, le persiane sprangate; solo una, a un abbaino, sbatteva al vento. Il giardino lasciato senza cure aveva più che mai quell'aspetto di foresta d'altro mondo. E per i vialetti ormai invasi dall'erba, e per le aiole sterpose, Ottimo Massimo si muoveva felice, come a casa sua, e rincorreva farfalle.

Sparì in un cespuglio. Tornò con in bocca un nastro. A Cosimo il cuore batté più forte. – Cos'è, Ottimo Massimo? Eh? Di chi è? Dimmi!

Ottimo Massimo scodinzolava.

– Porta qua, porta, Ottimo Massimo!

Cosimo, sceso su di un ramo basso, prese dalla bocca del cane quel brandello sbiadito che era stato certamente un nastro dei capelli di Viola, come quel cane era stato certamente un cane di Viola, dimenticato lì nell'ultimo trasloco della famiglia. Anzi, ora a Cosimo sembrava di ricordarlo, l'estate prima, ancora cucciolo, che sporgeva da un canestro al braccio della ragazzina bionda, e forse glie l'avevano portato in regalo allora allora.

– Cerca, Ottimo Massimo! – E il bassotto si gettava tra i bambù; e tornava con altri ricordi di lei, la corda da saltare, un pezzo lacero d'aquilone, un ventaglio.

In cima al tronco del più alto albero del giardino, mio fratello incise con la punta dello spadino i nomi *Viola* e *Cosimo*, e poi, più sotto, sicuro che a lei avrebbe fatto piacere anche se lo chiamava con un altro nome, scrisse: *Cane bassotto Ottimo Massimo*.

D'allora in poi, quando si vedeva il ragazzo sugli alberi, s'era certi che guardando giù innanzi a lui, o appresso, si vedeva il bassotto Ottimo Massimo trotterellare pancia a terra. Gli aveva insegnato la cerca, la ferma, il riporto: i lavori di tutte le specie di cani da caccia, e non c'era bestia del bosco che non cacciassero insieme. Per riportargli la selvaggina, Ottimo Massimo rampava con due zampe sui tronchi più in su che poteva; Cosimo calava a prendere la lepre o la starna dalla sua bocca e gli faceva una carezza. Erano tutte là le loro confidenze, le loro feste. Ma continuo tra la terra e i rami correva dall'uno all'altro un dialogo, un'intelligenza, d'abbai monosillabi e di schiocchi di lingua e dita. Quella necessaria presenza che per il cane è l'uomo e per l'uomo è il cane, non li tradiva mai, né l'uno né l'altro; e per quanto diversi da tutti gli uomini e cani del mondo, potevan dirsi, come uomo e cane, felici.

XI

Per molto tempo, tutta un'epoca della sua adolescenza, la caccia fu per Cosimo il mondo. Anche la pesca, perché con una lenza aspettava anguille e trote negli stagni del torrente. Veniva da pensare alle volte di lui come avesse ormai sensi e istinti diversi da noi, e quelle pelli che s'era conciato per vestiario corrispondessero a un mutamento totale della sua natura. Certo lo stare di continuo a contatto delle scorze d'albero, l'occhio affisato al muoversi delle penne, al pelo, alle scaglie, a quella gamma di colori che questa apparenza del mondo presenta, e poi la verde corrente che circola come un sangue d'altro mondo nelle vene delle foglie: tutte queste forme di vita così lontane dall'umana come un fusto di pianta, un becco di tordo, una branchia di pesce, questi confini del selvatico nel quale così profondamente s'era spinto, potevano ormai modellare il suo animo, fargli perdere ogni sembianza d'uomo. Invece, per quante doti egli assorbisse dalla comunanza con le piante e dalla lotta con gli animali, sempre mi fu chiaro che il suo posto era di qua, era dalla parte nostra.

Ma pur senza volere, certi usi diventavano più radi e si perdevano. Come il suo seguirci la festa alla Messa grande d'Ombrosa. Per i primi mesi cercò di farlo. Ogni domenica, uscendo, tutta la famiglia indrappellata, vestita da cerimonia, lo trovavamo sui rami, anche lui in qualche modo con un'intenzione d'abito da festa, per esempio riesumata la vecchia marsina, o il tricorno invece del berretto di pelo. Noi ci avviavamo, lui ci seguiva per i rami, e così incedevamo sul sagrato, guardati da tutti gli Ombrosotti (ma presto vi fecero l'abitudine e diminuì anche il disagio di nostro padre), noi tutti compassati, lui che saltava in aria, strana vista, specie d'inverno, con gli alberi spogli.

Noi entravamo nella cattedrale, sedevamo al nostro banco di famiglia, lui restava fuori, s'appostava su un leccio a fianco d'una navata, proprio all'altezza di una grande finestra. Dal nostro banco vedevamo attraverso le vetrate l'ombra dei rami e, trammezzo, quella di Cosimo col cappello sul petto e a capo chino. Per l'accordo di mio padre con un sagrestano, quella vetrata ogni domenica fu tenuta socchiusa, così mio fratello poteva prendere la Messa dal suo albero. Ma col passare del tempo non lo vedemmo più. La vetrata fu chiusa perché c'era corrente.

Tante cose che prima sarebbero state importanti, per lui non lo erano più. In primavera si fidanzò nostra sorella. Chi l'avrebbe detto, solo un anno prima? Vennero questi Conti d'Estomac col Contino, si fece una gran festa. Il nostro palazzo era illuminato in ogni stanza, c'era tutta la nobiltà dei dintorni, si ballava. Chi pensava più a Cosimo? Ebbene, non è vero, ci pensavamo tutti. Ogni tanto io guardavo fuori dalle finestre per vedere se arrivava; e nostro padre era triste, e in quella festevolezza familiare certo il suo pensiero andava a lui, che se n'era escluso; e la Generalessa che comandava su tutta la festa come su una piazza d'armi, voleva solo sfogare il suo struggimento per l'assente. Forse anche Battista che faceva piroette, irriconoscibile fuor dalle vesti monacali, con una parrucca che pareva un marzapane, e un *grand panier* guarnito di coralli che non so che sarta le avesse costruito, anche lei scommetto che ci pensava.

E lui c'era, non visto, – lo seppi poi, – era nell'ombra della cima d'un platano, al freddo, e vedeva le finestre piene di luce, le note stanze apparecchiate a festa, la gente imparruccata che ballava. Quali pensieri gli attraversavano la mente? Rimpiangeva almeno un poco la nostra vita? Pensava a quanto breve era quel passo che lo separava dal ritorno nel nostro mondo, quanto breve e quanto facile? Non so cosa pensasse, cosa volesse, lì. So soltanto che rimase per tutto il tempo della festa, e anche oltre, finché a uno a uno i candelieri non si spensero e non restò più una finestra illuminata.

I rapporti di Cosimo con la famiglia, dunque, bene o male, continuavano. Anzi, con un membro d'essa si fecero più stretti, e solo ora si può dire che imparò a conoscerlo: il Cavalier Avvocato Enea Silvio Carrega. Quest'uomo mezzo svanito, sfuggente, che non si riusciva mai a sapere dove fosse e cosa facesse, Cosimo scoperse che era l'unico di tutta la famiglia che avesse un gran numero d'occupazioni, non solo, ma che nulla di quel che faceva era inutile.

Usciva, magari nell'ora più calda del pomeriggio, col fez piantato sul cocuzzolo, i passi sciabattanti nella zimarra lunga fino a terra, e spariva quasi l'avessero inghiottito le crepe del terreno, o le siepi, o le pietre dei muri. Anche Cosimo, che si divertiva a star sempre di vedetta (o meglio, non che si divertisse, era questo ormai un suo stato naturale, come se il suo occhio abbracciasse un orizzonte così largo da comprendere tutto), a un certo punto non lo vedeva più. Qualche volta si metteva a correre di ramo in ramo verso il posto dov'era sparito, e non riusciva mai a capire che via avesse preso. Ma c'era un segno che ricorreva sempre in quei paraggi: delle api che volavano. Cosimo finì per convincersi che la presenza del Cavaliere era collegata con le api e che per rintracciarlo bisognava seguirne il volo. Ma come fare? Attorno a ogni pianta fiorita c'era uno sparso ronzare d'api; bisognava non lasciarsi distrarre da percorsi isolati e secondari, ma seguire l'invisibile via aerea in cui l'andirivieni d'api si faceva sempre più fitto, finché non si giungeva a vederne una nuvola densa levarsi dietro una siepe come un fumo. Là sotto erano le arnie, una o alcune, in fila su una tavola, e intento ad esse, in mezzo al brulichio d'api, c'era il Cavaliere.

Era infatti, questa dell'apicoltura, una delle attività segrete del nostro zio naturale; segreta fino a un certo punto, perché egli stesso portava a tavola ogni tanto un favo stillante miele appena tolto dall'arnia; ma essa si svolgeva tutta fuor dell'ambito delle nostre proprietà, in luoghi che egli evidentemente non voleva si sapessero. Doveva essere una sua cautela, per sottrarre i proventi di questa personale industria al paiolo bucato dell'amministrazione familiare; oppure – poiché certo l'uomo non era avaro, e poi, cosa poteva rendergli, quel po' di miele e di cera? – per aver qualcosa in cui il Barone suo fratello non cacciasse il naso, non pretendesse di guidarlo per mano; oppure ancora per non mescolare le poche cose che amava, come l'apicoltura, con le molte che non amava, come l'amministrazione.

Comunque, restava il fatto che nostro padre non gli avrebbe mai permesso di tenere api vicino a casa, perché il Barone aveva un'irragionevole paura d'essere punto, e quando per caso s'imbatteva in un'ape o in una vespa in giardino, spiccava un'assurda corsa per i viali, ficcandosi le mani nella parrucca come a proteggersi dalle beccate d'un'aquila. Una volta, così facendo, la parrucca gli volò via, l'ape adombrata dal suo scatto gli s'avventò contro e gli conficcò il pungiglione nel cranio calvo. Stette tre giorni a premersi la testa con pezzuole bagnate d'aceto, perché era uomo siffatto, ben fiero e forte nei casi più gravi, ma che un graffietto o un foruncolino facevano andare come matto.

Dunque, Enea Silvio Carrega aveva sminuzzato il suo allevamento d'api un po' qua e un po' là per tutta la vallata d'Ombrosa; i proprietari gli davano il permesso di tenere un alveare o due o tre in una fascia dei loro campi, per il compenso d'un poco di miele, e lui era sempre in giro da un posto all'altro, trafficando intorno alle arnie con mosse che pareva avesse zampette d'ape al posto delle mani, anche perché le teneva talvolta, per non essere punto, calzate in mezzi guanti neri. Sul viso, avvolto intorno al fez come in un turbante, portava un velo nero, che a ogni respiro gli s'appiccicava e sollevava sulla bocca. E muoveva un arnese che spandeva fumo, per allontanare gli insetti mentre lui frugava nelle arnie. E tutto, brulichio d'api, veli, nuvola di fumo, pareva a Cosimo un incantesimo che quell'uomo cercava di suscitare per scomparire di lì, esser cancellato, volato via, e poi rinascere altro, o in altro tempo, o altrove. Ma era un mago da poco, perché riappariva sempre uguale, magari succhiandosi un polpastrello punto.

Era la primavera. Cosimo un mattino vide l'aria come impazzita, vibrante d'un suono mai udito, un ronzio che raggiungeva punte di boato, e attraversata da una grandine che invece di cadere si spostava in una direzione orizzontale, e vorticava lentamente sparsa intorno, ma seguendo una specie di colonna più densa. Era una moltitudine d'api: e intorno c'era il verde e i fiori e il sole; e Cosimo che non capiva cos'era si sentì preso da un'eccitazione struggente e feroce. – Scappano le api! Cavalier Avvocato! Scappano le api! – prese a gridare, correndo per gli alberi alla ricerca del Carrega.

– Non scappano: sciamano, – disse la voce del Cavaliere, e Cosimo se lo vide sotto di sé, spuntato come un fungo, mentre gli faceva segno di star zitto. Poi subito corse via, sparì. Dov'era andato?

Era l'epoca degli sciami. Uno stuolo d'api stava seguendo una regina fuori del vecchio alveare. Cosimo si guardò intorno. Ecco che il Cavalier Avvocato ricompariva alla porta della cucina e aveva in mano un paiolo e una padella. Ora faceva cozzare la padella contro il paiolo e ne levava un deng! deng! altissimo, che rintronava nei timpani e si spegneva in una lunga vibrazione, tanto fastidiosa che veniva da turarsi le orecchie. Percuotendo quegli arnesi di rame ogni tre passi, il Cavalier Avvocato camminava dietro lo stuolo delle api. A ognuno di quei clangori, lo sciame pareva colto da uno scuotimento, un rapido abbassarsi e tornar su, e il ronzio pareva fatto più basso, il volare più incerto. Cosimo non vedeva bene, ma gli sembrava che adesso tutto lo sciame convergesse verso un punto nel verde, e non andasse più in là. E il Carrega continuava a menar colpi nel paiolo.

– Cosa succede, Cavalier Avvocato? Cosa fa? – gli chiese mio fratello, raggiungendolo.

– Presto, – farfugliò lui, – va' sull'albero dove s'è fermato lo sciame, ma attento a non muoverlo finché non arrivo io!

Le api calavano verso un melograno. Cosimo vi giunse e dapprincipio non vide nulla, poi subito scorse come un grosso frutto, a pigna, che pendeva da un ramo, ed era tutto fatto d'api aggrappate una sull'altra, e sempre ne venivano di nuove ad ingrossarlo.

Cosimo stava in cima al melograno trattenendo il respiro. Lì sotto pendeva il grappolo d'api, e più grosso diventava e più pareva leggero, come appeso a un filo, o meno ancora, alle zampette d'una vecchia ape regina, e fatto di sottile cartilagine, con tutte quelle ali fruscianti che stendevano il loro diafano colore grigio sopra le striature nere e gialle degli addomi.

Il Cavalier Avvocato arrivò saltellando, e reggeva tra le mani un'arnia. La protese capovolta sotto il grappolo. – Dài, – disse piano a Cosimo, – una piccola scossa secca.

Cosimo scrollò appena il melograno. Lo sciame di migliaia di api si staccò come una foglia, cascò nell'arnia, e il Cavaliere la tappò con una tavola. – Ecco fatto.

Così nacque tra Cosimo e il Cavalier Avvocato un'intesa, una collaborazione che si poteva pur chiamare una specie d'amicizia, se amicizia non sembrasse termine eccessivo, riferito a due persone così poco socievoli.

Anche sul terreno dell'idraulica, mio fratello ed Enea Silvio finirono per incontrarsi. Ciò può parer strano, perché chi sta sugli alberi difficilmente ha a che fare con pozzi e canali; ma v'ho detto di quel sistema di fontana pensile che Cosimo aveva escogitato, con una corteccia di pioppo che portava l'acqua d'una cascata fin tra i rami d'una quercia. Ora, al Cavalier Avvocato, pur così distratto, nulla sfuggiva che si muovesse nelle vene d'acqua di tutta la campagna. Da sopra la cascata, nascosto dietro un ligustro, spiò Cosimo tirar fuori la conduttura di tra le fronde della quercia (dove la riponeva quando non gli serviva, per quell'usanza dei selvatici, subito divenuta anche sua, di nascondere tutto), appoggiarla a una forcella della quercia e dall'altra parte a certe pietre dello strapiombo, e bere.

A quella vista, chissà cosa mai frullò in capo al Cavaliere: fu preso da uno dei suoi rari momenti d'euforia. Sbucò fuori dal ligustro, batté le mani, fece due o tre balzi che pareva saltasse alla corda, spruzzò dell'acqua, per poco non imboccò la cascata e non volò giù dal precipizio. E cominciò a spiegare al ragazzo l'idea che aveva avuta. L'idea era confusa e la spiegazione confusissima: il Cavalier Avvocato d'ordinario parlava in dialetto, per modestia più ancora che per ignoranza della lingua, ma in questi improvvisi momenti d'eccitazione dal dialetto passava direttamente al turco, senz'accorgersene, e non si capiva più niente.

A farla breve: gli era venuta l'idea d'un acquedotto pensile, con una conduttura sostenuta appunto dai rami degli alberi, che avrebbe permesso di raggiungere il versante opposto della valle, gerbido, ed irrigarlo. E il perfezionamento che Cosimo, subito secondando il suo progetto, gli suggerì: d'usare in certi punti dei tronchi di conduttura bucherellati, per far piovere sui semenzai, lo mandò in visibilio addirittura.

Corse a rintanarsi nel suo studio, a riempire fogli e fogli di progetti. Anche Cosimo ci s'impegnò, perché ogni cosa che si potesse fare sugli alberi gli piaceva, e gli pareva venisse a dare una nuova importanza e autorità alla sua posizione lassù; e in Enea Silvio Carrega gli sembrò d'aver trovato un insospettato compagno. Si davano appuntamento su certi alberi bassi; il Cavalier Avvocato ci saliva con la scala a triangolo, le braccia ingombre di rotoli di disegni; e discutevano per ore gli sviluppi sempre più complicati di quell'acquedotto.

Ma non si passò mai alla fase pratica. Enea Silvio si stancò, diradò i suoi colloqui con Cosimo, non completò mai i disegni, dopo una settimana doveva essersene già dimenticato. Cosimo non rimpianse la cosa: s'era presto accorto che per la sua vita diventava una fastidiosa complicazione e nient'altro.

Era chiaro che nel campo dell'idraulica il nostro zio naturale avrebbe potuto fare molto di più. La passione ce l'aveva, il particolare ingegno necessario a quel ramo di studio non gli mancava; però non sapeva realizzare: si perdeva, si perdeva, finché ogni proposito non finiva in niente, come acqua mal incanalata che dopo aver girato per un po' venisse risucchiata da un terreno poroso. La ragione forse era questa: che mentre all'apicoltura poteva dedicarsi per conto suo, quasi in segreto, senz'aver a che fare con nessuno, fiorendo ogni tanto in un regalo di miele e cera che nessuno gli aveva chiesto, queste opere di canalizzazione invece le doveva fare tenendo conto degli interessi di questo e di quello, subendo i pareri e gli ordini del Barone o di chiunque altro gli commissionava il lavoro. Timido e irresoluto com'era, non s'opponeva mai alla volontà altrui, ma presto si disamorava del lavoro e lo lasciava perdere.

Lo si poteva vedere a tutte le ore, in mezzo a un campo, con uomini armati di pale e zappe, lui con un metro a canna e il foglio arrotolato d'una mappa, dar ordini per scavare un canale e misurare il terreno coi suoi passi, che essendo cortissimi doveva allungare in maniera esagerata. Faceva incominciare a scavare in quel posto, poi in un altro, poi interrompere, e si rimetteva a prendere misure. Veniva sera e così si sospendeva. Era difficile che all'indomani decidesse di riprendere il lavoro in quel punto. Non si faceva più trovare per una settimana.

D'aspirazioni, impulsi, desideri era fatta la sua passione per l'idraulica. Era un ricordo che egli aveva in cuore, le bellissime, ben irrigate terre del Sultano, orti e giardini in cui egli doveva esser stato felice, il solo tempo veramente felice della sua vita; e a quei giardini di Barberia o Turchia andava di continuo comparando le campagne d'Ombrosa, ed era spinto a correggerle, a cercare d'identificarle col suo ricordo, e la sua arte essendo l'idraulica, in essa concentrava questo desiderio di mutamento, e di continuo si scontrava con una realtà diversa, e ne restava deluso.

Praticava anche la rabdomanzia, non visto, perché erano ancora i tempi in cui quelle strane arti potevano attirare il pregiudizio di stregoneria. Una volta Cosimo lo scoperse in un prato che faceva piroette protendendo una verga forcuta. Doveva essere anche quello un tentativo di ripetere qualcosa visto fare ad altri e di cui egli non aveva alcuna pratica, perché non ne venne fuori niente.

A Cosimo, comprendere il carattere di Enea Silvio Carrega giovò in questo: che capì molte cose sullo star soli che poi nella vita gli servirono. Direi che si portò sempre dietro l'immagine stranita del Cavalier Avvocato, ad avvertimento di un modo come può diventare l'uomo che separa la sua sorte da quella degli altri, e riuscì a non somigliargli mai.

XII

Alle volte Cosimo era svegliato nella notte da grida di – Aiuto! I briganti! Rincorreteli!

Per gli alberi, si dirigeva svelto al luogo donde quelle grida provenivano. Era magari un casolare di piccoli proprietari, e una famigliola mezzo spogliata era lì fuori con le mani sul capo.

– Ahinoi, ahinoi, è venuto Gian dei Brughi e ci ha portato via tutto il ricavato del raccolto!

S'affollava gente.

– Gian dei Brughi? Era lui? L'avete visto?

– Era lui! Era lui! Aveva una maschera in faccia, una pistola lunga così, e gli venivano dietro altri due mascherati, e lui li comandava! Era Gian dei Brughi!

– E dov'è? Dov'è andato?

– Eh, sì, bravo, piglialo Gian dei Brughi! Chissà dov'è, a quest'ora!

Oppure chi gridava era un viandante lasciato in mezzo alla strada, derubato di tutto, cavallo, borsa, mantello e bagaglio. – Aiuto! Alla rapina! Gian dei Brughi!

– Com'è andata? Diteci!

– È saltato di là, nero, barbuto, a schioppo spianato, per poco non son morto!

– Presto! Inseguiamolo! Da che parte è scappato?

– Di qua! No, forse di là! Correva come il vento!

Cosimo s'era messo in testa di vedere Gian dei Brughi. Percorreva il bosco in lungo e in largo dietro alle lepri o agli uccelli, incitando il bassotto: – Cerca, cerca, Ottimo Massimo! – Ma quello che lui avrebbe voluto stanare era il bandito in persona, e non per fargli o dirgli nulla, solo per vedere in faccia una persona tanto nominata. Invece, mai gli era riuscito d'incontrarlo, neanche stando in giro magari tutta una notte. «Vorrà dire che stanotte non è uscito», si diceva Cosimo; invece al mattino, di qua o di là della vallata, c'era un crocchio di gente alla soglia d'una casa o a una svolta di strada che commentava la nuova rapina. Cosimo accorreva, e stava a orecchi spalancati a sentire quelle storie.

– Ma tu che stai sempre su per gli alberi del bosco, – gli disse una volta qualcuno, – non l'hai mai visto, Gian dei Brughi?

Cosimo si vergognò molto. – Mah... mi par di no...

– E come vuoi che l'abbia visto? – interloquì un altro, – Gian dei Brughi ha dei nascondigli che nessuno può trovare, e cammina per strade che nessuno conosce!

– Con la taglia che ha sulla testa, chi l'acchiappa può star bene tutta la vita!

– Già! Ma quelli che sanno dov'è, hanno conti da regolare con la giustizia quasi quanto lui, e se si fanno avanti finiscono dritti sulla forca anche loro!

– Gian dei Brughi! Gian dei Brughi! Ma sarà proprio sempre lui a far questi delitti!

– Va' là, che ha tante imputazioni che se pure gli riuscisse di scolparsi di dieci rapine, nel frattempo l'avrebbero già impiccato per l'undicesima!

– Ha fatto il brigante per tutti i boschi della costa!

– Ha ucciso anche un suo capobanda in gioventù!

– È stato bandito pure dai banditi!

– Per questo è venuto a rifugiarsi nel nostro territorio!

– È che noi siamo troppo brava gente!

Cosimo ogni notizia nuova andava a commentarla coi calderai. Tra la gente accampata nel bosco, c'era a quei tempi tutta una genìa di loschi ambulanti: calderai, impagliatori di seggiole, stracciari, gente che gira le case, e al mattino studia il furto che farà alla sera. Nel bosco, più che il laboratorio avevano il rifugio segreto, il ripostiglio della refurtiva.

– Sapete, stanotte Gian dei Brughi ha assaltato una carrozza!

- Ah sì? Mah, tutto può darsi...
- Ha fermato i cavalli al galoppo prendendoli per il morso!
- Be', o non era lui o invece di cavalli erano grilli...
- Cosa dite? Non credete che fosse Gian dei Brughi?
- Ma sì, sì, che idee gli vai a mettere in testa, tu? Era Gian dei Brughi, certo!
- E di che cosa non è capace Gian dei Brughi?
- Ah, ah, ah!

A sentir parlare di Gian dei Brughi in questo modo, Cosimo non si raccapezzava più, si spostava nel bosco e andava a sentire a un altro accampamento di girovaghi.

- Ditemi, secondo voi, quello della carrozza di stanotte, era un colpo di Gian dei Brughi, no?
- Tutti i colpi sono di Gian dei Brughi, quando riescono. Non lo sai?
- Perché: quando riescono?
- Perché quando non riescono, vuol dire che sono di Gian dei Brughi veramente!
- Ah, ah! Quello schiappino!

Cosimo non capiva più niente. - Gian dei Brughi è uno schiappino?

Gli altri, allora, s'affrettavano a cambiar tono: - Ma no, ma no, è un brigante che fa paura a tutti!

- L'avete visto, voi?
- Noi? E chi l'ha mai visto?
- Ma siete sicuri che ci sia?
- O bella! Certo che c'è! E se anche non ci fosse...
- Se non ci fosse?
- ... Sarebbe tale e quale. Ah, ah, ah!
- Ma tutti dicono...
- Certo, così si deve dire: è Gian dei Brughi che ruba e ammazza dappertutto, quel terribile brigante! Vorremmo vedere che qualcuno ne dubitasse!
- Ehi tu, ragazzo, avresti mica il coraggio di metterlo in dubbio?

Insomma, Cosimo aveva capito che la paura di Gian dei Brughi che c'era giù a valle, più si saliva verso il bosco più si tramutava in un atteggiamento dubbioso e spesso apertamente derisorio.

La curiosità d'incontrarlo gli passò, perché capì che di Gian dei Brughi alla gente più esperta non importava niente. E fu proprio allora che gli successe d'incontrarlo.

Cosimo era su di un noce, un pomeriggio, e leggeva. Gli era presa da poco la nostalgia di qualche libro: stare tutto il giorno col fucile spianato ad aspettare se arriva un fringuello, alla lunga annoia.

Dunque leggeva il *Gil Blas* di Lesage, tenendo con una mano il libro e con l'altra il fucile. Ottimo Massimo, cui non piaceva che il padrone leggesse, girava intorno cercando pretesti per distrarlo: abbaiando per esempio a una farfalla, per vedere se riusciva a fargli puntare il fucile.

Ed ecco, giù dalla montagna, per il sentiero, veniva correndo e ansando un uomo barbuto e malmesso, disarmato, e dietro aveva due sbirri a sciabole sguainate che gridavano: – Fermatelo! È Gian dei Brughi! L'abbiamo stanato, finalmente!

Ora il brigante aveva preso un po' di distacco dagli sbirri, ma se continuava a muoversi impacciato come chi ha paura di sbagliare strada o di cadere in qualche trappola, li avrebbe riavuti presto alle calcagna. Il noce di Cosimo non offriva appiglio a chi volesse arrampicarcisi, ma egli aveva lì sul ramo una fune di quelle che si portava sempre dietro per superare i passi difficili. Ne buttò un capo a terra e legò l'altro al ramo. Il brigante si vide cadere quella corda quasi sul naso, si torse le mani un momento nell'incertezza, poi s'attaccò alla corda e s'arrampicò rapidissimo, rivelandosi uno di quegli incerti impulsivi o impulsivi incerti che sembra sempre non sappiano cogliere il momento giusto e invece l'azzeccano ogni volta.

Arrivarono gli sbirri. La corda era già stata tirata su e Gian dei Brughi era accanto a Cosimo tra le fronde del noce. C'era un bivio. Gli sbirri presero uno di qua e uno di là, poi si ritrovarono, e non sapevano più dove andare. Ed ecco che s'imbatterono in Ottimo Massimo che scodinzolava nei paraggi.

– Ehi, – disse uno degli sbirri all'altro, – questo non è il cane del figlio del Barone, quello che sta sulle piante? Se il ragazzo è qua intorno potrà dirci qualcosa.

– Sono quassù! – gridò Cosimo. Ma lo gridò non dal noce dov'era prima e dov'era nascosto il brigante: s'era rapidamente spostato su un castagno lì di fronte, cosicché gli sbirri alzarono subito il capo in quella direzione senza mettersi a guardare sugli alberi intorno.

– Bondì, Signoria, – fecero, – non avrebbe per caso visto correre il brigante Gian dei Brughi?

– Chi fosse non so, – rispose Cosimo, – ma se cercate un omino che correva, ha preso di là verso il torrente...

– Un omino? È un tronco d'uomo che mette paura...

– Be', di quassù sembrate tutti piccoli...

– Grazie, Signoria! – e tagliarono giù verso il torrente.

Cosimo tornò sul noce e riprese a leggere il *Gil Blas*. Gian dei Brughi era sempre abbracciato al ramo, pallido in mezzo ai capelli e alla barba ispidi e rossi proprio come brughi, con impigliati foglie secche, ricci di castagna e aghi di pino. Squadrava Cosimo con due occhi verdi, tondi e smarriti; brutto, era brutto.

– Sono andati? – si decise a domandare.

– Sì, sì, – disse Cosimo, affabile. – Lei è il brigante Gian dei Brughi?

– Come mi conosce?

– Eh, così, di fama.

– E lei è quello che non scende mai dagli alberi?

– Sì. Come lo sa?

– Be', anch'io, la fama corre.

Si guardarono con cortesia, come due persone di riguardo che s'incontrano per caso e sono contente di non essere sconosciute l'una all'altra.

Cosimo non sapeva cos'altro dire, e si rimise a leggere.

– Cosa legge di bello?

– Il *Gil Blas* di Lesage.

– È bello?

– Eh sì.

– Le manca tanto a finirlo?

– Perché? Be', una ventina di pagine.

– Perché quando l'aveva finito volevo chiederle se me lo prestava, – sorrise, un po' confuso. – Sa, passo le giornate nascosto, non si sa mai cosa fare. Avessi un libro ogni tanto, dico. Una volta ho fermato una carrozza, poca roba, ma c'era un libro e l'ho preso. Me lo sono portato su, nascosto sotto la giubba; tutto il resto del bottino avrei dato, pur di tenermi quel libro. La sera, accendo la lanterna, vado per leggere... era in latino! Non ci capivo una parola... – Scosse il capo. – Vede, io il latino non lo so...

– E be', latino, caspita, è duro, – disse Cosimo, e sentì che suo malgrado stava prendendo un'aria protettiva. – Questo qui è in francese...

– Francese, toscano, provenzale, castigliano, lì capisco tutto, – disse Gian dei Brughi. – Anche un po' il catalano: *Bon dia! Bona nit! Està la mar mòlt alborotada.*

In mezz'ora Cosimo finì il libro e lo prestò a Gian dei Brughi.

Così cominciarono i rapporti tra mio fratello e il brigante. Appena Gian dei Brughi aveva finito un libro, correva a restituirlo a Cosimo, ne prendeva in prestito un altro, scappava a rintanarsi nel suo rifugio segreto, e sprofondava nella lettura.

A Cosimo i libri li procuravo io, dalla biblioteca di casa, e quando li aveva letti me li ridava. Ora cominciò a tenerli più a lungo, perché dopo letti li passava a Gian dei Brughi, e spesso tornavano spelacchiati nelle rilegature, con macchie di muffa, striature di lumaca, perché il brigante chissà dove li teneva.

In giorni stabiliti Cosimo e Gian dei Brughi si davano convegno su di un certo albero, si scambiavano il libro e via, perché il bosco era sempre battuto dagli sbirri. Quest'operazione così semplice era molto pericolosa per entrambi: anche per mio fratello, che non avrebbe potuto certo giustificare la sua amicizia con quel criminale! Ma a Gian dei Brughi era presa una tal furia di letture, che divorava romanzi su romanzi e, stando tutto il giorno nascosto a leggere, in una giornata mandava giù certi tomi che mio fratello ci aveva messo una settimana, e allora non c'era verso, ne voleva un altro, e se non era il giorno stabilito si buttava per le campagne alla ricerca di

Cosimo, spaventando le famiglie nei casolari e facendo muovere sulle sue tracce tutta la forza pubblica d'Ombrosa.

Adesso a Cosimo, sempre pressato dalle richieste del brigante, i libri che riuscivo a procurargli io non bastavano, e dovette andare a cercarsi altri fornitori. Conobbe un mercante di libri ebreo, tale Orbecche, che gli procurava anche opere in più tomi. Cosimo gli andava a bussare alla finestra dai rami d'un carrubo portandogli lepri, tordi e starne appena cacciati in cambio di volumi.

Ma Gian dei Brughi aveva i suoi gusti, non gli si poteva dare un libro a caso, se no l'indomani tornava da Cosimo a farselo cambiare. Mio fratello era nell'età in cui si comincia a prendere piacere alle letture più sostanziose, ma era costretto ad andarci piano, da quando Gian dei Brughi gli portò indietro *Le avventure di Telemaco* avvertendolo che se un'altra volta gli dava un libro così noioso, lui gli segava l'albero di sotto.

Cosimo a questo punto avrebbe voluto separare i libri che voleva leggersi per conto suo con tutta calma da quelli che si procurava solo per prestarli al brigante. Macché: almeno una scorsa doveva darla anche a questi, perché Gian dei Brughi si faceva sempre più esigente e diffidente, e prima di prendere un libro voleva che lui gli raccontasse un po' la trama, e guai se lo coglieva in fallo. Mio fratello provò a passargli dei romanzetti d'amore: e il brigante arrivava furioso chiedendo se l'aveva preso per una donnicciola. Non si riusciva mai a indovinare quello che gli andava.

Insomma, con Gian dei Brughi sempre alle costole, la lettura per Cosimo, dallo svago di qualche mezz'oretta, diventò l'occupazione principale, lo scopo di tutta la giornata. E a furia di maneggiar volumi, di giudicarli e compararli, di doverne conoscere sempre di più e di nuovi, tra letture per Gian dei Brughi e il crescente bisogno di letture sue, a Cosimo venne una tale passione per le lettere e per tutto lo scibile umano che non gli bastavano le ore dall'alba al tramonto per quel che avrebbe voluto leggere, e continuava anche a buio a lume di lanterna.

Finalmente, scoperse i romanzi di Richardson. A Gian dei

Brughi piacquero. Finito uno, ne voleva subito un altro. Orbecche gli procurò una pila di volumi. Il brigante aveva da leggere per un mese. Cosimo, ritrovata la pace, si buttò a leggere le vite di Plutarco.

Gian dei Brughi, intanto, sdraiato sul suo giaciglio, gli ispidi capelli rossi pieni di foglie secche sulla fronte corrugata, gli occhi verdi che gli s'arrossavano nello sforzo della vista, leggeva leggeva muovendo la mandibola in un compitare furioso, tenendo alto un dito umido di saliva per esser pronto a voltare la pagina. Alla lettura di Richardson, una disposizione già da tempo latente nel suo animo lo andava come struggendo: un desiderio di giornate abitudinarie e casalinghe, di parentele, di sentimenti familiari, di virtù, d'avversione per i malvagi e i viziosi. Tutto quel che lo circondava non lo interessava più, o lo riempiva di disgusto. Non usciva più dalla sua tana tranne che per correre da Cosimo a farsi dare il cambio del volume, specie se era un romanzo in più tomi ed era rimasto a mezzo della storia. Viveva così, isolato, senza rendersi conto della tempesta di risentimenti che covava contro di lui anche tra gli abitanti del bosco un tempo suoi complici fidati, ma che ora s'erano stancati di tenersi tra i piedi un brigante inattivo, che si tirava dietro tutta la sbirraglia.

Nei tempi andati, s'erano stretti intorno a lui quanti nei dintorni avevano conti da regolare con la giustizia, magari poca cosa, furterelli abituali, come quei vagabondi stagnatori di pentole, o delitti veri e propri, come i suoi compagni banditi. Per ogni furto o rapina questa gente si giovava della sua autorità ed esperienza, ed anche si faceva scudo del suo nome, che correva di bocca in bocca e lasciava i loro in ombra. E anche chi non prendeva parte ai colpi, godeva in qualche modo della loro fortuna, perché il bosco si riempiva di refurtive e contrabbandi d'ogni specie, che bisognava smaltire o rivendere, e tutti quelli che bazzicavano là intorno trovavano da trafficarci sopra. Chi poi compiva rapine per conto suo, all'insaputa di Gian dei Brughi, si faceva forte di quel nome terribile per mettere paura agli aggrediti e ricavarne il massimo: la gente viveva nel terrore, in ogni malvivente vedeva Gian dei Brughi o uno della sua banda e s'affrettava a sciogliere i cordoni della borsa.

Questi bei tempi erano durati a lungo; Gian dei Brughi aveva visto che poteva campare di rendita, e a poco a poco s'era imminchionito. Credeva che tutto continuasse come prima, invece gli animi erano mutati e il suo nome non ispirava più nessuna reverenza.

A chi era utile, ormai, Gian dei Brughi? Se ne stava nascosto coi lucciconi agli occhi a leggere romanzi, colpi non ne faceva più, roba non ne procurava, nel bosco nessuno poteva più fare i propri affari, venivano gli sbirri tutti i giorni a cercarlo e per poco che un disgraziato avesse l'aria sospetta lo portavano in guardina. Se si aggiunge la tentazione di quella taglia che aveva sulla testa, appare chiaro che i giorni di Gian dei Brughi erano contati.

Due altri briganti, due giovani che erano stati tirati su da lui e non sapevano rassegnarsi a perdere quel bel capobanda, vollero dargli l'occasione di riabilitarsi. Si chiamavano Ugasso e Bel-Loré ed erano stati da ragazzi nella banda dei ladruncoli di frutta. Adesso, giovanotti, erano diventati briganti di passo.

Dunque, vanno a trovare Gian dei Brughi nella sua caverna. Era lì, sdraiato sulla paglia. – Sì, che c'è? – fece, senza levare gli occhi dalla pagina.

– T'avevamo da proporre una cosa, Gian dei Brughi.

– Mmm... Cosa? – e leggeva.

– Sai dov'è la casa di Costanzo il gabelliere?

– Sì, sì... Eh? Cosa? Chi è il gabelliere?

Bel-Loré e Ugasso si scambiarono uno sguardo contrariato. Se non gli si toglieva quel maledetto libro di sotto gli occhi, il brigante non avrebbe capito nemmeno una parola. – Chiudi un momento il libro, Gian dei Brughi. Stacci a sentire.

Gian dei Brughi afferrò il libro con ambe le mani, s'alzò in ginocchio, fece per stringerselo al petto tenendolo aperto al segno, poi la voglia di continuare a leggere era troppa e, sempre tenendolo stretto, l'alzò fino a poterci tuffare il naso dentro.

Bel-Loré ebbe un'idea. C'era lì una ragnatela con un grosso ragno. Bel-Loré sollevò con mani leggere la ragnatela col ragno sopra e la buttò addosso a Gian dei Brughi, tra libro e naso. Questo sciagurato di Gian dei Brughi s'era così rammollito da prendersi paura anche d'un ragno. Si sentì sul naso quel groviglio di gambe di ragno e filamenti appiccicosi, e prima ancora di capire cos'era, diede un gridolino di raccapriccio, lasciò cadere il libro e prese a sventagliarsi le mani davanti al viso, a occhi strabuzzati e bocca sputacchiante.

Ugasso si buttò a terra e riuscì ad afferrare il libro prima che Gian dei Brughi ci ponesse un piede sopra.

– Ridammi quel libro! – disse Gian dei Brughi, cercando con una mano di liberarsi da ragno e ragnatela, e con l'altra di strappare il libro di mano a Ugasso.

– No, prima stacci a sentire! – disse Ugasso nascondendo il libro dietro la schiena.

– Stavo leggendo *Clarissa*. Ridatemelo! Ero nel momento culminante...

– Sta' a sentire. Noi portiamo stasera un carico di legna a casa del gabelliere. Nel sacco, invece della legna, ci sei tu. Quando è notte, esci dal sacco...

– E io voglio finire *Clarissa*! – Era riuscito a liberarsi le mani dagli ultimi resti della ragnatela e cercava di lottare coi due giovani.

– Sta' a sentire... Quando è notte esci dal sacco, armato delle tue pistole, ti fai dare dal gabelliere tutto il ricavato delle gabelle della settimana, che lui tiene nel forziere a capo del letto...

– Lasciatemi almeno finire il capitolo... Siate bravi...

I due giovani pensavano ai tempi in cui, al primo che osava contraddirlo, Gian dei Brughi puntava due pistole nello stomaco. Li prese una amara nostalgia. – Tu prendi i sacchi di denari, va bene? – insistettero, tristemente, – ce li porti, noi ti ridiamo il tuo libro e potrai leggere quanto vorrai. Va bene così? Ci vai?

– No. Non va bene. Non ci vado!

– Ah non ci vai... Ah non ci vai, dunque... Sta' a vedere, allora! – e Ugasso prese una pagina verso la fine del libro,

(– No! – urlò Gian dei Brughi), la strappò, (– No! ferma! –),
l'appallottolò, la buttò nel fuoco.

– Aaah! Cane! Non puoi fare così! Non saprò più come va
a finire! – e correva dietro a Ugasso per acchiappare il libro.

– Allora ci vai dal gabelliere?

– No, non ci vado!

Ugasso strappò altre due pagine.

– Sta' fermo! Non ci sono ancora arrivato! Non puoi bru-
ciarle!

Ugasso le aveva già buttate nel fuoco.

– Cane! *Clarissa*! No!

– Allora, ci vai?

– Io...

Ugasso strappò altre tre pagine e le cacciò nelle fiamme.

Gian dei Brughi si buttò a sedere col viso nelle mani. – Andrò, – disse. – Ma promettetemi che m'aspetterete col libro
fuori della casa del gabelliere.

Il brigante fu nascosto in un sacco, con una fascina sulla
testa. Bel-Loré portava il sacco sulle spalle. Dietro veniva
Ugasso col libro. Ogni tanto, quando Gian dei Brughi con
uno scalciare o un grugnire da dentro il sacco mostrava d'essere sul punto di pentirsi, Ugasso gli faceva sentire il rumore
di una pagina strappata e Gian dei Brughi si rimetteva subito
a star calmo.

Con questo sistema lo portarono, travestiti da legnaioli, fin
dentro la casa del gabelliere e lo lasciarono lì. S'andarono ad
appostare poco discosto, dietro un olivo, attendendo l'ora in
cui, compiuto il colpo, doveva raggiungerli.

Ma Gian dei Brughi aveva troppa fretta, uscì prima di
buio, per casa c'era ancora troppa gente. – In alto le mani! –
Ma non era più quello di una volta, era come si vedesse dal di
fuori, si sentiva un po' ridicolo. – In alto le mani, ho detto...
Tutti in questa stanza, contro il muro... – Macché: non ci credeva più neanche lui, faceva così tanto per fare. – Ci siete tutti? – Non s'era accorto che era scappata una bambina.

Comunque, era un lavoro da non perdere un minuto. Invece la tirò in lungo, il gabelliere faceva il tonto, non trovava la

chiave, Gian dei Brughi capiva che non lo prendevano più sul serio, e in fondo in fondo era contento che così avvenisse.

Uscì, finalmente, con le braccia cariche di borse di scudi. Corse quasi alla cieca all'olivo fissato per il convegno. – Ecco tutto quel che c'era! Ridatemi *Clarissa*!

Quattro, sette, dieci braccia si gettarono su di lui, l'immobilizzarono dalle spalle alle caviglie. Era sollevato di peso da una squadra di sbirri e legato come un salame. – Clarissa la vedrai a scacchi! – e lo condussero in prigione.

La prigione era una torretta sulla riva del mare. Una macchia di pinastri le cresceva dappresso. D'in cima a uno di questi pinastri, Cosimo arrivava quasi all'altezza della cella di Gian dei Brughi e vedeva il suo viso all'inferriata.

Al brigante non importava nulla degli interrogatori e del processo; comunque andasse, l'avrebbero impiccato; ma il suo pensiero erano quelle giornate vuote lì in prigione, senza poter leggere, e quel romanzo lasciato a mezzo. Cosimo riuscì a procurarsi un'altra copia di *Clarissa* e se la portò sul pino.

– Dov'eri arrivato?

– Quando Clarissa scappa dalla casa di malaffare!

Cosimo scartabellò un poco, e poi: – Ah, sì, ecco. Dunque –: e cominciò a leggere ad alta voce, rivolto verso l'inferriata, alla quale si vedevano aggrappate le mani di Gian dei Brughi.

L'istruttoria andò per le lunghe; il brigante resisteva ai tratti di corda; per fargli confessare ognuno dei suoi innumerevoli delitti ci volevano giornate e giornate. Così ogni giorno, prima e dopo gli interrogatori se ne stava ad ascoltare Cosimo che gli faceva la lettura. Finita *Clarissa*, sentendolo un po' rattristato, Cosimo si fece l'idea che Richardson, così al chiuso, fosse un po' deprimente; e preferì cominciare a leggergli un romanzo di Fielding, che con la vicenda movimentata lo ripagasse un poco della libertà perduta. Erano i giorni del processo, e Gian dei Brughi aveva mente solo ai casi di Jonathan Wild.

Prima che il romanzo fosse finito, venne il giorno dell'esecuzione. Sul carretto, in compagnia d'un frate, Gian dei Brughi fece l'ultimo suo viaggio da vivente. Le impiccagioni a

Ombrosa si facevano a un'alta quercia in mezzo alla piazza. Intorno tutto il popolo faceva cerchio.

Quand'ebbe il cappio al collo, Gian dei Brughi sentì un fischio di tra i rami. Alzò il viso. C'era Cosimo col libro chiuso.

– Dimmi come finisce, – fece il condannato.

– Mi dispiace di dirtelo, Gian, – rispose Cosimo, – Gionata finisce appeso per la gola.

– Grazie. Così sia di me pure! Addio! – e lui stesso calciò via la scala, restando strozzato.

La folla, quando il corpo cessò di dibattersi, andò via. Cosimo rimase fino a notte, a cavalcioni del ramo da cui pendeva l'impiccato. Ogni volta che un corvo si avvicinava per mordere gli occhi o il naso al cadavere, Cosimo lo cacciava agitando il berretto.

XIII

A frequentare il brigante, dunque, Cosimo aveva preso una smisurata passione per la lettura e per lo studio, che gli restò poi per la vita. L'atteggiamento abituale in cui lo s'incontrava adesso, era con un libro aperto in mano, seduto a cavalcioni d'un ramo comodo, oppure appoggiato a una forcella come a un banco da scuola, un foglio posato su una tavoletta, il calamaio in un buco dell'albero, scrivendo con una lunga penna d'oca.

Adesso era lui che andava a cercare l'Abate Fauchelafleur perché gli facesse lezione, perché gli spiegasse Tacito e Ovidio e i corpi celesti e le leggi della chimica, ma il vecchio prete fuor che un po' di grammatica e un po' di teologia annegava in un mare di dubbi e di lacune, e alle domande dell'allievo allargava le braccia e alzava gli occhi al cielo.

– *Monsieur l'Abbé*, quante mogli si può avere in Persia? *Monsieur l'Abbé*, chi è il Vicario Savoiardo? *Monsieur l'Abbé*, mi può spiegare il sistema di Linneo?

– *Alors... Voyons... Maintenant...* – cominciava l'Abate, poi si smarriva, e non andava più avanti.

Ma Cosimo, che divorava libri d'ogni specie, e metà del suo tempo lo passava a leggere e metà a cacciare per pagare i conti del libraio Orbecche, aveva sempre qualche nuova storia lui da raccontare. Di Rousseau che passeggiava erborizzando per le foreste della Svizzera, di Beniamino Franklin che acchiappava i fulmini cogli aquiloni, del Barone de la Hontan che viveva felice tra gli Indiani dell'America.

Il vecchio Fauchelafleur porgeva orecchio a questi discorsi con meravigliata attenzione, non so se per vero interesse o soltanto per il sollievo di non dover essere lui a insegnare; e assentiva, e interloquiva con dei: – *Non! Dites-le moi!* – quando Cosimo si rivolgeva a lui chiedendo: – E lo sapete com'è che...? – oppure con dei: – *Tiens! Mais c'est épatant!* – quando Cosimo gli dava la risposta, e talora con dei: – *Mon Dieu!* – che potevano essere tanto d'esultanza per le nuove grandezze di Dio che in quel momento gli si rivelavano, quanto di rammarico per l'onnipotenza del Male che sotto tutte le sembianze dominava senza scampo il mondo.

Io ero troppo ragazzo e Cosimo non aveva amici che nelle classi illetterate, perciò il suo bisogno di commentare le scoperte che andava facendo sui libri lo sfogava seppellendo di domande e spiegazioni il vecchio precettore. L'Abate, si sa, aveva quella disposizione remissiva e accomodante che gli veniva da una superiore coscienza della vanità del tutto; e Cosimo se ne approfittava. Così il rapporto di discepolanza tra i due si capovolse: Cosimo faceva da maestro e Fauchelafleur da allievo. E tanta autorità mio fratello aveva preso, che riusciva a trascinarsi dietro il vecchio tremante nelle sue peregrinazioni sugli alberi. Gli fece passare tutt'un pomeriggio con le magre gambe penzoloni da un ramo di castagno d'India, nel giardino dei D'Ondariva, contemplando le piante rare, e il tramonto che si rifletteva nella vasca delle ninfee, e ragionando delle monarchie e delle repubbliche, del giusto e del vero nelle varie religioni, ed i riti cinesi, il terremoto di Lisbona, la bottiglia di Leida, il sensismo.

Io dovevo avere la mia lezione di greco e non si trovava il precettore. Si mise in allarme tutta la famiglia, si batté la campagna per cercarlo, fu perfino scandagliata la peschiera temendo che, distratto, non ci fosse caduto ed annegato. Tornò a sera, lamentandosi per una lombaggine che s'era presa a star seduto per ore così scomodo.

Ma non bisogna dimenticare che nel vecchio giansenista questo stato di passiva accettazione d'ogni cosa s'alternava a momenti di ripresa della sua originaria passione per il rigore spirituale. E se, mentre era distratto e arrendevole, accoglieva senza resistenza qualsiasi idea nuova o libertina, per esempio l'uguaglianza degli uomini davanti alle leggi, o l'onestà dei popoli selvaggi, o l'influenza nefasta delle superstizioni, un quarto d'ora dopo, assalito da un accesso d'austerità e d'assolutezza, s'immedesimava in quelle idee accettate poco prima così leggermente e vi portava tutto il suo bisogno di coerenza e di severità morale. Allora sulle sue labbra i doveri dei cittadini liberi ed eguali o le virtù dell'uomo che segue la religione naturale diventavano regole d'una disciplina spietata, articoli d'una fede fanatica, e al di fuori di ciò non vedeva che un nero quadro di corruzione, e tutti i nuovi filosofi erano troppo blandi e superficiali nella denuncia del male, e la via della perfezione, se pur ardua, non consentiva compromessi o mezzi termini.

Di fronte a questi improvvisi soprassalti dell'Abate, Cosimo non osava più dir parola, per paura che gli venisse censurata come incoerente e non rigorosa, e il mondo lussureggiante che nei suoi pensieri cercava di suscitare gli s'inaridiva davanti come un marmoreo cimitero. Per fortuna l'Abate si stancava presto di queste tensioni della volontà, e restava lì spossato, come se lo scarnificare ogni concetto per ridurlo a pura essenza lo lasciasse in balia d'ombre dissolte ed impalpabili: sbatteva gli occhi, dava un sospiro, dal sospiro passava allo sbadiglio, e rientrava nel nirvana.

Ma tra l'una e l'altra disposizione del suo animo, dedicava ormai le sue giornate a seguire gli studi intrapresi da Cosimo, e faceva la spola tra gli alberi dov'egli si trovava e la bottega di Orbecche, a ordinargli libri da commissionare ai librai di Amsterdam o Parigi, e a ritirare i nuovi arrivi. E così preparava la sua disgrazia. Perché la voce che a Ombrosa c'era un prete che si teneva al corrente di tutte le pubblicazioni più scomunicate d'Europa, arrivò fino al Tribunale ecclesiastico. Un pomeriggio, gli sbirri si presentarono alla nostra villa per ispezionare la celletta dell'Abate. Tra i suoi breviari trovarono le opere del Bayle, ancora intonse, ma tanto bastò perché se lo prendessero in mezzo e lo portassero con loro.

Fu una scena ben triste, in quel pomeriggio nuvoloso, la ricordo come la vidi sbigottito dalla finestra della mia stanza, e smisi di studiare la coniugazione dell'aoristo, perché non ci sarebbe stata più lezione. Il vecchio Padre Fauchelafleur s'allontanava per il viale tra quegli sgherri armati, e alzava gli occhi verso gli alberi, e a un certo punto ebbe un guizzo come se volesse correre verso un olmo e arrampicarsi, ma gli mancarono le gambe. Cosimo quel giorno era a caccia nel bosco e non ne sapeva nulla; così non si salutarono.

Non potemmo far nulla per aiutarlo. Nostro padre si chiuse in camera e non voleva assaggiar cibo perché aveva paura di venir avvelenato dai Gesuiti. L'Abate passò il resto dei suoi giorni tra carcere e convento in continui atti d'abiura, finché non morì, senza aver capito, dopo una vita intera dedicata alla fede, in che cosa mai credesse, ma cercando di credervi fermamente fino all'ultimo.

Comunque, l'arresto dell'Abate non portò alcun pregiudizio ai progressi dell'educazione di Cosimo. È da quell'epoca che data la sua corrispondenza epistolare coi maggiori filosofi e scienziati d'Europa, cui egli si rivolgeva perché gli risolvessero quesiti e obiezioni, o anche solo per il piacere di discutere cogli spiriti migliori e in pari tempo esercitarsi nelle lingue straniere. Peccato che tutte le sue carte, che egli riponeva in cavità d'alberi a lui solo note, non si siano mai ritrovate, e certo saranno finite rose dagli scoiattoli o ammuffite; vi si troverebbero lettere scritte di pugno dai più famosi sapienti del secolo.

Per tenere i libri, Cosimo costruì a più riprese delle specie di biblioteche pensili, riparate alla meglio dalla pioggia e dai roditori, ma cambiava loro continuamente di posto, secondo gli studi e i gusti del momento, perché egli considerava i libri un po' come degli uccelli e non voleva vederli fermi o ingabbiati, se no diceva che intristivano. Sul più massiccio di questi scaffali aerei allineava i tomi dell'Enciclopedia di Diderot e D'Alembert man mano che gli arrivavano da un libraio di Livorno. E se negli ultimi tempi a forza di stare in mezzo ai libri era rimasto un po' con la testa nelle nuvole, sempre meno interessato del mondo intorno a lui, ora invece la lettura dell'Enciclopedia, certe bellissime voci come *Abeille, Arbre, Bois, Jardin* gli facevano riscoprire tutte le cose intorno come nuove. Tra i libri che si faceva arrivare, cominciarono a figurare anche manuali d'arti e mestieri, per esempio d'arboricoltura, e non vedeva l'ora di sperimentare le nuove cognizioni.

A Cosimo era sempre piaciuto stare a guardare la gente che lavora, ma finora la sua vita sugli alberi, i suoi spostamenti e le sue cacce avevano sempre risposto a estri isolati e ingiustificati, come fosse un uccelletto. Ora invece lo prese il bisogno di far qualcosa di utile al suo prossimo. E anche questa, a ben vedere, era una cosa che aveva imparato nella sua frequentazione del brigante; il piacere di rendersi utile, di svolgere un servizio indispensabile per gli altri.

Imparò l'arte di potare gli alberi, e offriva la sua opera ai coltivatori di frutteti, l'inverno, quando gli alberi protendono irregolari labirinti di stecchi e pare non desiderino che d'essere ridotti in forme più ordinate per coprirsi di fiori e foglie e frutti. Cosimo potava bene e chiedeva poco: così non c'era piccolo proprietario o fittavolo che non gli chiedesse di passare da lui, e lo si vedeva, nell'aria cristallina di quelle mattine, ritto a gambe larghe sui bassi alberi nudi, il collo avvoltolato in una sciarpa fino alle orecchie, alzare la cesoia e, zac! zac!, a colpi sicuri far volare via rametti secondari e punte. La stessa arte usava nei giardini, con le piante d'ombra e d'ornamento, armato d'una corta sega, e nei boschi, dove all'ascia dei taglialegna buona soltanto ad accozzare colpi al piede d'un tronco secolare per abbatterlo intero, cercò di sostituire la sua svelta accetta, che lavorava solo sui palchi e sulle cime.

Insomma, l'amore per questo suo elemento arboreo seppe farlo diventare, com'è di tutti gli amori veri, anche spietato e doloroso, che ferisce e recide per far crescere e dar forma. Certo, egli badava sempre, potando e disboscando, a servire non solo l'interesse del proprietario della pianta, ma anche il suo, di viandante che ha bisogno di rendere meglio praticabili le sue strade; perciò faceva in modo che i rami che gli servivano da ponte tra una pianta e l'altra fossero sempre salvati, e ricevessero forza dalla soppressione degli altri. Così, questa natura d'Ombrosa ch'egli aveva trovato già tanto benigna, con la sua arte contribuiva a farla vieppiù a lui favorevole, amico a un tempo del prossimo, della natura e di se medesimo. E i vantaggi di questo saggio operare godette soprattutto nell'età più tarda, quando la forma degli alberi sopperiva sempre di più alla sua perdita di forze. Poi, bastò l'avvento di generazioni più scriteriate, d'imprevidente avidità, gente non amica di nulla, neppure di se stessa, e tutto ormai è cambiato, nessun Cosimo potrà più incedere per gli alberi.

XIV

Se il numero degli amici di Cosimo cresceva, egli s'era pure fatto dei nemici. I vagabondi del bosco, infatti, dopo la conversione di Gian dei Brughi alle buone letture e la successiva sua caduta, s'erano trovati a mal partito. Una notte, mio fratello dormiva nel suo otre appeso a un frassino, nel bosco, quando lo svegliò un abbaio del bassotto. Aperse gli occhi e c'era luce; veniva dal basso, c'era fuoco proprio ai piedi dell'albero e le fiamme già lambivano il tronco.

Un incendio nel bosco! Chi l'aveva appiccato? Cosimo era ben certo di non aver nemmeno battuto l'acciarino, quella sera. Dunque era un tiro di quei malviventi! Volevano dare alle fiamme il bosco per far razzia di legna e nello stesso tempo far sì che la colpa ricadesse su Cosimo; non solo, ma bruciarlo vivo.

Sul momento Cosimo non pensò al pericolo che minacciava lui così dappresso: pensò che quello sterminato regno pieno di vie e rifugi solo suoi poteva essere distrutto, e questo era tutto il suo terrore. Ottimo Massimo già scappava via per non bruciarsi, voltandosi ogni tanto a lanciare un latrato disperato: il fuoco si stava propagando al sottobosco.

Cosimo non si perse d'animo. Sul frassino dove allora era il suo rifugio, aveva trasportato, come sempre faceva, molte cose; tra queste, una botticella piena d'orzata, per placare la sete estiva. S'arrampicò fino alla botticella. Per i rami del frassino fuggivano gli scoiattoli e le nottole in allarme e dai nidi volavano via gli uccelli. Afferrò la botticella e stava per svitarne la spina e bagnare il tronco del frassino per salvarlo dalle fiamme, quando pensò che l'incendio già si stava propagando all'erba, alle foglie secche, agli arbusti e avrebbe preso tutti gli alberi intorno. Decise di rischiare: «Bruci pure il frassino! Se con questa orzata arrivo a bagnare per terra tutt'intorno dove le fiamme non sono ancora arrivate, io fermo l'incendio!» E aperta la spina della botticella, con spinte ondeggianti e circolari diresse il getto sul terreno, sulle lingue di fuoco più esterne, spegnendole. Così il fuoco nel sottobosco si trovò in mezzo a un cerchio d'erbe e foglie bagnate e non poté più espandersi.

Dalla cima del frassino, Cosimo saltò su di un faggio lì vicino. Aveva fatto appena appena in tempo: il tronco arso alla base precipitava in un rogo, di schianto, tra i vani squittii degli scoiattoli.

L'incendio si sarebbe limitato a quel punto? Già un volo di scintille e fiammelle si propagava intorno; certo la labile barriera di foglie bagnate non gli avrebbe impedito di propagarsi. – Al fuoco! Al fuoco! – cominciò a gridare Cosimo con tutte le sue forze. – Al fuocooo!

– Che c'èee? Chi gridaaa! – rispondevano delle voci. Non lontano da quel luogo c'era una carbonaia, e una squadra di Bergamaschi suoi amici dormivano là in una baracca.

– Al fuocooo! Allarmeee!

Presto, tutta la montagna risuonò di grida. I carbonai sparsi per il bosco si davano la voce, nel loro dialetto incomprensibile. Ecco che accorrevano da ogni parte. L'incendio fu domato.

Questo primo tentativo d'incendio doloso e d'attentato alla sua vita avrebbe dovuto ammonire Cosimo a tenersi lontano dal bosco. Invece cominciò a preoccuparsi di come ci si poteva tutelare dagli incendi. Era l'estate d'un'annata di siccità e calura. Nei boschi della costa, dalla parte della Provenza, ardeva da una settimana un incendio smisurato. Alla notte se ne scorgevano i bagliori alti sulla montagna come un rimasuglio di tramonto. L'aria era asciutta, piante e sterpi nell'arsura erano una sola grande esca. Pareva che i venti propagassero le fiamme verso le nostre parti, se pur mai prima non fosse scoppiato qui qualche incendio casuale o doloso, ricongiungendosi con quello in un unico rogo lungo tutta la costa. Ombrosa viveva attonita sotto il pericolo, come una fortezza dal tetto di paglia assalita da nemici incendiari. Il cielo pareva non immune da questa carica di fuoco: ogni notte stelle cadenti trascorrevano fitte in mezzo al firmamento e ci s'aspettava di vederle piombare su di noi.

In quei giorni di sbigottimento generale, Cosimo fece incetta di barilotti e li issò pieni d'acqua in cima alle piante più alte e situate in luoghi dominanti. «A poco, ma a qualcosa s'è visto che possono servire». Non contento, studiava il regime dei torrenti che attraversavano il bosco, mezzo secchi com'erano, e delle sorgenti che mandavano solo un filo d'acqua. Andò a consultare il Cavalier Avvocato.

– Ah, sì! – esclamò Enea Silvio Carrega battendosi una mano sulla fronte. – Bacini! Dighe! Bisogna fare dei progetti! – e scoppiava in piccoli gridi e saltelli d'entusiasmo mentre una miriade d'idee gli s'affollava alla mente.

Cosimo lo mise sotto a far calcoli e disegni, e intanto interessò i proprietari dei boschi privati, gli appaltatori dei boschi demaniali, i taglialegna, i carbonai. Tutti insieme, sotto la direzione del Cavalier Avvocato (ossia, il Cavalier Avvocato sotto tutti loro, forzato a dirigerli e a non distrarsi) e con Cosimo che sovrintendeva ai lavori dall'alto, costruirono delle riserve d'acqua in modo che in ogni punto in cui fosse scoppiato un incendio si sapesse dove far capo con le pompe.

Ma non bastava, bisognava organizzare una guardia di spegnitori, squadre che in caso d'allarme sapessero subito disporsi a catena per passarsi di mano in mano secchi d'acqua e frenare l'incendio prima che si fosse propagato. Ne venne fuori una specie di milizia che faceva turni di guardia e ispezioni notturne. Gli uomini erano reclutati da Cosimo tra i contadini e gli artigiani d'Ombrosa. Subito, come succede in ogni associazione, nacque uno spirito di corpo, un'emulazione tra le squadre, e si sentivano pronti a fare grandi cose. Anche Cosimo si sentì una nuova forza e contentezza: aveva scoperto una sua attitudine ad associare la gente e a mettersi alla loro testa; attitudine di cui, per sua fortuna, non fu mai portato ad abusare, e la mise in opera soltanto pochissime volte in vita sua, sempre in vista d'importanti risultati da conseguire, e sempre riportando dei successi.

Capì questo: che le associazioni rendono l'uomo più forte e mettono in risalto le doti migliori delle singole persone, e dànno la gioia che raramente s'ha restando per proprio conto, di vedere quanta gente c'è onesta e brava e capace e per cui vale la pena di volere cose buone (mentre vivendo per proprio conto capita più spesso il contrario, di vedere l'altra faccia della gente, quella per cui bisogna tener sempre la mano alla guardia della spada).

Dunque questa degli incendi fu una buona estate: c'era un problema comune che stava a cuore a tutti di risolvere, e ciascuno lo metteva avanti agli altri suoi interessi personali, e di tutto lo ripagava la soddisfazione di trovarsi in concordia e stima con tante altre ottime persone.

Più tardi, Cosimo dovrà capire che quando quel problema comune non c'è più, le associazioni non sono più buone come prima, e val meglio essere un uomo solo e non un capo. Ma per intanto, essendo un capo, passava le notti tutto solo nel bosco di sentinella, su un albero come era sempre vissuto.

Se mai vedeva fiammeggiare un focolaio d'incendio, aveva predisposto sulla cima dell'albero una campanella, che poteva esser sentita di lontano e dar l'allarme. Con questo sistema, tre o quattro volte che scoppiarono incendi, riuscirono a domarli in tempo ed a salvare i boschi. E poiché v'entrava il dolo, scoprirono i colpevoli in quei due briganti di Ugasso e Bel-Loré, e li fecero bandire dal territorio del Comune. A fine d'agosto cominciarono gli acquazzoni; il pericolo degli incendi era passato.

In quel tempo non si sentiva che dir bene di mio fratello, a Ombrosa. Anche a casa nostra giungevano queste voci favorevoli, questi: «Però, è così bravo», «Però, certe cose le fa bene», col tono di chi vuol fare apprezzamenti obiettivi su persona di diversa religione, o di partito contrario, e vuol mostrarsi di mente così aperta da comprendere anche le idee più lontane dalle proprie.

Le reazioni della Generalessa a queste notizie erano brusche e sommarie. – Hanno armi? – chiedeva, quando le parlavano della guardia contro gli incendi messa insieme da Cosimo, – fanno gli esercizi? – perché lei già pensava alla costituzione d'una milizia armata che potesse, nel caso d'una guerra, prender parte a operazioni militari.

Nostro padre invece stava a sentire in silenzio, scuotendo la testa che non si capiva se ogni notizia su quel figlio gli giungesse dolorosa o se invece annuisse, toccato da un fondo di lusinga, non aspettando altro che di poter tornare a sperare in lui. Doveva essere così, a quest'ultimo modo, perché dopo qualche giorno montò a cavallo e andò a cercarlo.

Fu un luogo aperto, dove s'incontrarono, con una fila d'alberelli intorno. Il Barone girò il cavallo in su e in giù due o tre volte, senza guardare il figlio, ma l'aveva visto. Il ragazzo dall'ultima pianta, salto a salto, venne su piante sempre più vicine. Quando fu davanti al padre si cavò il cappello di paglia (che d'estate sostituiva al berretto di gatto selvatico) e disse:
– Buongiorno, signor padre.

– Buongiorno, figlio.

– Sta ella bene?

– Compatibilmente agli anni e ai dispiaceri.

– Godo di vederla valente.

– Così voglio dire di te, Cosimo. Ho sentito che ti adoperi pel vantaggio comune.

– Ho a cuore la salvaguardia delle foreste dove vivo, signor padre.

– Sai che un tratto del bosco è di nostra proprietà, ereditato dalla tua povera nonna Elisabetta buonanima?

– Sì, signor padre. In località Belrìo. Vi crescono trenta castagni, ventidue faggi, otto pini e un acero. Ho copia di tutte le mappe catastali. È appunto come membro di famiglia proprietaria di boschi che ho voluto consociare tutti gli interessati a conservarli.

– Già, – disse il Barone, accogliendo favorevolmente la risposta. Ma aggiunse: – Mi dicono sia un'associazione di fornai, ortolani e maniscalchi.

– Anche, signor padre. Di tutte le professioni, purché oneste.

– Tu sai che potresti comandare alla nobiltà vassalla col titolo di duca?

– So che quando ho più idee degli altri, do agli altri queste idee, se le accettano; e questo è comandare.

«E per comandare, oggigiorno, s'usa star sugli alberi?» aveva sulla punta della lingua il Barone. Ma a che valeva tirar ancora in ballo quella storia? Sospirò, assorto nei suoi pensieri. Poi si sciolse la cinta in cui era appesa la sua spada. – Hai diciott'anni... È tempo che ti si consideri un adulto... Io non avrò più molto da vivere... – e reggeva la spada piatta con le due mani. – Ricordi d'essere Barone di Rondò?

– Sì, signor padre, ricordo il mio nome.

– Vorrai essere degno del nome e del titolo che porti?

– Cercherò d'esser più degno che posso del nome d'uomo, e lo sarò così d'ogni suo attributo.

– Tieni questa spada, la mia spada –. S'alzò sulle staffe, Cosimo s'abbassò sul ramo e il Barone arrivò a cingergliela.

– Grazie, signor padre... Le prometto che ne farò buon uso.

– Addio, figlio mio –. Il Barone voltò il cavallo, diede un breve tratto di redini, cavalcò via lentamente.

Cosimo stette un momento a pensare se non doveva fargli il saluto con la spada, poi rifletté che il padre glie l'aveva data perché gli servisse da difesa, non per fare delle mosse da parata, e la tenne nel fodero.

XV

Fu in quel tempo che, frequentando il Cavalier Avvocato, Cosimo s'accorse di qualcosa di strano nel suo contegno, o meglio di diverso dal solito, più strano o meno strano che fosse. Come se la sua aria assorta non venisse più da svagatezza, ma da un pensiero fisso che lo dominava. I momenti in cui si mostrava ciarliero adesso erano più frequenti, e se una volta, insocievole com'era, non metteva mai piede in città, ora invece era sempre al porto, nei crocchi o seduto sugli spalti coi vecchi patroni e marinai, a commentare gli arrivi e le partenze dei battelli o le malefatte dei pirati.

Al largo delle nostre coste si spingevano ancora le feluche dei pirati di Barberia, molestando i nostri traffici. Era una pirateria da poco, ormai, non più come ai tempi in cui a incontrare i pirati si finiva schiavi a Tunisi o ad Algeri o ci si rimetteva naso e orecchi. Adesso, quando i Maomettani riuscivano a raggiungere una tartana d'Ombrosa, si prendevano il carico: barili di baccalà, forme di cacio olandese, balle di cotone, e via. Alle volte i nostri erano più svelti, gli sfuggivano, tiravano un colpo di spingarda contro le alberature della feluca; e i Barbareschi rispondevano sputando, facendo brutti gesti e urlacci.

Insomma, era una pirateria alla buona, che continuava per via di certi crediti che i Pascià di quei paesi pretendevano di dover esigere dai nostri negozianti e armatori, non essendo – a sentir loro – stati serviti bene in qualche fornitura, o addirittura truffati. E così cercavano di saldare il conto a poco a poco a forza di ruberie, ma nello stesso tempo continuavano le trattative commerciali, con continue contestazioni e patteggiamenti. Non c'era dunque interesse né da una parte né dall'altra a farsi degli sgarbi definitivi; e la navigazione era piena d'incertezze e di rischi, che mai però degeneravano in tragedie.

La storia che ora riferirò fu narrata da Cosimo in molte versioni differenti: mi terrò a quella più ricca di particolari e meno illogica. Se pur è certo che mio fratello raccontando le sue avventure ci aggiungeva molto di sua testa, io, in mancanza d'altre fonti, cerco sempre di tenermi alla lettera di quel che lui diceva.

Dunque, una volta Cosimo, che facendo la guardia per gli incendi aveva preso l'abitudine di svegliarsi nella notte, vide un lume che scendeva nella valle. Lo seguì, silenzioso per i rami coi suoi passi da gatto, e vide Enea Silvio Carrega che camminava lesto lesto, col fez e la zimarra, reggendo una lanterna.

Cosa faceva in giro a quell'ora il Cavalier Avvocato, che era solito andare a letto con le galline? Cosimo gli andò dietro. Stava attento a non far rumore, pur sapendo che lo zio, quando camminava così infervorato, era come sordo e vedeva solo a un palmo dai suoi piedi.

Per mulattiere e scorciatoie il Cavalier Avvocato giunse sulla riva del mare, in un tratto di spiaggia sassosa, e prese ad agitare la lanterna. Non c'era luna, nel mare non si riusciva a veder nulla, tranne un muovere di spuma delle onde più vicine. Cosimo era su un pino, un po' distante dalla riva perché laggiù finalmente si diradava la vegetazione e non era più tanto facile di sui rami arrivare dappertutto. Comunque, vedeva bene il vecchietto coll'alto fez sulla costa deserta, che agitava la lanterna verso il buio del mare, e da quel buio gli rispose un'altra luce di lanterna, tutt'a un tratto, vicina, come se l'avessero accesa allora allora, ed emerse velocissima una piccola imbarcazione con una vela quadra oscura e i remi, diversa dalle barche di qui, e venne a riva.

All'ondeggiante luce delle lanterne Cosimo vide uomini col turbante in testa: alcuni restarono sulla barca tenendola accostata a riva con piccoli colpi di remi; altri scesero, e avevano larghi calzoni rossi rigonfi, e luccicanti scimitarre infilate alla vita. Cosimo aguzzava occhi e orecchi. Lo zio e quei Berberi parlottavano tra loro, in una lingua che non si capiva eppure spesso sembrava si potesse capire, e certo era la famosa lingua franca. Ogni tanto Cosimo intendeva una parola nella nostra lingua, su cui Enea Silvio insisteva frammischiandola con altre parole incomprensibili, e queste parole nostre erano nomi di navi, noti nomi di tartane o brigantini appartenenti ad armatori d'Ombrosa, o che facevano la spola tra il nostro ed altri porti.

Ci voleva poco a capire cosa stava dicendo il Cavaliere! Stava informando quei pirati sui giorni d'arrivo e di partenza delle navi d'Ombrosa, e del carico che avevano, della rotta, delle armi che portavano a bordo. Ora il vecchio doveva aver riferito tutto quel che sapeva perché si voltò e andò via veloce, mentre i pirati risalivano sulla lancia e risparivano nel mare buio. Dal modo rapido in cui la conversazione s'era svolta si capiva che doveva essere una cosa abituale. Chissà da quanto tempo gli agguati barbareschi avvenivano seguendo le notizie di nostro zio!

Cosimo era rimasto sul pino, incapace di staccarsi di là, dalla marina deserta. Tirava vento, l'onda rodeva le pietre, l'albero gemeva in tutte le sue giunture e mio fratello batteva i denti, non per il freddo dell'aria ma per il freddo della trista rivelazione.

Ecco che quel vecchietto timido e misterioso che noi da ragazzi avevamo sempre giudicato infido e che Cosimo credeva d'aver imparato a poco a poco ad apprezzare e compatire si rivelava un traditore imperdonabile, un uomo ingrato che voleva il male del paese che l'aveva raccolto come un relitto dopo una vita d'errori... Perché? A tal punto lo spingeva la nostalgia di quelle patrie e quelle genti in cui si doveva esser trovato, una volta nella sua vita, felice? Oppure covava un rancore spietato contro questo paese in cui ogni boccone doveva sapergli d'umiliazione? Cosimo era diviso tra l'impulso di correre a denunciare le mene dello spione e a salvare i carichi dei nostri negozianti, e il pensiero del dolore che ne avrebbe provato nostro padre, per quell'affetto che inspiegabilmente lo legava al fratellastro naturale. Già Cosimo immaginava la scena: il Cavaliere ammanettato in mezzo agli sbirri, tra due ali di Ombrosotti che gli inveivano contro, e così era condotto nella piazza, gli mettevano il cappio al collo, l'impiccavano... Dopo la veglia funebre a Gian dei Brughi, Cosimo aveva giurato a se stesso che non sarebbe mai più stato presente a un'esecuzione capitale; ed ecco che gli toccava esser arbitro della condanna a morte d'un proprio congiunto!

Per tutta notte si tormentò in quel pensiero, e continuò per tutta la giornata seguente, passando furiosamente da un ramo all'altro, scalciando, sollevandosi con le braccia, lasciandosi scivolare per i tronchi, come sempre faceva quand'era in preda ad un pensiero. Finalmente, prese la sua decisione: avrebbe scelto una via di mezzo: spaventare i pirati e lo zio, per far sì che troncassero il losco loro rapporto senza bisogno dell'intervento della giustizia. Si sarebbe appostato su quel pino la notte, con tre o quattro fucili carichi (ormai s'era fatto tutto un arsenale, per i vari bisogni della caccia): quando il Cavaliere si fosse incontrato coi pirati, egli avrebbe cominciato a sparare uno schioppo dopo l'altro facendo fischiare le pallottole sopra le loro teste. A sentire quella fucileria, pirati e zio sarebbero scappati ognuno per suo conto. E il Cavaliere che non era certo uomo audace, nel sospetto d'esser stato riconosciuto e nella certezza che ormai si vigilava su quei convegni della spiaggia, si sarebbe guardato bene dal ritentare i suoi approcci con gli equipaggi maomettani.

Difatti, Cosimo, coi fucili puntati, aspettò sul pino per un paio di notti. E non successe niente. La terza notte, ecco il vecchietto in fez trotterellare incespicando nei sassi della riva, far segnali con la lanterna, e la barca approdare, coi marinai in turbante.

Cosimo stava pronto col dito sul grilletto, invece non sparò. Perché stavolta tutto era diverso. Dopo un breve parlamentare, due dei pirati scesi a riva fecero segno verso la barca, e gli altri cominciarono a scaricare roba: barili, casse, balle, sacchi, damigiane, barelle piene di formaggi. Non c'era una barca sola, erano in tante, tutte cariche, e una fila di portatori in turbante si snodò per la spiaggia, preceduta dal nostro zio naturale che li guidava con la sua corsetta esitante, fino a una grotta tra gli scogli. Là i Mori riposero tutte quelle merci, certo il frutto delle loro ultime piraterie.

Perché la portavano a riva? In seguito fu facile ricostruire la vicenda: dovendo la feluca barbaresca gettare l'ancora in uno dei nostri porti (per un qualche negozio legittimo, come sempre ne intercorrevano tra loro e noi in mezzo alle imprese di rapina), e dovendo quindi assoggettarsi alla perquisizione doganale, bisognava che nascondessero le mercanzie depredate in luogo sicuro, per poi riprenderle al ritorno. Così la nave avrebbe anche dato prova della sua estraneità dalle ultime ladrerie e rinsaldato i normali rapporti commerciali col paese.

Tutto questo retroscena lo si seppe chiaramente dopo. Sul momento Cosimo non si soffermò a porsi domande. C'era un tesoro di pirati nascosto in una grotta, i pirati risalivano in barca e lo lasciavano lì: bisognava al più presto impadronirsene. Per un momento mio fratello pensò d'andare a svegliare i negozianti d'Ombrosa che dovevano essere i legittimi proprietari delle mercanzie. Ma subito, si ricordò dei suoi amici carbonai che pativano la fame nel bosco con le loro famiglie. Non ebbe esitazione: corse per i rami diretto ai luoghi in cui, attorno alle grige piazzole di terra battuta, i Bergamaschi dormivano in rozze capanne.

– Presto! Venite tutti! Ho scoperto il tesoro dei pirati!

Sotto le tende e le frasche delle capanne ci fu uno sbuffìo, uno scatarrìo, un imprechìo, e alfine esclamazioni di meraviglia, domande: – Oro? Argento?

– Non ho visto bene... – disse Cosimo. – Dall'odore, direi che c'è una quantità di stoccafisso e di formaggio pecorino!

A queste sue parole, si levarono tutti gli uomini del bosco. Chi aveva schioppi prendeva schioppi, gli altri accette, spiedi, vanghe o pale, ma soprattutto si portarono dietro recipienti per mettere la roba, anche le sfasciate ceste del carbone e i neri sacchi. S'avviò una grande processione, – *Hura! Hota!* – anche le donne scendevano con le ceste vuote sul capo, e i ragazzi incappucciati nei sacchi, reggendo le torce. Cosimo li precedeva di pino da bosco in ulivo, d'ulivo in pino da marina.

Già stavano per svoltare allo sperone di scoglio oltre al quale s'apriva la grotta, quando in cima a un contorto fico apparve la bianca ombra d'un pirata, alzò la scimitarra e urlò l'allarme. Cosimo in pochi salti fu su un ramo sopra di lui e gli puntò la spada nelle reni, finché quello non si buttò giù nel dirupo.

Nella grotta c'era una riunione di capi pirati. (Cosimo, prima, in quel va e viene dello scarico, non s'era accorto che erano rimasti là). Sentono il grido della sentinella, escono e si vedono attorniati da quell'orda d'uomini e donne tinti di fuliggine in viso, incappucciati in sacchi e armati di pala. Alzano le scimitarre e si buttano avanti per aprirsi un varco. – *Hura! Hota!* – *Insciallah!* – Cominciò la battaglia.

I carbonai erano in più, ma i pirati erano armati meglio. Per quanto: a battersi contro le scimitarre, si sa, non c'è niente di meglio delle pale. Deng! Deng! e quelle lame del Marocco si ritiravano tutte seghettate. Gli schioppi, invece, facevano tuono e fumo e poi più niente. Anche alcuni dei pirati (ufficiali, si vede) avevano fucili molto belli a vedersi, tutti damascati; ma nella grotta le pietre focaie avevano preso umido e facevano cilecca. I più svegli dei carbonai tiravano a stordire gli ufficiali pirati con colpi di pala in testa per sottrar loro i fucili. Ma con quei turbanti, ai Barbareschi ogni colpo arrivava attutito come su un cuscino; era meglio dar ginocchiate nello stomaco, perché avevano nudo l'ombelico.

Visto che l'unica cosa che non mancava erano i sassi, i carbonai presero a tirar sassate. I Mori, allora, sassate pure loro. Coi sassi, finalmente, la battaglia prese un aspetto più ordinato, ma siccome i carbonai tendevano ad entrare nella grotta, sempre più attratti dall'odor di stoccafisso che ne spirava, ed i Barbareschi tendevano a scappare verso la scialuppa rimasta sulla riva, tra le due parti mancavano dei grandi motivi di contrasto.

A un certo punto, da parte bergamasca ci fu un assalto che aperse loro l'ingresso della grotta. Da parte maomettana ancora resistevano sotto una gragnuola di pietrate, quando videro che la via del mare era libera. Cosa resistevano a fare, dunque? Meglio alzar la vela e andarsene.

Raggiunta la navicella, tre pirati, tutti nobili ufficiali, sbrogliarono la vela. Con un salto da un pino vicino a riva, Cosimo si lanciò sull'albero, si aggrappò alla traversa del pennone, e di lassù, tenendosi stretto coi ginocchi sguainò la spada. I tre pirati alzarono le scimitarre. Mio fratello con fendenti a destra e a manca li teneva in scacco tutti e tre. La barca ancora atterrata s'inclinava ora da una parte ora dall'altra. Sorse la luna in quel momento e lampeggiarono la spada donata dal Barone al figlio e quelle lame maomettane. Mio fratello scivolò giù per l'albero e affondò la spada in petto ad un pirata che cadde fuori bordo. Svelto come una lucertola, risalì difendendosi con due parate dai fendenti degli altri, poi calò giù ancora ed infilzò il secondo, risalì, ebbe una breve schermaglia con il terzo e con un'altra delle sue scivolate lo trafisse.

I tre ufficiali maomettani erano stesi mezzo nell'acqua mezzo fuori con la barba piena d'alghe. Gli altri pirati all'imboccatura della grotta erano tramortiti dalle sassate e dai colpi di pala. Cosimo ancora arrampicato sull'albero della barca guardava trionfante intorno, quando dalla grotta saltò fuori scatenato come un gatto col fuoco sulla coda il Cavalier Avvocato, che era stato là nascosto fin allora. Corse per la spiaggia a testa bassa, diede una spinta alla barca staccandola da riva, ci saltò sopra ed afferrati i remi si mise a darci dentro a più non posso, vogando verso il largo.

– Cavaliere! Che fate? Siete matto? – diceva Cosimo aggrappato al pennone. – Tornate a riva! Dove andiamo?

Macché. Era chiaro che Enea Silvio Carrega voleva raggiungere la nave dei pirati per porsi in salvo. Ormai la sua fellonia era irrimediabilmente scoperta e se restava a riva sarebbe certo finito sul patibolo. Così remava, remava, e Cosimo, benché ancora si trovasse con la spada sguainata in mano e il vecchio fosse disarmato e debole, non sapeva cosa fare. In fondo, far violenza a uno zio gli dispiaceva, e poi per raggiungerlo avrebbe dovuto calar giù dall'albero ed il quesito se scendere in una barca equivalesse a scendere a terra o se già non avesse derogato alle sue leggi interiori saltando da un albero con le radici a un albero di nave era troppo complicato per porselo in quel momento. Così non faceva niente, s'era accomodato sul pennone, una gamba di qua e una di là dell'albero, e andava via sull'onda, mentre un lieve vento gonfiava la vela, e il vecchio non smetteva di remare.

Sentì un abbaio. Ebbe un trasalimento di gioia. Il cane Ottimo Massimo che durante la battaglia aveva perso di vista, era là accucciato in fondo alla barca, e scodinzolava come nulla fosse. Poi poi, rifletté Cosimo, non c'era da stare tanto in pena: era in famiglia, con suo zio, col suo cane, andava in barca, il che dopo tanti anni di vita arborea era un piacevole diversivo.

C'era la luna sul mare. Il vecchio era ormai stanco. Remava a fatica, e piangeva, e prese a dire: – Ah, Zaira... Ah, Allah, Allah, Zaira... Ah, Zaira, *insciallah*... – E così, inspiegabilmente, parlava in turco, e ripeteva ripeteva tra le lagrime questo nome di donna, che Cosimo non aveva mai udito.

– Che dite, Cavaliere? Cosa vi prende? Dove andiamo? – domandava.

– Zaira... Ah Zaira... Allah, Allah... – faceva il vecchio.

– Chi è Zaira, Cavaliere? Vi credete d'andare da Zaira, di per qua?

Ed Enea Silvio Carrega faceva segno di sì col capo, e parlava turco tra le lagrime, e gridava alla luna quel nome.

Su questa Zaira, la mente di Cosimo cominciò subito a mulinare supposizioni. Forse stava per svelarglisi il più profondo segreto di quell'uomo schivo e misterioso. Se il Cavaliere, andando verso la nave pirata, intendeva raggiungere questa Zaira, doveva dunque trattarsi d'una donna che stava là, in quei paesi ottomani. Forse tutta la sua vita era stata dominata dalla nostalgia di questa donna, forse era lei l'immagine di felicità perduta che egli inseguiva allevando api o tracciando canali. Forse era un'amante, una sposa che aveva avuto laggiù, nei giardini di quei paesi oltremare, oppure più verosimilmente una figlia, una sua figlia che non vedeva da bambina. Per cercar lei doveva aver tentato per anni d'aver rapporto con qualcuna delle navi turche o moresche che capitavano nei nostri porti, e finalmente dovevano avergli dato sue notizie. Forse aveva appreso che era schiava, e per riscattarla gli avevano proposto d'informarli sui viaggi delle tartane d'Ombrosa. Oppure era uno scotto che doveva pagare lui per essere riammesso fra loro e imbarcato per il paese di Zaira.

Ora, smascherato il suo intrigo, era costretto a fuggire da Ombrosa, e quei Berberi non potevano ormai più rifiutarsi di prenderlo con loro e riportarlo da lei. Nei suoi discorsi ansanti e smozzicati si mescolavano accenti di speranza, di supplica, e anche di paura: paura che ancora non fosse la volta buona, che ancora qualche disavventura dovesse separarlo dalla creatura desiderata.

Non ce la faceva più a spingere i remi, quando s'avvicinò un'ombra, un'altra lancia barbaresca. Forse dalla nave avevano sentito il rumore della battaglia sulla riva, e mandavano degli esploratori.

Cosimo scivolò a metà dell'albero, per essere nascosto dalla vela. Il vecchio invece cominciò a gridare in lingua franca che lo prendessero, che lo portassero alla nave, e protendeva le braccia. Fu esaudito, difatti: due giannizzeri in turbante, appena fu a portata di mano, lo afferrarono per le spalle, lo sollevarono leggero com'era, e lo tirarono sulla loro barca. Quella su cui era Cosimo, per il contraccolpo fu spinta via, la vela prese il vento, e così mio fratello che già si vedeva morto sfuggì all'esser scoperto.

Allontanandosi sul vento, a Cosimo giungevano dalla lancia pirata delle voci come d'un alterco. Una parola, detta dai Mori, che suonò simile a: – Marrano! – e la voce del vecchio che si udiva ripetere come un ebete: – Ah, Zaira! – non lasciavano dubbi sull'accoglienza che era toccata al Cavaliere. Certo lo tenevano per responsabile dell'imboscata alla grotta, della perdita del bottino, della morte dei loro, l'accusavano d'averli traditi... S'udì un urlo, un tonfo, poi silenzio; a Cosimo venne il ricordo, netto come lo sentisse, della voce di suo padre quando gridava: – Enea Silvio! Enea Silvio! – inseguendo il fratello naturale per la campagna; e nascose il viso nella vela.

Rimontò sul pennone, per vedere dove stava andando la barca. Qualcosa galleggiava in mezzo al mare come trasportato da una corrente, un oggetto, una specie di gavitello, ma un gavitello con la coda... Ci batté sopra un raggio di luna, e vide che non era un oggetto ma una testa, una testa calzata d'un fez col fiocco, e riconobbe il viso riverso del Cavalier Avvocato che guardava colla solita aria sbigottita, a bocca aperta, e dalla barba in giù tutt'il resto era nell'acqua e non si vedeva, e Cosimo gridò: – Cavaliere! Cavaliere! Che fate? Perché non montate? Attaccatevi alla barca! Ora vi faccio salire! Cavaliere!

Ma lo zio non rispondeva: galleggiava, galleggiava, guardando in alto con quell'occhio sbigottito che pareva non vedesse nulla. E Cosimo disse: – Dài, Ottimo Massimo! Bùttati in acqua! Prendi il Cavaliere per la collottola! Salvalo! Salvalo!

Il cane obbediente si tuffò, cercò d'addentare alla collottola il vecchio, non ci riuscì, lo prese per la barba.

– Per la collottola, Ottimo Massimo, ho detto! – insisté Cosimo, ma il cane sollevò la testa per la barba e la spinse fin sul bordo della barca, e si vide che di collottola non ce n'era più, non c'era più corpo né nulla, era solo una testa, la testa di Enea Silvio Carrega mozzata da un colpo di scimitarra.

XVI

La fine del Cavalier Avvocato fu raccontata da Cosimo dapprima in una versione assai diversa. Quando il vento portò a riva la barca con lui rannicchiato sul pennone e Ottimo Massimo la seguì trascinando la testa mozzata, alla gente accorsa al suo richiamo, raccontò – dalla pianta su cui s'era rapidamente spostato con l'aiuto d'una fune – una storia assai più semplice: cioè che il Cavaliere era stato rapito dai pirati e poi ucciso. Forse era una versione dettata dal pensiero di suo padre, il cui dolore sarebbe stato così grande alla notizia della morte del fratellastro e alla vista di quei pietosi resti, che a Cosimo mancò il cuore di gravarlo con la rivelazione della fellonia del Cavaliere. Anzi, in seguito tentò, sentendo dire dello sconforto in cui il Barone era caduto, di costruire per il nostro zio naturale una gloria fittizia, inventando una sua lotta segreta e astuta per sconfiggere i pirati, alla quale da tempo egli si sarebbe dedicato e che, scoperto, l'avrebbe portato al supplizio. Ma era un racconto contraddittorio e lacunoso, anche perché c'era qualcos'altro che Cosimo voleva nascondere, cioè lo sbarco della refurtiva dei pirati nella grotta e l'intervento dei carbonai. E infatti, se la cosa si fosse risaputa, tutta la popolazione d'Ombrosa sarebbe salita al bosco per riprendere le mercanzie ai Bergamaschi, trattandoli da ladri.

Dopo qualche settimana, quando fu sicuro che i carbonai avevano smaltito la roba, raccontò l'assalto alla grotta. E chi volle salire per recuperare qualcosa restò a mani vuote. I carbonai avevano diviso tutto in parti giuste, lo stoccafisso foglia per foglia, i cotechini, i caci, e di tutto il rimanente avevano fatto un gran banchetto nel bosco che durò tutto il giorno.

Nostro padre era molto invecchiato e il dolore per la perdita di Enea Silvio aveva strane conseguenze sul suo carattere. Gli prese la smania di far sì che le opere del fratello naturale non andassero perdute. Perciò voleva curare lui stesso gli allevamenti d'api, e vi s'accinse con grande sicumera, sebbene mai prima d'allora avesse visto da vicino un alveare. Per aver consigli si rivolgeva a Cosimo, che qualcosa ne aveva imparato; non che gli facesse delle domande, ma portava il discorso sull'apicoltura e stava a sentire quel che Cosimo diceva, e poi lo ripeteva come ordine ai contadini, con tono irritato e sufficiente, come fossero cose risapute. Alle arnie cercava di non avvicinarsi troppo, per quella sua paura d'essere punto, ma voleva mostrare di saperla vincere, e chissà che sforzo gli costava. Allo stesso modo dava ordine di scavare certi canali, per compiere un progetto iniziato dal povero Enea Silvio; e se ci fosse riuscito sarebbe stato un bel caso, perché la buonanima non ne aveva portato a termine mai uno.

Questa tardiva passione del Barone per le faccende pratiche durò poco, purtroppo. Un giorno era lì indaffarato e nervoso tra le arnie e i canali, e ad un suo scatto brusco si vide venir contro un paio d'api. Prese paura, cominciò ad agitar le mani, capovolse un alveare, corse via con una nuvola d'api dietro. Scappando alla cieca, finì in quel canale che stavano cercando di riempir d'acqua, e lo tirarono su zuppo.

Fu messo a letto. Tra la febbre delle punture e quella del raffreddore per il bagno, ne ebbe per una settimana; poi si poteva dir guarito. Ma a lui prese uno scoramento che non si volle più tirare su.

Stava sempre a letto e aveva perso ogni attaccamento alla vita. Nulla di quel che voleva fare era riuscito, del Ducato nessuno ne parlava più, il suo primogenito era sempre sulle piante anche adesso che era un uomo, il fratellastro era morto assassinato, la figlia era sposata lontano con gente ancor più antipatica di lei, io ero ancora troppo ragazzo per stargli vicino e sua moglie troppo sbrigativa e autoritaria. Cominciò a farneticare, a dire che ormai i Gesuiti avevano occupato la sua casa e non poteva uscire dalla stanza, e così pieno d'amarezze e di manie come era sempre vissuto, venne a morte.

Anche Cosimo seguì il funerale, passando da una pianta all'altra, ma nel cimitero non riuscì a entrare, perché sui cipressi, fitti come sono di fronda, non ci si può arrampicare in nessun modo. Assistette al seppellimento di là dal muro e quando noi tutti gettammo un pugno di terra sulla bara lui ci gettò un rametto con le foglie. Io pensavo che da mio padre eravamo sempre stati tutti distanti come Cosimo sugli alberi.

Adesso, Barone di Rondò era Cosimo. La sua vita non cambiò. Curava, è vero, gli interessi dei nostri beni, ma sempre in modo saltuario. Quando i castaldi e i fittavoli lo cercavano non sapevano mai dove trovarlo; e quando meno volevano farsi vedere da lui, eccolo sul ramo.

Anche per curare questi affari familiari, Cosimo adesso si mostrava più spesso in città, si fermava sul gran noce della piazza o sui lecci vicino al porto. La gente lo riveriva, gli dava del «Signor Barone», e a lui veniva di prender delle pose un po' da vecchio, come alle volte piace ai giovani, e si fermava lì a contarla a un crocchio d'Ombrosotti che si disponeva a piè dell'albero.

Continuava a raccontare, sempre in modi diversi, la fine del nostro zio naturale, e a poco a poco venne svelando la connivenza del Cavaliere coi pirati, ma, per frenare l'immediata indignazione dei cittadini, aggiunse la storia di Zaira, quasi come se il Carrega glie l'avesse confidata prima di morire, e così li condusse perfino a commuoversi della triste sorte del vecchio.

Dall'invenzione di sana pianta, io credo, Cosimo era giunto, per successive approssimazioni, a una relazione quasi del tutto veritiera dei fatti. Gli riuscì così per due o tre volte; poi, non essendo gli Ombrosotti mai stanchi d'ascoltare il racconto e sempre aggiungendosi nuovi uditori e tutti richiedendo nuovi particolari, fu portato a fare aggiunte, ampliamenti, iperboli, a introdurre nuovi personaggi ed episodi, e così la storia s'andò deformando e diventò più inventata che in principio.

Ormai Cosimo aveva un pubblico che stava a sentire a bocca aperta tutto quel che lui diceva. Prese il gusto di raccontare, e la sua vita sugli alberi, e le cacce, e il brigante Gian dei Brughi, e il cane Ottimo Massimo diventarono pretesti di racconti che non avevano più fine. (Parecchi episodi di queste memorie della sua vita, sono riportati tal quali egli li narrava sotto le sollecitazioni del suo uditorio plebeo, e lo dico per farmi perdonare se non tutto ciò che scrivo sembra veritiero e conforme a un'armoniosa visione dell'umanità e dei fatti).

Per esempio, uno di quegli sfaccendati gli chiedeva: – Ma è vero che non avete mai messo piedi fuor che sugli alberi, signor Barone?

E Cosimo attaccava: – Sì, una volta, ma per sbaglio, sono salito sulle corna d'un cervo. Credevo di passare sopra un acero, ed era un cervo, fuggito alla tenuta della caccia reale, che stava fermo lì. Il cervo sente il mio peso sulle corna e fugge per il bosco. Non vi dico gli schianti! Io là in cima mi sentivo trafiggere da ogni parte, tra le punte acuminate delle corna, gli spini, i rami del bosco che mi picchiavano sul viso... Il cervo si dibatteva, cercando di liberarsi di me, io mi tenevo saldo...

Sospendeva il racconto, e quelli allora: – E come ve la siete cavata, Signoria?

E lui, ogni volta, a tirar fuori un finale diverso: – Il cervo corse, corse, raggiunse la tribù dei cervi che vedendolo con un uomo sulle corna un po' lo sfuggivano, un po' gli s'avvicinavano curiosi. Io puntai il fucile che avevo sempre a tracolla, e ogni cervo che vedevo lo abbattevo. Ne uccisi cinquanta...

– E dove mai son stati, cinquanta cervi, dalle nostre parti? – gli chiedeva qualcuno di quei paltonieri.

– Ora se n'è persa la razza. Perché quei cinquanta erano tutte cerve femmine, capite? Ogni volta che il mio cervo cercava d'avvicinare una femmina, io sparavo, e quella cadeva morta. Il cervo non poteva darsene ragione, ed era disperato. Allora... allora decise d'uccidersi, corse su una roccia alta e si buttò giù. Ma io m'aggrappai a un pino che sporgeva ed eccomi qui!

Oppure era una battaglia che s'era ingaggiata tra due cervi, a cornate, e ad ogni colpo lui saltava dalle corna dell'uno a quelle dell'altro, finché a un cozzo più forte si trovò sbalestrato su una quercia...

Insomma, gli era presa quella smania di chi racconta storie e non sa mai se sono più belle quelle che gli sono veramente accadute e che a rievocarle riportano con sé tutto un mare d'ore passate, di sentimenti minuti, tedii, felicità, incertezze, vanaglorie, nausee di sé, oppure quelle che ci s'inventa, in cui si taglia giù di grosso, e tutto appare facile, ma poi più si svaria più ci s'accorge che si torna a parlare delle cose che s'è avuto o capito in realtà vivendo.

Cosimo era ancora nell'età in cui la voglia di raccontare dà voglia di vivere, e si crede di non averne vissute abbastanza da raccontarne, e così partiva a caccia, stava via settimane, poi tornava sugli alberi della piazza reggendo per la coda faine, tassi e volpi, e raccontava agli Ombrosotti nuove storie che da vere, raccontandole, diventavano inventate, e da inventate, vere.

Ma in tutta quella smania c'era un'insoddisfazione più profonda, una mancanza, in quel cercare gente che l'ascoltasse c'era una ricerca diversa. Cosimo non conosceva ancora l'amore, e ogni esperienza, senza quella, che è? Che vale aver rischiato la vita, quando ancora della vita non conosci il sapore?

Le ragazze ortolane o pescivendole passavano per la piazza d'Ombrosa, e le damigelle in carrozza, e Cosimo dall'albero gettava occhiate sommarie e ancora non aveva capito bene perché in tutte c'era qualcosa che lui cercava e che non era interamente in nessuna. A notte, quando nelle case s'accendevano le luci e sui rami Cosimo era solo con i gialli occhi dei gufi, gli veniva da sognare l'amore. Per le coppie che si davano convegno dietro le siepi e tra i filari, s'empiva d'ammirazione e invidia, e le seguiva con lo sguardo perdersi nel buio, ma se si sdraiavano al piede del suo albero scappava via pieno di vergogna.

Allora, per vincere il pudore naturale dei suoi occhi, si fermava a osservare gli amori degli animali. A primavera il mondo sopra gli alberi era un mondo nuziale: gli scoiattoli s'ama-

vano con mosse e squittii quasi umani, gli uccelli s'accoppia-
vano sbattendo le ali, anche le lucertole correvano via unite,
con le code strette a nodo; e i porcospini parevano diventati
morbidi per rendere più dolci i loro abbracci. Il cane Ottimo
Massimo, per nulla intimidito dal fatto d'esser l'unico bassotto d'Ombrosa, corteggiava grosse cagne da pastore, o cagne-
lupe, con spavaldo ardimento, fidandosi della naturale simpatia che ispirava. Talora tornava malconcio dai morsi; ma bastava un amore fortunato a ripagarlo di tutte le sconfitte.

Anche Cosimo, come Ottimo Massimo, era l'unico esem-
plare d'una specie. Nei suoi sogni a occhi aperti, si vedeva
amato da bellissime fanciulle; ma come avrebbe incontrato
l'amore, lui sugli alberi? Nel fantasticare, riusciva a non figurarsi dove quelle cose sarebbero successe, se sulla terra o lassù
dov'era ora: un luogo senza luogo, immaginava, come un
mondo cui s'arriva andando in su, non in giù. Ecco: forse c'e-
ra un albero così alto che salendo toccasse un altro mondo, la
luna.

Intanto, con quest'abitudine delle chiacchiere da piazza, si
sentiva sempre meno soddisfatto di sé. E da quando, un giorno di mercato, un tale, venuto dalla vicina città d'Olivabassa,
disse: – Oh, anche voi avete il vostro Spagnolo! – e alle domande di cosa volesse dire, rispose: – A Olivabassa c'è tutta
una genìa di Spagnoli che vivono sugli alberi! – Cosimo non
ebbe più pace finché non intraprese attraverso gli alberi dei
boschi il viaggio per Olivabassa.

XVII

Olivabassa era un paese dell'interno. Cosimo ci arrivò dopo due giorni di cammino, superando pericolosamente i tratti di vegetazione più rada. Per via, vicino agli abitati, la gente che non l'aveva mai visto dava in grida di meraviglia, e qualcuno gli tirava dietro delle pietre, per cui cercò di procedere inosservato il più possibile. Ma man mano che s'avvicinava a Olivabassa, s'accorse che se qualche boscaiolo o bifolco o raccoglitrice d'olive lo vedeva, non mostrava alcuno stupore, anzi gli uomini lo salutavano cavandosi il cappello, come se lo conoscessero, e dicevano parole certamente non del dialetto locale, che in bocca loro suonavano strane, come: – Señor! Buenos días, Señor!

Era inverno, parte degli alberi era spoglia. In Olivabassa attraversava l'abitato una doppia fila di platani e d'olmi. E mio fratello, avvicinandosi, vide che tra i rami spogli c'era gente, uno o due o anche tre per albero, seduti o in piedi, in atteggiamento grave. In pochi salti li raggiunse.

Erano uomini con vestimenti nobili, tricorni piumati, gran manti, e donne dall'aria pure nobile, con veli sul capo, che stavano sedute sui rami a due o a tre, alcune ricamando, e guardando ogni tanto giù in strada con un breve movimento laterale del busto e un appoggiarsi del braccio lungo il ramo, come a un davanzale.

Gli uomini gli rivolgevano saluti come pieni d'amara comprensione: – Buenos días, Señor! – E Cosimo s'inchinava e si cavava il cappello.

Uno che pareva il più autorevole di loro, un obeso, incastrato nella forcella d'un platano da cui pareva non potesse più sollevarsi, una pelle da malato di fegato, sotto la quale l'ombra dei baffi e della barba rasi traspariva nera malgrado l'età avanzata, parve domandare a un suo vicino, macilento, allampanato, vestito in nero e pure lui con le guance nerastre di barba rasa, chi fosse quello sconosciuto che procedeva per la fila d'alberi.

Cosimo pensò che era venuto il momento di presentarsi.

Venne sul platano del signore obeso, fece l'inchino e disse: - Il Barone Cosimo Piovasco di Rondò, per servirla.

- *Rondos? Rondos?* - fece l'obeso. - *Aragonés? Gallego?*

- Nossignore.

- *Catalán?*

- Nossignore. Sono di queste parti.

- *Desterrado también?*

Il gentiluomo allampanato si sentì in dovere d'intervenire a far da interprete, molto ampollosamente. - Dice Sua Altezza Frederico Alonso Sanchez de Guatamurra y Tobasco se vossignoria è pur esso un esule, dappoiché la vediamo rampar per queste frasche.

- Nossignore. O almeno, non esule per alcun decreto altrui.

- *Viaja usted sobre los árboles por gusto?*

E l'interprete: - Sua Altezza Frederico Alonso si compiace di domandarle se è per suo diletto che vossignoria compie questo itinerario.

Cosimo ci pensò un po', e rispose: - Perché penso mi si addica, sebbene nessuno me l'imponga.

- *Feliz usted!* - esclamò Frederico Alonso Sanchez, sospirando. - *Ay de mí, ay de mí!*

E quello in nero, a spiegare, sempre più ampolloso: - Sua Altezza esce a dire che vossignoria è da reputarsi fortunata a godere di codesta libertà, la quale non possiamo esimerci dal comparare alla nostra costrizione, che pur sopportiamo rassegnati al volere di Dio, - e si segnò.

Così, tra una laconica esclamazione del Principe Sanchez e una circostanziata versione del signore nerovestito, Cosimo riuscì a ricostruire la storia della colonia che soggiornava sui platani. Erano nobili spagnoli, ribellatisi a Re Carlos III per questioni di privilegi feudali contrastati, e perciò posti in esilio con le loro famiglie. Giunti a Olivabassa, era stato loro interdetto di continuare il viaggio: quei territori infatti, in base a un antico trattato con Sua Maestà Cattolica, non potevano dar ricetto e nemmeno venir attraversati da persone esiliate dalla Spagna. La situazione di quelle nobili famiglie era ben difficile da risolversi, ma i magistrati di Olivabassa, che non volevano avere seccature con le cancellerie straniere ma che neppure avevano ragioni d'avversione per quei ricchi viaggiatori, vennero a un accomodamento: la lettera del trattato prescriveva che gli esuli non dovessero «toccare il suolo» di quel territorio, quindi bastava che se ne stessero sugli alberi e si era in regola. Dunque gli esuli erano saliti sui platani e sugli olmi, con scale a pioli concesse dal Comune, che poi furono tolte. Stavano appollaiati lassù da alcuni mesi, confidando nel clima mite, in un prossimo decreto d'amnistia di Carlos III e nella provvidenza divina. Avevano una provvista di doppie di Spagna e compravano vivande, dando così commercio alla città. Per tirare su i piatti, avevano installato alcuni saliscendi. Su altri alberi c'erano baldacchini sotto ai quali dormivano. Insomma, s'erano saputi aggiustar bene, ossia, erano gli Olivabassi che li avevano così ben attrezzati, perché ci avevano il loro tornaconto. Gli esuli, da parte loro, non muovevano un dito in tutta la giornata.

Cosimo era la prima volta che incontrava degli altri esseri umani abitanti sulle piante, e cominciò a far domande pratiche.

– E quando piove, come fate?

– *Sacramos todo el tiempo, Señor!*

E l'interprete, che era il Padre Sulpicio de Guadalete, della Compagnia di Gesù, esule da quando il suo ordine era stato messo al bando dalla Spagna: – Protetti dai nostri baldacchini, rivolgiamo il pensiero al Signore, ringraziandolo di quel poco che ci basta!...

– A caccia ci andate mai?

– *Señor, algunas veces con el visco.*

– Talvolta uno fra noi unge di vischio un ramo, per suo spasso.

Cosimo non era mai stanco di scoprire come avevano risolto i problemi che s'erano presentati pure a lui.

– E per lavarvi, per lavarvi, come fate?

– *Para lavar? Hay lavanderas!* – disse Don Frederico, con un'alzata di spalle.

– Diamo i nostri indumenti alle lavandaie del paese, – tradusse Don Sulpicio. – Ogni lunedì, a esser precisi, noi si cala il canestro della roba sporca.

– No, volevo dire per lavarvi la faccia e il corpo.

Don Frederico grugnì e alzò le spalle, come se questo problema non gli si fosse mai presentato.

Don Sulpicio si credette in dovere d'interpretare: – Secondo il parere di Sua Altezza, queste son quistioni private di ciascheduno.

– E, chiedo venia, i vostri bisogni dove li fate?

– *Ollas, Señor*.

E Don Sulpicio, sempre col suo tono modesto: – S'usa certi orciuolini, in verità.

Congedatosi da Don Frederico, Cosimo fu guidato dal Padre Sulpicio a far visita ai vari membri della colonia, nei loro rispettivi alberi residenziali. Tutti questi hidalghi e queste dame serbavano, pur nelle ineliminabili scomodità del loro soggiorno, atteggiamenti abituali e composti. Certi uomini, per stare a cavalcioni sui rami, usavano selle da cavallo, e ciò piacque molto a Cosimo, che in tanti anni non aveva mai pensato a questo sistema (utilissimo per le staffe – notò subito – che eliminano l'inconveniente di dover tenere i piedi penzoloni, cosa che dopo un po' dà il formicolìo). Alcuni puntavano cannocchiali da marina (uno tra loro aveva il grado di Almirante) che probabilmente servivano soltanto a guardarsi tra loro da un albero all'altro, curiosare e far pettegolezzi. Le signore e signorine sedevano tutte su cuscini da loro stesse ricamati, agucchiando (erano le uniche persone in qualche modo operose) oppure carezzando grossi gatti. Di gatti, v'era su quegli alberi gran numero, come pure d'uccelli, in gabbia questi (forse erano le vittime del vischio) tranne alcuni liberi colombi che venivano a posarsi sulla mano delle fanciulle, e carezzati tristemente.

In queste specie di salotti arborei Cosimo era ricevuto con ospitale gravità. Gli offrivano il caffè, poi subito si mettevano a parlare dei palazzi da loro lasciati a Siviglia, a Granada, e dei loro possedimenti e granai e scuderie, e lo invitavano pel giorno in cui sarebbero stati reintegrati nei loro onori. Del Re che li aveva banditi parlavano con un accento che era insieme d'avversione fanatica e di devota reverenza, talvolta riuscendo a separare esattamente la persona contro la quale le loro famiglie erano in lotta e il titolo regale dalla cui autorità emanava la propria. Talvolta invece a bella posta mescolavano i due opposti modi di considerazione in un solo slancio dell'animo: e Cosimo, ogni volta che il discorso cadeva sul Sovrano, non sapeva più che faccia fare.

Aleggiava su tutti i gesti e i discorsi degli esuli un'aura di tristezza e lutto, che un po' corrispondeva alla loro natura, un po' a una determinazione volontaria, come talora avviene in chi combatte per una causa non ben definita nei convincimenti e cerca di supplire con l'imponenza del contegno.

Nelle giovinette – che a una prima occhiata parvero a Cosimo tutte un po' troppo pelose e opache di pelle – serpeggiava un accenno di brio, sempre frenato a tempo. Due d'esse giocavano, da un platano all'altro, al volano. Tic e tac, tic e tac, poi un gridolino: il volano era caduto in strada. Lo raccattava un monello olivabasso e per tirarlo su pretendeva due *pesetas*.

Sull'ultimo albero, un olmo, stava un vecchio, chiamato El Conde, senza parrucca, dimesso nel vestire. Il Padre Sulpicio, avvicinandosi, abbassò la voce, e Cosimo fu indotto a imitarlo. El Conde con un braccio spostava ogni tanto un ramo e guardava il declivio della collina e una piana or verde or brulla che si perdeva lontano.

Sulpicio mormorò a Cosimo una storia d'un suo figlio detenuto nelle carceri di Re Carlo e torturato. Cosimo comprese che mentre tutti quegli hidalghi facevano gli esuli così per dire, ma dovevano ogni poco richiamarsi alla mente e ripetersi perché e percome si trovavano là, solo quel vecchio soffriva davvero. Questo gesto di scostare il ramo come aspettandosi di veder apparire un'altra terra, quest'inoltrare pian piano lo sguardo nella distesa ondulata come sperando di non incontrare mai l'orizzonte, di riuscire a scorgere un paese ahi quanto lontano, era il primo segno vero d'esilio che Cosimo vedeva. E comprese quanto per quegli hidalghi contasse la presenza del Conde, come fosse quella a tenerli insieme, a dare loro un senso. Era lui, forse il più povero, certo in patria il meno autorevole di loro, che diceva loro quello che dovevano soffrire e sperare.

Tornando dalle visite, Cosimo vide su un ontano una fanciulla che non aveva visto prima. In due salti fu lì.

Era una ragazza con occhi di bellissimo color pervinca e carnagione profumata. Reggeva un secchio.

– Com'è che quando ho visto tutti non vi ho vista?

– Ero per acqua al pozzo, – e sorrise. Dal secchio, un po' inclinato, cadde dell'acqua. Lui la aiutò a reggerlo.

– Voi dunque scendete dagli alberi?

– No; c'è un ritorto ciliegio che fa ombra al pozzo. Di là caliamo i secchi. Venite.

Camminarono per un ramo, scavalcando il muro d'una corte. Lei lo guidò nel passaggio sul ciliegio. Sotto era il pozzo.

– Vedete, Barone?

– Come sapete che sono un Barone?

– Io so tutto, – sorrise. – Le mie sorelle m'hanno subito informata della visita.

– Sono quelle del volano?

– Irena e Raimunda, appunto.

– Le figlie di Don Frederico?

– Sì...

– E il vostro nome?

– Ursula.

– Voi andate sugli alberi meglio d'ogni altro qui.

– Ci andavo da bambina: a Granada avevamo grandi alberi nel *patio*.

– Sapreste cogliere quella rosa? – In cima a un albero era fiorita una rosa rampicante.

– Peccato: no.

– Bene, ve la coglierò io –. S'avviò, tornò con la rosa.

Ursula sorrise ed avanzò le mani.

– Voglio appuntarla io stesso. Ditemi dove.

– Sul capo, grazie, – e accompagnò la mano di lui.

– Ora ditemi: sapreste, – Cosimo chiese, – raggiungere quel mandorlo?

– Come si fa? – rise. – Non so mica volare.

– Aspettate, – e Cosimo tirò un laccio. – Se vi lasciate legare a questa corda, io vi scarrucolo di là.

– No... Ho paura, – ma rideva.

– È il mio sistema. Ci viaggio da anni, facendo tutto da solo.

– Mamma mia!

La trasportò di là. Poi venne lui. Era un mandorlo tenero e non vasto. Vi si stava vicini. Ursula era ancora ansante e rossa per quel volo.

– Spaventata?

– No –. Ma le batteva il cuore.

– La rosa non s'è persa, – lui disse e la toccò per aggiustarla.

Così, stretti sull'albero, a ogni gesto s'andavano abbracciando.

– Uh! – disse lei, e, lui per primo, si baciarono.

Così cominciò l'amore, il ragazzo felice e sbalordito, lei felice e non sorpresa affatto (alle ragazze nulla accade a caso). Era l'amore tanto atteso da Cosimo e adesso inaspettatamente giunto, e così bello da non capire come mai lo si potesse immaginare bello prima. E della sua bellezza la cosa più nuova era l'essere così semplice, e al ragazzo in quel momento pare che debba sempre essere così.

XVIII

Fiorirono i peschi, i mandorli, i ciliegi. Cosimo e Ursula passavano insieme le giornate sugli alberi fioriti. La primavera colorava di gaiezza perfino la funerea vicinanza del parentado.

Nella colonia degli esuli mio fratello seppe subito rendersi utile, insegnando i vari modi di passare da un albero all'altro e incoraggiando quelle nobili famiglie a uscire dalla abituale compostezza per praticare un po' di movimento. Gettò anche dei ponti di corda, che permettevano agli esuli più vecchi di scambiarsi delle visite. E così, in quasi un anno di permanenza tra gli Spagnoli, dotò la colonia di molti attrezzi da lui inventati: serbatoi d'acqua, fornelli, sacchi di pelo per dormirci dentro. Il desiderio di far nuove invenzioni lo portava a secondare le usanze di questi hidalghi anche quando non andavano d'accordo con le idee dei suoi autori preferiti: così, vedendo il desiderio di quelle pie persone di confessarsi regolarmente, scavò dentro un tronco un confessionale, dentro il quale poteva entrare il magro Don Sulpicio e da una finestrella con tendina e grata ascoltare i loro peccati.

La pura passione delle innovazioni tecniche, insomma, non bastava a salvarlo dall'ossequio alle norme vigenti; ci volevano le idee. Cosimo scrisse al libraio Orbecche che da Ombrosa gli rimandasse per la posta a Olivabassa i volumi arrivati nel frattempo. Così poté far leggere a Ursula *Paolo e Virginia* e *La Nuova Eloisa*.

Gli esuli tenevano spesso adunanze su una vasta quercia, parlamenti in cui stilavano lettere al Sovrano. Queste lettere in principio dovevano essere sempre d'indignata protesta e di minaccia, quasi degli ultimatum; ma a un certo punto, dall'uno o dall'altro di loro venivano proposte formule più blande, più rispettose, e così si finiva in una supplica in cui si prosternavano umilmente ai piedi delle Graziose Maestà implorandone il perdono.

Allora s'alzava El Conde. Tutti ammutolivano. El Conde, guardando in alto, cominciava a parlare, a voce bassa e vibrata, e diceva tutto quel che aveva in cuore. Quando si risiedeva, gli altri restavano seri e muti. Nessuno accennava più alla supplica.

Cosimo ormai faceva parte della comunità e prendeva parte ai parlamenti. E là, con ingenuo fervore giovanile, spiegava le idee dei filosofi, e i torti dei Sovrani, e come gli Stati potevano esser retti secondo ragione e giustizia. Ma tra tutti, i soli che potevano dargli ascolto erano El Conde che per quanto vecchio s'arrovellava sempre alla ricerca d'un modo di capire e reagire, Ursula che aveva letto qualche libro, e un paio di ragazze un po' più sveglie delle altre. Il resto della colonia erano teste di suola da piantarci dentro i chiodi.

Insomma, questo Conde, dài e dài, invece di star sempre a contemplare il paesaggio cominciò a volersi leggere dei libri. Rousseau gli riuscì un po' ostico; Montesquieu invece gli piaceva: era già un passo. Gli altri hidalghi, niente, sebbene qualcuno di nascosto da Padre Sulpicio chiedesse a Cosimo in prestito la *Pulzella* per andarsi a leggere le pagine spinte. Così, col Conde che macinava nuove idee, le adunanze sulla quercia presero un'altra piega: ormai si parlava d'andare in Spagna a far la rivoluzione.

Padre Sulpicio dapprincipio non fiutò il pericolo. Lui di suo non era molto fino, e, tagliato fuori da tutta la gerarchia dei superiori, non era più aggiornato sui veleni delle coscienze. Ma appena poté riordinare le idee (o appena, dicono altri, ricevette certe lettere coi sigilli vescovili) cominciò a dire che il demonio s'era intrufolato in quella loro comunità e che c'era da aspettarsi una pioggia di fulmini, che incenerisse gli alberi con tutti loro sopra.

Una notte Cosimo fu svegliato da un lamento. Accorse con

una lanterna e sull'olmo del Conde vide il vecchio già legato al tronco e il Gesuita che stringeva i nodi.

– Alto là, Padre! Cosa è questo?

– Il braccio della Santa Inquisizione, figlio! Ora tocca a questo sciagurato vecchio, perché confessi l'eresia e sputi il demonio. Poi ce ne sarà per te!

Cosimo trasse la spada e recise le corde. – Guardia a voi, Padre! Ci sono anche altre braccia, che servono la ragione e la giustizia!

Il Gesuita dal mantello trasse una spada sguainata. – Barone di Rondò, la vostra famiglia già da tempo ha un conto in sospeso col mio Ordine!

– Aveva ragione mio padre buonanima! – esclamò Cosimo incrociando il ferro. – La Compagnia non perdona!

Si batterono in bilico sui rami. Don Sulpicio era uno schermidore eccellente, e più volte mio fratello si trovò a mal partito. Erano al terzo assalto quando El Conde, riavutosi, si mise a gridare. Si svegliarono gli altri esuli, accorsero, s'interposero tra i duellanti. Sulpicio fece subito sparire la sua spada, e come se niente fosse si mise a raccomandare la calma.

Mettere a tacere un fatto così grave sarebbe stato impensabile in qualsiasi altra comunità, non in quella, con la voglia che avevano di ridurre al minimo tutti i pensieri che s'affacciavano alle loro teste. Così Don Frederico mise i suoi buoni uffici e si venne a una specie di conciliazione tra Don Sulpicio ed El Conde, che lasciava tutto come prima.

Cosimo, certamente, doveva diffidare, e quando andava per gli alberi con Ursula temeva sempre di vedersi spiato dal Gesuita. Sapeva che egli andava mettendo pulci nell'orecchio di Don Frederico perché non lasciasse più uscire la ragazza con lui. Quelle nobili famiglie, in verità, erano educate a costumi molto chiusi; ma là s'era sugli alberi, in esilio, non si badava più a tante cose. Cosimo sembrava loro un bravo giovane, titolato, e sapeva rendersi utile, restava là con loro senza che nessuno glie l'avesse imposto; e se anche capivano che tra lui e Ursula doveva esserci del tenero e li vedevano allontanarsi spesso per i frutteti a cercar fiori e frutta, chiudevano un occhio per non trovarci nulla da ridire.

Adesso però, con Don Sulpicio che metteva male, Don Frederico non poté più far finta di non saper niente. Chiamò Cosimo a colloquio sul suo platano. Al suo fianco era Sulpicio, lungo e nero.

– *Baron*, ti si vede spesso con la mia *niña*, mi si dice.

– M'insegna a *hablar vuestro idioma*, Altezza.

– Quanti anni hai?

– Vado per i *diez y nueve*.

– *Joven!* Troppo giovane! Mia figlia è una ragazza da marito. *Por qué* t'accompagni a lei?

– Ursula ha diciassett'anni...

– Pensi già a *casarte*?

– A cosa?

– T'insegna male *el castellano* mia figlia, *hombre*. Dico se pensi a sceglierti una *novia*, a costruirti una casa.

Sulpicio e Cosimo, insieme, fecero un gesto come a mettere le mani avanti. Il discorso prendeva una certa piega, che non era quella voluta dal Gesuita e tanto meno da mio fratello.

– La mia casa... – disse Cosimo e accennò intorno, verso i rami più alti, le nuvole, – la mia casa è dappertutto, dappertutto dove posso salire, andando in su...

– *No es esto*, – e il Principe Frederico Alonso scosse il capo. – *Baron*, se vuoi venire a Granada quando torneremo, vedrai il più ricco feudo della Sierra. *Mejor que aquí.*

Don Sulpicio non poteva più star zitto: – Ma Altezza, questo giovane è un volteriano... Non deve frequentare più sua figlia...

– *Oh, es joven, es joven*, le idee vanno e vengono, *que se case*, che si sposi e poi gli passerà, venga a Granada, venga.

– *Muchas gracias a usted*... Ci penserò... – e Cosimo girando per le mani il berretto di pel di gatto si ritirò con molti inchini.

Quando rivide Ursula era sovrappensiero. – Sai, Ursula, m'ha parlato tuo padre... M'ha fatto certi discorsi...

Ursula si spaventò. – Non vuole che ci vediamo più?

– Non è questo... Vorrebbe che io, quando non sarete più esiliati, venga con voi a Granada...

– Ah sì! che bello!

– Mah, vedi, io ti voglio bene, ma sono stato sempre sugli alberi, e voglio rimanerci...

– Oh, Cosme, abbiamo dei begli alberi anche là da noi...

– Sì, ma intanto per fare il viaggio con voi dovrei scendere, e una volta sceso...

– Non ti preoccupare, Cosme. Tanto ora siamo esuli e forse lo resteremo per tutta la vita.

E mio fratello non si diede più pena.

Ma Ursula non aveva previsto giusto. Dopo poco arrivò a Don Frederico una lettera coi sigilli reali spagnoli. Il bando, per grazioso indulto di Sua Maestà Cattolica, era revocato. I nobili esiliati potevano tornare alle proprie case e ai propri averi. Subito ci fu un gran brulichio su per i platani. – Si ritorna! Si ritorna! Madrid! Cadiz! Sevilla!

Corse voce in città. Gli Olivabassi arrivarono con scale a pioli. Degli esuli, chi scendeva, festeggiato dal popolo, chi radunava i bagagli.

– Ma non è finita! – esclamava El Conde. – Ci sentiranno le Cortes! E la Corona! – e poiché dei suoi compagni d'esilio in quel momento nessuno mostrava di volergli dar retta, e già le dame erano preoccupate per i loro vestiti non più alla moda, per il guardaroba da rinnovare, egli si mise a fare gran discorsi alla popolazione olivabassa: – Ora andiamo in Spagna e vedrete! Là faremo i conti! Io e questo giovane faremo giustizia! – e indicava Cosimo. E Cosimo, confuso, a far cenno di no.

Don Frederico, trasportato a braccia, era disceso a terra. – *Baja, joven bizarro!* – gridò a Cosimo. – Giovane valoroso, scendi! Vieni con noi a Granada!

Cosimo, rannicchiato su un ramo, si schermiva.

E il Principe: – *Como no?* Sarai come mio figlio!

– L'esilio è finito! – diceva El Conde. – Finalmente possiamo mettere in opera quel che abbiamo per tanto tempo meditato! Cosa resti a fare sugli alberi, Barone? Non c'è più motivo!

Cosimo allargò le braccia. – Io sono salito quassù prima di voi, signori, e ci resterò anche dopo!

– Vuoi ritirarti! – gridò El Conde.

– No: resistere, – rispose il Barone.

Ursula che era scesa tra i primi e con le sorelle s'affaccendava a stipare una carrozza dei loro bagagli, si precipitò verso l'albero. – Allora resto con te! Resto con te! – e corse per la scala.

La fermarono in quattro o cinque, la strapparono di lì, tolsero le scale dagli alberi.

– *Adios*, Ursula, sii felice! – disse Cosimo, mentre la trasportavano di forza nella carrozza, che partiva.

Scoppiò un abbaio festoso. Il bassotto Ottimo Massimo che per tutto il tempo in cui il suo padrone era rimasto a Olivabassa aveva dimostrato una ringhiosa scontentezza, forse inasprita dalle continue liti con i gatti degli Spagnoli, ora pareva ritornare felice. Si mise a dar la caccia, ma come per gioco, ai pochi gatti superstiti dimenticati sugli alberi, che rizzavano il pelo e soffiavano contro di lui.

Chi a cavallo, chi in carrozza, chi in berlina, gli esuli partirono. La strada si sgombrò. Solo sugli alberi di Olivabassa rimase mio fratello. Impigliati ai rami c'erano ancora qualche piuma, qualche nastro o merletto che s'agitava al vento, e un guanto, un parasole con la trina, un ventaglio, uno stivale con sperone.

XIX

Era un'estate tutta lune piene, gracchi di rane, fischi di fringuelli, quella in cui il Barone tornò a esser visto a Ombrosa. Pareva in preda a un'irrequietudine da uccello: saltava di ramo in ramo, ficcanaso, ombroso, inconcludente.

Presto cominciò a correre voce che una certa Checchina, di là dalla valle, fosse la sua amante. Certo questa ragazza stava in una casa solitaria, con una zia sorda, e un braccio d'ulivo le passava vicino alla finestra. Gli sfaccendati in piazza discutevano se lo era o non lo era.

– Li ho visti, lei al davanzale, lui sul ramo. Lui si sbracciava come un pipistrello e lei rideva!

– A una cert'ora lui fa il salto!

– Macché: se ha giurato di non scendere dagli alberi in vita sua...

– Be', lui s'è stabilito la regola, può stabilire anche le eccezioni...

– Eh, se si comincia con le eccezioni...

– Ma no, vi dico: è lei che salta dalla finestra sull'ulivo!

– E come fanno? Staranno ben scomodi...

– Io dico che non si sono mai toccati. Sì, lui la corteggia, oppure è lei che l'adesca. Ma lui di lassù non scende...

Sì, no, lui, lei, il davanzale, il salto, il ramo... non finivano più le discussioni. I fidanzati e i mariti, adesso, guai se le loro morose o mogli alzavano gli occhi verso un albero. Le donne, dal canto loro, appena s'incontravano, «Ci ci ci...», di chi parlavano? di lui.

Checchina o non Checchina, le sue tresche mio fratello le aveva senza mai scendere dagli alberi. L'ho incontrato una volta che correva per i rami con a tracolla un materasso, con la stessa naturalezza con cui lo vedevamo portare a tracolla fucili, funi, accette, bisacce, borracce, fiaschette della polvere.

Una certa Dorotea, donna galante, ebbe a confessarmi d'essersi incontrata con lui, di propria iniziativa, e non per lucro, ma per farsene un'idea.

– E che idea te ne sei fatta?

– Eh! Son contenta...

Un'altra, tale Zobeida, mi raccontò d'essersi sognata «l'uomo rampicante» (lo chiamava così) e questo sogno era così informato e minuzioso che credo l'avesse invece vissuto veramente.

Certo, io non so come vadano queste storie, ma Cosimo sulle donne doveva avere un certo fascino. Da quando era stato con quegli Spagnoli aveva preso a aver più cura della sua persona, e aveva smesso di girare infagottato di pelo come un orso. Portava calzoni e marsina attillata e cappello a tuba, all'inglese, e si radeva la barba e acconciava la parrucca. Anzi, ormai si poteva giurare, da com'era vestito, se stava andando a caccia o ad un convegno galante.

Fatto sta che una matura nobildonna che non dico, qui d'Ombrosa (vivono ancora le figlie ed i nipoti, e potrebbero offendersi, ma a quel tempo era una storia risaputa), viaggiava sempre in carrozza, sola, col vecchio cocchiere a cassetta, e si faceva portare per quel tratto della strada maestra che passa nel bosco. A un certo punto diceva: – Giovita, – al cocchiere, – il bosco pullula di funghi. Suvvia, colmatene questo canestrello e poi tornate, – e gli dava una corba. Il poveruomo, coi suoi reumi, sceso di cassetta, si caricava la corba sulle spalle, usciva di strada e prendeva a farsi largo tra le felci, nella guazza, e s'inoltrava s'inoltrava in mezzo ai faggi, chinandosi a frugare sotto ogni foglia per scovare un porcino od una vescia. Intanto, dalla carrozza la nobildonna scompariva, come venisse rapita in cielo, su per fitte fronde che sovrastavano la strada. Non si sa altro, tranne che più volte, a chi passava di là accadde di vedere la carrozza ferma e vuota nel bosco. Poi, misteriosamente com'era scomparsa, riecco la nobildonna seduta nella carrozza, che guardava languida. Ritornava Giovita, inzaccherato, con pochi funghi raggranellati nella corba, e si ripartiva.

Di queste storie se ne raccontavano molte, specialmente in casa di certe madame genovesi che tenevano riunioni per uomini abbienti (le frequentavo anch'io, quand'ero scapolo) e così a queste cinque signore dev'esser venuta voglia d'andare a far visita al Barone. Difatti si dice d'una quercia, che si chiama ancora la Quercia delle Cinque Passere, e noi vecchi sappiamo quello che vuol dire. Fu un certo Gè, mercante di zibibbo, a raccontarlo, uomo cui si può dar credito. Era una bella giornata di sole, e questo Gè andava a caccia nel bosco; arriva a quella quercia e cosa vede? Se le era portate tutte cinque sui rami, Cosimo, una qua e una là, e si godevano il tepore, tutte nude, cogli ombrellini aperti per non farsi scottar dal sole, e il Barone era là in mezzo, che leggeva versi latini, non riuscii a capire se d'Ovidio o di Lucrezio.

Tante se ne raccontavano, e cosa ci sia di vero non lo so: a quel tempo lui su queste cose era riservato e pudico; da vecchio invece raccontava raccontava, fin troppo, ma per lo più storie che non stavano né in cielo né in terra e che non ci si raccapezzava neanche lui. Fatto sta che a quel tempo cominciò l'usanza che quando una ragazza s'ingrossava e non si sapeva chi era stato, veniva comodo di dare a lui la colpa. Una ragazza una volta raccontò che andava raccogliendo olive e s'era sentita sollevare da due braccia lunghe come d'una scimmia... Di lì a poco scaricò due gemelli. Ombrosa si riempì di bastardi del Barone, veri o falsi che fossero. Ora sono cresciuti e qualcuno, è vero, gli somiglia: ma potrebb'essere anche stata suggestione, perché le donne incinte a vedere Cosimo saltare tutt'un tratto da un ramo all'altro certe volte restavano turbate.

Mah, io in genere a queste storie raccontate per spiegare i parti, non ci credo. Non so se ebbe tante donne come dicono, ma è certo che quelle che l'avevano conosciuto davvero preferivano star zitte.

E poi, se aveva tante donne appresso, non si spiegherebbero le notti di luna quando egli girava come un gatto, per gli alberi di fico i susini i melograni attorno all'abitato, in quella zona d'orti cui sovrasta la cerchia esterna delle case d'Ombrosa, e si lamentava, lanciava certe specie di sospiri, o sbadigli, o gemiti, che per quanto lui volesse controllare, rendere manifestazioni tollerabili, usuali, gli uscivano invece dalla gola come degli ululati o gnaulii. E gli Ombrosotti, che ormai lo sapevano, colti nel sonno non si spaventavano neppure, si giravano nelle lenzuola e dicevano: – C'è il Barone che cerca la femmina. Speriamo trovi, e ci lasci dormire.

Alle volte, qualche vecchio, di quelli che patiscono l'insonnia e vanno volentieri alla finestra se sentono un rumore, s'affacciava a guardare nell'ortaglia e vedeva l'ombra di lui tra quella dei rami del fico, proiettata in terra dalla luna. – Non riesce a prender sonno stanotte, Signoria?

– No, è tanto che mi rigiro e sono sempre sveglio, – diceva Cosimo, come se parlasse stando a letto, col viso sprofondato nel guanciale, non aspettando che di sentirsi calare le palpebre, mentr'era invece sospeso là come un acrobata. – Non so cosa c'è stasera, un caldo, un nervoso: forse il tempo va a cambiare, non sentite anche voi?

– Eh, sento, sento... Ma io son vecchio, Signoria, e voi invece avete il sangue che tira...

– E già, tirare tira...

– Be', vedete se vi tira un po' più lontano di qua, signor Barone, che qua tanto non c'è niente che possa darvi sollievo: solo povere famiglie che si svegliano all'alba e che adesso vogliono dormire...

Cosimo non rispondeva, sfrondava via per altri orti. Seppe sempre tenersi nei giusti limiti e d'altra parte gli Ombrosotti seppero sempre tollerare queste sue stranezze; un po' perché egli era pur sempre il Barone e un po' perché era un Barone differente dagli altri.

Certe volte, queste note ferine che gli uscivano dal petto trovavano altre finestre, più curiose d'ascoltarle; bastava il segno dell'accendersi d'una candela, d'un mormorio di risa vellutate, di parole femminili tra la luce e l'ombra che non si arrivava a capire ma certo erano di scherzo su di lui, o per fargli il verso, o fingere di chiamarlo, ed era già un far sul serio, era già amore, per quel derelitto che saltava sui rami come un lugaro.

Ecco, ora una più sfrontata si faceva alla finestra come per veder cos'era, ancora calda di letto, il seno scoperto, i capelli sciolti, il riso bianco nelle forti labbra schiuse, e si svolgevano dei dialoghi.

– Chi c'è? Un gatto?

E lui: – È uomo, è uomo.

– Un uomo che miagola?

– Eh, sospiro.

– Perché? Cosa ti manca?

– Mi manca quel che hai tu.

– Che cosa?

– Vieni qui e te lo dico...

Mai ebbe sgarbi dagli uomini, o vendette, dicevo, segno – mi pare – che non costituiva questo gran pericolo. Solo una volta, misteriosamente, fu ferito. Si sparse la notizia un mattino. Il cerusico d'Ombrosa dovette arrampicarsi sul noce dove egli stava lamentandosi. Aveva una gamba piena di pallini da fucile, di quelli piccoli, da passeri: bisognò cavarli uno per uno con la pinza. Gli fece male, ma presto guarì. Non si seppe mai bene come fosse andata: lui disse che gli era partito un colpo inavvertitamente, scavalcando un ramo.

Convalescente, immobile sul noce, si ritemprava nei suoi studi più severi. Cominciò in quel tempo a scrivere un *Progetto di Costituzione d'uno Stato ideale fondato sopra gli alberi*, in cui descriveva l'immaginaria Repubblica d'Arbòrea, abitata da uomini giusti. Lo cominciò come un trattato sulle leggi e i governi ma scrivendo la sua inclinazione d'inventore di storie complicate ebbe il sopravvento e ne uscì uno zibaldone d'avventure, duelli e storie erotiche, inserite, quest'ultime, in un capitolo sul diritto matrimoniale. L'epilogo del libro avrebbe dovuto essere questo: l'autore, fondato lo Stato perfetto in cima agli alberi e convinta tutta l'umanità a stabilirvisi e a vivere felice, scendeva ad abitare sulla terra rimasta deserta. Avrebbe dovuto essere, ma l'opera restò incompiuta. Ne mandò un riassunto al Diderot, firmando semplicemente: *Cosimo Rondò, lettore dell'Enciclopedia*. Il Diderot ringraziò con un biglietto.

XX

Di quell'epoca io non posso dire molto, perché rimonta ad allora il mio primo viaggio per l'Europa. Avevo compiuto i ventun anno e potevo godere del patrimonio familiare come meglio m'aggradiva, perché a mio fratello bastava poco, e non di più bastava a nostra madre, che poverina era andata negli ultimi tempi molto invecchiando. Mio fratello voleva firmarmi una carta d'usufruttuario di tutti i beni, purché gli passassi un mensile, gli pagassi le tasse e tenessi un po' in ordine gli affari. Non avevo che da prendermi la direzione dei poderi, scegliermi una sposa e già mi vedevo davanti quella vita regolata e pacifica, che nonostante i gran trambusti del trapasso di secolo mi riuscì di vivere davvero.

Però, prima di cominciare, mi concessi un periodo di viaggi. Fui anche a Parigi, proprio in tempo per vedere le trionfali accoglienze tributate al Voltaire che vi tornava dopo molti anni per la rappresentazione d'una sua tragedia. Ma queste non sono le memorie della mia vita, che non meriterebbero certo d'esser scritte; volevo solo dire come in tutto questo viaggio fui colpito dalla fama che s'era sparsa dell'uomo rampante d'Ombrosa, anche nelle nazioni straniere. Perfino su di un almanacco vidi una figura con sotto scritto: «*L'homme sauvage d'Ombreuse (Rép. Génoise). Vit seulement sur les arbres*». L'avevano rappresentato come un essere tutto ricoperto di lanugine, con una lunga barba ed una lunga coda, e mangiava una locusta. Questa figura era nel capitolo dei mostri, tra l'Ermafrodito e la Sirena.

Di fronte a fantasie di questo genere, io di solito mi guardavo bene dal rivelare che l'uomo selvatico era mio fratello.

Ma lo proclamai ben forte quando a Parigi fui invitato a un ricevimento in onore di Voltaire. Il vecchio filosofo se ne stava sulla sua poltrona, coccolato da uno stuolo di madame, allegro come una pasqua e maligno come un istrice. Quando seppe che venivo da Ombrosa, m'apostrofò: – *C'est chez vous, mon cher Chevalier, qu'il y a ce fameux philosophe qui vit sur les arbres comme un singe?*

E io, lusingato, non potei trattenermi dal rispondergli: – *C'est mon frère, Monsieur, le Baron de Rondeau.*

Voltaire fu molto sorpreso, fors'anche perché il fratello di quel fenomeno appariva persona così normale, e si mise a farmi domande, come: – *Mais c'est pour approcher du ciel, que votre frère reste là-haut?*

– Mio fratello sostiene, – risposi, – che chi vuole guardare bene la terra deve tenersi alla distanza necessaria, – e il Voltaire apprezzò molto la risposta.

– *Jadis, c'était seulement la Nature qui créait des phénomènes vivants*, – concluse; – *maintenant c'est la Raison* –. E il vecchio sapiente si rituffò nel chiacchiericcio delle sue pinzochere teiste.

Presto dovetti interrompere il viaggio e ritornare a Ombrosa, richiamato da un dispaccio urgente. L'asma di nostra madre s'era improvvisamente aggravata e la poverina non lasciava più il letto.

Quando varcai il cancello e alzai gli occhi verso la nostra villa ero sicuro che l'avrei visto lì. Cosimo era arrampicato su un alto ramo di gelso, appena fuori del davanzale di nostra madre. – Cosimo! – lo chiamai, ma a voce smorzata. Mi fece un cenno che voleva dire tutt'insieme che la mamma era un po' sollevata, ma era sempre grave, e che salissi ma facessi piano.

La stanza era in penombra. La mamma in letto con una pila di guanciali che le tenevano sollevate le spalle sembrava più grande di quanto non l'avessimo mai vista. Intorno c'erano poche donne di casa. Battista non era ancora arrivata, perché il Conte suo marito, che doveva accompagnarla, era stato trattenuto per la vendemmia. Nell'ombra della stanza, spiccava la finestra aperta che inquadrava Cosimo fermo sul ramo dell'albero.

Mi chinai a baciare la mano di nostra madre. Mi riconobbe subito e mi posò la mano sul capo. - Oh, sei arrivato, Biagio... - Parlava con un filo di voce, quando l'asma non le stringeva troppo il petto, ma correntemente e con gran senno. Quello che mi colpì, però, fu il sentirla rivolgersi indifferentemente a me come a Cosimo, quasi fosse anch'egli lì al capezzale. E Cosimo dall'albero le rispondeva.

- È tanto che ho preso la medicina, Cosimo?

- No, son solo pochi minuti, mamma, aspettate a riprenderne, che ora non vi può far bene.

A un certo punto ella disse: - Cosimo, dammi uno spicchio d'arancia, - e io mi sentii stranito. Ma più ancora stupii quando vidi che Cosimo allungava nella camera attraverso la finestra una specie d'arpione da barche e con quello prendeva uno spicchio d'arancia da una consolle e lo porgeva in mano a nostra madre.

Notai che per tutte queste piccole cose, ella preferiva rivolgersi a lui.

- Cosimo, dammi lo scialle.

E lui coll'arpione cercava tra la roba buttata sulla poltrona, sollevava lo scialle, lo porgeva a lei. - Ecco, mamma.

- Grazie, figlio mio.

Sempre gli parlava come fosse a un passo di distanza ma notai che non gli chiedeva mai cose che lui non arrivasse a fare dall'albero. In quei casi chiedeva sempre a me o alle donne.

Di notte la mamma non s'assopiva. Cosimo restava a vegliarla sull'albero, con una lucernetta appesa al ramo, perché lo vedesse anche nel buio.

Al mattino era il momento più brutto per l'asma. L'unico rimedio era cercare di distrarla e Cosimo con uno zufolo suonava delle ariette, o imitava il canto degli uccelli, o acchiappava farfalle e poi le faceva volare nella camera, o dispiegava dei festoni di fiori di glicine.

Ci fu una giornata di sole. Cosimo con una ciotola sull'albero si mise a fare bolle di sapone e le soffiava dentro la finestra, verso il letto della malata. La mamma vedeva quei colori dell'iride volare e riempire la stanza e diceva: – O che giochi fate! – che pareva quando eravamo bambini e disapprovava sempre i nostri divertimenti come troppo futili e infantili. Ma adesso, forse per la prima volta, prendeva piacere a un nostro gioco. Le bolle di sapone le arrivavano fin sul viso e lei col respiro le faceva scoppiare, e sorrideva. Una bolla giunse fino alle sue labbra e restò intatta. Ci chinammo su di lei. Cosimo lasciò cadere la ciotola. Era morta.

Ai lutti succedono presto o tardi eventi lieti, è legge della vita. Dopo un anno dalla morte di nostra madre mi fidanzai con una fanciulla della nobiltà dei dintorni. Ci volle del bello e del buono per convincere la mia promessa sposa all'idea che sarebbe venuta a stare a Ombrosa: aveva paura di mio fratello. Il pensiero che ci fosse un uomo che si muoveva tra le foglie, che spiava ogni mossa dalle finestre, che appariva quando meno ce lo si aspettava, la riempiva di terrore, anche perché non aveva mai visto Cosimo e l'immaginava come una specie d'Indiano. Per toglierle dalla testa questa paura, indissi un pranzo all'aperto, sotto gli alberi, cui anche Cosimo era invitato. Cosimo mangiava sopra di noi, su di un faggio, coi piatti su di una mensoletta, e devo dire che sebbene per i pasti in società fosse fuori d'esercizio si comportò molto bene. La mia fidanzata si tranquillizzò un poco, rendendosi conto che a parte lo star sugli alberi era un uomo in tutto uguale agli altri; ma le restò un'invincibile diffidenza.

Anche quando, sposatici, ci stabilimmo insieme nella villa d'Ombrosa, sfuggiva il più possibile non solo la conversazione ma anche la vista del cognato, sebbene lui, poverino, ogni tanto le portasse dei mazzi di fiori o delle pelli pregiate. Quando incominciarono a nascerci i figli e poi a crescere, si mise in testa che la vicinanza dello zio potesse avere una cattiva influenza sulla loro educazione. Non fu contenta finché non facemmo riattare il castello nel nostro vecchio feudo di Rondò, da tempo disabitato, e prendemmo a stare più lassù che a Ombrosa, perché i bambini non avessero cattivi esempi.

E pure Cosimo cominciava ad accorgersi del tempo che passava, e il segno era il bassotto Ottimo Massimo che stava diventando vecchio e non aveva più voglia di unirsi alle mute dei segugi dietro alle volpi né tentava più assurdi amori con cagne alane o mastine. Era sempre accucciato, come se per la pochissima distanza che separava la sua pancia da terra quand'era in piedi, non valesse la pena di tenersi ritto. E lì disteso quant'era lungo, dalla coda al muso, ai piedi dell'albero su cui era Cosimo, alzava uno sguardo stanco verso il padrone e scodinzolava appena. Cosimo si faceva scontento: il senso del trascorrere del tempo gli comunicava una specie d'insoddisfazione della sua vita, del su e giù sempre tra quei quattro stecchi. E nulla gli dava più la contentezza piena, né la caccia, né i fugaci amori, né i libri. Non sapeva neanche lui cosa voleva: preso dalle sue furie, s'arrampicava rapidissimo sulle vette più tenere e fragili, come cercasse altri alberi che crescessero sulla cima degli alberi per salire anche su quelli.

Un giorno Ottimo Massimo era inquieto. Pareva fiutasse un vento di primavera. Alzava il muso, annusava, si ributtava giù. Due o tre volte s'alzò, si mosse intorno, si risdraiò. Tutt'a un tratto prese la corsa. Trotterellava piano, ormai, e ogni tanto si fermava a riprender fiato. Cosimo di sui rami lo seguì.

Ottimo Massimo prese la via del bosco. Pareva che avesse in mente una direzione molto precisa, perché anche se ogni tanto si fermava, pisciacchiava, si riposava a lingua fuori guardando il padrone, presto si scrollava e riprendeva la strada senza incertezze. Stava così andando in paraggi poco frequentati da Cosimo, anzi quasi sconosciuti, perché era verso la bandita di caccia del Duca Tolemaico. Il Duca Tolemaico era vecchio cadente e certo non andava a caccia da chissà quanto tempo, ma nella sua bandita nessun bracconiere poteva metter piede perché i guardiacaccia erano molti e sempre vigili e Cosimo che ci aveva avuto già da dire preferiva tenersi al largo. Ora Ottimo Massimo e Cosimo s'addentravano nella bandita del Principe Tolemaico, ma né l'uno né l'altro pensavano a snidarne la pregiata selvaggina: il bassotto trotterellava seguendo un suo segreto richiamo e il Barone era preso da un'impaziente curiosità di scoprire dove mai andava il cane.

Così il bassotto giunse a un punto in cui la foresta finiva e c'era un prato. Due leoni di pietra seduti su pilastri reggevano uno stemma. Di qua forse doveva cominciare un parco, un giardino, una parte più privata della tenuta del Tolemaico: ma non c'erano che quei due leoni di pietra, e al di là il prato, un prato immenso, di corta erba verde, di cui solo in lontananza si vedeva il termine, uno sfondo di querce nere. Il cielo dietro aveva una lieve patina di nuvole. Non un uccello vi cantava.

Per Cosimo, quel prato era una vista che riempiva di sgomento. Vissuto sempre nel folto della vegetazione d'Ombrosa, sicuro di poter raggiungere ogni luogo attraverso le sue vie, al Barone bastava aver davanti una distesa sgombra, impercorribile, nuda sotto il cielo, per provare un senso di vertigine.

Ottimo Massimo si slanciò nel prato e, come fosse ritornato giovane, correva a gran carriera. Dal frassino dov'era appollaiato, Cosimo prese a fischiare, a chiamarlo: – Qui, torna qui, Ottimo Massimo! Dove vai? – ma il cane non gli ubbidiva, non si voltava nemmeno: correva correva per il prato, finché non si vide che una virgola lontana, la sua coda, e anche quella sparì.

Cosimo sul frassino si torceva le mani. A fughe e ad assenze del bassotto era pur abituato, ma ora Ottimo Massimo spariva in questo prato invalicabile, e la sua fuga diventava tutt'uno con l'angoscia provata poc'anzi, e la caricava d'una indeterminata attesa, d'un aspettarsi qualcosa di là di quel prato.

Stava mulinando questi pensieri quando sentì dei passi sotto il frassino. Vide un guardiacaccia che passava, a mani in tasca, fischiando. A dire il vero aveva un'aria assai sbracata e distratta per essere di quei terribili guardiacaccia della tenuta, eppure le insegne della divisa erano quelle del corpo ducale, e Cosimo s'appiattì contro il tronco. Poi, il pensiero del cane ebbe il sopravvento; apostrofò il guardiacaccia: – Ehi, voi, sergente, avete mica visto un can bassotto?

Il guardiacaccia alzò il viso: – Ah, siete voi! Il cacciatore che vola col cane che striscia! No, non l'ho visto il bassotto! Cos'avete preso, di bello, stamane?

Cosimo aveva riconosciuto uno dei più zelanti suoi avversari, e disse: – Macché, m'è scappato il cane e m'è toccato di rincorrerlo fin qui... Ho il fucile scarico...

Il guardiacaccia rise: – Oh, lo carichi pure, e spari fin che ne ha voglia! Tanto, ormai!

– Ormai, cosa?

– Ormai che il Duca è morto, chi vuole che se ne interessi più, della bandita?

– Ah, così, è morto, non sapevo.

– È morto e seppellito da tre mesi. E c'è una lite tra gli eredi di primo e di secondo letto e la vedovella nuova.

– Aveva una terza moglie?

– Sposata quando lui aveva ottant'anni, un anno prima di morire, lei una ragazza di ventuno o giù di lì, vi dico io che pazzie, una sposa che non gli è stata insieme neanche un giorno, e solo adesso comincia a visitare i suoi possessi, e non le piacciono.

– Come: non le piacciono?

– Mah, s'installa in un palazzo, o in un feudo, ci arriva con tutta la sua corte, perché ha sempre uno stuolo di cascamorti dietro, e dopo tre giorni trova tutto brutto, tutto triste, e riparte. Allora saltano fuori gli altri eredi, si buttano su quel possesso, vantano diritti. E lei: «Ah, sì, e prendetevelo!» Adesso è arrivata qui nel padiglione di caccia, ma quanto ci resterà? Io dico poco.

– E dov'è il padiglione di caccia?

– Laggiù oltre il prato, oltre le querce.

– Il mio cane allora è andato là...

– Sarà andato in cerca d'ossi... Mi perdoni, ma mi dà l'idea che Vossignoria lo tenga un po' a stecchetto! – e scoppiò a ridere.

Cosimo non rispose, guardava il prato invalicabile, aspettava che il bassotto tornasse.

Non tornò per tutto il giorno. L'indomani Cosimo era di nuovo sul frassino, a contemplare il prato, come se dello sgomento che gli dava non potesse più fare a meno.

Riapparì il bassotto, verso sera, un puntino nel prato che solo l'occhio acuto di Cosimo riusciva a percepire, e venne avanti sempre più visibile. – Ottimo Massimo! Vieni qui! Dove sei stato? – Il cane s'era fermato, scodinzolava, guardava il padrone, abbaiò, pareva invitarlo a venire, a seguirlo, ma si rendeva conto della distanza ch'egli non poteva valicare, si voltava indietro, faceva passi incerti, ed ecco, si voltava. – Ottimo Massimo! Vieni qui! Ottimo Massimo! – Ma il bassotto correva via, spariva nella lontananza del prato.

Più tardi passarono due guardiacaccia. – Sempre lì che aspetta il cane, Signoria! Ma se l'ho visto al padiglione, in buone mani...

– Come?

– Ma sì, la Marchesa, ossia la Duchessa vedova (noi la chiamiamo Marchesa perché era Marchesina da ragazza) gli faceva tante feste come l'avesse sempre avuto. È un cane da pastasciutta, quello, mi lasci dire, Signoria. Ora ha trovato da star nel morbido e ci resta...

E i due sgherri s'allontanavano ghignando.

Ottimo Massimo non tornava più. Cosimo tutti i giorni era sul frassino a guardare il prato come se in esso potesse leggere qualcosa che da tempo lo struggeva dentro: l'idea stessa della lontananza, dell'incolmabilità, dell'attesa che può prolungarsi oltre la vita.

XXI

Un giorno Cosimo guardava dal frassino. Brillò il sole, un raggio corse sul prato che da verde pisello diventò verde smeraldo. Laggiù nel nero del bosco di querce qualche fronda si mosse e ne balzò un cavallo. Il cavallo aveva in sella un cavaliere, nerovestito, con un mantello, no: una gonna; non era un cavaliere, era un'amazzone, correva a briglia sciolta ed era bionda.

A Cosimo cominciò a battere il cuore e lo prese la speranza che quell'amazzone si sarebbe avvicinata fino a poterla veder bene in viso, e che quel viso si sarebbe rivelato bellissimo. Ma oltre a quest'attesa del suo avvicinarsi e della sua bellezza c'era una terza attesa, un terzo ramo di speranza che s'intrecciava agli altri due ed era il desiderio che questa sempre più luminosa bellezza rispondesse a un bisogno di riconoscere un'impressione nota e quasi dimenticata, un ricordo di cui è rimasta solo una linea, un colore e si vorrebbe far riemergere tutto il resto o meglio ritrovarlo in qualcosa di presente.

E con quest'animo non vedeva l'ora che ella s'avvicinasse al margine del prato vicino a lui, dove torreggiavano i due pilastri dei leoni; ma quest'attesa cominciò a diventare dolorosa, perché s'era accorto che l'amazzone non tagliava il prato in linea retta verso i leoni, ma diagonalmente, cosicché sarebbe presto scomparsa di nuovo nel bosco.

Già stava per perderla di vista, quand'ella voltò bruscamente il cavallo e adesso tagliava il prato in un'altra diagonale, che glie l'avrebbe portata certo un po' più vicina, ma l'avrebbe ugualmente fatta scomparire dalla parte opposta del prato.

In quel mentre Cosimo s'avvide con fastidio che dal bosco erano sbucati sul prato due cavalli marrone, montati da cavalieri, ma cercò di eliminare subito questo pensiero, decise che quei cavalieri non contavano nulla, bastava vedere come sbatacchiavano qua e là dietro di lei, certo non erano da tenere in nessuna considerazione, eppure, doveva ammettere, gli davano fastidio.

Ecco che l'amazzone, prima di scomparire dal prato, anche questa volta voltava il cavallo, ma lo voltava indietro, allontanandosi da Cosimo... No, ora il cavallo girava su se stesso e galoppava in qua, e la mossa pareva fatta apposta per disorientare i due cavalieri sbatacchioni, che difatti adesso se ne galoppavano lontano e non avevano ancora capito che lei correva in direzione opposta.

Ora ogni cosa andava veramente per il suo verso: l'amazzone galoppava nel sole, sempre più bella e sempre più rispondente a quella sete di ricordo di Cosimo, e l'unica cosa allarmante era il continuo zig-zag del suo percorso, che non lasciava prevedere nulla delle sue intenzioni. Nemmeno i due cavalieri capivano dove stesse andando, e cercavano di seguire le sue evoluzioni finendo per fare molta strada inutile, ma sempre con molta buona volontà e prestanza.

Ecco, in men che Cosimo s'aspettasse, la donna a cavallo era giunta al margine del prato vicino a lui, ora passava tra i due pilastri sormontati dai leoni quasi fossero stati messi per farle onore, e si voltava verso il prato e tutto quello che v'era al di là del prato con un largo gesto come d'addio, e galoppava avanti, passava sotto il frassino, e Cosimo ora l'aveva vista bene in viso e nella persona, eretta in sella, il viso di donna altera e insieme di fanciulla, la fronte felice di stare su quegli occhi, gli occhi felici di stare su quel viso, il naso la bocca il mento il collo ogni cosa di lei felice d'ogni altra cosa di lei, e tutto tutto tutto ricordava la ragazzina vista a dodici anni sull'altalena il primo giorno che passò sull'albero: Sofonisba Viola Violante d'Ondariva.

Questa scoperta, ossia l'aver portato questa fin dal primo istante inconfessata scoperta al punto di poterla proclamare a se stesso, riempì Cosimo come d'una febbre. Volle gridare un richiamo, perché lei levasse lo sguardo sul frassino e lo vedesse, ma dalla gola gli uscì solo il verso della beccaccia e lei non si voltò.

Ora il cavallo bianco galoppava nel castagneto, e gli zoccoli battevano sui ricci sparsi a terra aprendoli e mostrando la scorza lignea e lucida del frutto. L'amazzone dirigeva il cavallo un po' in un verso e un po' in un altro, e Cosimo ora la pensava già lontana e irraggiungibile, ora saltando d'albero in albero la rivedeva con sorpresa riapparire nella prospettiva dei tronchi, e questo modo di muoversi dava sempre più fuoco al ricordo che fiammeggiava nella mente del Barone. Voleva farle giungere un appello, un segno della sua presenza, ma gli veniva alle labbra solo il fischio della pernice grigia e lei non gli prestava ascolto.

I due cavalieri che la seguivano, parevano capirne ancor meno le intenzioni e il percorso, e continuavano ad andare in direzioni sbagliate impigliandosi in roveti o infangandosi in pantani, mentre lei sfrecciava sicura e inafferrabile. Dava anzi ogni tanto delle specie d'ordini o incitamenti ai cavalieri alzando il braccio col frustino o strappando il baccello d'un carrubo e lanciandolo, come a dire che bisognava andare in là. Subito i cavalieri si buttavano in quella direzione al galoppo per i prati e le ripe, ma lei s'era voltata da un'altra parte e non li guardava più.

«È lei! È lei!» pensava Cosimo sempre più infiammato di speranza e voleva gridare il suo nome ma dalle labbra non gli sortiva che un verso lungo e triste come quello del piviere.

Ora, avveniva che tutti questi andirivieni e inganni ai cavalieri e giochi si disponessero attorno ad una linea, che pur essendo irregolare e ondulata non escludeva una possibile intenzione. E indovinando quest'intenzione, e non reggendo più all'impresa impossibile di seguirla, Cosimo si disse: «Andrò in un posto che se è lei ci verrà. Anzi, non può essere qui che per andarci». E saltando per le sue vie, andò verso il vecchio parco abbandonato dei D'Ondariva.

In quell'ombra, in quell'aria piena d'aromi, in quel luogo dove le foglie e i legni avevano altro colore e altra sostanza, si sentì così preso dai ricordi della fanciullezza che quasi scordò l'amazzone, o se non la scordò si disse che poteva pure non essere lei e tanto già esser vera quest'attesa e speranza di lei che quasi era come se lei ci fosse.

Ma sentì un rumore. Era lo zoccolo del cavallo bianco sulla ghiaia. Veniva per il giardino non più di corsa, come se l'amazzone volesse guardare e riconoscere minutamente ogni cosa. Dei cavalieri sciocchi non si sentiva più alcun segno: doveva aver fatto perdere del tutto le sue tracce.

La vide: faceva il giro della vasca, del chioschetto, delle anfore. Guardava le piante divenute enormi, con pendenti radici aeree, le magnolie diventate un bosco. Ma non vedeva lui, lui che cercava di chiamarla col tubare dell'upupa, col trillo della pispola, con suoni che si perdevano nel fitto cinguettio degli uccelli del giardino.

Era smontata di sella, andava a piedi conducendosi dietro il cavallo per le briglie. Giunse alla villa, lasciò il cavallo, entrò nel portico. Scoppiò a gridare: – Ortensia! Gaetano! Tarquinio! Qui c'è da dare il bianco, da riverniciare le persiane, da appendere gli arazzi! E voglio qui il tavolo, là la consolle, in mezzo la spinetta, e i quadri sono tutti da cambiar di posto.

Cosimo s'accorse allora che quella casa che al suo sguardo distratto era parsa chiusa e disabitata come sempre, era invece adesso aperta, piena di persone, servitori che pulivano, rassettavano, davano aria, mettevano a posto mobili, sbattevano tappeti. Era Viola che ritornava, dunque, Viola che si ristabiliva a Ombrosa, che riprendeva possesso della villa da cui era partita bambina! E il batticuore di gioia in petto a Cosimo non era però molto dissimile da un batticuore di paura, perché esser lei tornata, averla sotto gli occhi così imprevedibile e fiera, poteva voler dire non averla mai più, nemmeno nel ricordo, nemmeno in quel segreto profumo di foglie e color della luce attraverso il verde, poteva voler dire che lui sarebbe stato obbligato a fuggirla e così fuggire anche la prima memoria di lei fanciulla.

Con quest'alterno batticuore Cosimo la vedeva muoversi in mezzo alla servitù, facendo trasportare divani clavicembali cantoniere, e poi passare in fretta in giardino e rimontare a cavallo, rincorsa dallo stuolo della gente che attendeva ancora ordini, e adesso si rivolgeva ai giardinieri, dicendo come dovevano riordinare le aiole incolte e ridisporre nei viali la ghiaia portata via dalle piogge, e rimettere le sedie di vimini, l'altalena...

Dell'altalena indicò, con ampi gesti, il ramo dal quale era appesa una volta e doveva esser riappesa ora, e quanto lunghe dovevano essere le funi, e l'ampiezza della corsa, e così dicendo col gesto e lo sguardo andò fino all'albero di magnolia sul quale Cosimo una volta le era apparso. E sull'albero di magnolia, ecco, lo rivide.

Fu sorpresa. Molto. Non dicano. Certo, si riprese subito e fece la sufficiente, al suo solito modo, ma lì per lì fu molto sorpresa e le risero gli occhi e la bocca e un dente che aveva come quando era bambina.

– Tu! – e poi, cercando il tono di chi parla di una cosa naturale, ma non riuscendo a nascondere il suo compiaciuto interesse: – Ah, così sei rimasto qui da allora senza mai scendere?

Cosimo riuscì a trasformare quella voce che gli voleva uscire come un grido di un passero, in un: – Sì, sono io, Viola, ti ricordi?

– Senza mai, proprio mai posare un piede in terra?

– Mai.

E lei, già come se si fosse concessa troppo: – Ah, vedi che sei riuscito? Non era dunque poi così difficile.

– Aspettavo il tuo ritorno...

– Benissimo. Ehi, voi, dove portate quella tenda! Lasciate tutto qui che veda io! – Tornò a guardare lui. Cosimo quel giorno era vestito da caccia: irsuto, col berretto di gatto, con lo schioppo. – Sembri Robinson!

– L'hai letto? – disse subito lui, per farsi vedere al corrente.

Viola s'era già voltata: – Gaetano! Ampelio! Le foglie secche! C'è pieno di foglie secche! – E a lui: – Tra un'ora, in fondo al parco. Aspettami –. E corse via a dar ordini, a cavallo.

Cosimo si gettò nel folto: avrebbe voluto che fosse mille volte più folto, una valanga di foglie e rami e spini e caprifogli e capelveneri da affondarci e sprofondarci e solo dopo essercisi del tutto sommerso cominciare a capire se era felice o folle di paura.

Sul grande albero in fondo al parco, coi ginocchi stretti al ramo, guardava l'ora in un cipollone che era stato del nonno materno Generale Von Kurtewitz e si diceva: non verrà. Invece Donna Viola arrivò quasi puntuale, a cavallo; lo fermò sotto la pianta, senza nemmeno guardare in su; non aveva più il cappello né la giubba da amazzone; la blusa bianca bordata di pizzo sulla gonna nera era quasi monacale. Alzandosi sulle staffe porse una mano a lui sul ramo; lui l'aiutò; lei montando sulla sella raggiunse il ramo, poi sempre senza guardare lui, s'arrampicò rapida, cercò una forcella comoda, sedette. Cosimo s'accoccolò ai suoi piedi, e non poteva cominciare che così: – Sei ritornata?

Viola lo guardò ironica. Era bionda come da bambina. – Come lo sai? – fece.

E lui, senza capire lo scherzo: – T'ho visto in quel prato della bandita del Duca...

– La bandita è mia. Che si riempia d'ortiche! Sai tutto? Di me, dico?

– No... Ho saputo solo ora che sei vedova...

– Certo, sono vedova, – si diede un colpo alla sottana nera, spiegandola, e prese a parlare fitto fitto: – Tu non sai mai niente. Stai lì sugli alberi tutto il giorno a ficcanasare negli affari altrui, e poi non sai niente. Ho sposato il vecchio Tolemaico perché m'hanno obbligata i miei, m'hanno obbligata. Dicevano che facevo la civetta e che non potevo stare senza un marito. Un anno, sono stata Duchessa Tolemaico, ed è stato l'anno più noioso della mia vita, anche se col vecchio non sono stata più d'una settimana. Non metterò mai più piede in nessuno dei loro castelli e ruderi e topaie, che si riempiano di serpi! D'ora in avanti me ne starò qui, dove stavo da bambina. Ci starò finché mi garba, si capisce, poi me ne andrò: sono vedova e posso fare quello che mi piace, finalmente. Ho fatto sempre quel che mi piace, a dire il vero: anche Tolemaico l'ho sposato perché m'andava di sposarlo, non è vero m'abbiano obbligata a sposare lui, volevano che mi maritassi a tutti i costi e allora ho scelto il pretendente più decrepito che esistesse. «Così resterò vedova prima», ho detto e difatti ora lo sono.

Cosimo era lì mezzo stordito sotto quella valanga di notizie e d'affermazioni perentorie, e Viola era più lontana che mai: civetta, vedova e duchessa, faceva parte d'un mondo irraggiungibile, e tutto quello che lui seppe dire fu: – E con chi era che facevi la civetta?

E lei: – Ecco. Sei geloso. Guarda che non ti permetterò mai d'essere geloso.

Cosimo ebbe uno scatto proprio da geloso provocato al litigio, ma poi subito pensò: «Come? Geloso? Ma perché ammette che io possa esser geloso di lei? Perché dice: *"non ti permetterò mai"*? È come dire che pensa che noi...».

Allora, rosso in viso, commosso, aveva voglia di dirle, di chiederle, di sentire, invece fu lei a domandargli, secca: – Dimmi ora tu: cos'hai fatto?

– Oh, ne ho fatte di cose, – prese a dire lui, – sono andato a caccia, anche cinghiali, ma soprattutto volpi lepri faine e poi si capisce tordi e merli; poi i pirati, sono scesi i pirati turchi, è stata una gran battaglia, mio zio è morto; e ho letto molti libri, per me e per un mio amico, un brigante impiccato; ho tutta l'Enciclopedia di Diderot e gli ho anche scritto e m'ha risposto, da Parigi; e ho fatto tanti lavori, ho potato, ho salvato un bosco dagli incendi...

– ... E mi amerai sempre, assolutamente, sopra ogni cosa, e sapresti fare qualsiasi cosa per me?

A quest'uscita di lei, Cosimo, sbigottito, disse: – Sì...

– Sei un uomo che è vissuto sugli alberi solo per me, per imparare ad amarmi...

– Sì... Sì...

– Baciami.

La premette contro il tronco, la baciò. Alzando il viso s'accorse della bellezza di lei come se non l'avesse mai vista prima. – Ma di': come sei bella...

– Per te, – e si sbottonò la blusa bianca. Il petto era giovane e coi botton di rosa, Cosimo arrivò a sfiorarlo appena, Viola guizzò via per i rami che pareva volasse, lui le rampava dietro e aveva in viso quella gonna.

– Ma dove mi stai portando? – diceva Viola come fosse lui a condurla, non lei che se lo portava dietro.

– Di qua, – fece Cosimo e prese lui a guidarla, e a ogni passaggio di ramo la prendeva per mano o per la vita e le insegnava i passi.

– Di qua, – e andavano su certi olivi, protesi da una ripida erta, e dalla vetta d'uno d'essi il mare che finora scorgevano solo frammento per frammento tra foglie e rami come frantumato, adesso tutt'a un tratto lo scopersero calmo e limpido e vasto come il cielo. L'orizzonte s'apriva largo ed alto e l'azzurro era teso e sgombro senza una vela e ci si contavano le increspature appena accennate delle onde. Solo un lievissimo risucchio, come un sospiro, correva per i sassi della riva.

Con gli occhi mezzo abbagliati, Cosimo e Viola ridiscesero nell'ombra verde-cupa del fogliame. – Di qua.

In un noce, sulla sella del tronco, c'era un incavo a conca, la ferita d'un antico lavoro d'ascia, e là era uno dei rifugi di Cosimo. C'era stesa una pelle di cinghiale, e intorno posati una fiasca, qualche arnese, una ciotola.

Viola si buttò sul cinghiale. – Ci hai portato altre donne?

Lui esitò. E Viola: – Se non ce ne hai portate sei un uomo da nulla.

– Sì... Qualcuna...

Si prese uno schiaffo in faccia a piena palma. – Così m'aspettavi?

Cosimo si passava la mano sulla guancia rossa e non sapeva cosa dire; ma lei già pareva tornata ben disposta: – E com'erano? Dimmi: com'erano?

– Non come te, Viola, non come te...

– Cosa sai di come sono io, eh, cosa sai?

S'era fatta dolce, e Cosimo a questi passaggi repentini non finiva di stupirsi. Le venne vicino. Viola era d'oro e miele.

– Di'...

– Di'...

Si conobbero. Lui conobbe lei e se stesso, perché in verità non s'era mai saputo. E lei conobbe lui e se stessa, perché pur essendosi saputa sempre, mai s'era potuta riconoscere così.

XXII

Il primo loro pellegrinaggio fu a quell'albero che in un'incisione profonda nella scorza, già tanto vecchia e deformata che non pareva più opera di mano umana, portava scritto a grosse lettere: *Cosimo, Viola*, e – più sotto – *Ottimo Massimo*.

– Quassù? Chi è stato? Quando?

– Io: allora.

Viola era commossa.

– E questo cosa vuol dire? – e indicava le parole: *Ottimo Massimo*.

– Il mio cane. Cioè il tuo. Il bassotto.

– Turcaret?

– Ottimo Massimo, io l'ho chiamato così.

– Turcaret! Quanto avevo pianto, quando partendo m'ero accorta che non l'avevano caricato in carrozza... Oh, di non vedere più te non m'importava, ma ero disperata di non avere più il bassotto!

– Se non era per lui non t'avrei ritrovata! È lui che ha fiutato nel vento che eri vicina, e non ha avuto pace finché non t'ha cercata...

– L'ho riconosciuto subito, appena l'ho visto arrivare al padiglione, tutto trafelato... Gli altri dicevano: «E questo donde salta fuori?» Io mi son chinata a osservarlo, il colore, le macchie. «Ma questo è Turcaret! Il bassotto che avevo da bambina a Ombrosa!»

Cosimo rideva. Lei improvvisamente torse il naso. – Ottimo Massimo... Che brutto nome! Dove vai a pescare dei nomi così brutti? – E Cosimo s'oscurò subito in volto.

Per Ottimo Massimo ora invece la felicità non aveva ombre. Il suo vecchio cuore di cane diviso tra due padroni aveva finalmente pace, dopo aver faticato giorni e giorni per attirare la Marchesa verso i confini della bandita, al frassino dove era appostato Cosimo. L'aveva tirata per la sottana, o le era fuggito portando via un oggetto, correndo verso il prato per farsi inseguire, e lei: – Ma cosa vuoi? Dove mi trascini? Turcaret! Smettila! Ma che cane dispettoso ho ritrovato! – Ma già la vista del bassotto aveva smosso nella sua memoria i ricordi dell'infanzia, la nostalgia d'Ombrosa. E subito aveva preparato il trasloco dal padiglione ducale per tornare alla vecchia villa dalle strane piante.

Era tornata, Viola. Per Cosimo era cominciata la stagione più bella, e anche per lei, che batteva le campagne sul suo cavallo bianco e appena avvistava il Barone tra fronde e cielo si levava di sella, rampava per i tronchi obliqui e i rami, presto divenuta esperta quasi al pari di lui, e lo raggiungeva dappertutto.

– Oh, Viola, io non so più, io m'arrampicherei non so dove...

– A me, – diceva Viola, piano, e lui era come matto.

L'amore era per lei esercizio eroico: il piacere si mescolava a prove d'ardimento e generosità e dedizione e tensione di tutte le facoltà dell'animo. Il loro mondo erano gli alberi i più intricati e attorti e impervii.

– Là! – esclamava indicando un'alta inforcatura di rami, e insieme si slanciavano per raggiungerla e cominciava tra loro una gara d'acrobazie che culminava in nuovi abbracci. S'amavano sospesi sul vuoto, puntellandosi o aggrappandosi ai rami, lei gettandosi su di lui quasi volando.

L'ostinazione amorosa di Viola s'incontrava con quella di Cosimo, e talora si scontrava. Cosimo rifuggiva dagli indugi, dalle mollezze, dalle perversità raffinate: nulla che non fosse l'amore naturale gli piaceva. Le virtù repubblicane erano nell'aria: si preparavano epoche severe e licenziose a un tempo. Cosimo, amante insaziabile, era uno stoico, un asceta, un puritano. Sempre in cerca della felicità amorosa, restava pur sempre nemico della voluttà. Giungeva a diffidare del bacio, della carezza, della lusinga verbale, di ogni cosa che offuscasse o pretendesse di sostituirsi alla salute della natura. Era Viola, ad avergliene scoperto la pienezza; e con lei mai conobbe la tristezza dopo l'amore, predicata dai teologi; anzi, su questo argomento scrisse una lettera filosofica al Rousseau che, forse turbato, non rispose.

Ma Viola era anche donna raffinata, capricciosa, viziata, di sangue e d'animo cattolica. L'amore di Cosimo le colmava i sensi, ma ne lasciava insoddisfatte le fantasie. Da ciò, screzi e ombrosi risentimenti. Ma duravano poco, tanto varia era la loro vita e il mondo intorno.

Stanchi, cercavano i loro rifugi nascosti sugli alberi dalla chioma più folta: amache che avvolgevano i loro corpi come in una foglia accartocciata, o padiglioni pensili, con tendaggi che volavano al vento, o giacigli di piume. In questi apparecchi s'esplicava il genio di Donna Viola: dovunque si trovasse la Marchesa aveva il dono di creare attorno a sé agio, lusso e una complicata comodità; complicata a vedersi, ma che lei otteneva con miracolosa facilità, perché ogni cosa che lei voleva doveva immediatamente vederla compiuta a tutti i costi.

Su queste loro alcove aeree si posavano a cantare i pettirossi e di tra le tende entravano farfalle vanesse a coppia, inseguendosi. Nei pomeriggi d'estate, quando il sonno coglieva i due amanti vicini, entrava uno scoiattolo, cercando qualcosa da rodere, e carezzava i loro visi con la coda piumata, o addentava un alluce. Chiusero con più cautela le tende, allora: ma una famiglia di ghiri si mise a rodere il soffitto del padiglione e piombò loro addosso.

Era il tempo in cui andavano scoprendosi, raccontandosi le loro vite, interrogandosi.

– E ti sentivi solo?

– Mi mancavi tu.

– Ma solo rispetto al resto del mondo?

– No. Perché? Avevo sempre qualcosa da fare con altra gente: ho colto frutta, ho potato, ho studiato filosofia con l'Abate, mi sono battuto coi pirati. Non è così per tutti?

– Tu solo sei così, perciò ti amo.

Ma il Barone non aveva ancora ben capito cos'era che Viola accettava di lui e cosa no. Alle volte bastava un nonnulla, una parola o un accento di lui a far prorompere l'ira della Marchesa.

Lui per esempio: – Con Gian dei Brughi leggevo romanzi, col Cavaliere facevo progetti idraulici...

– E con me?...

– Con te faccio l'amore. Come la potatura, la frutta...

Lei taceva, immobile. Subito Cosimo s'accorgeva d'aver scatenato la sua ira: gli occhi le erano improvvisamente diventati di ghiaccio.

– Perché, cosa c'è, Viola, cos'ho detto?

Lei era distante come non lo vedesse né sentisse, a cento miglia da lui, marmorea in viso.

– Ma no, Viola, cosa c'è, perché, senti...

Viola s'alzava ed agile, senza bisogno di aiuto, si metteva a scendere dall'albero.

Cosimo non aveva ancora capito qual era stato il suo errore, non era riuscito ancora a pensarci, forse preferiva non pensarci affatto, non capirlo, per proclamare meglio la sua innocenza: – Ma no, non m'avrai capito, Viola, senti...

La seguiva fin sul palco più basso: – Viola, non te ne andare, non così, Viola...

Lei ora parlava, ma al cavallo, che aveva raggiunto e slegava; montava in sella e via.

Cosimo cominciava a disperarsi, a saltare da un albero all'altro. – No, Viola, dimmi, Viola!

Lei era galoppata via. Lui per i rami l'inseguiva: – Ti supplico, Viola, io ti amo! – ma non la vedeva più. Si buttava sui rami incerti, con balzi rischiosi. – Viola! Viola!

Quand'era ormai sicuro d'averla persa, e non poteva frenare i singhiozzi, eccola che ripassava al trotto, senza levar lo sguardo.

– Guarda, guarda, Viola, cosa faccio! – e prendeva a dar testate contro un tronco, a capo nudo (che aveva, per la verità, durissimo).

Lei nemmeno lo guardava. Era già lontana.

Cosimo aspettava che tornasse, a zig-zag tra gli alberi. – Viola! Sono disperato! – e si buttava riverso nel vuoto, a testa in giù, tenendosi con le gambe a un ramo e tempestandosi di pugni capo e viso. Oppure si metteva a spezzar rami con furia distruttrice, e un olmo frondoso in pochi istanti era ridotto nudo e sguernito come fosse passata la grandine.

Mai però minacciò di uccidersi, anzi, non minacciò mai nulla, i ricatti del sentimento non erano da lui. Quel che si sentiva di fare lo faceva e mentre già lo faceva l'annunciava, non prima.

A un certo punto Donna Viola, imprevedibilmente com'era entrata nell'ira, ne usciva. Di tutte le follie di Cosimo che pareva non l'avessero sfiorata, una repentinamente l'accendeva di pietà e d'amore. – No, Cosimo, caro, aspettami! – e saltava di sella, e si precipitava ad arrampicarsi per un tronco, e le braccia di lui dall'alto erano pronte a sollevarla.

L'amore riprendeva con una furia pari a quella del litigio. Era difatti la stessa cosa, ma Cosimo non ne capiva niente.

– Perché mi fai soffrire?

– Perché ti amo.

Ora era lui ad arrabbiarsi: – No, non mi ami! Chi ama vuole la felicità, non il dolore.

– Chi ama vuole solo l'amore, anche a costo del dolore.

– Mi fai soffrire apposta, allora.

– Sì, per vedere se mi ami.

La filosofia del Barone si rifiutava d'andar oltre. – Il dolore è uno stato negativo dell'anima.

– L'amore è tutto.

– Il dolore va sempre combattuto.

– L'amore non si rifiuta a nulla.

– Certe cose non le ammetterò mai.

– Sì che le ammetti, perché mi ami e soffri.

Così come le disperazioni, erano clamorose in Cosimo le esplosioni di gioia incontenibile. Talora la sua felicità arrivava a un punto ch'egli doveva staccarsi dall'amante e andar saltando e gridando e proclamando le meraviglie della sua dama.

– *Yo quiero the most wonderful puellam de todo el mundo!*

Quelli che stavano seduti sulle panchine d'Ombrosa, sfaccendati e vecchi marinai, ormai avevano preso l'abitudine a queste sue rapide apparizioni. Ecco che lo si scorgeva venire a salti per i lecci, declamare:

> Zu dir, zu dir, gunàika,
> Vo cercando il mio ben,
> En la isla de Jamaica,
> Du soir jusqu'au matin!

oppure:

> Il y a un pré where the grass grows toda de oro
> Take me away, take me away, che io ci moro!

e scompariva.

Il suo studio delle lingue classiche e moderne, per quanto poco approfondito, gli permetteva d'abbandonarsi a questa clamorosa predicazione dei suoi sentimenti, e più il suo animo era scosso da un'intensa emozione, più il suo linguaggio si faceva oscuro. Si ricorda una volta che, festeggiandosi il Patrono, la gente d'Ombrosa era radunata nella piazza e c'erano l'albero della cuccagna e i festoni e lo stendardo. Il Barone comparve in cima a un platano e con uno di quei balzi di cui solo la sua agilità acrobatica era capace, saltò sull'albero della cuccagna, s'arrampicò fino alla cima, gridò: – *Que viva die schöne Venus posteriòr!* – si lasciò scivolare giù per il palo insaponato fin quasi a terra, s'arrestò, risalì ratto in cima, strappò dal trofeo una rosea e tonda forma di cacio e con un altro balzo dei suoi rivolò sul platano e fuggì, lasciando sbalorditi gli Ombrosotti.

Nulla quanto queste esuberanze rendevano felice la Marchesa; e la muovevano a ricambiargliele in manifestazioni d'amore altrettanto rapinose. Gli Ombrosotti, quando la vedevano galoppare a briglia sciolta, il viso quasi immerso nella criniera bianca del cavallo, sapevano che correva a un convegno col Barone. Anche nell'andare a cavallo ella esprimeva una forza amorosa, ma qui Cosimo non poteva più seguirla; e la passione equestre di lei, sebbene egli molto l'ammirasse, però era per lui anche una segreta ragione di gelosia e rancore, perché vedeva Viola dominare un mondo più vasto del suo e capiva che non avrebbe mai potuto averla solo per sé, chiuderla nei confini del suo regno. La Marchesa, da parte sua, forse soffriva di non poter essere insieme amante e amazzone: la prendeva alle volte un indistinto bisogno che l'amore di lei e Cosimo fosse amore a cavallo, e correre sugli alberi non le bastava più, avrebbe voluto correrci al galoppo in sella al suo destriero.

E in realtà il cavallo a forza di correre per quel terreno di salite e dirupi era diventato rampante come un capriolo, e Viola ora lo spingeva di rincorsa contro certi alberi, per esempio vecchi olivi dal tronco sbilenco. Il cavallo arrivava talvolta sino alla prima forcella di rami, ed ella prese l'abitudine di legarlo non più a terra, ma là sull'olivo. Smontava e lo lasciava a brucare foglie e ramoscelli.

Cosicché, quando un pettegolo passando per l'oliveto e levando occhi curiosi vide lassù il Barone e la Marchesa abbracciati e poi andò a raccontarlo ed aggiunse: – E il cavallo bianco era anche lui in cima a un ramo! – fu preso per fantastico e non creduto da nessuno. Per quella volta ancora il segreto degli amanti fu salvo.

XXIII

Il fatto che ora ho narrato prova che gli Ombrosotti, com'erano stati prodighi di pettegolezzi sulla precedente vita galante di mio fratello, così ora, di fronte a questa passione che si scatenava si può dire sopra le loro teste, mantenevano un rispettoso riserbo, come di fronte a qualcosa più grande di loro. Non che la condotta della Marchesa non fosse riprovata: ma più per i suoi aspetti esteriori, come quel galoppare a rotta di collo (– Chissà poi dove andrà, così di furia? – si dicevano, pur sapendo bene che andava ai convegni con Cosimo) o quel mobilio che metteva in cima agli alberi. C'era già un'aria di considerare tutto come una moda dei nobili, una di quelle tante stravaganze (– Tutti sugli alberi, adesso: donne, uomini. Non ne avranno più da inventare? –); insomma stavano venendo dei tempi magari più tolleranti, ma più ipocriti.

Sui lecci della piazza il Barone si faceva vedere ormai a grandi intervalli, ed era segno che lei era partita. Perché Viola stava talvolta lontana per dei mesi, a curare i suoi beni sparsi in tutta Europa, ma queste partenze corrispondevano sempre a momenti in cui i loro rapporti avevano subito delle scosse e la Marchesa s'era offesa con Cosimo per il suo non capire quel che lei voleva fargli capire dell'amore. Non che Viola partisse offesa con lui: riuscivano sempre a far la pace prima, ma in lui restava il sospetto che a quel viaggio si fosse decisa per stanchezza di lui, perché lui non riusciva a trattenerla, forse si stava ormai staccando da lui, forse un'occasione del viaggio o una pausa di riflessione l'avrebbero decisa a non tornare. Così mio fratello viveva in ansia. Da una parte cercava di riprendere la sua vita abituale di prima d'incontrarla, di rimettersi ad andare a caccia e a pesca, e seguire i lavori agricoli, i suoi studi, le gradassate in piazza, come non avesse mai fatto altro (persisteva in lui il testardo orgoglio giovanile di chi non vuole ammettere di subire influenze altrui), e insieme si compiaceva di quanto quell'amore gli dava, d'alacrità, di fierezza; ma d'altra parte s'accorgeva che tante cose non gli importavano più, che senza Viola la vita non gli prendeva più sapore, che il suo pensiero correva sempre a lei. Più cercava, fuori dal turbine della presenza di Viola, di ripadroneggiare le passioni e i piaceri in una saggia economia dell'animo, più sentiva il vuoto da lei lasciato o la febbre d'attenderla. Insomma, il suo innamoramento era proprio come Viola lo voleva, non come lui pretendeva che fosse; era sempre la donna a trionfare, anche se lontana, e Cosimo, suo malgrado, finiva per goderne.

Tutt'a un tratto, la Marchesa tornava. Sugli alberi ricominciava la stagione degli amori, ma anche quella delle gelosie. Dov'era stata Viola? Cos'aveva fatto? Cosimo era ansioso di saperlo ma nello stesso tempo aveva paura del modo in cui lei rispondeva alle sue inchieste, tutto per accenni, e ogni accenno trovava modo d'insinuare un motivo di sospetto per Cosimo, e lui capiva che faceva per tormentarlo, eppure tutto poteva essere ben vero, e in questo incerto stato d'animo ora mascherava la sua gelosia ora la lasciava prorompere violenta e Viola rispondeva in modo sempre diverso e imprevedibile alle sue reazioni, e ora gli sembrava più che mai legata a lui, ora di non riuscire più a riaccenderla.

Quale fosse poi veramente la vita della Marchesa nei suoi viaggi, noi a Ombrosa non potevamo sapere, lontani com'eravamo dalle capitali e dai loro pettegolezzi. Ma in quel tempo io compii il mio secondo viaggio a Parigi, per certi contratti (una fornitura di limoni, perché ora anche molti nobili si mettevano a commerciare, ed io fra i primi).

Una sera, in uno dei più illustri salotti parigini, incontrai Donna Viola. Era acconciata con una tal sontuosa pettinatura ed una veste così splendente che se non stentai a riconoscerla, anzi trasalii al primo vederla, fu perché era proprio donna da

non poter mai esser confusa con nessuna. Mi salutò con indifferenza, ma presto trovò il modo d'appartarsi con me e di
chiedermi, senz'attendere risposta tra una domanda e l'altra:
– Avete nuove di vostro fratello? Sarete presto di ritorno a
Ombrosa? Tenete, dategli questo in mio ricordo –. E trattosi
dal seno un fazzoletto di seta me lo cacciò in mano. Poi si lasciò subito raggiungere dalla corte d'ammiratori che si portava dietro.

– Voi conoscete la Marchesa? – mi chiese piano un amico
parigino.

– Solo di sfuggita, – risposi, ed era vero: nei suoi soggiorni
a Ombrosa Donna Viola, contagiata dalla selvatichezza di Cosimo, non si curava di frequentare la nobiltà del vicinato.

– Di rado tanta bellezza s'è accompagnata a tanta irrequietudine, – disse il mio amico. – I pettegoli vogliono che a Parigi ella passi da un amante all'altro, in una giostra così continua da non permettere a nessuno di dirla sua e dirsi privilegiato. Ma ogni tanto sparisce per mesi e mesi e dicono si ritiri in
un convento, a macerarsi nelle penitenze.

Io trattenni a stento le risa, vedendo come i soggiorni della
Marchesa sugli alberi d'Ombrosa erano creduti dai Parigini
periodi di penitenza; ma nello stesso tempo quei pettegolezzi
mi turbarono, facendomi prevedere tempi di tristezza per mio
fratello.

Per prevenirlo da brutte sorprese, volli metterlo sull'avvi-
so, e appena tornato a Ombrosa andai a cercarlo. Mi domandò a lungo del viaggio, delle novità di Francia, ma non riuscii
a dargli nessuna notizia della politica e della letteratura di cui
non fosse già informato.

In ultimo, trassi di tasca il fazzoletto di Donna Viola. – A
Parigi in un salotto ho incontrato una dama che ti conosce, e
m'ha dato questo per te, col suo saluto.

Calò rapido il cestino appeso allo spago, tirò su il fazzoletto di seta e lo portò al viso come ad aspirarne il profumo.
– Ah, l'hai vista? E com'era? Dimmi: com'era?

– Molto bella e brillante, – risposi lentamente, – ma dicono
che questo profumo venga aspirato da molte narici...

Si cacciò il fazzoletto in seno come temesse che gli venisse strappato. Mi si rivolse rosso in viso: – E non avevi una spada per ricacciare in gola queste menzogne a chi te le diceva?

Dovetti confessare che non m'era neanche passato per la mente.

Restò un poco in silenzio. Poi scrollò le spalle. – Tutte menzogne. Io solo so che è solo mia, – e scappò per i rami senza salutarmi. Riconobbi la sua maniera solita di rifiutare ogni cosa che lo costringesse a uscire dal suo mondo.

Da allora non lo si vide che triste ed impaziente, saltellare in qua e in là, senza far nulla. Se ogni tanto lo sentivo fischiare in gara con i merli, il suo zirlo era sempre più nervoso e cupo.

La Marchesa arrivò. Come sempre, la gelosia di lui le fece piacere: un po' la incitò, un po' la volse in gioco. Così tornarono le belle giornate d'amore e mio fratello era felice. Ma la Marchesa ormai non tralasciava occasione per accusare Cosimo d'avere dell'amore un'idea angusta.

– Cosa vuoi dire? Che sono geloso?

– Fai bene a esser geloso. Ma tu pretendi di sottomettere la gelosia alla ragione.

– Certo: così la rendo più efficace.

– Tu ragioni troppo. Perché mai l'amore va ragionato?

– Per amarti di più. Ogni cosa, a farla ragionando, aumenta il suo potere.

– Vivi sugli alberi e hai la mentalità d'un notaio con la gotta.

– Le imprese più ardite vanno vissute con l'animo più semplice.

Continuava a sputar sentenze, fino a che lei non gli sfuggiva: allora, lui, a inseguirla, a disperarsi, a strapparsi i capelli.

In quei giorni, una nave ammiraglia inglese gettò l'ancora nella nostra rada. L'Ammiraglio diede una festa ai notabili d'Ombrosa e agli ufficiali d'altre navi di passaggio; la Marchesa ci andò; da quella sera Cosimo riprovò le pene della gelosia. Due ufficiali di due navi diverse s'invaghirono di Donna Viola e li si vedeva continuamente a riva, a corteggiare la dama e a cercar di superarsi nelle loro attenzioni. Uno era luogotenente di vascello dell'ammiraglia inglese; l'altro era pur egli luogotenente di vascello, ma della flotta napoletana. Presi a nolo due sauri, i luogotenenti facevano la spola sotto le terrazze della Marchesa e quando s'incontravano il napoletano roteava verso l'inglese un'occhiata da incenerirlo, mentre di tra le palpebre socchiuse dell'inglese saettava uno sguardo come la punta d'una spada.

E Donna Viola? Non prende, quella civetta, a starsene ore e ore in casa, a venirsene al davanzale in *matinée*, come fosse una vedovella fresca fresca, appena uscita dal lutto? Cosimo, a non averla più con sé sulle piante, a non sentire l'avvicinarsi del galoppo del cavallo bianco, diventava matto, ed il suo posto finì per essere (anche lui) davanti a quella terrazza, a tener d'occhio lei e i due luogotenenti di vascello.

Stava studiando il modo di giocare qualche tiro ai rivali, che li facesse tornare al più presto sulle rispettive navi, ma il vedere che Viola mostrava di gradire in egual modo la corte dell'uno e quella dell'altro, gli ridiede la speranza ch'ella volesse solo farsi gioco d'entrambi, e di lui insieme. Non per questo diminuì la sua sorveglianza: al primo segno che ella avesse dato di preferire uno dei due, era pronto a intervenire.

Ecco, un mattino passa l'inglese. Viola è alla finestra. Si sorridono. La Marchesa lascia cadere un biglietto. L'ufficiale lo afferra al volo, lo legge, s'inchina, rosso in volto, e sprona via. Un convegno! Era l'inglese il fortunato! Cosimo si giurò di non lasciarlo arrivare tranquillo fino a sera.

In quella passa il napoletano. Viola getta un biglietto anche a lui. L'ufficiale lo legge, lo porta alle labbra e lo bacia. Dunque si reputava il prescelto? E l'altro, allora? Contro quale dei due Cosimo doveva agire? Certo a uno dei due, Donna Viola aveva fissato un appuntamento; all'altro doveva solamente aver fatto uno scherzo dei suoi. O li voleva beffare tutti e due?

Quanto al luogo del convegno, Cosimo appuntava i suoi sospetti su di un chiosco in fondo al parco. Poco tempo prima la Marchesa l'aveva fatto riattare e arredare, e Cosimo si rodeva dalla gelosia perché non era più il tempo in cui lei carica-

⁄a le cime degli alberi di tendaggi e divani: ora si preoccupava di luoghi dov'egli non sarebbe mai entrato. «Sorveglierò il padiglione, – Cosimo si disse. – Se ha fissato un convegno con uno dei due luogotenenti, non può essere che lì». E s'appollaiò nel folto d'un castagno d'India.

Poco prima del tramonto, s'ode un galoppo. Arriva il napoletano. «Ora lo provoco!» pensa Cosimo e con una cerbottana gli tira nel collo una pallottola di sterco di scoiattolo. L'ufficiale trasalisce, si guarda intorno. Cosimo si sporge dal ramo, e nello sporgersi vede al di là della siepe il luogotenente inglese che sta scendendo di sella, e lega il cavallo a un palo. «Allora è lui; forse l'altro passava qui per caso». E giù una cerbottanata di scoiattolo sul naso.

– *Who's there?* – dice l'inglese, e fa per traversar la siepe, ma si trova faccia a faccia col collega napoletano, che, sceso anch'egli da cavallo, sta dicendo lui pure: – Chi è là?

– *I beg your pardon, Sir*, – dice l'inglese, – ma debbo invitarvi a sgombrare immediatamente questo luogo!

– Se sto qui è con mio buon diritto, – fa il napoletano, – invito ad andarsene la Signoria Vostra!

– Nessun diritto può valere il mio, – replica l'inglese. – *I'm sorry*, non vi consento di restare.

– È una questione d'onore, – dice l'altro, – e ne faccia pur fede il mio casato: Salvatore di San Cataldo di Santa Maria Capua Vetere, della Marina delle Due Sicilie!

– Sir Osbert Castlefight, terzo del nome! – si presenta l'inglese. – È il mio onore a imporre che voi sgombriate il campo.

– Non prima d'aver cacciato voi con questa spada! – e la trae dal fodero.

– Signor, vogliate battervi, – fa Sir Osbert, mettendosi in guardia.

Si battono.

– È qui che vi volevo, collega, e non da oggi! – e gli mena un'inquartata.

E Sir Osbert, parando: – Da tempo seguivo le vostre mosse, tenente, e v'attendevo a questo!

Pari di forze, i due luogotenenti di vascello si spossavano n assalti e in finte. Erano al culmine della loro foga, quando

– Fermatevi, in nome del Cielo! – Sulla soglia del padiglione era apparsa Donna Viola.

– Marchesa, quest'uomo... – dissero i due luogotenenti, ad una voce, abbassando le spade e indicandosi a vicenda.

E Donna Viola: – Miei cari amici! Riponete codeste spade, ve ne prego! È questo il modo di spaventare una dama? Prediligevo questo padiglione come il luogo più silenzioso e segreto del parco, ed ecco che appena assopita mi risveglia il vostro battere d'armi!

– Ma, Milady, – dice l'inglese, – non ero io stato invitato qui da voi?

– Voi eravate ben qui per attendere me, signora... – dice il napoletano.

Dalla gola di Donna Viola si levò una risata leggera come un frullo d'ali. – Ah, sì, sì, avevo invitato voi... o voi... Oh, la mia testa così confusa... Ebbene, che attendete? Entrate, accomodatevi, vi prego...

– Milady, credevo si trattasse d'un invito per me solo. Mi sono illuso. Vi riverisco e vi chiedo licenza.

– Lo stesso volevo dire pur io, signora, e congedarmi.

La Marchesa rideva: – Miei buoni amici... Miei buoni amici... Sono così sventata... Credevo d'aver invitato Sir Osbert a un'ora... e Don Salvatore a un'altra ora... No, no, scusatemi: alla stessa ora, ma in posti differenti... Oh, no, come può essere?... Ebbene, visto che siete qui entrambi, perché non possiamo sederci e far conversazione civilmente?

I due luogotenenti si guardarono, poi guardarono lei. – Dobbiamo intendere, Marchesa, che mostravate di gradire le nostre attenzioni solo per farvi gioco d'entrambi di noi?

– Perché, miei buoni amici? Al contrario, al contrario.. La vostra assiduità non poteva lasciarmi indifferente... Siete entrambi così cari... È questa la mia pena... Se scegliessi l'eleganza di Sir Osbert dovrei perdere voi, mio appassionato Don Salvatore... E scegliendo il fuoco del tenente di San Cataldo, dovrei rinunciare a voi, Sir! Oh, perché mai... perché mai...

– Perché mai cosa? – domandarono a una voce i due ufficiali.

E Donna Viola, abbassando il capo: – Perché mai non potrò essere d'entrambi nello stesso tempo...?

Dall'alto del castagno d'India s'udì un crosciar di rami. Era Cosimo che non riusciva più a tenersi calmo.

Ma i due luogotenenti di vascello erano troppo sottosopra per udirlo. Indietreggiarono insieme d'un passo. – Questo mai, signora.

La Marchesa alzò il bel volto con il suo sorriso più radioso: – Ebbene, io sarò del primo di voi che, come prova d'amore, per compiacermi in tutto, si dichiarerà pronto anche a dividermi col rivale!

– Signora...

– Milady...

I due luogotenenti, inchinatisi verso Viola in una secca riverenza di commiato, si voltarono l'uno di fronte all'altro, si tesero la mano, se la strinsero.

– *I was sure you were a gentleman, Signor Cataldo*, – disse l'inglese.

– Né io dubitavo del vostro onore, Mister Osberto, – fece il napoletano.

Voltarono le spalle alla Marchesa e s'avviarono ai cavalli.

– Amici miei... Perché così offesi... Sciocconi... – diceva Viola, ma i due ufficiali avevano già il piede sulla staffa.

Era il momento che Cosimo aspettava da un pezzo, pregustando la vendetta che aveva preparato: ora i due avrebbero avuto una ben dolorosa sorpresa. Senonché, vedendo il loro virile contegno nel congedarsi dall'immodesta Marchesa, Cosimo si sentì improvvisamente riconciliato con loro. Troppo tardi! Ormai il terribile dispositivo di vendetta non poteva più essere tolto! Nello spazio d'un secondo, Cosimo generosamente decise d'avvertirli: – Alto là! – gridò dall'albero, – non sedetevi in sella!

I due ufficiali alzarono vivamente il capo. – *What are you doing up there?* Che fate costassù? Come vi permettete? *Come down!*

Dietro di loro s'udì il riso di Donna Viola, una delle sue risate a frullo.

I due erano perplessi. C'era un terzo, che a quanto pare

aveva assistito a tutta la scena. La situazione si faceva più complessa.

– *In any way*, – si dissero, – noi due restiamo solidali!

– Sul nostro onore!

– Nessuno dei due acconsentirà a dividere Milady con chic chessia!

– Mai per la vita!

– Ma se uno di voi decidesse d'acconsentire...

– In questo caso, sempre solidali! Acconsentiremo insieme!

– D'accordo! E ora, via!

A questo nuovo dialogo, Cosimo si morse un dito dalla rabbia d'aver tentato d'evitare il compimento della vendetta. «Che si compia, dunque!» e si ritrasse tra le fronde. I due ufficiali balzavano in arcioni. «Ora gridano», pensò Cosimo, e gli venne da tapparsi le orecchie. Risuonò un duplice urlo. I due luogotenenti s'erano seduti su due porcospini nascosti sotto la gualdrappa delle selle.

– Tradimento! – e volarono a terra, in un'esplosione di salti e grida e giri su se stessi, e pareva che volessero prendersela con la Marchesa.

Ma Donna Viola, più indignata di loro, gridò verso l'alto: – Scimmione maligno e mostruoso! – e s'avventò per il tronco del castagno d'India, così rapidamente scomparendo alla vista dei due ufficiali che la credettero inghiottita dalla terra.

Tra i rami Viola si trovò di fronte Cosimo. Si guardavano con occhi fiammeggianti, e quest'ira dava loro una specie di purezza, come arcangeli. Pareva stessero per sbranarsi, quando la donna: – O mio caro! – esclamò. – Così, così ti voglio: geloso, implacabile! – Già gli aveva gettato le braccia al collo, e s'abbracciavano, e Cosimo non si ricordava già più nulla.

Lei gli ondeggiò tra le braccia, staccò il viso dal suo, come riflettendo, e poi: – Però, anche loro due, quanto m'amano, hai visto? Sono pronti a dividermi tra loro...

Cosimo parve gettarsi contro di lei, poi si sollevò tra i rami, morse le fronde, picchiò il capo contro il tronco: – Sono due vermiii...!

Viola s'era allontanata da lui col suo viso di statua. – Hai molto da imparare da loro –. Si voltò, scese veloce dall'albero.

I due corteggiatori, dimentichi delle passate contese, non avevano trovato altro partito che quello di incominciare con pazienza a cercarsi a vicenda le spine. Donna Viola li interruppe. – Presto! Venite sulla mia carrozza! – Scomparvero dietro il padiglione. La carrozza partì. Cosimo, sul castagno d'India, nascondeva il viso tra le mani.

Cominciò un tempo di tormenti per Cosimo, ma anche per i due ex rivali. E per Viola, poteva forse dirsi un tempo di gioia? Io credo che la Marchesa tormentasse gli altri solo perché voleva tormentarsi. I due nobili ufficiali erano sempre tra i piedi, inseparabili, sotto le finestre di Viola, o invitati nel suo salotto, o in lunghe soste soli all'osteria. Lei li lusingava tutti e due e chiedeva loro in gara sempre nuove prove d'amore, alle quali essi ogni volta si dichiaravano pronti, e già erano disposti ad averla metà per uno, non solo, ma a dividerla anche con altri, e ormai rotolando per la china delle concessioni non potevano fermarsi più, spinti ognuno dal desiderio di riuscire finalmente in questo modo a commuoverla e ad ottenere il mantenimento delle sue promesse, e nello stesso tempo impegnati dal patto di solidarietà col rivale, e insieme divorati dalla gelosia e dalla speranza di soppiantarlo, e ormai anche dal richiamo dell'oscura degradazione in cui si sentivano affondare.

A ogni nuova promessa strappata agli ufficiali di marina, Viola montava a cavallo e andava a dirlo a Cosimo.

– Di', lo sai che l'inglese è disposto a questo e a questo... E il napoletano pure... – gli gridava, appena lo vedeva tetramente appollaiato su un albero.

Cosimo non rispondeva.

– Questo è amore assoluto, – lei insisteva.

– Vaccate assolute, tutti quanti siete! – urlava Cosimo, e spariva.

Era questo il crudele modo che ora avevano d'amarsi, e non trovavano più la via d'uscirne.

La nave ammiraglia inglese salpava. – Voi restate, è vero? – disse Viola a Sir Osbert. Sir Osbert non si presentò a bordo;

fu dichiarato disertore. Per solidarietà ed emulazione, Don Salvatore disertò lui pure.

– Loro hanno disertato! – annunciò trionfalmente Viola a Cosimo. – Per me! E tu...

– E io??? – urlò Cosimo con uno sguardo così feroce che Viola non disse più parola.

Sir Osbert e Salvatore di San Cataldo, disertori dalla Marina delle rispettive Maestà, passavano le giornate all'osteria, giocando ai dadi, pallidi, inquieti, cercando di sbancarsi a vicenda, mentre Viola era al culmine della scontentezza di sé e di tutto quel che la circondava.

Prese il cavallo, andò verso il bosco. Cosimo era su una quercia. Lei si fermò sotto, in un prato.

– Sono stanca.

– Di quelli?

– Di tutti voi.

– Ah.

– Loro m'hanno dato le più grandi prove d'amore..

Cosimo sputò.

– ... Ma non mi bastano.

Cosimo alzò gli occhi su di lei.

E lei: – Tu non credi che l'amore sia dedizione assoluta, rinuncia di sé...

Era lì sul prato, bella come mai, e la freddezza che induriva appena i suoi lineamenti e l'altero portamento della persona sarebbe bastato un niente a scioglierli, e riaverla tra le braccia... Poteva dire qualcosa, Cosimo, una qualsiasi cosa per venirle incontro, poteva dirle: – Dimmi che cosa vuoi che faccia, sono pronto... – e sarebbe stata di nuovo la felicità per lui, la felicità insieme senza ombre. Invece disse: – Non ci può essere amore se non si è se stessi con tutte le proprie forze.

Viola ebbe un moto di contrarietà che era anche un moto di stanchezza. Eppure ancora avrebbe potuto capirlo, come difatti lo capiva, anzi aveva sulle labbra le parole da dire: «Tu sei come io ti voglio...» e subito risalire da lui... Si morse un labbro. Disse: – Sii te stesso da solo, allora.

«Ma allora esser me stesso non ha senso...», ecco quello

che voleva dire Cosimo. Invece disse: – Se preferisci quei due vermi...

– Non ti permetto di disprezzare i miei amici! – lei gridò, e ancora pensava: «A me importi solo tu, è solo per te che faccio tutto quel che faccio!»

– Solo io posso essere disprezzato.

– Il tuo modo di pensare!

– Sono una cosa sola con esso.

– Allora addio. Parto stasera stessa. Non mi vedrai più

Corse alla villa, fece i bagagli, partì senza neppure dire niente ai luogotenenti. Fu di parola. Non tornò più a Ombrosa. Andò in Francia e gli avvenimenti storici s'accavallarono alla sua volontà, quand'ella già non desiderava che tornare. Scoppiò la Rivoluzione, poi la guerra; la Marchesa dapprima interessata al nuovo corso degli eventi (era nell'*entourage* di Lafayette), emigrò poi nel Belgio e di là in Inghilterra. Nella nebbia di Londra, durante i lunghi anni delle guerre contro Napoleone, sognava gli alberi d'Ombrosa. Poi si risposò con un Lord interessato nella Compagnia delle Indie e si stabilì a Calcutta. Dalla sua terrazza guardava le foreste, gli alberi più strani di quelli del giardino della sua infanzia, e le pareva a ogni momento di vedere Cosimo farsi largo tra le foglie. Ma era l'ombra d'una scimmia, o d'un giaguaro.

Sir Osbert Castlefight e Salvatore di San Cataldo restarono legati per la vita e per la morte, e si diedero alla carriera dell'avventuriero. Furono visti nelle case di gioco di Venezia, a Gottinga alla facoltà di teologia, a Pietroburgo alla corte di Caterina II, poi se ne persero le tracce.

Cosimo restò per lungo tempo a vagabondare per i boschi, piangendo, lacero, rifiutando il cibo. Piangeva a gran voce, come i neonati, e gli uccelli che una volta fuggivano a stormi all'approssimarsi di quell'infallibile cacciatore, ora gli si facevano vicini, sulle cime degli alberi intorno o volandogli sul capo, e i passeri gridavano, trillavano i cardellini, tubava la tortora, zirlava il tordo, cinguettava il fringuello e il luì; e dalle alte tane uscivano gli scoiattoli, i ghiri, i topi campagnoli, e univano i loro squittii al coro, e così si muoveva mio fratello in mezzo a questa nuvola di pianti.

Poi venne il tempo della violenza distruggitrice: ogni albero, cominciava dalla vetta e, via una foglia via l'altra, rapidissimo lo riduceva bruco come d'inverno, anche se non era d'abito spogliante. Poi risaliva in cima e tutti i ramoscelli li spezzava finché non lasciava che le grosse travature, risaliva ancora, e con un temperino cominciava a staccare la corteccia, e si vedevano le piante scorticate scoprire il bianco con abbrividente aria ferita.

E in tutto questo rovello, non c'era più risentimento contro Viola, ma soltanto rimorso per averla perduta, per non aver saputo tenerla legata a sé, per averla ferita con un ingiusto e sciocco orgoglio. Perché, ora lo capiva, lei gli era stata sempre fedele, e se si portava dietro altri due uomini era per significare che stimava solo Cosimo degno d'essere il suo unico amante, e tutte le sue insoddisfazioni e bizze non erano che la smania insaziabile di far crescere il loro innamoramento non ammettendo che toccasse un culmine, e lui lui lui non aveva capito nulla di questo e l'aveva inasprita fino a perderla.

Per alcune settimane si tenne nel bosco, solo come mai era stato; non aveva più neanche Ottimo Massimo, perché se l'era portato via Viola. Quando mio fratello tornò a mostrarsi a Ombrosa, era cambiato. Neanch'io potevo più farmi illusioni: stavolta Cosimo era proprio diventato matto.

XXIV

Che Cosimo fosse matto, a Ombrosa s'era detto sempre, fin da quando a dodici anni era salito sugli alberi rifiutandosi di scendere. Ma in seguito, come succede, questa sua follia era stata accettata da tutti, e non parlo solo della fissazione di vivere lassù, ma delle varie stranezze del suo carattere, e nessuno lo considerava altrimenti che un originale. Poi, nella piena stagione del suo amore per Viola ci furono le manifestazioni in idiomi incomprensibili, specialmente quella durante la festa del Patrono, che i più giudicarono sacrilega, interpretando le sue parole come un grido eretico, forse in cartaginese, lingua dei Pelagiani, o una professione di Socinianesimo, in polacco. Da allora, cominciò a correre la voce: – Il Barone è ammattito! – e i benpensanti soggiungevano: – Come può ammattire uno che è stato matto sempre?

In mezzo a questi contrastanti giudizi, Cosimo era diventato matto davvero. Se prima andava vestito di pelli da capo a piedi, ora cominciò ad adornarsi la testa di penne, come gli aborigeni d'America, penne d'upupa o di verdone, dai colori vivaci, ed oltre che in testa ne portava sparse sui vestiti. Finì per farsi delle marsine tutte ricoperte di penne, e ad imitare le abitudini di vari uccelli, come il picchio, traendo dai tronchi lombrichi e larve e vantandoli come gran ricchezza.

Pronunciava anche delle apologie degli uccelli, alla gente che si radunava a sentirlo e a motteggiarlo sotto gli alberi: e da cacciatore si fece avvocato dei pennuti e si proclamava ora codibugnolo ora barbagianni ora pettirosso, con opportuni camuffamenti, e teneva discorsi d'accusa agli uomini, che non sapevano riconoscere negli uccelli i loro veri amici, discorsi che erano poi d'accusa a tutta la società umana, sotto forma di parabole. Pure gli uccelli s'erano accorti di questo suo mutamento d'idee, e gli venivano vicino, anche se sotto c'era gente ad ascoltarlo. Così egli poteva illustrare il suo discorso con esempi viventi che indicava sui rami intorno.

Per questa sua virtù, molto si parlò tra i cacciatori d'Ombrosa d'usarlo come richiamo, ma nessuno osò mai sparare sugli uccelli che gli si posavano vicino. Perché il Barone anche adesso che era ridotto così fuori di senno continuava a incutere una certa soggezione; lo canzonavano, sì, e aveva spesso sotto i suoi alberi un codazzo di monelli e fannulloni che gli davano la baia, però veniva anche rispettato, ed ascoltato sempre con attenzione.

I suoi alberi ora erano addobbati di fogli scritti e anche di cartelli con massime di Seneca e Shaftesbury, e di oggetti: ciuffi di penne, ceri da chiesa, falciuole, corone, busti da donna, pistole, bilance, legati l'uno all'altro in un certo ordine. La gente d'Ombrosa passava le ore a cercar d'indovinare cosa volevano dire quei rebus: i nobili, il Papa, la virtù, la guerra, e io credo che certe volte non avessero nessun significato ma servissero solo ad aguzzare l'ingegno e a far capire che anche le idee più fuori del comune potevano essere le giuste.

Cosimo si mise anche a comporre certi scritti, come *Il verso del Merlo, Il Picchio che bussa, I Dialoghi dei Gufi*, e a distribuirli pubblicamente. Anzi, fu proprio in questo periodo di demenza che apprese l'arte della stampa e cominciò a stampare delle specie di libelli o gazzette (tra cui *La Gazzetta delle Gazze*), poi tutte unificate sotto il titolo: *Il Monitore dei Bipedi*. S'era portato su di un noce un pancone, un telaio, un torchio, una cassetta di caratteri, una damigiana d'inchiostro, e passava le giornate a comporre le sue pagine e a tirare copie. Alle volte tra il telaio e la carta capitavano dei ragni, delle farfalle, e la loro impronta restava stampata sulla pagina; alle volte un ghiro saltava sul foglio fresco d'inchiostro e imbrattava tutto a colpi di coda; alle volte gli scoiattoli si prendevano una lettera dell'alfabeto e se la portavano nella loro tana credendo fosse da mangiare, come capitò con la lettera Q, che per quella forma rotonda e peduncolata fu presa per un frutto, e Cosimo dovette incominciare certi articoli *Cuando* e *Cuantunque*.

Tutte belle cose, però io avevo l'impressione che in quel tempo mio fratello non solo fosse del tutto ammattito, ma andasse anche un poco imbecillendosi, cosa questa più grave e dolorosa, perché la pazzia è una forza della natura, nel male o nel bene, mentre la minchioneria è una debolezza della natura, senza contropartita.

D'inverno infatti egli parve ridursi a una specie di letargo. Stava appeso a un tronco nel suo sacco imbottito, con solo la testa fuori, come un nidiaceo, ed era tanto se, nelle ore più calde, faceva quattro salti per arrivare all'ontano sul torrente Merdanzo a fare i suoi bisogni. Se ne stava nel sacco a leggiucchiare (accendendo, a buio, una lucernetta a olio), o a borbottare tra sé, o a canticchiare. Ma il più del tempo lo passava dormendo.

Per mangiare, aveva certe sue misteriose provviste, ma si lasciava offrire piatti di minestrone e di ravioli, quando qualche anima buona veniva a portarglieli fin su, con una scala. Difatti, era nata come una superstizione nella gente minuta, che a fare un'offerta al Barone portasse fortuna; segno che egli suscitava o timore o benvolere, e io credo il secondo. Questo fatto che l'erede del titolo baronale di Rondò si mettesse a vivere di pubbliche elemosine mi parve disdicevole; e soprattutto pensai alla buonanima di nostro padre, se l'avesse saputo. Per me, fin allora non avevo da rimproverarmi nulla, perché mio fratello aveva sempre disprezzato le comodità della famiglia, e m'aveva firmato una carta per la quale, dopo avergli versato una piccola rendita (che gli andava quasi tutta in libri) verso di lui non avevo più nessun dovere. Ma adesso, vedendolo incapace di procurarsi il cibo, provai a far salire da lui su una scala a pioli uno dei nostri lacchè in livrea e parrucca bianca, con un quarto di tacchino e un bicchiere di Borgogna su un vassoio. Credevo rifiutasse, per una di quelle misteriose ragioni di principio, invece accettò subito molto volentieri, e da allora, ogni volta che ce ne ricordavamo, mandavamo una porzione delle nostre pietanze a lui sull'albero.

Insomma, era una brutta decadenza. Per fortuna ci fu l'invasione dei lupi, e Cosimo ridiede prova delle sue virtù migliori. Era un inverno gelido, la neve era caduta fin sui nostri boschi. Torme di lupi, cacciati dalla fame dalle Alpi, calarono alle nostre riviere. Qualche boscaiolo li incontrò e ne portò la notizia atterrito. Gli Ombrosotti, che dal tempo della guardia contro gli incendi avevano imparato a unirsi nei momenti del pericolo, presero a far turni di sentinella intorno alla città, per impedire l'avvicinarsi di quelle fiere affamate. Ma nessuno s'azzardava a uscire dall'abitato, massime la notte.

– Purtroppo il Barone non è più quello d'una volta! – si diceva a Ombrosa.

Quel brutto inverno non era stato senza conseguenze per la salute di Cosimo. Stava lì a penzolare rannicchiato nel suo otre come un baco nel bozzolo, con la goccia al naso, l'aria sorda e gonfia. Ci fu l'allarme per i lupi e la gente passando là sotto l'apostrofava: – Ah, Barone, una volta saresti stato tu a farci la guardia dai tuoi alberi, e adesso siamo noi che facciamo la guardia a te.

Lui restava con gli occhi semichiusi, come se non capisse o non gli importasse niente. Invece, a un tratto alzò il capo, tirò su dal naso e disse, rauco: – Le pecore. Per cacciare i lupi. Vanno messe delle pecore sugli alberi. Legate.

La gente già s'affollava lì sotto per sentire che pazzie tirava fuori, e canzonarlo. Invece lui, sbuffando e scatarrando, s'alzò dal sacco, disse: – Vi faccio vedere dove, – e s'avviò per i rami.

Su alcuni noci o querce, tra il bosco e il coltivato, in posizioni scelte con gran cura, Cosimo volle che portassero delle pecore o degli agnelli e lì legò lui stesso ai rami, vivi, belanti, ma in modo che non potessero cascar giù. Su ognuno di questi alberi nascose poi un fucile caricato a palla. Lui pure si vestì da pecora: cappuccio, giubba, brache, tutto di ricciuto vello ovino. E si mise ad aspettare la notte al sereno su quegli alberi. Tutti credevano che fosse la più grossa delle sue pazzie.

Invece quella notte calarono i lupi. Sentendo l'odor della pecora, udendone il belato e poi vedendola lassù, tutto il branco si fermava a piè dell'albero, e ululavano, con affamate fauci aperte all'aria, e puntavano le zampe contro il tronco

Ecco che allora, balzelloni sui rami, s'avvicinava Cosimo, e i lupi vedendo quella forma tra la pecora e l'uomo che saltava lassù come un uccello restavano allocchiti a bocca aperta. Finché «Bum! Bum!» si pigliavano due pallottole giuste in gola. Due: perché un fucile Cosimo se lo portava con sé (e lo ricaricava poi ogni volta) e un altro era lì pronto con la pallottola in canna su ogni albero; dunque ogni volta erano due lupi che restavano stesi sulla terra gelata. Ne sterminò così un gran numero e ad ogni sparo i branchi volgevano in rotta disorientati, e i cacciatori accorrendo dove sentivano gli urli e gli spari facevano il resto.

Di questa caccia ai lupi, in seguito, Cosimo raccontava episodi in molte versioni, e non so dire quale fosse la giusta. Per esempio: – La battaglia procedeva per il meglio quando, muovendo verso l'albero dell'ultima pecora, ci trovai tre lupi che erano riusciti ad arrampicarsi sui rami e la stavano finendo. Mezzo cieco e stordito dal raffreddore com'ero, arrivai quasi sul muso dei lupi senza accorgermene. I lupi, al vedere quest'altra pecora che camminava in piedi per i rami, le si voltarono contro, spalancando le fauci ancora rosse di sangue. Io avevo il fucile scarico, perché dopo tanta sparatoria ero rimasto senza polvere; e il fucile preparato su quell'albero non potevo raggiungerlo perché c'erano i lupi. Ero su di un ramo secondario e un po' tenero, ma sopra di me avevo a portata di braccia un ramo più robusto. Cominciai a camminare a ritroso sul mio ramo, lentamente allontanandomi dal tronco. Un lupo, lentamente, mi seguì. Ma io con le mani mi tenevo appeso al ramo di sopra, e i piedi fingevo di muoverli su quel ramo tenero; in realtà mi ci tenevo sospeso sopra. Il lupo, ingannato, si fidò ad avanzare, e il ramo gli si piegò sotto, mentre io d'un balzo mi sollevavo sul ramo di sopra. Il lupo cadde con un appena accennato abbaio da cane, e per terra si spezzò le ossa restandoci stecchito.

– E gli altri due lupi?

– ... Gli altri due mi stavano studiando, immobili. Allora, tutto d'un colpo, mi tolsi giubba e cappuccio di pel di pecora e glieli gettai. Uno dei due lupi, a vedersi volare addosso quest'ombra bianca d'agnello, cercò d'afferrarla coi denti, ma essendosi preparato a reggere un gran peso e quella essendo invece una vuota spoglia, si trovò sbilanciato e perse l'equilibrio, finendo pure lui per spezzarsi zampe e collo al suolo.

– Ne resta ancora uno...

– ... Ne resta ancora uno, ma essendomi improvvisamente alleggerito negli abiti buttando via la giubba, mi venne uno di quegli starnuti da far tremare il cielo. Il lupo, a quel prorompere così improvviso e nuovo, ebbe un tale soprassalto che cadde dalla pianta rompendosi il collo come gli altri.

Così mio fratello raccontava la sua notte di battaglia. Quello che è certo è che il freddo che aveva preso, già malaticcio com'era, quasi gli fu fatale. Stette alcuni giorni tra la morte e la vita, e fu curato a spese del Comune d'Ombrosa, in segno di riconoscenza. Steso in un'amaca, era circondato da un sali e scendi di dottori sulle scale a pioli. I migliori medici del circondario furono chiamati a consulto, e chi gli faceva serviziali, chi salassi, chi senapismi, chi fomenti. Nessuno parlava più del Barone di Rondò come d'un matto, ma tutti come d'uno dei più grandi ingegni e fenomeni del secolo.

Questo finché restò ammalato. Quando guarì, si tornò a dirlo chi savio come prima, chi matto come sempre. Fatto sta che non fece più tante stranezze. Continuò a stampare un ebdomadario, intitolato non più *Il Monitore dei Bipedi* ma *Il Vertebrato Ragionevole*.

XXV

Io non so se a quell'epoca già fosse stata fondata a Ombrosa una Loggia di Franchi Muratori: venni iniziato alla Massoneria molto più tardi, dopo la prima campagna napoleonica, insieme con gran parte della borghesia abbiente e della piccola nobiltà dei nostri posti e non so dire perciò quali siano stati i primi rapporti di mio fratello con la Loggia. Al proposito citerò un episodio occorso pressapoco ai tempi di cui sto ora narrando, e che varie testimonianze confermerebbero per vero.

Arrivarono un giorno a Ombrosa due spagnoli, viaggiatori di passaggio. Si recarono a casa di certo Bartolomeo Cavagna, pasticciere, noto come frammassone. Pare si qualificassero per confratelli della Loggia di Madrid, talché egli li condusse la sera ad assistere a una seduta della Massoneria ombrosotta, che allora si riuniva al lume di torce e ceri in una radura in mezzo al bosco. Di tutto questo s'ha notizia solo da voci e supposizioni: quel che è certo è che l'indomani i due spagnoli, appena usciti dalla loro locanda, furono seguiti da Cosimo di Rondò che non visto li sorvegliava dall'alto degli alberi.

I due viaggiatori entrarono nel cortile d'un'osteria fuori porta. Cosimo s'appostò sopra un glicine. A un tavolo c'era un avventore che attendeva i due; non se ne vedeva il viso, adombrato da un cappello nero a larghe tese. Quelle tre teste, anzi quei tre cappelli, conversero sul quadrato bianco della tovaglia; e dopo avere un po' confabulato, le mani dello sconosciuto presero a scrivere su una stretta carta qualcosa che gli altri due gli dettavano e che, dall'ordine in cui metteva le parole una sotto l'altra, si sarebbe detto un elenco di nomi.

– Buon giorno a questi signori! – disse Cosimo. I tre cappelli si sollevarono lasciando apparire tre visi con gli occhi sgranati verso l'uomo sul glicine. Ma uno dei tre, quello dalle larghe tese, si riabbassò subito, tanto da toccare il tavolo con la punta del naso. Mio fratello aveva fatto in tempo a intravvedere una fisionomia che non gli pareva sconosciuta.

– *Buenos días a usted!* – fecero i due. – Ma è un'usanza del luogo presentarsi ai forestieri calando dal cielo come un piccione? Spero vogliate scendere subito a spiegarcelo!

– Chi sta in alto è ben in vista da ogni parte, – disse il Barone, – mentre c'è chi striscia per nascondere il viso.

– Sappiate che nessuno di noi è tenuto a mostrare il viso a voi, *señor*, più di quanto non è tenuto a mostrare il suo didietro.

– So che per certe sorta di persone è un punto d'onore tenere la faccia in ombra.

– Quali, di grazia?

– Le spie, a dirne una!

I due compari trasalirono. Quello chinato restò immobile, ma per la prima volta s'udì la sua voce. – O, a dirne un'altra, i membri di società segrete... – scandì lentamente.

Questa battuta poteva interpretarsi in vari modi. Cosimo lo pensò e poi lo disse forte: – Questa battuta, signore, può interpretarsi in vari modi. Voi dite «membri di società segrete» insinuando che lo sia io, o insinuando che lo siate voi, o che lo siamo entrambi, o che non lo siamo né voi né io ma altri, o perché comunque vada è una battuta che può servire a vedere cosa dico io dopo?

– *Como como como?* – disse disorientato l'uomo col cappello a larghe tese, e in quel disorientamento, scordandosi che doveva tenere il capo chino, s'alzò fino a guardare Cosimo negli occhi. Cosimo lo riconobbe: era Don Sulpicio, il gesuita suo nemico dei tempi di Olivabassa!

– Ah! Non m'ero ingannato! Giù la maschera, reverendo padre! – esclamò il Barone.

– Voi! Ne ero certo! – fece lo spagnolo e si tolse il cappello

272

s'inchinò, scoprendo la chierica. – Don Sulpicio de Guadalete, *superior de la Compañía de Jesus.*

– Cosimo di Rondò, Muratore Franco ed Accettato!

Anche gli altri due spagnoli si presentarono con un breve
inchino.

– Don Calisto!

– Don Fulgencio!

– Gesuiti anche lorsignori?

– *Nosotros también!*

– Ma il vostro ordine non è stato sciolto di recente per ordine del Papa?

– Non per dar tregua ai libertini e agli eretici del vostro
stampo! – disse Don Sulpicio, snudando la spada.

Erano gesuiti spagnoli che dopo lo scioglimento dell'Ordine s'erano dati alla campagna, cercando di formare una milizia armata in tutte le contrade, per combattere le idee nuove
ed il teismo.

Anche Cosimo aveva sfoderato la spada. Parecchia gente
aveva fatto ressa intorno. – Favorite scendere, se volete battervi *caballerosamente*, – disse lo spagnolo.

Più in là era un bosco di noci. Era il tempo della bacchiatu-
ra e i contadini avevano appeso dei lenzuoli da un albero al-
l'altro, per raccogliere le noci che bacchiavano. Cosimo corse
su un noce, saltò nel lenzuolo, e lì si tenne ritto, frenando i
piedi che gli scivolavano sulla tela in quella specie di grande
amaca.

– Salite voi di due spanne, Don Sulpicio, che io sono disceso più di quanto non sia solito! – e snudò anche lui la spada.

Lo spagnolo saltò lui pure sul lenzuolo teso. Era difficile
tenersi ritti, perché il lenzuolo tendeva a chiudersi a sacco intorno alle loro persone, ma i due contendenti erano tanto ac-
caniti che riuscirono a incrociare i ferri.

– *Alla maggior gloria di Dio!*

– *A Gloria del Grande Architetto dell'Universo!*

E si menavano fendenti.

– Prima che vi pianti questa lama nel piloro, – disse Cosimo, – datemi notizia della Señorita Ursula.

– È morta in un convento!

Cosimo fu turbato dalla notizia (che però io penso fosse inventata a bella posta) e l'ex gesuita ne approfittò per un colpo mancino. Con un a-fondo raggiunse una delle cocche che legate ai rami dei noci sostenevano il lenzuolo dalla parte di Cosimo, e la tagliò di netto. Cosimo sarebbe certo caduto se non fosse stato lesto a gettarsi sul lenzuolo dalla parte di Don Sulpicio e ad aggrapparsi a un lembo. Nel balzo, la sua spada travolse la guardia dello spagnolo e l'infilzò nel ventre. Don Sulpicio s'abbandonò, scivolò giù per il lenzuolo inclinato dalla parte dove aveva tagliato la cocca, e cadde a terra. Cosimo s'arrampicò sul noce. Gli altri due ex gesuiti sollevarono il corpo del compagno ferito o morto (non si seppe mai bene), scapparono e non si fecero mai più rivedere.

La gente s'affollò intorno al lenzuolo insanguinato. Da quel giorno mio fratello ebbe fama generale di frammassone.

Il segreto della Società non mi permise di saperne di più. Quando io entrai a farne parte, come ho detto, intesi parlare di Cosimo come d'un anziano fratello i cui rapporti con la Loggia non erano ben chiari, e chi lo definiva «dormiente», chi un eretico passato ad altro rito, chi addirittura un apostata; ma sempre con gran rispetto per la sua attività passata. Non escludo neppure che potesse esser stato lui quel leggendario Maestro «Picchio Muratore» cui s'attribuiva la fondazione della Loggia «all'Oriente d'Ombrosa», e che d'altronde la descrizione dei primi riti che vi si sarebbero tenuti, risentirebbero dell'influenza del Barone: basti dire che i neofiti venivano bendati, fatti salire in cima a un albero e calati appesi a corde.

È certo che da noi le prime riunioni dei Frammassoni si svolgevano la notte in mezzo ai boschi. La presenza di Cosimo quindi sarebbe più che giustificata, tanto nel caso che sia stato lui a ricevere dai suoi corrispondenti forestieri gli opuscoli con le Costituzioni massoniche e a fondare qui la Loggia, quanto nel caso che sia stato qualcun altro, probabilmente dopo esser stato iniziato in Francia o in Inghilterra, a introdurre i riti anche ad Ombrosa. Forse è possibile che la Massoneria esistesse già da tempo, all'insaputa di Cosimo, ed egli casualmente una notte, muovendosi per gli alberi del bosco, scoprisse in una radura una riunione d'uomini con strani paramenti e arnesi, alla luce di candelabri, si soffermasse di lassù ad ascoltare, e poi intervenisse gettando lo scompiglio con una qualche uscita sconcertante, come per esempio: – Se alzi un muro, pensa a ciò che resta fuori! – (frase che gli sentii spesso ripetere), o un'altra delle sue, e i Massoni, riconosciuta la sua alta dottrina, lo facessero entrare nella Loggia, con cariche speciali, ed apportandovi un gran numero di nuovi riti e simboli.

Sta il fatto che per tutto il tempo che mio fratello ci ebbe a che fare, la Massoneria all'aperto (come la chiamerò per distinguerla da quella che si riunirà poi in un edificio chiuso) ebbe un rituale molto più ricco, in cui entravano civette, telescopi, pigne, pompe idrauliche, funghi, diavolini di Cartesio, ragnatele, tavole pitagoriche. Vi era anche un certo sfoggio di teschi, ma non solo umani, bensì anche crani di mucche, lupi ed aquile. Siffatti oggetti ed altri ancora, tra cui le cazzuole, le squadre e i compassi della normale liturgia massonica, venivano trovati a quel tempo appesi ai rami in bizzarri accostamenti, e attribuiti ancora alla pazzia del Barone. Solo poche persone lasciavano capire che adesso questi rebus avevano un significato più serio; ma d'altronde non si è mai potuto tracciare una separazione netta tra i segnali di prima e quelli di dopo, ed escludere che sin da principio fossero segni esoterici d'una qualche società segreta.

Perché Cosimo già molto tempo prima che alla Massoneria era affiliato a varie associazioni o confraternite di mestiere, come quella di San Crispino o dei Calzolai, o quella dei Virtuosi Bottai, dei Giusti Armaiuoli o dei Cappellai Coscienziosi. Facendosi da sé quasi tutte le cose che gli servivano, conosceva le arti più varie, e poteva vantarsi membro di molte corporazioni, che da parte loro erano ben contente d'avere tra loro un membro di nobile famiglia, di bizzarro ingegno e di provato disinteresse.

Come questa passione che Cosimo sempre dimostrò per la vita associata si conciliasse con la sua perpetua fuga dal consorzio civile, non ho mai ben compreso, e ciò resta una delle non minori singolarità del suo carattere. Si direbbe che egli, più era deciso a star rintanato tra i suoi rami, più sentiva il bisogno di creare nuovi rapporti col genere umano. Ma per quanto ogni tanto si buttasse, anima e corpo, a organizzare un nuovo sodalizio, stabilendone meticolosamente gli statuti, le finalità, la scelta degli uomini più adatti per ogni carica, mai i suoi compagni sapevano fino a che punto potessero contare su di lui, quando e dove potevano incontrarlo, e quando invece sarebbe stato improvvisamente ripreso dalla sua natura da uccello e non si sarebbe lasciato più acchiappare. Forse, se proprio si vuole ricondurre a un unico impulso questi atteggiamenti contraddittori, bisogna pensare che egli fosse ugualmente nemico d'ogni tipo di convivenza umana vigente ai tempi suoi, e perciò tutti li fuggisse, e s'affannasse ostinatamente a sperimentarne di nuovi: ma nessuno d'essi gli pareva giusto e diverso dagli altri abbastanza; da ciò le sue continue parentesi di selvatichezza assoluta.

Era un'idea di società universale, che aveva in mente. E tutte le volte che s'adoperò per associar persone, sia per fini ben precisi come la guardia contro gli incendi o la difesa dai lupi, sia in confraternite di mestiere come i Perfetti Arrotini o gli Illuminati Conciatori di Pelli, siccome riusciva sempre a farli radunare nel bosco, nottetempo, intorno a un albero, dal quale egli predicava, ne veniva sempre un'aria di congiura, di setta, d'eresia, e in quell'aria anche i discorsi passavano facilmente dal particolare al generale e dalle semplici regole d'un mestiere manuale si passava come niente al progetto d'instaurare una repubblica mondiale di uguali, di liberi e di giusti.

Nella Massoneria Cosimo dunque non faceva che ripetere quel che già aveva fatto nelle altre società segrete o semisegrete cui aveva partecipato. E quando un certo Lord Liverpuck, mandato dalla Gran Loggia di Londra a visitare i confratelli del Continente, capitò a Ombrosa mentre era Maestro mio fratello, restò così scandalizzato dalla sua poca ortodossia che scrisse a Londra questa d'Ombrosa dover essere una nuova Massoneria di rito scozzese, pagata dagli Stuart per fare propaganda contro il trono degli Hannover, per la restaurazione giacobita.

Dopo di ciò avvenne il fatto che ho raccontato, dei due viaggiatori spagnoli che si presentarono per massoni a Bartolomeo Cavagna. Invitati a una riunione della Loggia, essi trovarono tutto normalissimo, anzi dissero che era proprio tal quale all'Oriente di Madrid. Fu questo a insospettire Cosimo, che sapeva bene quanta parte di quel rituale fosse di sua invenzione: fu per questo che si mise sulle tracce degli spioni e lì smascherò e trionfò sul suo vecchio nemico Don Sulpicio.

Comunque, io sono dell'idea che questi cambiamenti di liturgia fossero un bisogno suo personale, perché di tutti i mestieri avrebbe potuto prendere i simboli a ragion veduta, tranne che quelli del muratore, lui che di case in muratura non ne aveva mai volute né costruire né abitare.

XXVI

Ombrosa era una terra di vigne, anche. Non l'ho mai messo in risalto perché seguendo Cosimo ho dovuto tenermi sempre alle piante d'alto fusto. Ma c'erano vaste pendici di vigneti, e ad agosto sotto il fogliame dei filari l'uva rossese gonfiava in grappoli d'un succo denso già di color vino. Certe vigne erano a pergola: lo dico anche perché Cosimo invecchiando s'era fatto così piccolo e leggero e aveva così bene imparata l'arte di camminare senza peso che le travi dei pergolati lo reggevano. Egli poteva dunque passare sulle vigne, e così andando, e aiutandosi con gli alberi da frutta intorno, e reggendosi ai pali detti *scarasse*, poteva fare molti lavori come la potatura, d'inverno, quando le viti sono nudi ghirigori attorno al fil di ferro, o sfittire la troppa foglia d'estate, o cercare gli insetti, e poi a settembre la vendemmia.

Per la vendemmia veniva a giornata nelle vigne tutta la gente ombrosotta, e tra il verde dei filari non si vedeva che sottane a colori vivaci e berrette con la nappa. I mulattieri caricavano corbe piene sui basti e le vuotavano nei tini; altre se le prendevano i vari esattori che venivano con squadre di sbirri a controllare i tributi per i nobili del luogo, per il Governo della Repubblica di Genova, per il clero ed altre decime. Ogn'anno succedeva qualche lite.

Le questioni delle parti del raccolto da erogare a destra e a manca furono quelle che dettero motivo alle maggiori proteste sui «quaderni di doglianza», quando ci fu la rivoluzione in Francia. Su questi quaderni si misero a scriverci anche a Ombrosa, tanto per provare, anche se qui non serviva proprio a niente. Era stata una delle idee di Cosimo, il quale in quel tempo non aveva più bisogno d'andare alle riunioni della Loggia per discutere con quei quattro vuotafiaschi di Massoni. Stava sugli alberi della piazza e gli veniva intorno tutta la gente della marina e della campagna a farsi spiegare le notizie, perché lui riceveva le gazzette con la posta, e in più aveva certi amici suoi che gli scrivevano, tra cui l'astronomo Bailly, che poi lo fecero *maire* di Parigi, e altri clubisti. Tutti i momenti ce n'era una nuova: il Necker, e la pallacorda, e la Bastiglia, e Lafayette col cavallo bianco, e re Luigi travestito da lacchè. Cosimo spiegava e recitava tutto saltando da un ramo all'altro, e su un ramo faceva Mirabeau alla tribuna, e sull'altro Marat ai Giacobini, e su un altro ancora re Luigi a Versaglia che si metteva la berretta rossa per tener buone le comari venute a piedi da Parigi.

Per spiegare cos'erano i «quaderni di doglianza», Cosimo disse: – Proviamo a farne uno –. Prese un quaderno da scuola e l'appese all'albero con uno spago; ognuno veniva lì e ci segnava le cose che non andavano. Ne saltavano fuori d'ogni genere: sul prezzo del pesce i pescatori, e i vignaioli sulle decime, e i pastori sui confini dei pascoli, e i boscaioli sui boschi del demanio, e poi tutti quelli che avevano parenti in galera, e quelli che s'erano presi dei tratti di corda per un qualche reato, e quelli che ce l'avevano coi nobili per questioni di donne: non si finiva più. Cosimo pensò che anche se era un «quaderno di doglianza» non era bello che fosse così triste, e gli venne l'idea di chiedere a ognuno che scrivesse la cosa che gli sarebbe piaciuta di più. E di nuovo ciascuno andava a metterci la sua, stavolta tutto in bene: chi scriveva della focaccia, chi del minestrone; chi voleva una bionda, chi due brune; chi gli sarebbe piaciuto dormire tutto il giorno, chi andare per funghi tutto l'anno; chi voleva una carrozza con quattro cavalli, chi si contentava d'una capra; chi avrebbe desiderato rivedere sua madre morta, chi incontrare gli dèi dell'Olimpo: insomma tutto quanto c'è di buono al mondo veniva scritto nel quaderno, oppure disegnato, perché molti non sapevano scrivere, o addirittura pitturato a colori. Anche Cosimo ci scrisse: un nome: Viola. Il nome che da anni scriveva dappertutto.

Ne venne un bel quaderno, e Cosimo lo intitolò «Quaderno della doglianza e della contentezza». Ma quando fu riempito non c'era nessuna assemblea a cui mandarlo, perciò rimase lì, appeso all'albero con uno spago, e quando piovve restò a cancellarsi e a infradiciarsi, e quella vista faceva stringere i cuori degli Ombrosotti per la miseria presente e li riempiva di desiderio di rivolta.

Insomma, c'erano anche da noi tutte le cause della Rivoluzione francese. Solo che non eravamo in Francia, e la Rivoluzione non ci fu. Viviamo in un paese dove si verificano sempre le cause e non gli effetti.

A Ombrosa, però, corsero ugualmente tempi grossi. Contro gli Austrosardi l'esercito repubblicano muoveva guerra lì a due passi. Massena a Collardente, Laharpe sul Nervia, Mouret lungo la Cornice, con Napoleone che allora era soltanto generale d'artiglieria, cosicché quei rombi che si udivano giungere a Ombrosa sul vento or sì or no, era proprio lui che li faceva.

A settembre ci si preparava per la vendemmia. E pareva ci si preparasse per qualcosa di segreto e di terribile.

I conciliaboli di porta in porta:

– L'uva è matura!

– È matura! Eh già!

– Altro che matura! Si va a cogliere!

– Si va a pigiare!

– Ci siamo tutti! Tu dove sarai?

– Alla vigna di là del ponte. E tu? E tu?

– Dal Conte Pigna.

– Io alla vigna del mulino.

– Hai visto quanti sbirri? Paiono merli calati a beccare i grappoli.

– Ma quest'anno non beccano!

– Se i merli sono tanti, qui siamo tutti cacciatori!

– C'è chi invece non vuol farsi vedere. C'è chi scappa.

– Come mai quest'anno la vendemmia non piace più a tanta gente?

– Da noi volevano rimandarla. Ma ormai l'uva è matura!

– È matura!

L'indomani invece la vendemmia cominciò silenziosa. Le vigne erano affollate di gente a catena lungo i filari, ma non nasceva nessun canto. Qualche sparso richiamo, grida: – Ci siete anche voi? È matura! – un muovere di squadre, un che di cupo, forse anche del cielo, che era non del tutto coperto ma un po' greve, e se una voce attaccava una canzone rimaneva subito a mezzo, non raccolta dal coro. I mulattieri portavano le corbe piene d'uva ai tini. Prima di solito si facevano le parti per i nobili, il vescovo e il governo; quest'anno no, pareva che se ne dimenticassero.

Gli esattori, venuti per riscuotere le decime, erano nervosi, non sapevano che pesci pigliare. Più passava il tempo, più non succedeva niente, più si sentiva che doveva succedere qualcosa, più gli sbirri capivano che bisognava muoversi ma meno capivano che fare.

Cosimo, coi suoi passi da gatto, aveva preso a camminare per i pergolati. Con una forbice in mano, tagliava un grappolo qua e un grappolo là, senz'ordine, porgendolo poi ai vendemmiatori e alle vendemmiatrici là di sotto, a ciascuno dicendo qualcosa a bassa voce.

Il capo degli sbirri non ne poteva più. Disse: – E ben, e allora, così, vediamo un po' 'ste decime? – L'aveva appena detto e s'era già pentito. Per le vigne risuonò un cupo suono tra il boato e il sibilo: era un vendemmiatore che soffiava in una conchiglia di quelle a buccina e spargeva un suono d'allarme nelle valli. Da ogni poggio risposero suoni uguali, i vignaiuoli levarono le conchiglie come trombe, e anche Cosimo, dall'alto d'una pergola.

Per i filari si propagò un canto; dapprima rotto, discordante, che non si capiva che cos'era. Poi le voci trovarono un'intesa, s'intonarono, presero l'aire, e cantarono come se corressero, di volata, e gli uomini e le donne fermi e seminascosti lungo i filari, e i pali le viti i grappoli, tutto pareva correre, e l'uva vendemmiarsi da sé, gettarsi dentro i tini e pigiarsi, e l'aria le nuvole il sole diventare tutto mosto, e già si cominciava a capire quel canto, prima le note della musica e poi qualcuna delle parole, che dicevano: – *Ça ira! Ça ira! Ça ira!* – e i giovani pestavano l'uva coi piedi scalzi e rossi, – *Ça ira!* – e le ragazze cacciavano le forbici appuntite come pugnali nel verde fitto ferendo le contorte attaccature dei grappoli, – *Ça ira!* – e i moscerini a nuvoli invadevano l'aria sopra i mucchi di graspi pronti per il torchio, – *Ça ira!* – e fu allora che gli sbirri persero il controllo e: – Alto là! Silenzio! Basta col bordello! Chi canta lo si spara! – e cominciarono a scaricare fucili in aria.

Rispose loro un tuono di fucileria che parevano reggimenti schierati a battaglia sulle colline. Tutti gli schioppi da caccia d'Ombrosa esplodevano, e Cosimo in cima a un alto fico suonava la carica nella conchiglia a tromba. Per tutte le vigne ci fu un muoversi di gente. Non si capiva più quel che era vendemmia e quel che era mischia: uomini uva donne tralci roncole pampini *scarasse* fucili corbe cavalli fil di ferro pugni calci di mulo stinchi mammelle e tutto cantando: *Ça ira!*

– Eccovi le decime! – Finì che gli sbirri e gli esattori furono cacciati a capofitto nei tini pieni d'uva, con le gambe che restavano fuori e scalciavano. Se ne tornarono senza aver esatto niente, lordi da capo a piedi di succo d'uva, d'acini pestati, di vinacce, di sansa, di graspi che restavano impigliati ai fucili, alle giberne, ai baffi.

La vendemmia proseguì come una festa, tutti essendo convinti d'aver abolito i privilegi feudali. Intanto noialtri nobili e nobilotti c'eravamo barricati nei palazzi, armati, pronti a vender cara la pelle. (Io veramente mi limitai a non mettere il naso fuori dall'uscio, soprattutto per non farmi dire dagli altri nobili che ero d'accordo con quell'anticristo di mio fratello, reputato il peggior istigatore, giacobino e clubista di tutta la zona). Ma per quel giorno, cacciati gli esattori e la truppa, non fu torto un capello a nessuno.

Erano tutti in gran daffare a preparare feste. Misero su anche l'Albero della Libertà, per seguire la moda francese; solo che non sapevano bene com'erano fatti, e poi da noi d'alberi ce n'erano talmente tanti che non valeva la pena di metterne di finti. Così addobbarono un albero vero, un olmo, con fiori, grappoli d'uva, festoni, scritte: « *Vive la Grande Nation!* » In cima in cima c'era mio fratello, con la coccarda tricolore sul berretto di pel di gatto, e teneva una conferenza su Rousseau e Voltaire, di cui non si udiva neanche una parola, perché tutto il popolo là sotto faceva girotondo cantando: *Ça ira!*

L'allegria durò poco. Vennero truppe in gran forza: genovesi, per esigere le decime e garantire la neutralità del territorio, e austrosarde, perché s'era sparsa già la voce che i giacobini d'Ombrosa volevano proclamare l'annessione alla «Grande Nazione Universale» cioè alla Repubblica francese. I rivoltosi cercarono di resistere, costruirono qualche barricata, chiusero le porte della città... Ma sì, ci voleva altro! Le truppe entrarono in città da tutti i lati, misero posti di blocco in ogni strada di campagna, e quelli che avevano nome d'agitatori furono imprigionati, tranne Cosimo che chi lo pigliava era bravo, e altri pochi con lui.

Il processo ai rivoluzionari fu messo su alle spicce, ma gli imputati riuscirono a dimostrare che non c'entravano niente e che i veri capi erano proprio quelli che se l'erano svignata. Così furono tutti liberati, tanto con le truppe che si fermavano di stanza a Ombrosa non c'era da temere altri subbugli. Si fermò anche un presidio d'Austrosardi, per garantirsi da possibili infiltrazioni del nemico, e al comando d'esso c'era nostro cognato D'Estomac, il marito di Battista, emigrato dalla Francia al seguito del Conte di Provenza.

Mi ritrovai dunque tra i piedi mia sorella Battista, con che piacere vi lascio immaginare. Mi s'installò in casa, col marito ufficiale, i cavalli, le truppe d'ordinanza. Lei passava le serate raccontandoci le ultime esecuzioni capitali di Parigi; anzi, aveva un modellino di ghigliottina, con una vera lama, e per spiegare la fine di tutti i suoi amici e parenti acquistati decapitava lucertole, orbettini, lombrichi ed anche sorci. Così passavamo le serate. Io invidiavo Cosimo che viveva i suoi giorni e le sue notti alla macchia, nascosto in chissà quali boschi.

XXVII

Sulle imprese da lui compiute nei boschi durante la guerra, Cosimo ne raccontò tante, e talmente incredibili, che d'avallare una versione o un'altra io non me la sento. Lascio la parola a lui, riportando fedelmente qualcuno dei suoi racconti:

Nel bosco s'avventuravano pattuglie d'esploratori degli opposti eserciti. Dall'alto dei rami, a ogni passo che sentivo tonfare tra i cespugli, io tendevo l'orecchio per capire se era di Austrosardi o di Francesi.

Un tenentino austriaco, biondo biondo, comandava una pattuglia di soldati in perfetta divisa, con codino e fiocco, tricorno e uosa, bande bianche incrociate, fucile e baionetta, e li faceva marciare in fila per due, cercando di tenere l'allineamento in quegli scoscesi sentieri. Ignaro di come fosse fatto il bosco, ma sicuro d'eseguire a puntino gli ordini ricevuti, l'ufficialetto procedeva secondo le linee tracciate sulla carta, prendendo continuamente delle nasate contro i tronchi, facendo scivolare la truppa con le scarpe chiodate su pietre lisce o cavar gli occhi nei roveti, ma sempre conscio della supremazia delle armi imperiali.

Erano dei magnifici soldati. Io li attendevo al varco nascosto su di un pino. Avevo in mano una pigna da mezzo chilo e la lasciai cadere sulla testa del serrafila. Il fante allargò le braccia, piegò le ginocchia e cadde tra le felci del sottobosco. Nessuno se ne accorse; la squadra continuò la sua marcia.

Li raggiunsi ancora. Questa volta buttai un porcospino appallottolato sul collo d'un caporale. Il caporale reclinò il capo e svenne. Il tenente stavolta osservò il fatto, mandò due uomini a prendere una barella, e proseguì.

La pattuglia, come se lo facesse apposta, andava a impelagarsi nei più fitti gineprai di tutto il bosco. E l'aspettava sempre un nuovo agguato. Avevo raccolto in un cartoccio certi bruchi pelosi, azzurri, che a toccarli facevano gonfiare la pelle peggio dell'ortica, e glie ne feci piovere addosso un centinaio. Il plotone passò, sparì nel folto, riemerse grattandosi, con le mani e i visi tutti bollicine rosse, e marciò avanti.

Meravigliosa truppa e magnifico ufficiale. Tutto nel bosco gli era così estraneo, che non distingueva quel che v'era d'insolito, e proseguiva con gli effettivi decimati, ma sempre fieri e indomabili. Ricorsi allora a una famiglia di gatti selvatici: li lanciavo per la coda, dopo averli mulinati un po' per aria, cosa che li adirava oltre ogni dire. Ci fu molto rumore, specialmente felino, poi silenzio e tregua. Gli austriaci medicavano i feriti. La pattuglia, biancheggiante di bende, riprese la sua marcia.

«Qui l'unica è cercare di farli prigionieri!» mi dissi, affrettandomi a precederli, sperando di trovare una pattuglia francese da avvertire dell'approssimarsi dei nemici. Ma da un pezzo i Francesi su quel fronte sembravano non dar più segno di vita.

Mentre sorpassavo certi luoghi muscosi, vidi muovere qualcosa. Mi soffermai, tesi l'orecchio. Si sentiva una specie d'acciottolio di ruscello, che poi andò scandendosi in un borbottio continuato e ora si potevano distinguere parole come: – *Mais alors... cré-nom-de... foutez-moi-donc... tu m'emmer... quoi...* – Aguzzando gli occhi nella penombra, vidi che quella soffice vegetazione era composta soprattutto di colbacchi pelosi e folti baffi e barbe. Era un plotone di usseri francesi. Impregnatosi d'umidità durante la campagna invernale, tutto il loro pelo andava a primavera fiorendo di muffe e muschio.

Comandava l'avamposto il tenente Agrippa Papillon, da Rouen, poeta, volontario nell'Armata repubblicana. Persuaso della generale bontà della natura, il tenente Papillon non voleva che i suoi soldati si scrollassero gli aghi di pino, i ricci di castagna, i rametti, le foglie, le lumache che s'attaccavano loro addosso nell'attraversare il bosco. E la pattuglia stava già tanto fondendosi con la natura circostante che ci voleva proprio il mio occhio esercitato per scorgerla.

Tra i suoi soldati bivaccanti, l'ufficiale-poeta, coi lunghi capelli inanellati che gli incorniciavano il magro viso sotto il cappello a lucerna, declamava ai boschi: – O foresta! O notte! Eccomi in vostra balìa! Un tenero ramo di capelvenere, avvinghiato alla caviglia di questi prodi soldati, potrà dunque fermare il destino della Francia? O Valmy! Quanto sei lontana!

Mi feci avanti: – *Pardon, citoyen*.

– Che? Chi è là?

– Un patriota di questi boschi, cittadino ufficiale.

– Ah! Qui? Dov'è?

– Dritto sul vostro naso, cittadino ufficiale.

– Vedo! Che è là? Un uomo-uccello, un figlio delle Arpie! Siete forse una creatura mitologica?

– Sono il cittadino Rondò, figlio d'esseri umani, v'assicuro, sia da parte di padre che di madre, cittadino ufficiale. Anzi, ebbi per madre un valoroso soldato, ai tempi delle guerre di Successione.

– Capisco. O tempi, o gloria. Vi credo, cittadino, e sono ansioso d'ascoltare le notizie che sembrate venuto ad annunziarmi.

– Una pattuglia austriaca sta penetrando nelle vostre linee!

– Che dite? È la battaglia! È l'ora! O ruscello, mite ruscello, ecco, tra poco sarai tinto di sangue! Suvvia! All'armi!

Ai comandi del tenente-poeta, gli usseri andavano radunando armi e robe, ma si muovevano in modo così sventato e fiacco, stirandosi, scatarrando, imprecando, che cominciai a esser preoccupato della loro efficienza militare.

– Cittadino ufficiale, avete un piano?

– Un piano? Marciare sul nemico!

– Sì, ma come?

– Come? A ranghi serrati!

– Ebbene, se permettete un consiglio, io terrei i soldati fermi, in ordine sparso, lasciando che la pattuglia nemica s'intrappoli da sé.

Il tenente Papillon era uomo accomodante e non fece obiezioni al mio piano. Gli usseri, sparsi nel bosco, mal si distinguevano da cespi di verzura, e il tenente austriaco certo era il meno adatto ad afferrare questa differenza. La pattuglia imperiale marciava seguendo l'itinerario tracciato sulla carta, con ogni tanto un brusco «per fila destr!» o «per fila sinistr!» Così passarono sotto il naso degli usseri francesi senza accorgersene. Gli usseri, silenziosi, propagando intorno solo rumori naturali come stormir di fronde e frulli d'ali, si disposero in manovra aggirante. Dall'alto degli alberi io segnalavo loro con il fischio della coturnice o il grido della civetta gli spostamenti delle truppe nemiche e le scorciatoie che dovevano prendere. Gli austriaci, all'oscuro di tutto, erano in trappola.

– Alto là! In nome della libertà, fraternità e uguaglianza, vi dichiaro tutti prigionieri! – sentirono gridare tutt'a un tratto, da un albero, ed apparve tra i rami un'ombra umana che brandiva un fucilaccio dalla lunga canna.

– *Urràh! Vive la Nation!* – e tutti i cespugli intorno si rivelarono usseri francesi, con alla testa il tenente Papillon.

Risuonarono cupe imprecazioni austrosarde, ma prima che avessero potuto reagire erano già stati disarmati. Il tenente austriaco, pallido ma a fronte alta, consegnò la spada al collega nemico.

Diventai un prezioso collaboratore dell'Armata repubblicana, ma preferivo far le mie cacce da solo, valendomi dell'aiuto degli animali della foresta, come la volta in cui misi in fuga una colonna austriaca scaraventando loro addosso un nido di vespe.

La mia fama s'era sparsa nel campo austrosardo, amplificata al punto che si diceva che il bosco pullulasse di giacobini armati nascosti in cima agli alberi. Andando, le truppe reali ed imperiali tendevano l'orecchio: al più lieve tonfo di castagna sgranata dal riccio o al più sottile squittìo di scoiattolo, già si vedevano circondati dai giacobini, e cambiavano strada. A questo modo, provocando rumori e fruscii appena percettibili, facevo deviare le colonne piemontesi e austriache e riuscivo a condurle dove volevo.

Un giorno ne portai una in una fitta macchia spinosa, e ve la feci perdere. Nella macchia era nascosta una famiglia di cinghiali; stanati dai monti dove tuonava il cannone, i cinghiali scendevano a branchi a rifugiarsi nei boschi più bassi. Gli austriaci smarriti marciavano senza vedere a un palmo dal naso, e tutt'a un tratto un branco di cinghiali irsuti si levò sotto i loro piedi, emettendo grugniti lancinanti. Proiettati a grifo avanti i bestioni si cacciavano tra le ginocchia d'ogni soldato sbalzandolo in aria, e calpestavano i caduti con una valanga d'appuntiti zoccoli, e infilavano zannate nelle pance. L'intero battaglione fu travolto. Appostato sugli alberi insieme ai miei compagni, li inseguivamo a colpi di fucile. Quelli che tornarono al campo, raccontarono chi d'un terremoto che aveva d'improvviso squassato sotto i loro piedi il terreno spinoso, chi d'una battaglia contro una banda di giacobini scaturiti da sotterra, perché questi giacobini altro non erano che diavoli, mezzo uomo e mezzo bestia, che vivevano o sugli alberi o nel fondo dei cespugli.

V'ho detto che preferivo compiere i miei colpi da solo, o con quei pochi compagni d'Ombrosa rifugiatisi con me nei boschi dopo la vendemmia. Con l'Armata francese cercavo d'aver a che fare meno che potevo, perché gli eserciti si sa come sono, ogni volta che si muovono combinano disastri. Però m'ero affezionato all'avamposto del tenente Papillon, ed ero non poco preoccupato per la sua sorte. Infatti, al plotone comandato dal poeta, l'immobilità del fronte minacciava d'essere fatale. Muschi e licheni crescevano sulle divise dei soldati, e talvolta anche eriche e felci; in cima ai colbacchi facevano il nido gli scriccioli, o spuntavano e fiorivano piante di mughetto; gli stivali si saldavano col terriccio in uno zoccolo compatto: tutto il plotone stava per mettere radici. L'arrendevolezza verso la natura del tenente Agrippa Papillon faceva sprofondare quel manipolo di valorosi in un amalgama animale e vegetale.

Bisognava svegliarli. Ma come? Ebbi un'idea e mi presentai al tenente Papillon per proporgliela. Il poeta stava declamando alla luna.

– O luna! Tonda come una bocca da fuoco, come una palla

di cannone che, esausta ormai la spinta delle polveri, continua la sua lenta traiettoria rotolando silenziosa per i cieli! Quando deflagrerai, luna, sollevando un'alta nube di polvere e faville, sommergendo gli eserciti nemici, e i troni, e aprendo a me una breccia di gloria nel muro compatto della scarsa considerazione in cui mi tengono i miei concittadini! O Rouen! O luna! O sorte! O Convenzione! O rane! O fanciulle! O vita mia!

E io: – *Citoyen...*

Papillon, seccato d'essere sempre interrotto, disse secco: – Ebbene?

– Volevo dire, cittadino ufficiale, che ci sarebbe il sistema di svegliare i vostri uomini da un letargo ormai pericoloso.

– Lo volesse il Cielo, cittadino. Io, come vedete, mi struggo per l'azione. E quale sarebbe questo sistema?

– Le pulci, cittadino ufficiale.

– Mi dispiace disilludervi, cittadino. L'esercito repubblicano non ha pulci. Sono tutte morte d'inedia per le conseguenze del blocco e il carovita.

– Io posso fornirvele, cittadino ufficiale.

– Non so se parlate da senno o per celia. Comunque, farò un esposto ai Comandi superiori, e si vedrà. Cittadino, io vi ringrazio per quello che voi fate per la causa repubblicana! O gloria! O Rouen! O pulci! O luna! – e s'allontanò farneticando.

Compresi che dovevo agire di mia iniziativa. Mi provvidi d'una gran quantità di pulci, e dagli alberi, appena vedevo un ussero francese, con la cerbottana glie ne tiravo una addosso, cercando con la mia precisa mira di fargliela entrare nel colletto. Poi cominciai a cospargerne tutto il reparto, a manciate. Erano missioni pericolose, perché se fossi stato colto sul fatto, a nulla mi sarebbe valsa la fama di patriota: m'avrebbero preso prigioniero, portato in Francia e ghigliottinato come un emissario di Pitt. Invece, il mio intervento fu provvidenziale: il prurito delle pulci riaccese acuto negli usseri l'umano e civile bisogno di grattarsi, di frugarsi, di spidocchiarsi; buttavano all'aria gli indumenti muschiosi, gli zaini ed i fardelli ricoperti di funghi e ragnatele, si lavavano, si radevano, si pettinavano, insomma riprendevano coscienza della loro umanità individuale, e li riguadagnava il senso della civiltà, dell'affrancamento dalla natura bruta. In più li pungeva uno stimolo d'attività, uno zelo, una combattività, da tempo dimenticati. Il momento dell'attacco li trovò pervasi da questo slancio: le Armate della Repubblica ebbero ragione della resistenza nemica, travolsero il fronte, ed avanzarono fino alle vittorie di Dego e di Millesimo...

XXVIII

Da Ombrosa, nostra sorella e l'emigrato D'Estomac scapparono giusto in tempo per non esser catturati dall'esercito repubblicano. Il popolo d'Ombrosa pareva tornato ai giorni della vendemmia. Alzarono l'Albero della Libertà, stavolta più conforme agli esempi francesi, cioè un po' rassomigliante a un albero della cuccagna. Cosimo, manco a dirlo, ci s'arrampicò, col berretto frigio in testa; ma si stancò subito e andò via.

Intorno ai palazzi dei nobili ci fu un po' di chiasso, delle grida: – *Aristò, aristò, alla lanterna, sairà!* – A me, tra che ero fratello di mio fratello e che siamo sempre stati nobili da poco, mi lasciarono in pace; anzi, in seguito mi considerarono pure un patriota (così, quando cambiò di nuovo, ebbi dei guai).

Misero su la *municipalité*, il *maire*, tutto alla francese; mio fratello fu nominato nella giunta provvisoria, sebbene molti non fossero d'accordo, tenendolo in conto di demente. Quelli del vecchio regime ridevano e dicevano che era tutta una gabbia di matti.

Le sedute della giunta si tenevano nell'antico palazzo del governatore genovese. Cosimo s'appollaiava su un carrubo, all'altezza delle finestre e seguiva le discussioni. Alle volte interveniva, vociando, e dava il suo voto. Si sa che i rivoluzionari sono più formalisti dei conservatori: trovavano da ridire, che era un sistema che non andava, che sminuiva il decoro dell'assemblea, e così via, e quando al posto della Repubblica oligarchica di Genova misero su la Repubblica Ligure, nella nuova amministrazione non elessero più mio fratello.

E dire che Cosimo in quel tempo aveva scritto e diffuso un *Progetto di Costituzione per Città Repubblicana con Dichia-*

razione dei Diritti degli Uomini, delle Donne, dei Bambini, degli Animali Domestici e Selvatici, compresi Uccelli Pesci e Insetti, e delle Piante sia d'Alto Fusto sia Ortaggi ed Erbe. Era un bellissimo lavoro, che poteva servire d'orientamento a tutti i governanti; invece nessuno lo prese in considerazione e restò lettera morta.

Ma il più del suo tempo Cosimo lo passava ancora nel bosco, dove gli zappatori del Genio dell'Armata francese aprivano una strada per il trasporto delle artiglierie. Con le lunghe barbe che uscivano di sotto i colbacchi e si perdevano nei grembiuloni di cuoio, gli zappatori erano diversi da tutti gli altri militari. Forse questo dipendeva dal fatto che dietro di sé essi non portavano quella scia di disastri e di sciupìo delle altre truppe, ma invece la soddisfazione di cose che restavano e l'ambizione di farle meglio che potevano. Poi avevano tante cose da raccontare: avevano attraversato nazioni, vissuto assedi e battaglie; alcuni di loro avevano anche visto le gran cose passate là a Parigi, sbastigliamenti e ghigliottine; e Cosimo passava le sere ad ascoltarli. Riposte le zappe e le pale, sedevano attorno a un fuoco, fumando corte pipe e rivangando ricordi.

Di giorno, Cosimo aiutava i tracciatori a delineare il percorso della strada. Nessuno meglio di lui era in grado di farlo: sapeva tutti i passi per cui la carreggiabile poteva passare con minor dislivello e minor perdita di piante. E sempre aveva in mente, più che le artiglierie francesi, i bisogni delle popolazioni di quei paesi senza strade. Almeno, di tutto quel passaggio di soldati rubagalline, ne veniva un vantaggio: una strada fatta a spese loro.

Manco male: perché ormai le truppe occupanti, specie da quando da repubblicane erano diventate imperiali, stavano sullo stomaco a tutti. E tutti andavano a sfogarsi coi patrioti: – Vedete i vostri amici cosa fanno! – E i patrioti, ad allargar le braccia, ad alzare gli occhi al cielo, a rispondere: – Mah! Soldati! Speriamo che passi!

Dalle stalle, i Napoleonici requisivano maiali, mucche, perfino capre. Quanto a tasse e a decime era peggio di prima. In più ci si mise il servizio di leva. Questa d'andar soldato, da noi, nessuno l'ha mai voluta capire: e ı giovani chiamati si rifugiavano nei boschi.

Cosimo faceva quel che poteva per alleviare questi mali: sorvegliava il bestiame nel bosco quando i piccoli proprietari per paura d'una razzia lo mandavano alla macchia; o faceva la guardia per i trasporti clandestini di grano al mulino o d'olive al frantoio, in modo che i Napoleonici non venissero a prendersene una parte; o indicava ai giovani di leva le caverne del bosco dove potevano nascondersi. Insomma, cercava di difendere il popolo dalle prepotenze, ma attacchi contro le truppe occupanti non ne fece mai, sebbene a quel tempo per i boschi cominciassero a girare bande armate di «barbetti» che rendevano la vita difficile ai Francesi. Cosimo, testardo com'era, non voleva mai smentirsi, ed essendo stato amico dei Francesi prima, continuava a pensare di dover essere leale, anche se tante cose erano cambiate ed era tutto diverso da come s'aspettava. Poi bisogna anche tener conto che cominciava a venir vecchio, e non si dava più molto da fare, ormai, né da una parte né dall'altra.

Napoleone andò a Milano a farsi incoronare e poi fece qualche viaggio per l'Italia. In ogni città l'accoglievano con grandi feste e lo portavano a vedere le rarità e i monumenti. A Ombrosa misero nel programma anche una visita al «patriota in cima agli alberi», perché, come succede, a Cosimo qui da noi nessuno gli badava, ma fuori era molto nominato, specie all'estero.

Non fu un incontro alla buona. Era tutta una cosa predisposta dal comitato municipale dei festeggiamenti per far bella figura. Si scelse un bell'albero; lo volevano di quercia, ma quello meglio esposto era di noce, e allora truccarono il noce con un po' di fogliame di quercia, ci misero dei nastri col tricolore francese e il tricolore lombardo, delle coccarde, delle gale. Mio fratello lo fecero appollaiare lassù, vestito da festa ma col caratteristico berretto di pel di gatto, e uno scoiattolo in spalla.

Tutto era fissato per le dieci, c'era un gran cerchio di folla intorno, ma naturalmente fino alle undici e mezza Napoleone non si vide, con gran fastidio di mio fratello che invecchiando cominciava a soffrire alla vescica e ogni tanto doveva nascondersi dietro il tronco a orinare.

Venne l'Imperatore, col seguito tutto beccheggiante di feluche. Era già mezzogiorno, Napoleone guardava su tra i rami verso Cosimo e aveva il sole negli occhi. Cominciò a rivolgere a Cosimo quattro frasi di circostanza: – *Je sais très bien que vous, citoyen...* – e si faceva solecchio, – *... parmi les forêts...* – e faceva il saltino in qua perché il sole non gli battesse proprio sugli occhi, – *parmi les frondaisons de votre luxuriante...* – e faceva un saltino in là perché Cosimo in un inchino d'assenso gli aveva di nuovo scoperto il sole.

Vedendo l'inquietudine di Bonaparte, Cosimo domandò, cortese: – Posso fare qualcosa per voi, *mon Empereur?*

– Sì, sì, – disse Napoleone, – statevene un po' più in qua, ve ne prego, per ripararmi dal sole, ecco, così, fermo... – Poi si tacque, come assalito da un pensiero, e rivolto al Viceré Eugenio: – *Tout cela me rappelle quelque chose... Quelque chose que j'ai déjà vu...*

Cosimo gli venne in aiuto: – Non eravate voi, Maestà: era Alessandro Magno.

– Ah, ma certo! – fece Napoleone. – L'incontro di Alessandro e Diogene!

– *Vous n'oubliez jamais votre Plutarque, mon Empereur*, – disse il Beauharnais.

– Solo che allora, – soggiunse Cosimo, – era Alessandro a domandare a Diogene cosa poteva fare per lui, e Diogene a pregarlo di scostarsi...

Napoleone fece schioccare le dita come avesse finalmente trovato la frase che andava cercando. S'assicurò con un'occhiata che i dignitari del seguito lo stessero ascoltando, e disse, in ottimo italiano: – Se io non era l'Imperator Napoleone, avria voluto ben essere il cittadino Cosimo Rondò!

E si voltò e andò via. Il seguito gli tenne dietro con un gran rumore di speroni.

Tutto finì lì. Ci si sarebbe aspettato che entro una settimana arrivasse a Cosimo la croce della Legion d'Onore. Invece niente. Mio fratello magari se ne infischiava, ma a noi in famiglia avrebbe fatto piacere.

XXIX

La gioventù va via presto sulla terra, figuratevi sugli alberi, donde tutto è destinato a cadere: foglie, frutti. Cosimo veniva vecchio. Tanti anni, con tutte le loro notti passate al gelo, al vento, all'acqua, sotto fragili ripari o senza nulla intorno, circondato dall'aria, senza mai una casa, un fuoco, un piatto caldo... Cosimo era ormai un vecchietto rattrappito, gambe arcuate e braccia lunghe come una scimmia, gibboso, insaccato in un mantello di pelliccia che finiva a cappuccio, come un frate peloso. La faccia era cotta dal sole, rugosa come una castagna, con chiari occhi rotondi tra le grinze.

Alla Beresina l'armata di Napoleone volta in rotta, la squadra inglese in sbarco a Genova, noi passavamo i giorni attendendo le notizie dei rivolgimenti. Cosimo non si faceva vedere a Ombrosa: stava appollaiato su di un pino del bosco, sul ciglio del cammino dell'Artiglieria, là dov'erano passati i cannoni per Marengo, e guardava verso oriente, sul battuto deserto in cui ora soltanto s'incontravano pastori con le capre o muli carichi di legna. Cos'aspettava? Napoleone l'aveva visto, la Rivoluzione sapeva com'era finita, non c'era più da attendersi che il peggio. Eppure stava lì, a occhi fissi, come se da un momento all'altro alla svolta dovesse comparire l'Armata Imperiale ancora ricoperta di ghiaccioli russi, e Bonaparte in sella, il mento malraso chino sul petto, febbricitante, pallido... Si sarebbe fermato sotto il pino (dietro di lui, un confuso smorzarsi di passi, uno sbattere di zaini e fucili a terra, uno scalzarsi di soldati esausti al ciglio della strada, uno sbendar piedi piagati) e avrebbe detto: «Avevi ragione, cittadino Rondò: ridammi le costituzioni da te vergate, ridammi il tuo consiglio che né il Direttorio né il Consolato né l'Impero vollero ascoltare: ricominciamo da capo, rialziamo gli Alberi della Libertà, salviamo la patria universale!» Questi erano certo i sogni, le speranze di Cosimo.

Invece, un giorno, arrancando sul Cammino dell'Artiglieria, da oriente vennero avanti tre figure. Uno, zoppo, si reggeva a una stampella, l'altro aveva il capo in un turbante di bende, il terzo era il più sano perché aveva solo un legaccio nero sopra un occhio. Gli stracci stinti che portavano indosso, i brandelli d'alamari che gli pendevano dal petto, il colbacco senza più il cocuzzolo ma col pennacchio che uno di loro aveva, gli stivali stracciati lungo tutta la gamba, parevano aver appartenuto a uniformi della Guardia napoleonica. Ma armi non ne avevano: ossia uno brandiva un fodero di sciabola vuoto, un altro teneva su una spalla una canna di fucile come un bastone, per reggere un fagotto. E venivano avanti cantando: – *De mon pays... De mon pays... De mon pays...* – come tre ubriachi.

– Ehi, forestieri, – gridò loro mio fratello, – chi siete?

– Guarda che razza d'uccello! Che fai lassù? Mangi pinoli?

E un altro: – Chi vuol darci dei pinoli? Con la fame arretrata che abbiamo, vuol farci mangiare dei pinoli?

– E la sete! La sete che c'è venuta a mangiar neve!

– Siamo il Terzo Reggimento degli Usseri!

– Al completo!

– Tutti quelli che rimangono!

– Tre su trecento: non è poco!

– Per me, sono scampato io e tanto basta!

– Ah, non è ancora detto, la pelle a casa non l'hai ancora portata!

– Ti pigli un canchero!

– Siamo i vincitori d'Austerlitz!

– E i fottuti di Vilna! Allegria!

– Di', uccello parlante, spiegaci dov'è una cantina, da queste parti!

– Abbiamo vuotato le botti di mezza Europa ma la sete non ci passa!

– È perché siamo crivellati dalle pallottole, e il vino cola.

– Tu sei crivellato in quel posto!

– Una cantina che ci faccia credito!

– Passeremo a pagare un'altra volta!

– Paga Napoleone!

– Prrr...

– Paga lo Zar! Ci sta venendo dietro, presentate i conti a lui!

Cosimo disse: – Vino da queste parti niente, ma più in là c'è un ruscello e potete togliervi la sete.

– Annegati tu, nel ruscello, gufo!

– Non avessi perduto il fucile nella Vistola ti avrei già sparato e cotto allo spiedo come un tordo!

– Aspettate: io in questo ruscello vado a metterci a bagno il piede, che mi brucia...

– Per me, lavatici anche il didietro...

Intanto andarono al ruscello tutti e tre, a scalzarsi, mettere i piedi a bagno, lavarsi la faccia e i panni. Il sapone l'ebbero da Cosimo, che era uno di quelli che venendo vecchi diventano puliti, perché li prende quel tanto di schifo di sé che in gioventù non s'avverte; così girava sempre col sapone. Il fresco dell'acqua snebbiò un po' la sbronza dei tre reduci. E passando la sbronza passava l'allegria, li riprendeva la tristezza del loro stato e sospiravano e gemevano; ma in quella tristezza l'acqua limpida diventava una gioia, e ne godevano, cantando: – *De mon pays... De mon pays...*

Cosimo era tornato al suo posto di vedetta sul ciglio della strada. Sentì un galoppo. Ecco che arrivava un drappello di cavalleggeri, sollevando polvere. Vestivano divise mai vedute; e sotto i pesanti colbacchi mostravano certi visi biondi, barbuti, un po' schiacciati, dai socchiusi occhi verdi. Cosimo li salutò col cappello: – Qual buon vento, cavalieri?

Si fermarono. – *Sdrastvuy!* Di', *batjuska*, quanto ce n'è per arrivare?

– *Sdrastvujte*, soldati, – disse Cosimo, che aveva imparato un po' di tutte le lingue e anche del russo, – *Kudà vam?* per arrivare dove?

– Per arrivare dove arriva questa strada...

– Eh, questa strada, arrivare arriva in tanti posti... Voi dove andate?

– *V Pariž.*

– Be', per Parigi ce n'è delle più comode...

– *Niet, nie Pariž. Vo Frantsiu, za Napoleonom. Kudà vedjòt eta doroga?*

– Eh, in tanti posti: Olivabassa, Sassocorto, Trappa...

– *Kak?* Aliviabassa? *Niet, niet.*

– Be', volendo si va anche a Marsiglia...

– *V Marsel... da, da, Marsel... Frantsia..*

– E che ci andate a fare in Francia?

– Napoleone è venuto a far guerra al nostro Zar, e adesso il nostro Zar corre dietro a Napoleone.

– E fin da dove venite?

– *Iz Charkova. Iz Kieva. Iz Rostova.*

– Così ne avete visti di bei posti! E vi piace più qui da noi o in Russia?

– Posti belli, posti brutti, a noi piace la Russia.

Un galoppo, un polverone, e un cavallo si fermò lì, montato da un ufficiale che gridò ai cosacchi: – *Von! Marš! Kto vam pozvolil ostanovitsja?*

– *Do svidanja, batjuska!* – dissero quelli a Cosimo, – *Nam porà...* – e spronarono via.

L'ufficiale era rimasto a piè del pino. Era alto, esile, d'aria nobile e triste; teneva levato il capo nudo verso il cielo venato di nuvole.

– *Bonjour, monsieur,* – disse a Cosimo, – *vous connaissez notre langue?*

– *Da, gospodin ofitsèr,* – rispose mio fratello, – *mais pas mieux que vous le français, quand-même.*

– *Êtes-vous un habitant de ce pays? Étiez-vous ici pendant qu'il y avait Napoléon?*

– *Oui, monsieur l'officier.*

– *Comment ça allait-il?*

– *Vous savez, monsieur, les armées font toujours des dégâts, quelles que soient les idées qu'elles apportent.*

– *Oui, nous aussi nous faisons beaucoup de dégâts... mais nous n'apportons pas d'idées...*

Era malinconico e inquieto, eppure era un vincitore. Cosimo lo prese in simpatia e voleva consolarlo: - *Vous avez vaincu!*

- *Oui. Nous avons bien combattu. Très bien. Mais peut-être...*

S'udì uno scoppio d'urla, un tonfare, un cozzar d'armi. - *Kto tam?* - fece l'ufficiale. Tornarono i cosacchi, e trascinavano per terra dei corpi mezzi nudi, e in mano reggevano qualcosa, nella sinistra (la destra impugnava la larga sciabola ricurva, sguainata e - sì - grondante sangue) e questo qualcosa erano le teste barbute di quei tre ubriaconi d'usseri. - *Frantsuzy! Napoleon!* Tutti ammazzati!

Il giovane ufficiale con secchi ordini li fece portare via. Voltò il capo. Parlò ancora a Cosimo:

- *Vous voyez... La guerre... Il y a plusieurs années que je fais le mieux que je puis une chose affreuse: la guerre... et tout cela pour des idéals que je ne saurais presque expliquer moi-même...*

- Anch'io, - rispose Cosimo, - vivo da molti anni per degli ideali che non saprei spiegare neppure a me stesso: *mais je fais une chose tout à fait bonne: je vis dans les arbres.*

L'ufficiale da melanconico s'era fatto nervoso. - *Alors, -* disse, - *je dois m'en aller.* - Salutò militarmente. - *Adieu, monsieur... Quel est votre nom?*

- *Le Baron Cosme de Rondeau,* - gli gridò dietro Cosimo, che già lui era partito. - *Proščajte, gospodin... Et le vôtre?*

- *Je suis le Prince Andréj...* - e il galoppo del cavallo si portò via il cognome.

XXX

Ora io non so che cosa ci porterà questo secolo decimono-
no, cominciato male e che continua sempre peggio. Grava sull-
l'Europa l'ombra della Restaurazione; tutti i novatori – giacobini o bonapartisti che fossero – sconfitti; l'assolutismo e i gesuiti rianno il campo; gli ideali della giovinezza, i lumi, le speranze del nostro secolo decimottavo, tutto è cenere.

Io confido i miei pensieri a questo quaderno, né saprei altrimenti esprimerli: sono stato sempre un uomo posato, senza
grandi slanci o smanie, padre di famiglia, nobile di casato, illuminato di idee, ossequiente alle leggi. Gli eccessi della politica non m'hanno dato mai scrolloni troppo forti, e spero che
così continui. Ma dentro, che tristezza!

Prima era diverso, c'era mio fratello; mi dicevo: «c'è già
lui che ci pensa» e io badavo a vivere. Il segno delle cose cambiate per me non è stato né l'arrivo degli Austrorussi né l'annessione al Piemonte né le nuove tasse o che so io, ma il non
veder più lui, aprendo la finestra, lassù in bilico. Ora che lui
non c'è, mi pare che dovrei pensare a tante cose, la filosofia,
la politica, la storia, seguo le gazzette, leggo i libri, mi ci rom-
po la testa, ma le cose che voleva dire lui non sono lì, è altro
che lui intendeva, qualcosa che abbracciasse tutto, e non poteva dirla con parole ma solo vivendo come visse. Solo essendo
così spietatamente se stesso come fu fino alla morte, poteva
dare qualcosa a tutti gli uomini.

Ricordo quando s'ammalò. Ce ne accorgemmo perché portò il suo giaciglio sul grande noce là in mezzo alla piazza. Prima, i luoghi dove dormiva li aveva sempre tenuti nascosti, col
suo istinto selvatico. Ora sentiva bisogno d'essere sempre in

vista degli altri. A me si strinse il cuore: avevo sempre pensato che non gli sarebbe piaciuto di morire solo, e quello forse era già un segno. Gli mandammo un medico, su con una scala; quando scese fece una smorfia ed allargò le braccia.

Salii io sulla scala. – Cosimo, – principiai a dirgli, – hai sessantacinque anni passati, come puoi continuare a star lì in cima? Ormai quello che volevi dire l'hai detto, abbiamo capito, è stata una gran forza d'animo la tua, ce l'hai fatta, ora puoi scendere. Anche per chi ha passato tutta la vita in mare c'è un'età in cui si sbarca.

Macché. Fece di no con la mano. Non parlava quasi più. S'alzava, ogni tanto, avvolto in una coperta fin sul capo, e si sedeva su un ramo a godersi un po' di sole. Più in là non si spostava. C'era una vecchia del popolo, una santa donna (forse una sua antica amante), che andava a fargli le pulizie, a portargli piatti caldi. Tenevamo la scala a pioli appoggiata contro il tronco, perché c'era sempre bisogno d'andar su ad aiutarlo, e anche perché si sperava che si decidesse da un momento all'altro a venir giù. (Lo speravano gli altri; io lo sapevo bene come lui era fatto). Intorno, sulla piazza c'era sempre un circolo di gente che gli teneva compagnia, discorrendo tra loro e talvolta anche rivolgendogli una battuta, sebbene si sapesse che non aveva più voglia di parlare.

S'aggravò. Issammo un letto sull'albero, riuscimmo a sistemarlo in equilibrio; lui si coricò volentieri. Ci prese un po' il rimorso di non averci pensato prima: a dire il vero lui le comodità non le rifiutava mica: pur che fosse sugli alberi, aveva sempre cercato di vivere meglio che poteva. Allora ci affrettammo a dargli altri conforti: delle stuoie per ripararlo dall'aria, un baldacchino, un braciere. Migliorò un poco, e gli portammo una poltrona, la assicurammo tra due rami; prese a passarci le giornate, avvolto nelle sue coperte.

Un mattino invece non lo vedemmo né in letto né in poltrona, alzammo lo sguardo, intimoriti: era salito in cima all'albero e se ne stava a cavalcioni d'un ramo altissimo, con indosso solo una camicia.

– Che fai lassù?

Non rispose. Era mezzo rigido. Sembrava stesse là in cima

per miracolo. Preparammo un gran lenzuolo di quelli per raccogliere le olive, e ci mettemmo in una ventina a tenerlo teso, perché ci s'aspettava che cascasse.

Intanto andò su un medico; fu una salita difficile, bisognò legare due scale una sull'altra. Scese e disse: – Vada il prete.

C'eravamo già accordati che provasse un certo Don Pericle, suo amico, prete costituzionale al tempo dei Francesi, iscritto alla Loggia quando ancora non era proibito al clero, e di recente riammesso ai suoi uffici dal Vescovado, dopo molte traversie. Salì coi paramenti e il ciborio, e dietro il chierico. Stette un po' lassù, pareva confabulassero, poi scese. – Li ha presi i sacramenti, allora, Don Pericle?

– No, no, ma dice che va bene, che per lui va bene –. Non si riuscì a cavargli di più.

Gli uomini che tenevano il lenzuolo erano stanchi. Cosimo stava lassù e non si muoveva. Si levò il vento, era libeccio, la vetta dell'albero ondeggiava, noi stavamo pronti. In quella in cielo apparve una mongolfiera.

Certi aeronauti inglesi facevano esperienze di volo in mongolfiera sulla costa. Era un bel pallone, ornato di frange e gale e fiocchi, con appesa una navicella di vimini: e dentro due ufficiali con le spalline d'oro e le aguzze feluche guardavano col cannocchiale il paesaggio sottostante. Puntarono i cannocchiali sulla piazza, osservando l'uomo sull'albero, il lenzuolo teso, la folla, aspetti strani del mondo. Anche Cosimo aveva alzato il capo, e guardava attento il pallone.

Quand'ecco la mongolfiera fu presa da una girata di libeccio; cominciò a correre nel vento vorticando come una trottola, e andava verso il mare. Gli aeronauti, senza perdersi d'animo, s'adoperavano a ridurre – credo – la pressione del pallone e nello stesso tempo srotolarono giù l'ancora per cercare d'afferrarsi a qualche appiglio. L'ancora volava argentea nel cielo appesa a una lunga fune, e seguendo obliqua la corsa del pallone ora passava sopra la piazza, ed era pressapoco all'altezza della cima del noce, tanto che temevamo colpisse Cosimo. Ma non potevamo supporre quello che dopo un attimo avrebbero visto i nostri occhi.

L'agonizzante Cosimo, nel momento in cui la fune dell'ancora gli passò vicino, spiccò un balzo di quelli che gli erano consueti nella sua gioventù, s'aggrappò alla corda, coi piedi sull'ancora e il corpo raggomitolato, e così lo vedemmo volar via, trascinato nel vento, frenando appena la corsa del pallone, e sparire verso il mare...

La mongolfiera, attraversato il golfo, riuscì ad atterrare poi sull'altra riva. Appesa alla corda c'era solo l'ancora. Gli aeronauti, troppo affannati a cercar di tenere una rotta, non s'erano accorti di nulla. Si suppose che il vecchio morente fosse sparito mentre volava in mezzo al golfo.

Così scomparve Cosimo, e non ci diede neppure la soddisfazione di vederlo tornare sulla terra da morto. Nella tomba di famiglia c'è una stele che lo ricorda con scritto: «Cosimo Piovasco di Rondò – Visse sugli alberi – Amò sempre la terra – Salì in cielo».

Ogni tanto scrivendo m'interrompo e vado alla finestra. Il cielo è vuoto, e a noi vecchi d'Ombrosa, abituati a vivere sotto quelle verdi cupole, fa male agli occhi guardarlo. Si direbbe che gli alberi non hanno retto, dopo che mio fratello se n'è andato, o che gli uomini sono stati presi dalla furia della scure. Poi, la vegetazione è cambiata: non più i lecci, gli olmi, le roveri: ora l'Africa, l'Australia, le Americhe, le Indie allungano fin qui rami e radici. Le piante antiche sono arretrate in alto: sopra le colline gli olivi e nei boschi dei monti pini e castagni; in giù la costa è un'Australia rossa d'eucalipti, elefantesca di *ficus*, piante da giardino enormi e solitarie, e tutto il resto è palme, coi loro ciuffi scarmigliati, alberi inospitali del deserto.

Ombrosa non c'è più. Guardando il cielo sgombro, mi domando se davvero è esistita. Quel frastaglio di rami e foglie, biforcazioni, lobi, spiumii, minuto e senza fine, e il cielo solo a sprazzi irregolari e ritagli, forse c'era solo perché ci passasse mio fratello col suo leggero passo di codibugnolo, era un ricamo fatto sul nulla che assomiglia a questo filo d'inchiostro, come l'ho lasciato correre per pagine e pagine, zeppo di cancellature, di rimandi, di sgorbi nervosi, di macchie, di lacune, che a momenti si sgrana in grossi acini chiari, a momenti si infittisce in segni minuscoli come semi puntiformi, ora si ritorce su se stesso, ora si biforca, ora collega grumi di frasi con contorni di foglie o di nuvole, e poi s'intoppa, e poi ripiglia a attorcigliarsi, e corre e corre e si sdipana e avvolge un ultimo grappolo insensato di parole idee sogni ed è finito.

[1957]

Il cavaliere inesistente

I

Sotto le rosse mura di Parigi era schierato l'esercito di Francia. Carlomagno doveva passare in rivista i paladini. Già da più di tre ore erano lì; faceva caldo; era un pomeriggio di prima estate, un po' coperto, nuvoloso; nelle armature si bolliva come in pentole tenute a fuoco lento. Non è detto che qualcuno in quell'immobile fila di cavalieri già non avesse perso i sensi o non si fosse assopito, ma l'armatura li reggeva impettiti in sella tutti a un modo. D'un tratto, tre squilli di tromba: le piume dei cimieri sussultarono nell'aria ferma come a uno sbuffo di vento, e tacque subito quella specie di mugghio marino che s'era sentito fin qui, ed era, si vede, un russare di guerrieri incupito dalle gole metalliche degli elmi. Finalmente ecco, lo scorsero che avanzava laggiù in fondo, Carlomagno, su un cavallo che pareva più grande del naturale, con la barba sul petto, le mani sul pomo della sella. Regna e guerreggia, guerreggia e regna, dài e dài, pareva un po' invecchiato, dall'ultima volta che l'avevano visto quei guerrieri.

Fermava il cavallo a ogni ufficiale e si voltava a guardarlo dal su in giù. – E chi siete voi, paladino di Francia?

– Salomon di Bretagna, sire! – rispondeva quello a tutta voce, alzando la celata e scoprendo il viso accalorato; e aggiungeva qualche notizia pratica, come sarebbe: – Cinquemila cavalieri, tremilacinquecento fanti, milleottocento i servizi, cinque anni di campagna.

– Sotto coi brètoni, paladino! – diceva Carlo, e toc-toc, toc-toc, se ne arrivava a un altro capo di squadrone.

– Ecchisietevòi, paladino di Francia? – riattaccava.

– Ulivieri di Vienna, sire! – scandivano le labbra appena la

307

griglia dell'elmo s'era sollevata. E lì: – Tremila cavalieri scelti, settemila la truppa, venti macchine da assedio. Vincitore del pagano Fierabraccia, per grazia di Dio e gloria di Carlo re dei Franchi!

– Ben fatto, bravo il viennese, – diceva Carlomagno, e agli ufficiali del seguito: – Magrolini quei cavalli, aumentategli la biada. – E andava avanti: – Ecchisietevòi, paladino di Francia? – ripeteva, sempre con la stessa cadenza: «Tàtta-tatatài-tàta-tàta-tatàta...»

– Bernardo di Mompolier, sire! Vincitore di Brunamonte e Galiferno.

– Bella città Mompolier! Città delle belle donne! – e al seguito: – Vedi se lo passiamo di grado –. Tutte cose che dette dal re fanno piacere, ma erano sempre le stesse battute, da tanti anni.

– Ecchisietevòi, con quello stemma che conosco? – Conosceva tutti dall'arma che portavano sullo scudo, senza bisogno che dicessero niente, ma così era l'usanza che fossero loro a palesare il nome e il viso. Forse perché altrimenti qualcuno, avendo di meglio da fare che prender parte alla rivista, avrebbe potuto mandar lì la sua armatura con un altro dentro.

– Alardo di Dordona, del duca Amone...

– In gamba Alardo, cosa dice il papà, – e così via. «Tàtta-tatatài-tàta-tàta-tatàta...».

– Gualfré di Mongioja! Cavalieri ottomila tranne i morti!

Ondeggiavano i cimieri. – Uggeri Danese! Namo di Baviera! Palmerino d'Inghilterra!

Veniva sera. I visi, di tra la ventaglia e la bavaglia, non si distinguevano neanche più tanto bene. Ogni parola, ogni gesto era prevedibile ormai, e così tutto in quella guerra durata da tanti anni, ogni scontro, ogni duello, condotto sempre secondo quelle regole, cosicché si sapeva già oggi per domani chi avrebbe vinto, chi perso, chi sarebbe stato eroe, chi vigliacco, a chi toccava di restare sbudellato e chi se la sarebbe cavata con un disarcionamento e una culata in terra. Sulle corazze, la sera al lume delle torce i fabbri martellavano sempre le stesse ammaccature.

– E voi? – Il re era giunto di fronte a un cavaliere dall'ar-

matura tutta bianca; solo una righina nera correva torno torno ai bordi; per il resto era candida, ben tenuta, senza un
graffio, ben rifinita in ogni giunto, sormontata sull'elmo da
un pennacchio di chissà che razza orientale di gallo, cangiante
d'ogni colore dell'iride. Sullo scudo c'era disegnato uno stemma tra due lembi d'un ampio manto drappeggiato, e dentro lo
stemma s'aprivano altri due lembi di manto con in mezzo uno
stemma più piccolo, che conteneva un altro stemma amman-
tato più piccolo ancora. Con disegno sempre più sottile era
raffigurato un seguito di manti che si schiudevano uno dentro
l'altro, e in mezzo ci doveva essere chissà che cosa, ma non si
riusciva a scorgere, tanto il disegno diventava minuto. – E voi
lì, messo su così in pulito... – disse Carlomagno che, più la
guerra durava, meno rispetto della pulizia nei paladini gli capitava di vedere.

– Io sono, – la voce giungeva metallica da dentro l'elmo
chiuso, come fosse non una gola ma la stessa lamiera dell'armatura a vibrare, e con un lieve rimbombo d'eco, – Agilulfo
Emo Bertrandino dei Guildiverni e degli Altri di Corbentraz e
Sura, cavaliere di Selimpia Citeriore e Fez!

– Aaah... – fece Carlomagno e dal labbro di sotto, sporto
avanti, gli uscì anche un piccolo strombettio, come a dire:
«Dovessi ricordarmi il nome di tutti, starei fresco!» Ma subito aggrottò le ciglia. – E perché non alzate la celata e non mostrate il vostro viso?

Il cavaliere non fece nessun gesto; la sua destra inguantata
d'una ferrea e ben connessa manopola si serrò più forte all'ar-
cione, mentre l'altro braccio, che reggeva lo scudo, parve
scosso come da un brivido.

– Dico a voi, ehi, paladino! – insisté Carlomagno. – Com'è
che non mostrate la faccia al vostro re?

La voce uscì netta dal barbazzale. – Perché io non esisto,
sire.

– O questa poi! – esclamò l'imperatore. – Adesso ci abbiamo in forza anche un cavaliere che non esiste! Fate un po' vedere.

Agilulfo parve ancora esitare un momento, poi con mano
ferma ma lenta sollevò la celata. L'elmo era vuoto. Nell'ar-

matura bianca dall'iridescente cimiero non c'era dentro nessuno.

– Mah, mah! Quante se ne vedono! – fece Carlomagno. – E com'è che fate a prestar servizio, se non ci siete?

– Con la forza di volontà, – disse Agilulfo, – e la fede nella nostra santa causa!

– E già, e già, ben detto, è così che si fa il proprio dovere. Be', per essere uno che non esiste, siete in gamba!

Agilulfo era il serrafila. L'imperatore ormai aveva passato la rivista a tutti; voltò il cavallo e s'allontanò verso le tende reali. Era vecchio, e tendeva ad allontanare dalla mente le questioni complicate.

La tromba suonò il segnale del «rompete le righe». Ci fu il solito sbandarsi di cavalli, e il gran bosco delle lance si piegò, si mosse a onde come un campo di grano quando passa il vento. I cavalieri scendevano di sella, muovevano le gambe per sgranchirsi, gli scudieri portavano via i cavalli per la briglia. Poi, dall'accozzaglia e il polverone si staccarono i paladini, aggruppati in capannelli svettanti di cimieri colorati, a dar sfogo alla forzata immobilità di quelle ore in scherzi ed in bravate, in pettegolezzi di donne e onori.

Agilulfo fece qualche passo per mischiarsi a uno di questi capannelli, poi senz'alcun motivo passò a un altro, ma non si fece largo e nessuno badò a lui. Restò un po' indeciso dietro le spalle di questo o di quello, senza partecipare ai loro dialoghi, poi si mise in disparte. Era l'imbrunire; sul cimiero le piume iridate ora parevano tutte d'un unico indistinto colore; ma l'armatura bianca spiccava isolata lì sul prato. Agilulfo, come se tutt'a un tratto si sentisse nudo, ebbe il gesto d'incrociare le braccia e stringersi le spalle.

Poi si riscosse e, di gran passo, si diresse verso gli stallaggi. Giunto là, trovò che il governo dei cavalli non veniva compiuto secondo le regole, sgridò gli staffieri, inflisse punizioni ai mozzi, ispezionò tutti i turni di corvè, ridistribuì le mansioni spiegando minuziosamente a ciascuno come andavano eseguite e facendosi ripetere quel che aveva detto per vedere se avevano capito bene. E siccome ogni momento venivano a galla le negligenze nel servizio dei colleghi ufficiali paladini, li chiamava a uno a uno, sottraendoli alle dolci conversazioni oziose della sera, e contestava con discrezione ma con ferma esattezza le loro mancanze, e li obbligava uno ad andare di picchetto, uno di scolta, l'altro giù di pattuglia, e così via. Aveva sempre ragione, e i paladini non potevano sottrarsi, ma non nascondevano il loro malcontento. Agilulfo Emo Bertrandino dei Guildiverni e degli Altri di Corbentraz e Sura, cavaliere di Selimpia Citeriore e Fez era certo un modello di soldato; ma a tutti loro era antipatico.

II

La notte, per gli eserciti in campo, è regolata come il cielo
stellato: i turni di guardia, l'ufficiale di scolta, le pattuglie.
Tutto il resto, la perpetua confusione dell'armata in guerra, il
brulichio diurno dal quale l'imprevisto può saltar fuori come
l'imbizzarrirsi d'un cavallo, ora tace, poiché il sonno ha vinto
tutti i guerrieri ed i quadrupedi della Cristianità, questi in fila
e in piedi, a tratti sfregando uno zoccolo in terra o dando un
breve nitrito o raglio, quelli finalmente sciolti dagli elmi e dalle corazze, e, soddisfatti a ritrovarsi persone umane distinte e
inconfondibili, eccoli già lì tutti che russano.

Dall'altra parte, al campo degli Infedeli, tutto uguale: gli
stessi passi avanti e indietro delle sentinelle, il capoposto che
vede scorrere l'ultima sabbia nella clessidra e va a destare gli
uomini del cambio, l'ufficiale che approfitta della notte di veglia per scrivere alla sposa. E le pattuglie cristiana ed infedele
s'inoltrano entrambe mezzo miglio, arrivano fin quasi al bosco ma poi svoltano, una in qua l'altra in là senza incontrarsi
mai, fanno ritorno al campo a riferire che tutto è calmo, e
vanno a letto. Le stelle e la luna scorrono silenziose sui due
campi avversi. In nessun posto si dorme bene come nell'esercito.

Solo ad Agilulfo questo sollievo non era dato. Nell'armatura bianca, imbardata di tutto punto, sotto la sua tenda, una
delle più ordinate e confortevoli del campo cristiano, provava
a tenersi supino, e continuava a pensare: non i pensieri oziosi
e divaganti di chi sta per prender sonno, ma sempre ragionamenti determinati e esatti. Dopo poco si sollevava su di un gomito: sentiva il bisogno d'applicarsi a una qualsiasi occupa-

zione manuale, come il lucidare la spada, che già era ben splendente, o l'ungere di grasso i giunti dell'armatura. Non durava a lungo: ecco che già s'alzava, ecco che usciva dalla tenda, imbracciando lancia e scudo, e la sua ombra biancheggiante trascorreva per l'accampamento. Dalle tende a cono si levava il concerto dei pesanti respiri degli addormentati. Cosa fosse quel poter chiudere gli occhi, perdere coscienza di sé, affondare in un vuoto delle proprie ore, e poi svegliandosi ritrovarsi eguale a prima, a riannodare i fili della propria vita, Agilulfo non lo poteva sapere, e la sua invidia per la facoltà di dormire propria delle persone esistenti era un'invidia vaga, come di qualcosa che non si sa nemmeno concepire. Lo colpiva e inquietava di più la vista dei piedi ignudi che spuntavano qua e là dall'orlo delle tende, gli alluci verso l'alto: l'accampamento nel sonno era il regno dei corpi, una distesa di vecchia carne d'Adamo, esalante il vino bevuto e il sudore della giornata guerresca; mentre sulla soglia dei padiglioni giacevano scomposte le vuote armature, che gli scudieri e i famigli avrebbero al mattino lustrato e messo a punto. Agilulfo passava, attento, nervoso, altero: il corpo della gente che aveva un corpo gli dava sì un disagio somigliante all'invidia, ma anche una stretta che era d'orgoglio, di superiorità sdegnosa. Ecco i colleghi tanto nominati, i gloriosi paladini, che cos'erano? L'armatura, testimonianza del loro grado e nome, delle imprese compiute, della potenza e del valore, eccola ridotta a un involucro, a una vuota ferraglia; e le persone lì a russare, la faccia schiacciata nel guanciale, un filo di bava giù dalle labbra aperte. Lui no, non era possibile scomporlo in pezzi, smembrarlo: era e restava a ogni momento del giorno e della notte Agilulfo Emo Bertrandino dei Guildiverni e degli Altri di Corbentraz e Sura, armato cavaliere di Selimpia Citeriore e Fez il giorno tale, avente per la gloria delle armi cristiane compiuto le azioni tale e tale e tale, e assunto nell'esercito dell'imperatore Carlomagno il comando delle truppe tali e talaltre. E possessore della più bella e candida armatura di tutto il campo, inseparabile da lui. E ufficiale migliore di molti che pur menano vanti così illustri; anzi, il migliore di tutti gli ufficiali. Eppure passeggiava infelice nella notte.

Udì una voce: – Sor ufficiale, chiedo scusa, ma quand'è che arriva il cambio? M'hanno piantato qui già da tre ore! – Era una sentinella che s'appoggiava alla lancia come avesse il torcibudella.

Agilulfo non si voltò neppure; disse: – Ti sbagli, non sono io l'ufficiale di scolta, – e passò avanti.

– Perdonatemi, sor ufficiale. Vedendovi girare per di qui, mi credevo...

La più piccola manchevolezza nel servizio dava ad Agilulfo la smania di controllar tutto, di trovare altri errori e negligenze nell'operato altrui, la sofferenza acuta per ciò che è fatto male, fuori posto... Ma non essendo nei suoi compiti eseguire un'ispezione del genere a quell'ora, anche il suo contegno sarebbe stato da considerare fuori posto, addirittura indisciplinato. Agilulfo cercava di trattenersi, di limitare il suo interesse a questioni particolari cui comunque l'indomani gli sarebbe toccato accudire, come l'ordinamento di certe rastrelliere dove si conservavano le lance, o i dispositivi per tenere il fieno in secco... Ma la sua bianca ombra capitava sempre tra i piedi al capoposto, all'ufficiale di servizio, alla pattuglia che rovistava nella cantina cercando una damigianetta di vino avanzata dalla sera prima... Ogni volta, Agilulfo aveva un momento d'incertezza, se doveva comportarsi come chi sa imporre con la sola sua presenza il rispetto dell'autorità o come chi, trovandosi dove non ha ragione di trovarsi, fa un passo indietro, discreto, e finge di non esserci. In questa incertezza, si fermava, pensieroso: e non riusciva a prendere né l'uno né l'altro atteggiamento; sentiva solo di dar fastidio a tutti e avrebbe voluto far qualcosa per entrare in un rapporto qualsiasi col prossimo, per esempio mettersi a gridare degli ordini, degli improperi da caporale, o sghignazzare e dire parolacce come tra compagni d'osteria. Invece mormorava qualche parola di saluto malintelligibile, con una timidezza mascherata da superbia, o una superbia corretta da timidezza, e passava avanti; ma ancora gli pareva che quelli gli avessero rivolto la parola, e si voltava appena dicendo: – Eh? – ma poi immediatamente si convinceva che non era a lui che parlavano e andava via come scappasse.

Avanzava ai margini del campo, in luoghi solitari, su per un'altura spoglia. La notte calma era percorsa soltanto dal soffice volo di piccole ombre informi dalle ali silenziose, che si muovevano intorno senza una direzione nemmeno momentanea: i pipistrelli. Anche quel loro misero corpo incerto tra il topo ed il volatile era pur sempre qualcosa di tangibile e sicuro, qualcosa con cui si poteva sbatacchiare per l'aria a bocca aperta inghiottendo zanzare, mentre Agilulfo con tutta la sua corazza era attraversato a ogni fessura dagli sbuffi del vento, dal volo delle zanzare e dai raggi della luna. Una rabbia indeterminata, che gli era cresciuta dentro, esplose tutt'a un tratto: trasse la spada dal fodero, l'afferrò a due mani, l'avventò in aria con tutte le forze contro ogni pipistrello che s'abbassava. Nulla: continuavano il loro volo senza principio né fine, appena scossi dallo spostamento d'aria. Agilulfo mulinava colpi su colpi; ormai non cercava nemmeno più di colpire i pipistrelli; e i suoi fendenti seguivano traiettorie più regolari, s'ordinavano secondo i modelli della scherma con lo spadone; ecco che Agilulfo aveva preso a fare gli esercizi come si stesse addestrando per il prossimo combattimento e sciorinava la teoria delle traverse, delle parate, delle finte.

Si fermò d'un tratto. Un giovane era sbucato da una siepe, lì sull'altura, e lo guardava. Era armato solo d'una spada e aveva il petto cinto d'una lieve corazza.

– Oh, cavaliere! – esclamò. – Non volevo interrompervi! È per la battaglia che vi esercitate? Perché ci sarà battaglia alle prime luci del mattino, è vero? Permettete che io faccia esercizio con voi? – E, dopo un silenzio: – Sono arrivato al campo ieri... Sarà la prima battaglia, per me... È tutto così diverso da come m'aspettavo...

Agilulfo stava ora di sbieco, la spada stretta al petto, a braccia conserte, tutto chiuso dietro lo scudo. – Le disposizioni per un eventuale scontro armato, deliberate dal comando, vengono comunicate ai signori ufficiali e alla truppa un'ora prima dell'inizio delle operazioni, – disse.

Il giovane restò un po' confuso, come frenato nel suo slancio, ma, vinto un leggero balbettio, riprese, col calore di prima: – È che io, ecco, sono arrivato ora... per vendicare mio padre... E vorrei che mi fosse detto, da voi anziani, per favore, come devo fare a trovarmi in battaglia di fronte a quel cane pagano dell'argalif Isoarre, sì, proprio lui, e spezzargli la lancia nelle costole, tal quale egli ha fatto col mio eroico genitore, che Dio l'abbia sempre in gloria, il defunto marchese Gherardo di Rossiglione!

– È semplicissimo, ragazzo, – disse Agilulfo, e anche nella sua voce ora c'era un certo calore, il calore di chi conoscendo a menadito i regolamenti e gli organici gode a dimostrare la propria competenza e anche a confondere l'impreparazione altrui, – devi fare domanda alla Sovrintendenza ai Duelli, alle Vendette e alle Macchie dell'Onore, specificando i motivi della tua richiesta, e sarà studiato come meglio metterti in condizione d'avere la soddisfazione voluta.

Il giovane, che s'aspettava almeno un segno di meravigliata reverenza al nome di suo padre, restò mortificato per il tono prima che per il senso del discorso. Poi cercò di riflettere alle parole che il cavaliere gli aveva detto, ma ancora per negarle dentro di sé e tener vivo il suo entusiasmo. – Ma, cavaliere, non è delle sovrintendenze che mi preoccupo, voi mi comprendete, è perché mi chiedo se in battaglia il coraggio che mi sento, l'accanimento che mi basterebbe a sbudellare non uno ma cento infedeli, e anche la mia bravura nelle armi, perché sono ben addestrato, sapete? dico se là in quella gran mischia, prima d'essermi orizzontato, non so... Se non trovo quel cane, se mi sfugge, vorrei sapere com'è che fate voi in questi casi, cavaliere, ditemi, quando nella battaglia è in ballo una questione vostra, una questione assoluta per voi e voi solo...

Agilulfo rispose secco: – Mi attengo strettamente alle disposizioni. Fa' anche tu così e non sbaglierai.

– Perdonatemi, – fece il ragazzo, e se ne stava lì come intirizzito, – non volevo importunarvi. Mi sarebbe piaciuto fare qualche esercizio alla spada con voi, con un paladino! Perché, sapete, io nella scherma sono bravo, ma alle volte, al mattino presto, i muscoli sono come intorpiditi, freddi, non scattano come vorrei. Succede anche a voi?

– A me no, – disse Agilulfo, e già gli voltava le spalle, se ne andava.

Il giovane prese per gli accampamenti. Era l'ora incerta che precede l'alba. Si notava tra i padiglioni un primo muoversi di gente. Già prima della sveglia gli stati maggiori erano in piedi. Alle tende dei comandi e delle fureria s'accendevano le torce, a contrastare con la mezzaluce che filtrava dal cielo. Era giorno di battaglia davvero, questo che cominciava, come già dalla sera correva voce? Il nuovo arrivato era in preda all'eccitazione, ma un'eccitazione diversa da quella che s'aspettava, da quella che l'aveva portato fin lì; o meglio: era un'ansia di ritrovare terra sotto i piedi, ora che pareva che tutto quel che toccava suonasse vuoto.

Incontrava paladini già chiusi nelle loro corazze lustre, negli sferici elmi impennacchiati, il viso coperto dalla celata. Il ragazzo si voltava a guardarli e gli veniva voglia d'imitare il loro portamento, il loro fiero modo di girarsi sulla vita, corazza elmo spallacci come fossero un pezzo solo. Eccolo tra i paladini invincibili, eccolo pronto a emularli in battaglia, armi alla mano, a diventare come loro! Ma i due che egli stava seguendo, invece di montare a cavallo, si mettevano a sedere dietro un tavolo ingombro di carte: erano certo due grandi comandanti. Il giovane corse a presentarsi a loro: – Io sono Rambaldo di Rossiglione, baccelliere, del fu marchese Gherardo! Son venuto ad arruolarmi per vendicare mio padre, morto da eroe sotto le mura di Siviglia!

I due portano le mani all'elmo piumato, lo sollevano staccando la barbuta dalla gorgera, e lo posano sul tavolo. E sotto gli elmi appaiono due teste calve, gialline, due facce dalla pelle un po' molle, tutta borse, e certi smunti baffi: due facce da scrivani, da vecchi funzionari imbrattacarte. – Rossiglione, Rossiglione, – fanno, scorrendo certi rotoli con dita umettate di saliva. – Ma se t'abbiamo già immatricolato ieri! Cosa vuoi? Perché non sei col tuo reparto?

– Niente, non so, stanotte non sono riuscito a prender sonno, il pensiero della battaglia, io devo vendicare mio padre, sapete, devo uccidere l'argalif Isoarre e così cercare... Ecco: la Sovrintendenza ai Duelli, alle Vendette e alle Macchie dell'Onore, dove si trova?

– Appena arrivato, questo qui, senti già cosa viene a tirar fuori! Ma cosa ne sai tu della sovrintendenza?

– Me l'ha detto quel cavaliere, come si chiama, quello con l'armatura tutta bianca...

– Uff! Ci mancava anche lui! Figuriamoci se quello non ficca dappertutto il naso che non ha!

– Come? Non ha naso?

– Visto che a lui la rogna certo non gli viene, – disse l'altro dei due dietro al tavolo, – non trova di meglio che grattare le rogne agli altri.

– Perché non gli viene la rogna?

– E in che posto vuoi che gli venga se non ci ha nessun posto? Quello è un cavaliere che non c'è...

– Ma come non c'è? L'ho visto io! C'era!

– Cos'hai visto? Ferraglia... È uno che c'è senza esserci, capisci, pivello?

Mai il giovane Rambaldo avrebbe immaginato che l'apparenza potesse rivelarsi così ingannatrice: dal momento in cui era giunto al campo scopriva che tutto era diverso da come sembrava...

– Dunque nell'esercito di Carlomagno si può esser cavaliere con tanto di nome e titoli e per di più prode combattente e zelante ufficiale, senza bisogno di esistere!

– Piano! Nessuno ha detto: nell'esercito di Carlomagno si può eccetera. Abbiamo solo detto: nel nostro reggimento c'è un cavaliere così e così. Questo è tutto. Ciò che può esserci o non esserci in linea generale, non interessa a noi. Hai capito?

Rambaldo si diresse al padiglione della Sovrintendenza ai Duelli, alle Vendette e alle Macchie dell'Onore. Ormai non si lasciava più ingannare dalle corazze e dagli elmi piumati: capiva che dietro a quei tavoli le armature celavano ometti segaligni e polverosi. E ancora grazie che c'era dentro qualcuno!

– Così, vuoi vendicare tuo padre, marchese di Rossiglione, di grado generale! Vediamo: per vendicare un generale, la procedura migliore è far fuori tre maggiori. Potremmo assegnartene tre facili, e sei a posto.

– Non mi sono spiegato bene: è Isoarre l'argalif che devo

ammazzare. È lui in persona che ha atterrato il mio glorioso padre!

– Sì, sì, abbiamo capito, ma buttar giù un argalif non crederai mica che sia una cosa semplice... Vuoi quattro capitani? ti garantiamo quattro capitani infedeli in mattinata. Guarda che quattro capitani si dànno per un generale d'armata, e tuo padre era generale di brigata soltanto.

– Io cercherò Isoarre e lo sbudellerò! Lui, lui solo!

– Tu finirai agli arresti, non in battaglia, sta' sicuro! Rifletti un poco prima di parlare! Se ti facciamo delle difficoltà per Isoarre, ci sarà pure la sua ragione... Se il nostro imperatore per esempio ci avesse con Isoarre qualche trattativa in corso...

Ma uno di quei funzionari, che era stato fin allora col capo sprofondato nelle carte, s'alzò giulivo: – Tutto risolto! Tutto risolto! Non c'è bisogno di far niente! Macché vendetta, non serve! Ulivieri, l'altro giorno, credendo i suoi due zii morti in battaglia, li ha vendicati! Invece erano rimasti ubriachi sotto un tavolo! Ci troviamo con queste due vendette di zio in più, un bel pasticcio. Ora tutto va a posto: una vendetta di zio noi la contiamo come mezza vendetta di padre: è come se ci avessimo una vendetta di padre in bianco, già eseguita.

– Ah, padre mio! – Rambaldo dava in smanie.

– Ma che ti piglia?

Era suonata la sveglia. Il campo, nella prima luce, pullulava d'armati. Rambaldo avrebbe voluto mischiarsi a quella folla che a poco a poco prendeva forma di drappelli e compagnie inquadrate, ma gli pareva che quel cozzar di ferro fosse come un vibrare d'elitre d'insetti, un crepitio d'involucri secchi. Molti dei guerrieri erano chiusi nell'elmo e nella corazza fino alla cintola e sotto i fiancali e il guardareni spuntavano le gambe in brache e calze, perché cosciali e gamberuoli e ginocchiere si aspettava a metterli quando si era in sella. Le gambe, sotto quel torace d'acciaio, parevano più sottili, come zampe di grillo; e il modo che essi avevano di muovere, parlando, le teste rotonde e senz'occhi, e anche di tener ripiegate le braccia ingombre di cubitiere e paramani era da grillo o da formica; e così tutto il loro affaccendarsi pareva un indistinto zampettio d'insetti. In mezzo a loro, gli occhi di Rambaldo andarono cercando qualcosa: era la bianca armatura di Agilulfo che egli sperava di rincontrare, forse perché la sua apparizione avrebbe reso più concreto il resto dell'esercito, oppure perché la presenza più solida che egli avesse incontrato era proprio quella del cavaliere inesistente.

Lo scorse sotto un pino, seduto per terra, che disponeva le piccole pigne cadute al suolo secondo un disegno regolare, un triangolo isoscele. A quell'ora dell'alba, Agilulfo aveva sempre bisogno d'applicarsi a un esercizio d'esattezza: contare oggetti, ordinarli in figure geometriche, risolvere problemi d'aritmetica. È l'ora in cui le cose perdono la consistenza d'ombra che le ha accompagnate nella notte e riacquistano poco a poco i colori, ma intanto attraversano come un limbo incerto, appena sfiorate e quasi alonate dalla luce: l'ora in cui meno si è sicuri dell'esistenza del mondo. Agilulfo, lui, aveva sempre bisogno di sentirsi di fronte le cose come un muro massiccio al quale contrapporre la tensione della sua volontà, e solo così riusciva a mantenere una sicura coscienza di sé. Se invece il mondo intorno sfumava nell'incerto, nell'ambiguo, anch'egli si sentiva annegare in questa morbida penombra, non riusciva più a far affiorare dal vuoto un pensiero distinto, uno scatto di decisione, un puntiglio. Stava male: erano quelli i momenti in cui si sentiva venir meno; alle volte solo a costo d'uno sforzo estremo riusciva a non dissolversi. Allora si metteva a contare: foglie, pietre, lance, pigne, qualsiasi cosa avesse davanti. O a metterle in fila, a ordinarle in quadrati o in piramidi. L'applicarsi a queste esatte occupazioni gli permetteva di vincere il malessere, d'assorbire la scontentezza, l'inquietudine e il marasma, e di riprendere la lucidità e compostezza abituali.

Così lo vide Rambaldo, mentre con mosse assorte e rapide disponeva le pigne in triangolo, poi in quadrati sui lati del triangolo e sommava con ostinazione le pigne dei quadrati dei cateti confrontandole a quelle del quadrato dell'ipotenusa. Rambaldo comprendeva che qui tutto andava avanti a rituali, a convenzioni, a formule, e sotto a questo, cosa c'era sotto? Si sentiva preso da uno sgomento indefinibile, a sapersi fuori di tutte queste regole del gioco... Ma poi, anche il suo voler compiere vendetta della morte di suo padre, anche questo suo ardore di combattere, d'arruolarsi tra i guerrieri di Carlomagno, non era pur esso un rituale per non sprofondare nel nulla, come quel levare e metter pigne del cavalier Agilulfo? E oppresso dal turbamento di così inattese questioni, il giovane Rambaldo si gettò a terra e scoppiò a piangere.

Sentì qualcosa posarglisi sui capelli, una mano, una mano di ferro, ma leggera. Agilulfo era inginocchiato accanto a lui.

– Che hai, ragazzo? Perché piangi?

Gli stati di smarrimento o di disperazione o di furore negli altri esseri umani davano immediatamente ad Agilulfo una calma e una sicurezza perfette. Il sentirsi immune dai trasalimenti e dalle angosce cui soggiacciono le persone esistenti lo portava a prendere un'attitudine superiore e protettiva.

– Perdonatemi, – fece Rambaldo, – forse è stanchezza. In tutta la notte non sono riuscito a chiuder occhio, e ora mi ritrovo come smarrito. Potessi assopirmi almeno un momento... Ma ormai è giorno. E voi, che pure avete vegliato, come fate?

– Io mi ritroverei smarrito se m'assopissi anche solo per un istante, – disse piano Agilulfo, – anzi non mi ritroverei più per nulla, mi perderei per sempre. Perciò trascorro ben desto ogni attimo del giorno e della notte.

– Dev'esser brutto...

– No –. La voce era tornata secca, forte.

– E l'armatura non ve la togliete mai d'indosso?

Tornò a mormorare. – Non c'è un indosso. Togliere o mettere per me non ha senso.

Rambaldo aveva alzato il capo e guardava nelle fessure della celata, come cercasse in quel buio la scintilla d'uno sguardo.

– E com'è?

– E com'è altrimenti?

La mano di ferro dell'armatura bianca era posata ancora sui capelli del giovane. Rambaldo la sentiva appena pesare sulla sua testa, come una cosa, senza che gli comunicasse alcun calore di vicinanza umana, consolatrice o fastidiosa che fosse, eppure avvertiva come una tesa ostinazione che si propagava in lui.

III

Carlomagno cavalcava alla testa dell'esercito dei Franchi. Erano in marcia d'avvicinamento; non c'era fretta; non s'andava tanto svelti. Attorno all'imperatore facevano gruppo i paladini, frenando per il morso gli impetuosi cavalli; e in quel caracollare e dar di gomito i loro argentei scudi s'alzavano e s'abbassavano come branchie d'un pesce. A un lungo pesce tutto scaglie somigliava l'esercito: a un'anguilla.

Contadini, pastori, borghigiani accorrevano ai bordi della strada. – Quello è il re, quello è Carlo! – e s'inchinavano giù a terra, ravvisandolo, più che dalla poco familiare corona, dalla barba. Poi subito si tiravano su per riconoscere i guerrieri: – Quello è Orlando! Ma no, quello è Ulivieri! – Non ne imbroccavano uno, ma tanto era lo stesso, perché questo o quell'altro lì c'erano tutti e potevano sempre giurare d'aver visto chi volevano.

Agilulfo, cavalcando nel gruppo, ogni tanto spiccava una piccola corsa avanti, poi si fermava ad aspettare gli altri, si girava indietro a controllare che la truppa seguisse compatta, o si voltava verso il sole come calcolando dall'altezza sull'orizzonte l'ora. Era impaziente. Lui solo, lì in mezzo, aveva in mente l'ordine di marcia, le tappe, il luogo al quale dovevano arrivare avanti notte. Quegli altri paladini, ma sì, marcia d'avvicinamento, andar forte o andar piano è sempre avvicinarsi, e con la scusa che l'imperatore è vecchio e stanco a ogni taverna erano pronti a fermarsi per bere. Altro per via non vedevano che insegne di taverne e deretani di serve, tanto per dire quattro impertinenze; per il resto, viaggiavano come chiusi in un baule.

322

Carlomagno era ancora quello che provava più curiosità per tutte le specie di cose che si vedevano in giro. – Uh, le anatre, le anatre! – esclamava. Ne andava, per i prati lungo la strada, un branco. In mezzo a quelle anatre, era un uomo, ma non si capiva cosa diavolo facesse: camminava accoccolato, le mani dietro la schiena, alzando i piedi di piatto come un palmipede, col collo teso, e dicendo: – Quà... quà... quà... – Le anatre non gli badavano nemmeno, come se lo riconoscessero per uno di loro. E a dire il vero, tra l'uomo e le anatre lo sguardo non faceva gran distacco, perché la roba che aveva indosso l'uomo, d'un colore bruno terroso (pareva messa insieme, in gran parte, con pezzi di sacco), presentava larghe zone d'un grigio verdastro preciso alle lor penne, e in più c'erano toppe e brandelli e macchie dei più vari colori, come le striature iridate di quei volatili.

– Ehi, tu, ti par questa la maniera d'inchinarti all'imperatore? – gli gridarono i paladini, sempre pronti a grattar rogne.

L'uomo non si voltò, ma le anatre, spaventate da quelle voci, frullarono su a volo tutte insieme. L'uomo tardò un momento a guardarle levarsi, naso all'aria, poi aperse le braccia, spiccò un salto, e così spiccando salti e starnazzando con le braccia spalancate da cui pendevano frange di sbrindellature, dando in risate e in «Quàaa! Quàaa!» pieni di gioia, cercava di seguire il branco.

C'era uno stagno. Le anatre volando andarono a posarsi lì a fior d'acqua e, leggere, ad ali chiuse, filarono via nuotando. L'uomo, allo stagno, si buttò sull'acqua giù di pancia, sollevò enormi spruzzi, s'agitò con gesti incomposti, provò ancora un «Quà! Quà!» che finì in un gorgoglio perché stava andando a fondo, riemerse, provò a nuotare, riaffondò.

– Ma è il guardiano delle anatre, quello? – chiesero i guerrieri a una contadinotta che se ne veniva con una canna in mano.

– No, le anatre le guardo io, son mie, lui non c'entra, è Gurdulù... – disse la contadinotta.

– E che faceva con le tue anatre?

– Oh niente, ogni tanto gli piglia così, le vede, si sbaglia, crede d'esser lui...

– Crede d'essere anatra anche lui?

– Crede d'essere lui le anatre... Sapete com'è fatto Gurdu lù: non sta attento...

– Ma dov'è andato, adesso?

I paladini s'avvicinarono allo stagno. Gurdulù non si vedeva. Le anatre, traversato lo specchio d'acqua, avevano ripreso il cammino tra l'erba con i loro passi palmati. Attorno allo stagno, dalle felci, si levava un coro di rane. L'uomo tirò fuori la testa dall'acqua tutt'a un tratto, come ricordandosi in quel momento che doveva respirare. Si guardò smarrito, come non comprendendo cosa fosse quel bordo di felci che si specchiavano nell'acqua a un palmo dal suo naso. Su ogni foglia di felce era seduta una piccola bestia verde, liscia liscia, che lo guardava e faceva con tutta la sua forza: – Gra! Gra! Gra!

– Gra! Gra! Gra! – rispose Gurdulù, contento, e alla sua voce da tutte le felci era un saltar giù di rane in acqua e dall'acqua un saltar di rane a riva, e Gurdulù gridando: – Gra! – spiccò un salto anche lui, fu a riva, fradicio e fangoso dalla testa ai piedi, s'accoccolò come una rana, e gridò un – Gra! – così forte che in uno schianto di canne ed erbe ricadde nello stagno.

– Ma non ci annega? – chiesero i paladini a un pescatore.

– Eh, alle volte Omobò si dimentica, si perde... Annegare no... Il guaio è quando finisce nella rete con i pesci... Un giorno gli è successo mentre s'era messo lui a pescare... Butta in acqua la rete, vede un pesce che è lì lì per entrarci, e s'immedesima tanto di quel pesce che si tuffa in acqua ed entra nella rete lui... Sapete com'è, Omobò...

– Omobò? Ma non si chiama Gurdulù?

– Omobò, lo chiamiamo noi.

– Ma quella ragazza...

– Ah, quella non è del mio paese, può darsi che al suo lo chiamino così.

– E lui di che paese è?

– Be', gira...

La cavalcata fiancheggiava un frutteto di peri. I frutti erano maturi. Con le lance i guerrieri infilzavano pere, le facevano sparire nel becco degli elmi, poi sputavano i torsoli. In fila in mezzo ai peri, chi vedono? Gurdulù-Omobò. Stava con le braccia alzate tutte contorte, come rami, e nelle mani e in bocca e sulla testa e negli strappi del vestito aveva pere.

– Guardalo che fa il pero! – diceva Carlomagno, ilare.

– Ora lo scuoto! – disse Orlando, e gli menò una botta.

Gurdulù lasciò cadere le pere tutte insieme, che rotolarono per il prato in declivio, e vedendole rotolare non seppe trattenersi dal rotolare anche lui come una pera per i prati e sparì così alla loro vista.

– Vostra maestà lo perdoni! – disse un vecchio ortolano. – Martinzùl non capisce alle volte che il suo posto non è tra le piante o tra i frutti inanimati, ma tra i devoti sudditi di vostra maestà!

– Ma cos'è che gli gira, a questo matto che voi chiamate Martinzùl? – chiese, bonario, il nostro imperatore. – Mi pare che non sa manco cosa gli passa nella crapa!

– Che possiamo capirne noi, maestà? – Il vecchio ortolano parlava con la modesta saggezza di chi ne ha viste tante. – Matto forse non lo si può dire: è soltanto uno che c'è ma non sa d'esserci.

– O bella! Questo suddito qui che c'è ma non sa d'esserci e quel mio paladino là che sa d'esserci e invece non c'è. Fanno un bel paio, ve lo dico io!

Di stare in sella, Carlomagno era ormai stanco. Appoggiandosi ai suoi staffieri, ansando nella barba, bofonchiando: – Povera Francia! – smontò. Come a un segnale, appena l'imperatore ebbe messo piede a terra, tutto l'esercito si fermò e allestì un bivacco. Misero su le marmitte per il rancio.

– Portatemi qui quel Gurgur ... Come si chiama? – fece il re.

– A seconda dei paesi che attraversa, – disse il saggio ortolano, – e degli eserciti cristiani o infedeli cui s'accoda, lo chiamano Gudurù o Gudi-Ussuf o Ben-Va-Ussuf o Ben-Stanbùl o Pestanzùl o Bertinzùl o Martinbon o Omobon o Omobestia oppure anche il Brutto del Vallone o Gian Paciasso o Pier Paciugo. Può capitare che in una cascina sperduta gli diano un nome del tutto diverso dagli altri; ho poi notato che dappertutto i suoi nomi cambiano da una stagione all'altra. Si direbbe che i nomi gli scorrano addosso senza mai riuscire ad appiccicarglisi. Per lui, tanto, comunque lo si chiami è lo stesso. Chiamate lui e lui crede che chiamate una capra; dite «formaggio» o «torrente» e lui risponde: «Sono qui».

Due paladini – Sansonetto e Dudone – venivano avanti trascinando di peso Gurdulù come fosse un sacco. Lo misero in piedi a spintoni davanti a Carlomagno. – Scopriti il capo, bestia! Non vedi che sei davanti al re!

La faccia di Gurdulù s'illuminò; era una larga faccia accaldata in cui si mischiavano caratteri franchi e moreschi: una picchiettatura di efelidi rosse su una pelle olivastra; occhi celesti liquidi venati di sangue sopra un naso camuso e una boccaccia dalle labbra tumide; pelo biondiccio ma crespo e una barba ispida a chiazze. E in mezzo a questo pelo, impigliati, ricci di castagna e spighe d'avena.

Cominciò a prosternarsi in riverenze e a parlare fitto fitto. Quei nobili signori, che finora l'avevano sentito emettere solo versi d'animali, si stupirono. Parlava molto in fretta, mangiandosi le parole e ingarbugliandosi; alle volte sembrava passare senz'interruzione da un dialetto all'altro e pure da una lingua all'altra, sia cristiana che mora. Tra parole che non si capivano e spropositi, il suo discorso era pressapoco questo: – Tocco il naso con la terra, casco in piedi ai vostri ginocchi, mi dichiaro augusto servitore della vostra umilissima maestà, comandatevi e mi obbedirò! – Brandì un cucchiaio che portava legato alla cintura. – ... E quando la maestà vostra dice: «Ordino comando e voglio», e fa così con lo scettro, così con lo scettro come faccio io, vedete?, e grida così come grido io: «Ordinooo comandooo e vogliooo!» voialtri tutti sudditi cani dovete obbedirmi se no vi faccio impalare e tu per primo lì con quella barba e quella faccia da vecchio rimbambito!

– Debbo tagliargli la testa di netto, sire? – chiese Orlando, e già snudava.

– Impetro grazia per lui, maestà, – disse l'ortolano. – È stata una delle sue sviste solite: parlando al re s'è confuso e non s'è più ricordato se il re era lui o quello a cui parlava.

Dalle marmitte fumanti veniva odor di rancio.

– Dategli una gavettata di zuppa! – disse, clemente, Carlomagno.

Con smorfie, inchini e incomprensibili discorsi, Gurdulù si ritirò sotto un albero a mangiare.

– Ma che fa, adesso?

Stava cacciando il capo dentro alla gavetta posata in terra, come se volesse entrarci dentro. Il buon ortolano andò a scuoterlo per una spalla. – Quando la vuoi capire, Martinzùl, che sei tu che devi mangiare la zuppa e non la zuppa che deve mangiare te! Non ti ricordi? Devi portartela alla bocca col cucchiaio...

Gurdulù cominciò a cacciarsi in bocca cucchiaiate, avido. Avventava il cucchiaio con tanta foga che alle volte sbagliava mira. Nell'albero al cui piede era seduto s'apriva una cavità, proprio all'altezza della sua testa. Gurdulù prese a buttare cucchiaiate di zuppa nel cavo del tronco.

– Non è la tua bocca, quella! È dell'albero!

Agilulfo aveva seguito fin da principio con un'attenzione mista a turbamento le mosse di questo corpaccione carnoso, che pareva rotolarsi in mezzo alle cose esistenti soddisfatto come un puledro che vuol grattarsi la schiena; e ne provava una specie di vertigine.

– Cavalier Agilulfo! – fece Carlomagno. – Sapete cosa vi dico? Vi assegno quell'uomo lì come scudiero! Eh? Neh che è una bella idea?

I paladini, ironici, ghignavano. Agilulfo che invece prendeva sul serio tutto (e tanto più un espresso ordine imperiale!), si rivolse al nuovo scudiero per impartirgli i primi comandi, ma Gurdulù, tranguiata la zuppa, era caduto addormentato all'ombra di quell'albero. Steso nell'erba, russava a bocca aperta, e petto stomaco e ventre s'alzavano e abbassavano come il mantice d'un fabbro. La gavetta unta era rotolata vicino a uno dei suoi grossi piedi scalzi. Di tra l'erba, un porcospino, forse attratto dall'odore, s'avvicinò alla gavetta e si mise a leccare le ultime gocce di zuppa. Così facendo spingeva gli aculei contro la nuda pianta del piede di Gurdulù e più andava avanti risalendo l'esiguo rigagnolo di zuppa più premeva le sue spine nel piede nudo. Finché il vagabondo non aperse gli occhi: girò lo sguardo intorno, senza capire da dove veniva quella sensazione di dolore che l'aveva svegliato. Vide il piede nudo, dritto in mezzo all'erba come una pala di fico d'India e, contro il piede, il riccio.

– O piede, – prese a dire Gurdulù, – piede, ehi, dico a te! Cosa fai piantato lì come uno scemo? Non lo vedi che quella bestia ti spuncica? O piedeee! O stupido! Perché non ti tiri in qua? Non senti che ti fa male? Scemo d'un piede! Basta tanto poco, basta che ti sposti di tanto così! Ma come si fa a essere così stupidi! Piedeee! E stammi a sentire. Ma guarda un po' come si lascia massacrare! E tirati in qua, idiota! Come te l'ho da dire? Sta' attento: guarda come faccio io, ora ti mostro cosa devi fare... – E così dicendo piegò la gamba, tirando il piede a sé e allontanandolo dal porcospino. – Ecco: era tanto facile, appena t'ho mostrato come si fa ce l'hai fatta anche tu. Stupido piede, perché sei rimasto tanto a farti pungere?

Si strofinò la pianta indolenzita, saltò su, si mise a fischiettare, spiccò una corsa, si gettò attraverso i cespugli, mollò un peto, poi un altro, poi sparì.

Agilulfo si mosse come per cercar di rintracciarlo, ma dov'era andato? La valle s'apriva striata da folti campi d'avena, e siepi di corbezzolo e ligustro, corsa dal vento, da folate cariche di polline e farfalle, e, su in cielo, da bave di nuvole bianche. Gurdulù era sparito là in mezzo, in questo declivio dove il sole girando disegnava mobili macchie d'ombra e di luce; poteva essere in qualsiasi punto di questo o quel versante.

Da chissà dove si levò un canto stonato: – *De sur les ponts de Bayonne...*

La bianca armatura di Agilulfo alta sul costone della valle incrociò le braccia sul petto.

– Allora: quando comincia a prestar servizio lo scudiero nuovo? – l'apostrofarono i colleghi.

Macchinalmente, con voce priva d'intonazione, Agilulfo asserì: – Un'affermazione verbale dell'imperatore ha valore immediato di decreto.

– *De sur les ponts de Bayonne...* – si udì ancora la voce, più lontana.

IV

Ancora confuso era lo stato delle cose del mondo, nell'Evo in cui questa storia si svolge. Non era raro imbattersi in nomi e pensieri e forme e istituzioni cui non corrispondeva nulla d'esistente. E d'altra parte il mondo pullulava di oggetti e facoltà e persone che non avevano nome né distinzione dal resto. Era un'epoca in cui la volontà e l'ostinazione d'esserci, di marcare un'impronta, di fare attrito con tutto ciò che c'è, non veniva usata interamente, dato che molti non se ne facevano nulla – per miseria o ignoranza o perché invece tutto riusciva loro bene lo stesso – e quindi una certa quantità ne andava persa nel vuoto. Poteva pure darsi allora che in un punto questa volontà e coscienza di sé, così diluita, si condensasse, facesse grumo, come l'impercettibile pulviscolo acqueo si condensa in fiocchi di nuvole, e questo groppo, per caso o per istinto, s'imbattesse in un nome e in un casato, come allora ne esistevano spesso di vacanti, in un grado nell'organico militare, in un insieme di mansioni da svolgere e di regole stabilite; e – soprattutto – in un'armatura vuota, ché senza quella, coi tempi che correvano, anche un uomo che c'è rischiava di scomparire, figuriamoci uno che non c'è... Così aveva cominciato a operare Agilulfo dei Guildiverni e a procacciarsi gloria.

Io che racconto questa storia sono Suor Teodora, religiosa dell'ordine di San Colombano. Scrivo in convento, desumendo da vecchie carte, da chiacchiere sentite in parlatorio e da qualche rara testimonianza di gente che c'era. Noi monache, occasioni per conversare coi soldati, se ne ha poche: quel che non so cerco d'immaginarmelo, dunque; se no come farei? E non tutto della storia mi è chiaro. Dovete compatire: si è ragazze di campagna, ancorché nobili, vissute sempre ritirate, in sperduti castelli e poi in conventi; fuor che funzioni religiose, tridui, novene, lavori dei campi, trebbiature, vendemmie, fustigazioni di servi, incesti, incendi, impiccagioni, invasioni d'eserciti, saccheggi, stupri, pestilenze, noi non si è visto niente. Cosa può sapere del mondo una povera suora? Dunque, proseguo faticosamente questa storia che ho intrapreso a narrare per mia penitenza. Ora Dio sa come farò a raccontarvi la battaglia, io che dalle guerre, Dio ne scampi, sono stata sempre lontana, e tranne quei quattro o cinque scontri campali che si sono svolti nella piana sotto il nostro castello e che bambine seguivamo di tra i merli, in mezzo ai calderoni di pece bollente (quanti morti insepolti restavano a marcire poi nei prati e li si ritrovava giocando, l'estate dopo, sotto una nuvola di calabroni!), di battaglie, dicevo, io non so niente.

Neanche Rambaldo ne sapeva niente: con tutto che non avesse pensato ad altro nella sua giovane vita, quello era il suo battesimo dell'armi. Aspettava il segnale dell'attacco, lì in fila, a cavallo, ma non ci provava nessun gusto. Aveva troppa roba addosso: la cotta di maglia di ferro con camaglio, la corazza con guardagola e spallacci, il panzerone, l'elmo a becco di passero da cui riusciva appena a veder fuori, la guarnacca sopra l'armatura, uno scudo più alto di lui, una lancia che a girarsi ogni volta la dava in testa ai compagni, e sotto di sé un cavallo di cui non si vedeva nulla, tant'era la gualdrappa di ferro che lo ricopriva.

Di riscattare l'uccisione di suo padre col sangue dell'argalif Isoarre, gli era già quasi passata la voglia. Gli avevano detto, guardando certe carte dov'erano segnate tutte le formazioni: – Quando suona la tromba, tu galoppa avanti in linea retta a lancia puntata finché non lo infilzi. Isoarre combatte sempre in quel punto dello schieramento. Se non corri storto, lo intoppi di sicuro, a meno che non sia tutto l'esercito nemico che sbanda, cosa che non succede mai di primo botto. Oddio, ci può essere sempre qualche piccolo scarto, ma se non l'infilzi tu, sta' pur certo che l'infilza il tuo vicino –. A Rambaldo, se le cose stavano così, non gli importava più niente.

Il segno che era cominciata la battaglia fu la tosse. Vide laggiù un polverone giallo che avanzava, e un altro polverone venne su da terra perché anche i cavalli cristiani s'erano lanciati avanti al galoppo. Rambaldo incominciò a tossire; e tutto l'esercito imperiale tossiva intasato nelle sue armature, e così tossendo e scalpitando correva verso il polverone infedele e già udiva sempre più dappresso la tosse saracina. I due polveroni si congiunsero: tutta la pianura rintronò di colpi di tosse e di lancia.

L'abilità del primo scontro non era tanto l'infilzare (perché contro gli scudi rischiavi di spezzare la lancia e ancora, per l'abbrivio, di pigliare tu una facciata in terra) quanto lo sbalzare d'arcioni l'avversario, cacciandogli la lancia tra sedere e sella nel momento, hop!, del caracollo. Ti poteva andare male, perché la lancia puntata in giù facilmente s'intoppava in qualche ostacolo o magari si piantava al suolo a far da leva, sbalzando te di sella come una catapulta. Il cozzo delle prime linee era dunque tutt'un volare in aria di guerrieri aggrappati alle lance. E gli spostamenti di lato essendo difficili, dato che con le lance non ci si poteva rigirare neanche di poco senza darle nelle costole di amici e di nemici, si creava subito un ingorgo tale che non ci si capiva più niente. E allora sopravvenivano i campioni, al galoppo, a spada sguainata, e avevano buon gioco a tagliare la mischia a forza di fendenti.

Finché non si trovavano di fronte i campioni nemici, scudo a scudo. Cominciavano i duelli, ma già il suolo essendo ingombro di carcasse e cadaveri, ci si muoveva a fatica, e dove non potevano arrivarsi, si sfogavano a insulti. Lì era decisivo il grado e l'intensità dell'insulto, perché a seconda se era offesa mortale, sanguinosa, insostenibile, media o leggera, si esigevano diverse riparazioni o anche odî implacabili che venivano tramandati ai discendenti. Quindi, l'importante era capirsi, cosa non facile tra mori e cristiani e con le varie lingue more e cristiane in mezzo a loro; se ti arrivava un insulto indecifrabile, che potevi farci? Ti toccava tenertelo e magari ci restavi disonorato per la vita. Quindi a questa fase del combatti-

mento partecipavano gli interpreti, truppa rapida, d'arma-
mento leggero, montata su certi cavallucci, che giravano intorno, coglievano a volo gli insulti e li traducevano di botto
nella lingua del destinatario.

– Khar as-Sus!

– Escremento di verme!

– Mushrik! Sozo! Mozo! Escalvao! Marrano! Hijo de pu-
ta! Zabalkan! Merde!

Questi interpreti, da una parte e dall'altra s'era tacitamente
convenuto che non bisognava ammazzarli. Del resto filavano
via veloci e in quella confusione se non era facile ammazzare
un pesante guerriero montato su di un grosso cavallo che a
mala pena poteva spostar le zampe tanto le aveva imbracate di
corazze, figuriamoci questi saltapicchi. Ma si sa: la guerra è
guerra, e ogni tanto qualcuno ci restava. E loro del resto, con
la scusa che sapevano dire «figlio di puttana» in un paio di
lingue, il loro tornaconto a rischiare ce lo dovevano avere. Sui
campi di battaglia, a essere svelti di mano c'è sempre da fare
un buon raccolto, specie ad arrivarci nel momento buono,
prima che cali il grande sciame della fanteria, che per tutto
dove tocca arraffa.

Nel raccogliere roba, i fanti, bassottini, hanno la meglio,
ma i cavalieri d'in arcioni sul più bello li stordiscono con una
piattonata e tirano su tutto. Dicendo roba non si intende tanto quella strappata di dosso ai morti, perché spogliare un
morto è un lavoro che richiede un raccoglimento speciale, ma
tutta la roba che si perde. Con quest'usanza d'andare in battaglia carichi di bardature sovrapposte, al primo scontro un
catafascio di oggetti disparati casca in terra. Chi pensa più a
combattere, allora? La gran lotta è per raccoglierli; e a sera
tornati al campo far baratti e mercanteggiamenti. Gira gira è
sempre la stessa roba che passa da un campo all'altro e da un
reggimento all'altro dello stesso campo; e la guerra cos'è poi
se non questo passarsi di mano in mano roba sempre più ammaccata?

A Rambaldo successe tutto diverso da come gli avevano
detto. Si buttò a lancia avanti, trepidante nell'ansia dell'incontro tra le due schiere. Incontrarsi, s'incontrarono; ma tut-

to pareva calcolato perché ogni cavaliere passasse nell'intervallo tra due nemici, senza che si sfiorassero nemmeno. Per un po' le due schiere continuarono a correre ognuna nella propria direzione dandosi reciprocamente la schiena, poi si voltarono, cercarono di venire allo scontro, ma ormai l'impeto era perso. Chi lo trovava più l'argalif, là in mezzo? Rambaldo andò a cozzare scudo a scudo con un saracino duro come un baccalà. Di far largo all'altro, pareva che nessuno dei due avesse voglia: si spingevano con gli scudi, mentre i cavalli puntavano gli zoccoli in terra.

Il saracino, una faccia smorta come di gesso, parlò.

– Interprete! – gridò Rambaldo. – Cosa dice?

Trottò lì sotto uno di quei perdigiorno. – Dice che gli lasci il passo.

– No, per la gola!

L'interprete tradusse; l'altro replicò.

– Dice che deve andare avanti per servizio; altrimenti la battaglia non riesce secondo i piani...

– Gli lascio il passo se mi dice dove si trova Isoarre l'argalif!

Il saracino fece segno verso una collinetta, gridando. E l'interprete: – Là su quell'altura a sinistra! – Rambaldo si voltò e partì al galoppo.

L'argalif, drappeggiato di verde, stava guardando l'orizzonte.

– Interprete!

– Son qui.

– Digli che sono il figlio del marchese di Rossiglione e vengo a vendicare mio padre.

L'interprete tradusse. L'argalif alzò la mano a dita raccolte.

– E chi è?

– Chi è mio padre? Questa è la tua ultima offesa! – Rambaldo sguainò la spada. L'argalif l'imitò. Era un bravo spadaccino. Rambaldo già si trovava a mal partito quando irruppe, trafelato, quel saracino di prima dalla faccia di gesso, gridando qualche cosa.

– Fermatevi, signore! – tradusse in fretta l'interprete. – Mi perdoni, m'ero confuso: l'argalif Isoarre è sulla collinetta a destra! Questo è l'argalif Abdul!

– Grazie! Siete un uomo d'onore! – disse Rambaldo e fatto scostare il cavallo, salutato alla spada l'argalif Abdul, si gettò al galoppo verso l'altra altura.

Alla notizia che Rambaldo era figlio del marchese, l'argalif Isoarre disse: – Come? – Si dovette ripeterglielo più volte nell'orecchio, gridando.

Alla fine annuì e alzò la spada. Rambaldo si lanciò contro di lui. Ma mentre incrociavano già i ferri gli venne il dubbio che Isoarre non fosse neppure costui, e il suo impeto ne venne un po' scemato. Cercava di dar giù con tutta l'anima e più ci dava meno si sentiva sicuro dell'identità del suo nemico.

Quest'incertezza stava per essergli fatale. Il moro lo incalzava con attacchi sempre più dappresso, quando una gran zuffa s'accese al loro fianco. Un ufficiale maomettano era impegnato nel folto della mischia e ad un tratto lanciò un grido.

A quel grido l'avversario di Rambaldo alzò lo scudo come a chieder tregua, e diede una voce di risposta.

– Cos'ha detto? – chiese Rambaldo all'interprete.

– Ha detto: Sì, argalif Isoarre, ti porto subito gli occhiali!

– Ah, dunque, non è lui!

– Io sono, – spiegò l'avversario, – il porta-occhiali dell'argalif Isoarre. Gli occhiali, apparecchio ancora sconosciuto a voi cristiani, sarebbero certe lenti che correggono la vista. Isoarre, essendo miope, è costretto a portarli in battaglia, ma, di vetro come sono, a ogni scontro glie ne va in pezzi un paio. Io sono addetto a rifornirgliene di nuovi. Chiedo dunque d'interrompere il duello con voi, perché altrimenti l'argalif, debole di vista com'è, avrà la peggio.

– Ah, il porta-occhiali! – ruggì Rambaldo, e non sapeva se sbudellarlo dalla rabbia o accorrere contro il vero Isoarre. Ma che bravura ci sarebbe stata a combattere contro un avversario accecato?

– Dovete lasciarmi andare, signore, – continuò l'occhialaio, – perché nel piano di battaglia è stabilito che Isoarre si mantenga in buona salute, e quello se non ci vede è perso! – E brandiva gli occhiali, gridando in là: – Ecco, argalif, ora arrivano le lenti!

– No! – disse Rambaldo e menò un fendente su quei vetri, frantumandoli.

Nello stesso istante, quasi il rumore delle lenti andate in schegge fosse stato per lui il segno che era spacciato, Isoarre andò a infilarsi dritto su una lancia cristiana.

– Ora la sua vista, – disse l'occhialaio, – non ha più bisogno di lenti per guardare le urì del Paradiso –. E spronò via.

Il cadavere dell'argalif, sbalestrato giù di sella, restò impigliato per le gambe alle staffe, e il cavallo lo trascinò via, fino ai piedi di Rambaldo.

L'emozione a vedere Isoarre morto in terra, i contrastanti pensieri che gli fecero ressa, di trionfo a poter dire finalmente vendicato il sangue di suo padre, di dubbio se avendo egli procurato la morte dell'argalif mandandogli le lenti in pezzi la vendetta fosse da considerarsi consumata a dovere, di smarrimento a trovarsi d'un tratto privo dello scopo che l'aveva condotto fin lì, tutto durò in lui solo un momento. Poi non sentì che la straordinaria leggerezza a ritrovarsi senza più quell'assillante pensiero in mezzo alla battaglia, e di poter correre, guardarsi intorno, battersi, come avesse le ali ai piedi.

Fissato fino allora nell'idea di uccidere l'argalif, non aveva dato mente a nulla dell'ordine della battaglia, e non pensava nemmeno che alcun ordine vi fosse. Tutto gli appariva nuovo e l'esaltazione e l'orrore solo ora parevano toccarlo. Il terreno aveva già la sua fioritura di morti. Crollati giù nelle loro armature, giacevano in posizioni sconnesse, a seconda di come i cosciali o le cubitiere o gli altri paramenti di ferro s'erano disposti facendo mucchio, tenendo magari alzate in aria braccia o gambe. In qualche punto, le pesanti corazze avevano fatto breccia e di là si spandevano le interiora, come se le armature fossero riempite non da corpi interi ma da visceri ficcati lì a casaccio, che traboccassero fuori al primo spacco. Queste visioni cruente riempivano Rambaldo di commozione: si era dimenticato forse che era caldo sangue umano a muovere e a dar vigore a tutti quegli involucri? A tutti, tranne uno: o già l'inafferrabile natura del cavaliere in armi bianche gli pareva estesa a tutto il campo?

Spronò. Era ansioso di confrontarsi con presenze viventi, amiche o nemiche che fossero.

Era in una valletta: deserta, a parte i morti e le mosche che su di essi ronzavano. La battaglia era giunta a un momento di tregua, oppure infuriava da tutt'altra parte del campo. Rambaldo cavalcava scrutando intorno. Ecco un batter di zoccoli: ed appare un guerriero a cavallo sul ciglio d'un'altura. È un saracino! Si guarda intorno, ratto, dà di redini e scappa. Rambaldo sprona, lo insegue. Ora è anch'egli sull'altura; vede là nel prato il saracino galoppare e sparire a tratti tra i noccioli. Il cavallo di Rambaldo è una freccia: pareva non aspettasse che l'occasione d'una corsa. Il giovane è contento: finalmente, sotto quei gusci inanimati, il cavallo è un cavallo, l'uomo è un uomo. Il saracino piega a destra. Perché? Ora Rambaldo è sicuro di raggiungerlo. Ma da destra ecco un altro saracino che salta fuori dalla macchia e gli taglia la strada. Entrambi gli infedeli si voltano, gli son contro: è un'imboscata! Rambaldo si butta innanzi a spada levata e grida: – Vili!

Uno gli è contro, l'elmo nero e biscornuto come un calabrone. Il giovane para un fendente e dà di piatto sul suo scudo, ma il cavallo scarta, c'è quel primo che lo stringe dappresso, ora Rambaldo deve giocare di scudo e spada e deve far girare su se stesso il cavallo a strette di ginocchia nei fianchi. – Vili! – grida, ed è vera rabbia la sua, e il combattere è un vero combattere accanito, e lo scemare delle sue forze nel tenere a bada due nemici è un vero struggente infiacchimento nelle ossa e nel sangue, e forse Rambaldo morirà, ora che è sicuro che il mondo esiste, e non sa se morire ora è più triste o meno triste.

Li aveva addosso entrambi. Arretrava. Teneva stretta l'elsa della spada come ci fosse aggrappato: se la perde è perso. Quando, proprio in quell'estremo momento, udì un galoppo. A quel suono, come a un rullo di tamburo, i due nemici insieme si staccarono da lui. Si facevano schermo con gli scudi alzati, arretrando. Anche Rambaldo si voltò: vide al suo fianco un cavaliere dalle armi cristiane che sopra la corazza vestiva una guarnacca color pervinca. Un cimiero di lunghe piume anch'esse color pervinca sventolava sul suo elmo. Volteggiando veloce una leggera lancia teneva discosti i saracini.

Ora sono fianco a fianco, Rambaldo e il cavaliere sconosciuto. Questi va sempre mulinando la lancia. Dei due nemici, uno tenta una finta e vorrebbe sbalzargli la lancia via di mano. Ma il cavaliere pervinca in quel momento appende la lancia al gancio della resta e dà mano allo stocco. Si lancia sull'infedele; duellano. Rambaldo, al vedere con quanta leggerezza dà di stocco il soccorritore sconosciuto, quasi si scorda d'ogni cosa e resterebbe fermo lì a guardare. Ma è un momento: ora si slancia sopra l'altro nemico, con un gran cozzo di scudi.

Così andava combattendo affiancato al pervinca. E ogni volta che i nemici dopo un nuovo assalto inutile si traevano indietro, l'uno prendeva a combattere con l'avversario dell'altro, con un rapido scambio, e così li frastornavano con la diversa loro perizia. Il combattere a fianco d'un compagno è una cosa ben più bella che il combattere da solo: ci si incoraggia e conforta, e il sentimento dell'avere un nemico e quello dell'avere un amico si fondono in un medesimo calore.

Rambaldo spesso per incitarsi grida all'altro; quello tace. Il giovane comprende che in battaglia conviene risparmiare il fiato e tace pure lui; ma un poco gli dispiace di non sentire la voce del compagno.

La zuffa si è fatta più serrata. Ecco che il guerriero pervinca sbalza di sella il suo saracino; quello, appiedato, scappa nella macchia. L'altro s'avventa su Rambaldo ma nello scontro spezza la spada; per timore d'esser preso prigioniero volta il cavallo e fugge pure lui.

– Grazie, fratello, – fa Rambaldo al suo soccorritore, scoprendo il viso, – mi hai salvato la vita! – e gli tende la mano.
– Il mio nome è Rambaldo dei marchesi di Rossiglione, baccelliere.

Il cavaliere pervinca non risponde: né dice il proprio nome, né stringe la destra tesa di Rambaldo, né scopre il viso. Il giovane arrossisce. – Perché non mi rispondi? – Ed ecco, quello dà di volta al cavallo e corre via. – Cavaliere, anche se ti devo la vita, terrò questa come un'offesa mortale! – grida Rambaldo, ma il cavaliere pervinca è già lontano.

La riconoscenza per l'ignoto soccorritore, la muta comunanza nata nel combattimento, la rabbia per quello sgarbo inatteso, la curiosità per quel mistero, l'accanimento che appena sopito con la vittoria subito cercava altri oggetti, ed ecco che Rambaldo spronava il cavallo a inseguire il guerriero pervinca e gridava: – Mi pagherai l'affronto, chiunque tu sia!

Sprona, sprona, ma il cavallo non si muove. Lo tira per il morso, il muso ricade giù. Lo scuote di sugli arcioni. Traballa come fosse un cavalletto di legno. Allora smonta. Solleva la musiera di ferro e vede l'occhio bianco: era morto. Un colpo di spada saracina, penetrata tra piastra e piastra della gualdrappa, l'aveva colpito al cuore. Sarebbe stramazzato al suolo già da un pezzo se gli involucri di ferro di cui aveva cinti zampe e fianchi non l'avessero tenuto rigido e come radicato in quel punto. In Rambaldo il dolore per quel valoroso destriero morto in piedi dopo averlo fedelmente servito fin lì, vinse per un momento la furia: gettò le braccia al collo del cavallo fermo come una statua e lo baciò sul muso freddo. Poi si riscosse, s'asciugò le lacrime e, appiedato, corse via.

Ma dove poteva andare? Si trovava a correre per malcerti sentieri, su una costa di torrente boscosa, senza più segni di battaglia intorno. Le tracce del guerriero sconosciuto erano perse. Rambaldo avanzò a caso, ormai rassegnato che gli fosse sfuggito, eppure ancora pensando: «Ma lo ritroverò, fosse pure in capo al mondo!»

Adesso, ciò che più lo tormentava, dopo quella mattinata rovente, era la sete. Scendendo verso il greto del torrente per bere, udì uno smuover di frasche: legato ad un nocciòlo con una lenta pastoia, un cavallo brucava l'erba d'un prato, sciolto dalle piastre di corazza più gravose, che gli giacevano vicino. Non c'era dubbio: era il cavallo del guerriero sconosciuto, e il cavaliere non doveva esser distante! Rambaldo si buttò tra le canne per cercarlo.

Giunse al greto, affacciò il capo tra le foglie: il guerriero era là. La testa e il torso erano ancora racchiusi nella corazza e nell'elmo impenetrabili, come un crostaceo; ma s'era tolti i cosciali i ginocchietti e le gambiere, ed era insomma nudo dalla cintola in giù, e correva scalzo sugli scogli del torrente.

Rambaldo non credeva ai suoi occhi. Perché quella nudità era di donna: un liscio ventre piumato d'oro, e tonde natiche di rosa, e tese lunghe gambe di fanciulla. Questa metà di fanciulla (la metà di crostaceo adesso aveva un aspetto ancor più disumano e inespressivo) si girò su se stessa, cercò un luogo accogliente, puntò un piede da una parte e l'altro dall'altra di un ruscello, piegò un poco i ginocchi, v'appoggiò le braccia dalle ferree cubitiere, protese avanti il capo e indietro il tergo, e si mise tranquilla e altera a far pipì. Era una donna di armoniose lune, di piuma tenera e di fiotto gentile. Rambaldo ne fu tosto innamorato.

La giovane guerriera scese al rivo, s'abbassò ancora sulle acque, fece una lesta abluzione rabbrividendo un poco e corse su con lievi salti dei nudi piedi rosa. Fu allora che s'accorse di Rambaldo che la stava spiando tra le canne. – *Schweine Hund!* – gridò e tratto dalla cintola un pugnale glielo tirò contro, non col gesto della perfetta maneggiatrice d'armi che essa era, ma con lo scatto rabbioso della donna inviperita che tira in testa all'uomo un piatto o una spazzola o qualsiasi cosa ha per mano.

Comunque, mancò la fronte di Rambaldo per un pelo. Il giovane, vergognoso, si ritrasse. Ma già dopo un momento smaniava di ripresentarsi a lei, di rivelarle in qualche modo il suo innamoramento. Udì uno scalpitio; corse al prato; non c'era più il cavallo; era scomparsa. Il sole declinava: solo ora egli si rese conto che tutta una giornata era trascorsa.

Stanco, appiedato, troppo frastornato da tante cose occorsegli per esser felice, troppo felice per capire che aveva barattato la sua ansia di prima con ansie più brucianti ancora, tornò al campo.

– Sapete, ho vendicato il padre, ho vinto, Isoarre è caduto, io... – ma raccontava confuso, troppo in fretta, perché il punto a cui voleva arrivare era un altro, –... e mi battevo contro due, ed è venuto un cavaliere a soccorrermi, e poi ho scoperto che non era un soldato, era una donna, bellissima, non so il viso, sull'armatura veste una gonnella color pervinca..

– Ah, ah, ah! – sghignazzarono i compagni di tenda, intenti a spalmarsi d'unguento le lividure di cui avevano cosparsi petto e braccia, nel gran puzzo di sudore d'ogni volta che ci si leva le armature dopo la battaglia. – Con la Bradamante, ti vuoi mettere, pulcino! Sì che quella vuol te! Bradamante o si passa i generali o i mozzi di stalla! Non la prenderai neanche se le metti il sale sulla coda!

Rambaldo non riuscì più a dire parola. Uscì dalla tenda; il sole tramontava, rosso. Ancora ieri, vedendo calare il sole, si chiedeva: «Che sarà di me al tramonto di domani? Avrò passato la prova? Avrò la conferma d'essere un uomo? di marcare un'orma camminando sulla terra?» Ed ecco, questo era il tramonto di quel domani, e le prime prove, superate, già non contavano più nulla, e la prova nuova era inattesa e difficile, e la conferma poteva solo essere là. In questo stato d'incertezza Rambaldo avrebbe voluto confidarsi col cavaliere dall'armatura bianca, come con l'unico che potesse comprenderlo, non avrebbe saputo neanche lui dire perché.

V

Sotto la mia cella è la cucina del convento. Mentre scrivo sento l'acciottolio dei piatti di rame e stagno: le sorelle sguattere stanno sciacquando le stoviglie del nostro magro refettorio. A me la badessa ha assegnato un compito diverso dal loro: lo scrivere questa storia, ma tutte le fatiche del convento, intese come sono a un solo fine: la salute dell'anima, è come fossero una sola. Ieri scrivevo della battaglia e nell'acciottolio dell'acquaio mi pareva di sentir cozzare lance contro scudi e corazze, risuonare gli elmi percossi dalle pesanti spade; di là del cortile mi giungevano i colpi di telaio delle sorelle tessitrici e a me pareva un battito di zoccoli di cavalli al galoppo: e così quello che le mie orecchie udivano, i miei occhi socchiusi trasformavano in visioni e le mie labbra silenziose in parole e parole e la penna si lanciava per il foglio bianco a rincorrerle.

Oggi forse l'aria è più calda, l'odor di cavoli più spesso, la mia mente più pigra, e dal frastuono delle sguattere non riesco a farmi portare più lontano delle cucine dell'armata franca; vedo i guerrieri in fila dinanzi alle marmitte fumanti, con un continuo sbatacchiare di gavette e tamburreggiare di cucchiai, e lo scontro dei mestoli contro i bordi dei recipienti, e il raschio sul fondo delle marmitte vuote e incrostate, e questa vista e quest'odore di cavoli si ripete per ogni reggimento, il normanno, l'angioino, il borgognone.

Se la potenza d'un'armata si misura dal fragore che manda, allora il sonante esercito dei Franchi si fa riconoscere davvero quando è l'ora del rancio. Il rumore echeggia per le valli e le piane, fino al luogo in cui si mischia con un'eco eguale, proveniente dalle marmitte infedeli. Anche i nemici sono intenti alla stessa ora a ingurgitare un'infame zuppa di cavoli. La battaglia ieri non risuonava tanto. Né mandava tanto puzzo.

Dunque non mi resta che immaginare gli eroi della mia storia intorno alle cucine. Agilulfo lo vedo apparire di tra il fumo, proteso sopra una marmitta, insensibile all'odor di cavoli, impartendo ammonimenti ai cucinieri del reggimento d'Alvernia. Ed ecco che compare il giovane Rambaldo, correndo.

– Cavaliere! – disse ancora ansante, – finalmente vi trovo! È che io, capite, vorrei essere paladino! Nella battaglia di ieri ho vendicato... nella mischia... poi ero da solo, con due contro... un'imboscata... e allora... insomma, ora so cos'è combattere. Vorrei che in battaglia mi fosse dato il posto più rischioso... o di partire per qualche impresa a procacciarmi gloria... per la nostra santa fede... salvare donne inferme vecchi deboli... voi mi potete dire...

Agilulfo, prima di voltarsi verso di lui, rimase un momento dandogli le spalle, come a marcare il suo fastidio a essere interrotto nell'adempimento di una sua mansione; poi, voltatosi, cominciò un discorso sciolto e forbito, nel quale s'avvertiva il piacere d'impadronirsi rapidamente d'un argomento che gli veniva proposto lì per lì e di sviscerarlo con competenza.

– Da quanto mi dici, baccelliere, mi sembri ritenere che la nostra condizione di paladini comporti esclusivamente il coprirsi di gloria, vuoi in battaglia alla testa delle truppe, vuoi in audaci imprese individuali, quest'ultime intese sia a difendere la nostra santa fede sia a soccorrere donne, vecchi, infermi. Ho capito bene?

– Sì.

– Ecco: in effetti queste che hai indicato sono tutte attività particolarmente inerenti al nostro corpo di ufficiali scelti, ma... – e qui Agilulfo emise un risolino, il primo che Rambaldo udisse dalla bianca gorgera, ed era un risolino cortese e sarcastico insieme – ... ma non sono le sole. Se lo desideri, mi sarà facile elencarti una per una le mansioni che competono ai Paladini semplici, ai Paladini di Prima Classe, ai Paladini di Stato Maggiore...

Rambaldo l'interruppe: – Mi basterà seguirvi e prendervi a esempio, cavaliere.

– Preferisci dunque anteporre l'esperienza alla dottrina: è ammesso. Ebbene tu vedi che oggi sto prestando servizio, come ogni mercoledì, di Ispettore agli ordini dell'Intendenza d'Armata. In tale veste, vado controllando le cucine dei reggimenti d'Alvernia e di Poitou. Se mi seguirai, potrai a poco a poco impratichirti in questa delicata branca del servizio.

Non era quel che Rambaldo s'aspettava, e ci restò un po' male. Ma non volendo smentirsi, finse di prestare attenzione a ciò che Agilulfo faceva e diceva con capocuochi, cantinieri e sguatteri, sperando ancora che fosse solo un rituale preparatorio prima di gettarsi in qualche sfolgorante fatto d'armi.

Agilulfo contava e ricontava le assegnazioni di viveri, le razioni di zuppa, il numero di gavette da riempire, il contenuto delle marmitte. – Sappi che la cosa più difficile nel comando di un esercito, – spiegò a Rambaldo, – è calcolare quante gavettate di minestra contiene una marmitta. Per nessun reggimento torna il conto. O avanzano razioni che non si sa dove finiscano e come devi segnarle sui ruolini, o – se riduci le assegnazioni – ne mancano, e subito serpeggia il malcontento nella truppa. Vero è che a ogni cucina militare c'è sempre una coda di straccioni, di povere vecchie e di storpi, che vengono a raccogliere gli avanzi. Ma questo, si capisce, è un gran disordine. Per cominciare a vederci un po' chiaro, ho disposto che ogni reggimento presenti con l'elenco dei suoi effettivi anche i nomi dei poveri che abitualmente vengono a far la coda per il rancio. Così, d'ogni gavetta di minestra si saprà con precisione dove va a finire. Ecco che tu ora, per far pratica dei tuoi doveri di paladino, potresti andare a fare un giro per le cucine reggimentali, con gli elenchi alla mano, e controllare se tutto è in ordine. Poi tornerai da me a riferire.

Cosa doveva fare Rambaldo? Rifiutarsi, reclamare per sé la gloria o nulla? Così, magari rischiava di rovinarsi la carriera per una sciocchezza. Andò.

Tornò annoiato, senza idee chiare. – Mah, sì, mi par che vada, – disse ad Agilulfo, – certo è un gran pasticcio. Poi, questi poveri che vengono per la zuppa, sono tutti fratelli?

– Fratelli perché?

– Mah, s'assomigliano... Sono anzi uguali da scambiarli uno per l'altro. Ogni reggimento ha il suo, preciso agli altri. Dapprincipio credevo fosse lo stesso uomo, che si spostava da una cucina all'altra. Ma guardo sugli elenchi e c'erano tutti nomi diversi: Boamoluz, Carotun, Balingaccio, Bertella... Allora ho domandato ai sergenti, ho controllato: sì, corrispondeva sempre. Certo però che questa somiglianza...

– Andrò a vedere io stesso.

Si diressero entrambi verso il campo lorenese. – Ecco: quell'uomo là, – e Rambaldo indicò un punto come se ci fosse qualcuno. Difatti c'era: ma a una prima occhiata, tra ch'era vestito di stracci verdi e gialli sbiaditi e impataccati, tra che aveva la faccia seminata di lentiggini e ispida di barba ineguale, lo sguardo gli passava addosso confondendolo col colore della terra e delle foglie.

– Ma quello è Gurdulù!

– Gurdulù? Un altro nome ancora! Lo conoscete?

– È un uomo senza nome e con tutti i nomi possibili. Ti ringrazio, baccelliere; non solo hai scoperto un'irregolarità nei nostri servizi, ma m'hai dato modo di ritrovare il mio scudiero, assegnatomi per ordine dell'imperatore, e subito perduto.

I cucinieri lorenesi, finito di distribuire il rancio alla truppa, avevano abbandonato la marmitta a Gurdulù. – Tieni, questa è tutta zuppa per te!

– Tutta zuppa! – esclamò Gurdulù, si chinò dentro la marmitta come sporgendosi da un davanzale, e col cucchiaio menava colpi di striscio per staccare il contenuto più prezioso d'ogni marmitta, cioè la crosta che rimane appiccicata alle pareti.

– Tutta zuppa! – rimbombava la sua voce dentro il recipiente, che nel suo avventato divincolarsi gli si rovesciò addosso.

Ora Gurdulù era prigioniero della marmitta capovolta. Lo si udì battere il cucchiaio come in una sorda campana e la sua voce muggire: – Tutta zuppa! – Poi la marmitta si mosse come una testuggine, ridiede di volta, e riapparve Gurdulù.

Era sbrodolato di zuppa di cavoli dalla testa ai piedi, chiazzato, unto, e per di più imbrattato di nerofumo. Con la broda che gli colava sugli occhi, pareva cieco, e avanzava gridando: – Tutto è zuppa! – a braccia avanti come nuotasse, e non vedeva altro che la zuppa che gli ricopriva gli occhi e il viso, – Tutto è zuppa! – e in una mano brandiva il cucchiaio come volesse tirare a sé cucchiaiate di tutto quel che c'era intorno: – Tutto è zuppa!

A Rambaldo quella vista dette un turbamento da fargli girare il capo: ma non era tanto un ribrezzo quanto un dubbio: che quell'uomo che girava lì davanti accecato avesse ragione e il mondo non fosse altro che un'immensa minestra senza forma in cui tutto si sfaceva e tingeva di sé ogni altra cosa. «Non voglio diventar minestra: aiuto!» stava per gridare, ma vide vicino a sé Agilulfo che stava impassibile a braccia conserte, come remoto e neppur toccato dalla volgarità di quella scena; e sentì che egli non avrebbe mai capito la sua apprensione. L'opposto struggimento che la vista del guerriero dalla bianca corazza sempre gli comunicava ora si bilanciava col nuovo struggimento datogli da Gurdulù: e in questo modo riuscì a salvare il suo equilibrio e a tornar calmo.

– Perché non gli fate capire che tutto non è zuppa e non gli fate finire questa sarabanda? – disse ad Agilulfo, riuscendo a dare un timbro non alterato alla sua voce.

– L'unico modo di capirlo è porsi un compito ben preciso, – disse Agilulfo; e a Gurdulù: – Tu sei il mio scudiero, per ordine di Carlo re dei Franchi e sacro imperatore. Ora dovrai obbedirmi in ogni cosa. E poiché ho l'incarico della Sovrintendenza alle Inumazioni e ai Pietosi Doveri di provvedere alla sepoltura dei morti della battaglia di ieri, ti munirai di pala e zappa e andremo là sul campo a sotterrare la carne battezzata dei nostri fratelli che Dio ha in gloria.

Invitò anche Rambaldo a seguirlo, perché si rendesse conto di quest'altra delicata incombenza dei paladini.

Camminavano verso il campo tutti e tre: Agilulfo con quel suo passo che vorrebbe essere sciolto e invece è come se camminasse sugli spilli; Rambaldo a occhi sgranati intorno, impaziente di riconoscere i luoghi percorsi ieri sotto una pioggia di dardi e di fendenti; Gurdulù che, con in spalla zappa e pala, per nulla compreso della solennità del suo compito, fischia e canta.

Dal dosso su cui ora passano, si scopre la piana dove la mischia più cruenta ha avuto luogo. Il suolo è ricoperto di cadaveri. Gli avvoltoi fermi con gli artigli aggrappati sulle spalle o sulle facce dei morti, chinano il becco a frugare nei ventri squarciati.

Questo degli avvoltoi non è un lavoro che vada subito per il suo verso. Si calano appena la battaglia volge alla fine: ma il campo è seminato di morti tutti catafratti nelle corazze d'acciaio, contro cui i rostri dei rapaci battono senza neanche scalfirli. Appena viene sera, silenziosi, dagli opposti campi, camminando carponi, arrivano gli spogliatori di cadaveri. Gli avvoltoi risaliti a vorticare in cielo, aspettano che abbiano finito. Le prime luci illuminano un campo biancheggiante di corpi tutti ignudi. Gli avvoltoi ridiscendono e cominciano il gran pasto. Ma devono sbrigarsi, perché non tarderanno ad arrivare i becchini, che negano agli uccelli quel che concedono ai vermi.

A colpi di spada Agilulfo e Rambaldo, di pala Gurdulù, cacciano i neri visitatori e li fanno volar via. Poi si mettono alla triste bisogna: ognuno dei tre sceglie un morto, lo prende per i piedi e lo trascina su per la collina in un posto acconcio per scavargli la fossa.

Agilulfo trascina un morto e pensa: «O morto, tu hai quello che io mai ebbi né avrò: questa carcassa. Ossia, non l'*hai*: tu *sei* questa carcassa, cioè quello che talvolta, nei momenti di malinconia, mi sorprendo a invidiare agli uomini esistenti. Bella roba! Posso ben dirmi privilegiato, io che posso farne senza e fare tutto. Tutto – si capisce – quel che mi sembra più importante; e molte cose riesco a farle meglio di chi esiste, senza i loro soliti difetti di grossolanità, approssimazione, incoerenza, puzzo. È vero che chi esiste ci mette sempre anche un qualcosa, una impronta particolare, che a me non riuscirà mai di dare. Ma se il loro segreto è qui, in questo sacco di trippe, grazie, ne faccio a meno. Questa valle di corpi nudi che si disgregano non mi fa più ribrezzo del carnaio del genere umano vivente».

Gurdulù trascina un morto e pensa: «Tu butti fuori certi peti più puzzolenti dei miei, cadavere. Non so perché tutti ti compiangano. Cosa ti manca? Prima ti muovevi, ora il tuo movimento passa ai vermi che tu nutri. Crescevi unghie e capelli: ora colerai liquame che farà crescere più alte nel sole le erbe del prato. Diventerai erba, poi latte delle mucche che mangeranno l'erba, sangue di bambino che ha bevuto il latte, e così via. Vedi che sei più bravo a vivere tu di me, o cadavere?»

Rambaldo trascina un morto e pensa: «O morto, io corro corro per arrivare qui come te a farmi tirar per i calcagni. Cos'è questa furia che mi spinge, questa smania di battaglie e d'amori, vista dal punto donde guardano i tuoi occhi sbarrati, la tua testa riversa che sbatacchia sulle pietre? Ci penso, o morto, mi ci fai pensare; ma cosa cambia? Nulla. Non ci sono altri giorni che questi nostri giorni prima della tomba, per noi vivi e anche per voi morti. Che mi sia dato di non sprecarli, di non sprecare nulla di ciò che sono e di ciò che potrei essere. Di compiere azioni egregie per l'esercito franco. Di abbracciare, abbracciato, la fiera Bradamante. Spero che tu abbia speso i tuoi giorni non peggio, o morto. Comunque per te i dadi hanno già dato i loro numeri. Per me ancora vorticano nel bussolotto. E io amo, o morto, la mia ansia, non la tua pace».

Gurdulù, cantando, si dispone a scavare la fossa al morto. Lo stende per terra per prendere la misura, segna con la zappa i limiti, lo sposta, si butta a scavare di gran lena. – Morto, forse stando ad aspettare così ti annoi –. Lo volta su di un fianco, verso la fossa, in modo che abbia sott'occhio lui che scava. – Morto, però qualche zappata potresti darla anche tu –. Lo raddrizza, cerca di mettergli in mano una zappa. Quello crolla. – Basta. Non sei capace. Vuol dire che scavare scavo io, poi tu riempirai la fossa.

La fossa è scavata: ma dal modo disordinato di zappare di Gurdulù è venuta di forma irregolare, col fondo a conca. Ora Gurdulù vuole provarla. Scende e ci si corica. – Oh, come si sta bene, come ci si riposa quaggiù! O che bella terra soffice!

Che bello rivoltarcisi! Morto, vieni giù a sentire che bella fossa t'ho scavato! – Poi ci ripensa. – Però, se siamo intesi che tu devi riempire la fossa, è meglio che io resto sotto, e tu mi fai cadere la terra addosso con la pala! – E attende un poco. – Dài! Spicciati! Cosa ci vuole? Così! – Da coricato là in fondo, comincia, alzando la sua zappa, a far calare giù terra. Gli frana addosso tutto il mucchio.

Agilulfo e Rambaldo udirono un urlo smorzato, non sapevano se di spavento o di soddisfazione a vedersi così ben seppellito. Fecero appena in tempo a estrarre Gurdulù tutto ricoperto di terra, prima che morisse soffocato.

Il cavaliere trovò il lavoro di Gurdulù malfatto e quello di Rambaldo insufficiente. Egli invece aveva tracciato tutto un cimiterino segnando i contorni di fosse rettangolari, parallele ai due lati d'un vialetto.

Ritornando alla sera, passarono per una radura nel bosco, dove i carpentieri dell'esercito franco s'approvvigionavano di tronchi per le macchine da guerra e di legna per il fuoco.

– Ora, Gurdulù, devi far legna.

Ma Gurdulù con l'accetta menava botte a caso e metteva insieme fascine di stecchi da bruciare e legna verde e virgulti di capelvenere e arbusti di corbezzolo e pezzi di scorza ricoperti di muschio.

Il cavaliere ispezionava i lavori d'ascia dei carpentieri, gli arnesi, le cataste, e spiegava a Rambaldo quali erano le incombenze d'un paladino nell'approvvigionamento del legname. Rambaldo non lo stava a sentire; una domanda gli bruciava in gola per tutto quel tempo, e adesso la passeggiata con Agilulfo stava per finire e lui non gliel'aveva fatta. – Cavalier Agilulfo! – lo interruppe.

– Cosa vuoi? – chiese Agilulfo maneggiando certe asce.

Il giovane non sapeva da che punto cominciare, non sapeva fingere pretesti per arrivare a quell'unico argomento che gli stava a cuore. Così, arrossendo, disse: – Conoscete Bradamante?

A quel nome, Gurdulù che stava avvicinandosi stringendo al petto una delle sue composite fascine, diede un salto. Per aria si sparpagliò un volo di legnetti, di rami fioriti di caprifoglio, di bacche di ginepro, di fronde di ligustro.

Agilulfo aveva in mano un'affilatissima bipenne. La brandì, prese la rincorsa, la diede contro un tronco di quercia. La bipenne passò l'albero da parte a parte tagliandolo di netto, ma il tronco non si spostò dalla sua base, tanto esatto era stato il colpo.

– Che c'è, cavalier Agilulfo! – esclamò Rambaldo in un soprassalto di spavento. – Che vi ha preso?

Agilulfo ora a braccia conserte esaminava il tronco torno torno. – Vedi? – disse al giovane. – Un colpo netto, senza la più piccola oscillazione. Osserva il taglio com'è dritto.

VI

Questa storia che ho intrapreso a scrivere è ancora più difficile di quanto io non pensassi. Ecco che mi tocca rappresentare la più gran follia dei mortali, la passione amorosa, dalla quale il voto, il chiostro e il naturale pudore m'hanno fin qui scampata. Non dico che non ne abbia udito parlare: anzi, in monastero, per tenerci in guardia dalle tentazioni, alle volte ci si mette a discorrerne, così come possiamo farlo noi con l'idea vaga che ne abbiamo, e questo avviene soprattutto ogni volta che una di noi poverina per inesperienza resta incinta, oppure, rapita da qualche potente senza timor di Dio, torna e ci racconta tutto quello che le han fatto. Dunque anche dell'amore come della guerra dirò alla buona quel che riesco a immaginarne: l'arte di scriver storie sta nel saper tirar fuori da quel nulla che si è capito della vita tutto il resto; ma finita la pagina si riprende la vita e ci s'accorge che quel che si sapeva è proprio un nulla.

Bradamante ne sapeva di più? Dopo tutto il suo vivere da amazzone guerriera, un'insoddisfazione profonda s'era fatta strada nel suo animo. Aveva intrapreso la vita della cavalleria per l'amore che portava verso tutto ciò che era severo, esatto, rigoroso, conforme a una regola morale e – nel maneggio delle armi e dei cavalli – a un'estrema precisione di movenze. Invece, cosa aveva intorno? Omacci sudati, che ci davan dentro a far la guerra con approssimazione e incuranza, e appena fuori dall'orario di servizio erano sempre a prender ciucche o a ciondolare goffi dietro a lei per vedere chi di loro si sarebbe decisa a portarsi nella tenda quella sera. Perché si sa che la cavalleria è una gran cosa, ma i cavalieri sono tanti bietoloni, abituati a compiere magnanime imprese ma all'ingrosso, come vien viene, riuscendo a stare alla bell'e meglio dentro le sacrosante regole che avevano giurato di seguire, e che, essendo così ben fissate, toglievano loro la fatica di pensare. La guerra, tanto, un po' è macello un po' è tran-tran e non c'è troppo da guardar per il sottile.

Bradamante non era diversa da loro, in fondo: forse questi suoi vagheggiamenti di severità e rigore se li era messi in testa per contrastare la sua vera natura. Per esempio, se c'era una sciattona in tutto l'esercito di Francia, era lei. La sua tenda, per dirne una, era la più disordinata di tutto l'accampamento. Mentre gli uomini poverini s'arrangiavano, anche in quei lavori che si considerano donneschi, come lavare i panni, rammendare la roba, spazzare in terra, toglier d'in giro quel che non serve, lei, allevata da principessa, viziata, non toccava niente, e non fosse stato per quelle vecchie lavandaie e sguattere che girano sempre attorno ai reggimenti – tutte ruffiane dalla prima all'ultima – il suo padiglione sarebbe stato peggio d'un canile. Tanto, lei non ci stava mai; la sua giornata cominciava quando indossava l'armatura e montava in sella; difatti, appena aveva le sue armi indosso era un'altra, tutta lucente dal coppo dell'elmo ai gamberuoli, facendo sfoggio dei pezzi d'armatura più perfetti e nuovi, e con l'usbergo infiocchettato di nastri color pervinca, che guai se ce n'era uno fuori posto. In questa sua volontà d'essere la più splendente sul campo di battaglia, più che una vanità femminile esprimeva una continua sfida ai paladini, una superiorità su di loro, una fierezza. Nei guerrieri amici o nemici pretendeva una perfezione nella tenuta e nel maneggio delle armi che fosse segno d'altrettanta perfezione d'animo. E se le accadeva di incontrare un campione che le pareva rispondesse in qualche misura alle sue pretese, allora si risvegliava in lei la donna dai forti appetiti amorosi. Qui ancora si diceva che ella del tutto smentisse i suoi rigidi ideali: era un'amante a un tempo tenera e furiosa. Ma se l'uomo la seguiva su questa via e s'abbandonava e perdeva il controllo di se stesso, lei subito se ne disamorava e si rimetteva in cerca di tempre più adamantine. Ma chi poteva più trovare? Nessuno dei campioni cristiani o nemici aveva ormai ascendente su di lei: di tutti conosceva debolezze e melensaggini.

S'esercitava a tirare con l'arco, nello spiazzo davanti alla sua tenda, quando Rambaldo che andava ansiosamente cercandola, la vide per la prima volta in viso. Vestiva una tunichetta corta; le braccia nude tendevano l'arco; il viso in quello sforzo era un poco infoschito; i capelli erano legati sulla nuca e ricadenti poi in una gran coda sparpagliata. Ma lo sguardo di Rambaldo non si fermò su alcuna osservazione minuta: vide tutt'insieme la donna, la sua persona, i suoi colori, e non poteva essere che lei, quella che, senz'averla quasi ancora vista, disperatamente desiderava; e già per lui non poteva essere diversa.

La freccia scoccò dall'arco, s'infisse nel palo del bersaglio sulla linea esatta d'altre tre che già vi aveva conficcato. - Io ti sfiderò all'arco! - disse Rambaldo correndo verso di lei.

Così sempre corre il giovane verso la donna: ma è davvero amore per lei a spingerlo? o non è amore soprattutto di sé, ricerca d'una certezza d'esserci che solo la donna gli può dare? Corre e s'innamora il giovane, insicuro di sé, felice e disperato, e per lui la donna è quella che certamente c'è, e lei sola può dargli quella prova. Ma la donna anche lei c'è e non c'è: eccola di fronte a lui, trepidante anch'essa, insicura, come fa il giovane a non capirlo? Cosa importa chi tra i due è il forte e chi il debole? Sono pari. Ma il giovane non lo sa perché non vuole saperlo: quella di cui ha fame è la donna che c'è, la donna certa. Lei invece sa più cose; o meno; comunque sa cose diverse; ora è un diverso modo d'essere che cerca; fanno insieme una gara di arcieri; lei lo sgrida e non l'apprezza; lui non sa che è per gioco. Intorno, i padiglioni dell'esercito di Francia, i gonfaloni al vento, le file dei cavalli che mangiano finalmente biada. I famigli preparano la mensa dei paladini. Questi, aspettando l'ora del pranzo, stanno in crocchi lì intorno, a vedere Bradamante che tira all'arco col ragazzo. Bradamante dice:

- Colpisci il segno ma sempre per caso.
- Per caso? Se non sbaglio una freccia!
- Anche t'andassero bene cento frecce, sarebbe sempre per caso!

– Cosa mai allora non è per caso? Chi riesce a riuscire non per caso?

Al margine del campo passava lento Agilulfo; sull'armatura bianca pendeva un lungo mantello nero; camminava in là come chi non vuole guardare ma sa d'essere guardato e crede di dover mostrare che non gli importa mentre invece gli importa sì, ma in un altro modo da come gli altri potrebbero capire.

– Cavaliere, vieni tu a far vedere come si fa... – La voce di Bradamante ora non aveva più il solito tono sprezzante e anche il contegno aveva perso della sua fierezza. Aveva fatto due passi avanti verso Agilulfo, porgendogli l'arco con una freccia già incoccata.

Lentamente Agilulfo s'avvicinò, prese l'arco, si scrollò indietro il mantello, puntò i piedi uno avanti uno indietro, e mosse avanti braccia e arco. I suoi movimenti non erano quelli dei muscoli e dei nervi che cercano d'approssimarsi ad una mira: egli metteva a loro posto delle forze in un ordine voluto, fermava la punta della freccia nella linea invisibile del bersaglio, muoveva l'arco quel tanto e non di più, e scoccava. La freccia non poteva che andare a segno. Bradamante gridò: – Questo sì è un tiro!

Ad Agilulfo non importava nulla, stringeva nelle ferme mani di ferro l'arco ancora tremante; poi lo lasciava cadere; si raccoglieva dentro il mantello, tenendolo chiuso con i pugni sul pettorale della corazza; e così s'allontanava. Non aveva nulla da dire e non aveva detto nulla.

Bradamante raccattò l'arco, l'alzò a braccia tese e scuoteva la coda dei capelli sulle spalle. – Chi mai, chi mai altro potrà tirare d'arco con tanta nettezza? Chi potrà essere preciso e assoluto in ogni atto come lui? – e così dicendo calciava via zolle erbose, spezzava frecce contro le palizzate. Agilulfo era già lontano e non si voltava; il cimiero iridescente era piegato avanti come camminasse chino, a pugni stretti sul pettorale, trascinando il nero mantello.

Dei guerrieri che s'erano radunati lì intorno, qualcuno si sedette sull'erba per godersi la scena di Bradamante che dava in smanie. – Da quando le è preso questo innamoramento per Agilulfo, disgraziata, non ha pace...

– Come? Che avete detto? – Rambaldo, colta a volo la frase, prese per un braccio chi aveva parlato.

– Ehi, pulcino, hai un bel gonfiare il torace con la nostra paladina! A lei ormai non piacciono che le corazze pulite dentro e fuori! Non lo sai che è innamorata cotta di Agilulfo?

– Ma come può essere... Agilulfo... Bradamante... Come fa?

– Fa che quando una si è tolta la voglia di tutti gli uomini esistenti, l'unica voglia che le resta può essere solo quella d'un uomo che non c'è per nulla...

Ormai per Rambaldo era divenuto un moto naturale, in ogni momento di dubbio o di scoramento, il desiderio di rintracciare il cavaliere dalla bianca armatura. Anche adesso lo provò, ma non sapeva se era ancora per chiedere il suo consiglio o già per affrontarlo come un rivale.

– Ehi bionda, ma non è un po' gracilino per il letto? – la apostrofavano i commilitoni. Questa di Bradamante doveva essere una ben triste decadenza: figuriamoci se una volta avrebbero avuto il coraggio di parlarle su questo tono.

– Di', – insistevano quegli impertinenti, – ma se lo spogli nudo, poi, che acchiappi? – e sghignazzavano.

In Rambaldo il doppio dolore a sentir parlare così di Bradamante e a sentir parlare così del cavaliere e la rabbia a capire che in quella storia lui non c'entrava per nulla, che nessuno poteva considerarlo parte in causa, si mescolavano nello stesso scoramento.

Bradamante ora s'era armata d'una sferza e prese a mulinarla in aria disperdendo i curiosi, e Rambaldo con loro. – E non credete che io sia talmente donna da far fare a qualsiasi uomo tutto ciò che deve fare?

Quelli correvano, urlando: – Uh! Uh! Se vuoi che gli prestiamo qualcosa noi, Bradamà, non hai che dircelo!

Rambaldo, spinto dagli altri, seguì il codazzo dei guerrieri oziosi, finché non si dispersero. Di tornare da Bradamante non aveva più desiderio; e anche la compagnia di Agilulfo l'avrebbe ormai messo a disagio. Per caso s'era trovato al fianco un altro giovane, chiamato Torrismondo, cadetto dei duchi di Cornovaglia, che camminava guardando in terra, fosco, fischiettando. Rambaldo continuò a camminare con questo giovane che gli era quasi sconosciuto, e siccome sentiva il bisogno di sfogarsi, attaccò discorso. – Io qui sono nuovo, non so, non è come credevo, tutto sfugge, non si arriva mai, non si capisce.

Torrismondo non alzò gli occhi, solo interruppe per un momento il suo cupo fischiettio, e disse: – Tutto è uno schifo.

– Ecco, vedi, – rispose Rambaldo, – io non sarei tanto pessimista, c'è dei momenti che mi sento pieno d'entusiasmo, anche d'ammirazione, mi pare di capire tutto, finalmente, e mi dico: se adesso ho trovato l'angolo giusto per vedere le cose, se la guerra nell'esercito franco è tutta così, questo è veramente ciò che sognavo. Invece non puoi mai essere sicuro di niente...

– E di cosa vuoi esser sicuro? – l'interruppe Torrismondo.
– Insegne, gradi, pompe, nomi... Tutta una parata. Gli scudi con le imprese e i motti dei paladini non sono di ferro: sono carta, che la puoi passare da parte a parte con un dito.

Erano giunti a uno stagno. Sulle pietre della riva saltavano le rane, gracchiando. Torrismondo s'era voltato verso l'accampamento e indicava i gonfaloni alti sopra le palizzate con un gesto come volesse cancellare tutto.

– Ma l'esercito imperiale, – obiettò Rambaldo il cui sfogo d'amarezza era rimasto soffocato dalla furia di negazione dell'altro, e ora cercava di non perdere il senso delle proporzioni per ritrovare un posto ai propri dolori, – l'esercito imperiale, bisogna ammettere, combatte pur sempre per una santa causa e difende la cristianità contro l'infedele.

– Non c'è difesa né offesa, non c'è senso di nulla, – disse Torrismondo. – La guerra durerà fino alla fine dei secoli e nessuno vincerà o perderà, resteremo fermi gli uni di fronte agli altri per sempre. E senza gli uni gli altri non sarebbero nulla e ormai sia noi che loro abbiamo dimenticato perché combattiamo... Senti queste rane? Tutto quel che facciamo ha tanto senso e tanto ordine quanto il loro gracidio, il loro saltare dall'acqua a riva e dalla riva all'acqua...

– Per me non è così, – disse Rambaldo, – per me, anzi, tutto è troppo incasellato, regolato... Vedo la virtù, il valore, ma è tutto così freddo... Che ci sia un cavaliere che non esiste, ti confesso, mi fa paura... Eppure l'ammiro, è così perfetto in ogni cosa che fa, dà sicurezza più che se ci fosse, e quasi – arrossì – capisco Bradamante... Agilulfo è certo il miglior cavaliere della nostra armata...

– Puah!

– Come: puah?

– È una montatura anche lui, peggio che gli altri.

– Cosa intendi dire con: montatura? Tutto quello che fa, lo fa sul serio.

– Niente! Sono tutte storie... Non c'è né lui, né le cose che fa, né quelle che dice, niente, niente...

– Ma come farebbe allora, con lo svantaggio in cui si trova rispetto agli altri, a occupare nell'esercito il posto che occupa? Solo per il nome?

Torrismondo stette un momento in silenzio, poi disse, piano: – Qui anche i nomi sono falsi. Se volessi manderei all'aria tutto. Non ci resta neanche la terra su cui posare i piedi.

– Ma non c'è nulla che si salva, allora?

– Forse. Ma non qui.

– Chi? Dove?

– I cavalieri del San Gral.

– E dove sono?

– Nelle foreste della Scozia.

– Li hai visti?

– No.

– E come sai di loro?

– So.

Tacquero. Si sentiva solo il gracidare delle rane. A Rambaldo stava prendendo la paura che quel gracidio sovrastasse tutto, annegasse lui pure in un verde viscido cieco pulsare di branchie. Ma si ricordò di Bradamante, di com'era apparsa in battaglia, la spada levata, e tutto questo sgomento era già dimenticato: non vedeva l'ora di battersi e compiere prodezze davanti ai suoi occhi di smeraldo.

VII

A ognuna è data la sua penitenza, qui in convento, il suo modo di guadagnarsi la salvezza eterna. A me è toccata questa di scriver storie: è dura, è dura. Fuori è assolata estate, dalla valle giunge un vociare e un muover d'acqua, la mia cella è in alto e dalla finestretta vedo un'ansa del fiume, giovani villani spogliati che fanno il bagno, e più in là, dietro un ciuffo di salici, ragazze, che anch'esse tolte le vesti scendono a bagnarsi. Uno, nuotando sott'acqua ora è sbucato a vederle ed esse se lo indicano con gridi. Potrei esserci anch'io, e in bella comitiva, con giovani miei pari, e fantesche e famigli. Ma la nostra santa vocazione vuole che si anteponga alle caduche gioie del mondo qualcosa che poi resta. Che resta... se poi anche questo libro, e tutti i nostri atti di pietà, compiuti con cuori di cenere, non sono già cenere anch'essi... più cenere degli atti sensuali là nel fiume, che trepidano di vita e si propagano come cerchi nell'acqua... Ci si mette a scrivere di lena, ma c'è un'ora in cui la penna non gratta che polveroso inchiostro, e non vi scorre più una goccia di vita, e la vita è tutta fuori, fuori dalla finestra, fuori di te, e ti sembra che mai più potrai rifugiarti nella pagina che scrivi, aprire un altro mondo, fare il salto. Forse è meglio così: forse quando scrivevi con gioia non era miracolo né grazia: era peccato, idolatria, superbia. Ne sono fuori, allora? No, scrivendo non mi sono cambiata in bene: ho solo consumato un po' d'ansiosa incosciente giovinezza. Che mi varranno queste pagine scontente? Il libro, il voto, non varrà più di quanto tu vali. Che ci si salvi l'anima scrivendo non è detto. Scrivi, scrivi, e già la tua anima è persa.

Allora, volete che vada dalla madre badessa a supplicarla che mi cambi d'opera, che mi mandi a tirare l'acqua dal pozzo, a filar canapa, a sgranare ceci? Non serve. Continuerò secondo il mio dovere di monaca scrivana, meglio che posso. Ora mi tocca di raccontare il banchetto dei paladini.

Contro a tutte le regole imperiali d'etichetta, Carlomagno s'andava a mettere a tavola prima dell'ora, quando ancora non c'erano altri commensali. Si siede e comincia a spilluzzicare pane o formaggio o olive o peperoncini, insomma tutto quel che è già in tavola. Non solo, ma si serve con le mani. Spesso il potere assoluto fa perdere ogni freno anche ai sovrani più temperanti e genera l'arbitrio.

Arrivavano alla spicciolata i paladini, nelle belle tenute da cerimonia che tra broccati e pizzi mostrano pur sempre le maglie di ferro degli usberghi, ma di quelle coi buchi larghi larghi, e corazze di quelle da passeggio, lustre come specchi ma che basta un colpo di stocco a farle in schegge. Primo Orlando che si mette alla destra di suo zio l'imperatore, poi Rinaldo di Montalbano, Astolfo, Angiolino di Baiona, Riccardo di Normandia e tutti gli altri.

All'estremo della tavolata s'andava a sedere Agilulfo, sempre nella sua armatura da combattimento senza macchia. Che cosa ci veniva a fare, a tavola, lui che non aveva né mai avrebbe avuto appetito, né uno stomaco da riempire, né una bocca cui avvicinare la forchetta, né un palato da innaffiare di vino di Borgogna? Eppure non manca mai a questi banchetti che si prolungano per ore – lui che saprebbe impiegarle ben meglio, quelle ore, in operazioni attinenti al servizio. Invece: ha diritto lui come tutti gli altri a un posto alla tavola imperiale, e lo occupa; e adempie al cerimoniale del banchetto con la stessa cura meticolosa che esplica in ogni altro cerimoniale della giornata.

Le portate sono le solite dell'esercito: tacchino farcito, oca allo spiedo, brasato di bue, maialini di latte, anguille, orate. I valletti non han fatto a tempo a porgere i vassoi che i paladini ci si buttano addosso, arraffano con le mani, sbranano, si sbrodolano le corazze, schizzano salsa dappertutto. C'è più confusione che in battaglia: zuppiere che si rovesciano, polli arrosto che volano, e i valletti a strappar via i piatti di portata prima che un ingordo li vuoti nella sua scodella.

All'angolo della tavola dov'è Agilulfo invece tutto procede pulito, calmo e ordinato, ma ci vuole più assistenza di servitori per lui che non mangia, che per tutto il resto della tavola. Prima cosa, – mentre dappertutto c'è una confusione di piatti sporchi, tanto che tra una portata e l'altra non è nemmeno il caso di cambiarli e ognuno mangia dove capita, magari sulla tovaglia, – Agilulfo continua a chiedere che gli mettano davanti nuove stoviglie e posate, piatti, piattini, scodelle, bicchieri d'ogni foggia e capienza, forchette e cucchiai e cucchiaini e coltelli che guai se non sono ben affilati, ed è così esigente in fatto di pulizia, che basta un'ombra opaca su un bicchiere o una posata e li rimanda indietro. Poi si serve di tutto: poco, ma si serve; non lascia passare una portata. Per esempio, scalca una fettina di cinghiale arrosto, mette in un piatto la carne, in un piattino la salsa, poi taglia con un coltello affilatissimo la carne in tante striscioline sottili, e queste striscioline le passa una a una in un altro piatto ancora, dove le condisce con la salsa, finché non si sono imbevute ben bene; quelle condite le mette in un nuovo piatto, e ogni tanto chiama un valletto, gli dà da portar via quest'ultimo piatto e ne chiede uno pulito. Così si dà da fare per delle mezz'ore. Non parliamo del pollo, del fagiano, dei tordi: ci lavora ore intere senza mai toccarli se non con la punta di certi coltellini che richiede apposta e che fa cambiare più volte per spolpare dall'ultimo ossicino la più sottile e restia fibra di carne. Anche del vino si serve, e continuamente lo travasa e ripartisce tra i molti calici e bicchierini che ha davanti, e nappi in cui mescola un vino con l'altro, e ogni tanto porge a un valletto perché li porti via e li cambi con nuovi. Del pane fa un gran consumo: appallottola mollica di continuo in piccole sfere tutte uguali che dispone sulla tovaglia in file ordinate; la crosta la sminuzza in briciole, e costruisce con le briciole delle piccole piramidi: finché non se ne stanca e non ordina ai famigli che con uno scopino gli spazzolino la tovaglia. Poi ricomincia.

Con tutto il suo daffare, non perde il filo della conversazione che s'intreccia attraverso la tavola, e interviene sempre a tempo.

Di che parlano i paladini, a pranzo? Come al solito, si vantano.

Dice Orlando: – Devo dire che la battaglia d'Aspromonte si stava mettendo male, prima che io non abbattessi in duello il re Agolante e gli prendessi la Durlindana. C'era tanto attaccato che quando gli troncai di netto il braccio destro, il suo pugno restò stretto all'elsa di Durlindana e dovetti usare le tenaglie per staccarlo.

E Agilulfo: – Non per smentirti, ma esattezza vuole che Durlindana fosse consegnata dai nemici nelle trattative d'armistizio cinque giorni dopo la battaglia d'Aspromonte. Essa figura infatti in un elenco d'armi leggere cedute all'esercito franco, tra le condizioni del trattato.

Fa Rinaldo: – Comunque non c'è da mettere con Fusberta. Passando i Pirenei, quel drago che ho affrontato, l'ho tagliato in due con un fendente e sapete che la pelle di drago è più dura del diamante.

Agilulfo interloquisce: – Ecco, vediamo di mettere in ordine le cose: il passaggio dei Pirenei è avvenuto in aprile, e in aprile, come ognuno sa, i draghi mutano la pelle, e sono molli e teneri come neonati.

I paladini: – Ma sì, quel giorno o un altro, se non era lì era in un altro posto, insomma è andata così, non è il caso di cercare il pelo nell'uovo...

Ma erano seccati. Quell'Agilulfo che ricorda sempre tutto, che per ogni fatto sa citare i documenti, che anche quando un'impresa era famosa, accettata da tutti, ricordata per filo e per segno da chi non l'aveva mai vista, macché, voleva ridurla a un normale episodio di servizio, da segnalare nel rapporto serale al comando del reggimento. Tra quel che succede in guerra e quello che si racconta poi, da quando mondo è mondo è corsa sempre una certa differenza, ma in una vita di guerriero, che certi fatti siano avvenuti o meno, poco importa; c'è la tua persona, la tua forza, la continuità del tuo modo di comportarti, a garantire che se le cose non sono andate proprio così punto per punto, però così avrebbero potuto pure andare, e potrebbero ancora andare in un'occasione simile. Ma uno come Agilulfo non ha nulla per sorreggere le proprie azioni, vere o false che siano: o sono messe giorno per giorno a verbale, segnate nei registri, oppure è il vuoto, il buio pesto. E vorrebbe ridurre così anche i colleghi, queste spugne di Bordò e di vanterie, di progetti che voltano al passato senza che siano stati mai al presente, di leggende che dopo esser state attribuite un po' all'uno un po' all'altro finiscono sempre per trovare il protagonista che fa per loro.

Ogni tanto qualcuno chiama a testimone Carlomagno. Ma l'imperatore ha fatto tante guerre che confonde sempre l'una con l'altra e non ricorda bene neanche qual è quella che sta combattendo ora. Il suo compito è di farla, la guerra, e tutt'al più di pensare a quella che verrà dopo; le guerre già fatte sono andate come sono andate; a quel che raccontano cronisti e cantastorie si sa che c'è da farci la tara; guai se l'imperatore dovesse star dietro a tutti a far rettifiche. Solo quando salta fuori qualche grana che ha ripercussioni sull'organico militare, sui gradi, sull'attribuzione di titoli nobiliari o di territori, allora il re deve dire la sua. La sua per modo di dire, si capisce: lì la volontà di Carlomagno conta poco, bisogna tenersi alle risultanze, giudicare in base alle prove che si hanno e far rispettare leggi e consuetudini. Perciò, quando lo interpellano, si stringe nelle spalle, si mantiene sulle generali e alle volte se la cava con un: «Ma! Chissà! Tempo di guerra, più balle che terra!» e tira via. A quel cavalier Agilulfo dei Guildiverni che continua ad appallottolare mollica e a contestare tutte le vicende che – anche se riportate in una versione non del tutto esatta – sono le autentiche glorie dell'esercito franco, Carlomagno vorrebbe appioppare qualche noiosa corvè, ma gli hanno detto che i servizi più fastidiosi sono per lui delle ambite prove di zelo, e quindi è inutile.

– Non vedo perché tu debba guardare tanto per il sottile, Agilulfo, – disse Ulivieri. – La gloria stessa delle imprese tende ad amplificarsi nella memoria popolare e ciò prova che è gloria genuina, fondamento dei titoli e dei gradi da noi conquistati.

– Non dei miei! – lo rimbeccò Agilulfo. – Ogni mio titolo e

predicato l'ho avuto per imprese ben accertate e suffragate da documenti inoppugnabili!

– Con la cresta! – disse una voce.

– Chi ha parlato mi renderà ragione! – disse Agilulfo alzandosi.

– Calmati, sta' buono, – gli fecero gli altri, – tu che hai sempre da eccepire sulle imprese degli altri, non puoi impedire che qualcuno trovi da ridire sulle tue...

– Io non offendo nessuno: mi limito a precisare dei fatti, con luogo e data e tanto di prove!

– Sono io che ho parlato. Anch'io preciserò –. Un giovane guerriero s'era alzato, pallido.

– Vorrei proprio vedere, Torrismondo, che tu trovassi nel mio passato qualcosa di contestabile, – disse Agilulfo al giovane, che era appunto Torrismondo di Cornovaglia. – Vuoi forse contestare, per esempio, che fui armato cavaliere perché, esattamente quindici anni fa, salvai dalla violenza di due briganti la vergine figlia del re di Scozia, Sofronia?

– Sì, lo contesterò: quindici anni fa, Sofronia, figlia del re di Scozia, non era vergine.

Un brusio corse per tutta la lunghezza della tavola. Il codice della cavalleria allora vigente prescriveva che chi aveva salvato da pericolo certo la verginità d'una fanciulla di nobile lignaggio fosse immediatamente armato cavaliere; ma per aver salvato da violenza carnale una nobildonna non più vergine era prescritta solamente una menzione d'onore e soldo doppio per tre mesi

– Come puoi sostenere questa che è un'offesa non solo alla mia dignità di cavaliere ma a una dama che ho preso sotto la protezione della mia spada?

– Lo sostengo.

– Le prove?

– Sofronia è mia madre!

Grida di sorpresa si levarono dai petti dei paladini. Il giovane Torrismondo non era dunque figlio dei duchi di Cornovaglia?

– Sì, nacqui vent'anni fa da Sofronia, allora tredicenne, – spiegò Torrismondo. – Ecco il medaglione della real casa di

Scozia, – e frugatosi in petto ne trasse una bolla appesa a una catenina d'oro.

Carlomagno che fin allora aveva tenuto viso e barba chinati su un piatto di gamberi di fiume, giudicò fosse venuto il momento di levare lo sguardo. – Giovane cavaliere, – disse dando alla sua voce la maggiore autorità imperiale, – vi rendete conto della gravità delle vostre parole?

– Pienamente, – disse Torrismondo, – e per me ancor più che per altri.

C'era silenzio intorno: Torrismondo stava disconoscendo la sua filiazione dal duca di Cornovaglia, che gli era valsa, come cadetto, il titolo di cavaliere. Dichiarandosi bastardo, sia pur d'una principessa di sangue reale, egli andava incontro all'allontanamento dall'armata.

Ma ben più grave era la posta in gioco per Agilulfo. Prima d'imbattersi in Sofronia aggredita dai malfattori e di salvarne la purezza, egli era un semplice guerriero senza nome in una armatura bianca che girava il mondo alla ventura. O meglio (come presto si era saputo) era una bianca armatura vuota, senza guerriero dentro. La sua impresa in difesa di Sofronia gli aveva dato diritto d'esser armato cavaliere; il cavalierato di Selimpia Citeriore essendo in quel momento vacante, egli aveva assunto quel titolo. La sua entrata in servizio e tutti i riconoscimenti, i gradi, i nomi che s'erano aggiunti poi, erano in conseguenza di quell'episodio. Se si dimostrava l'inesistenza d'una verginità di Sofronia da lui salvata, anche il suo cavalierato andava in fumo, e tutto quel che egli aveva fatto dopo non poteva esser riconosciuto come valido a nessun effetto, e tutti i nomi e i predicati venivano annullati, e così ognuna delle sue attribuzioni diventava non meno inesistente della sua persona.

– Ancor bambina, mia madre restò incinta di me, – raccontava Torrismondo, – e temendo le ire dei genitori quando avessero appreso il suo stato, fuggì dal castello reale di Scozia e andò vagando per gli altopiani. Mi diede alla luce al sereno, in una brughiera, e m'allevò vagando per campi e boscaglie dell'Inghilterra fino all'età di cinque anni. Questi primi ricordi sono quelli del più bel periodo della mia vita, che l'intrusio-

ne di costui interruppe. Rammento il giorno. Mia madre m'a-
veva lasciato a guardia della nostra spelonca, mentre ella andava come al solito a rubar frutta nei campi. Incappò in due
briganti da strada che volevano abusare di lei. Forse avrebbero finito per fare amicizia: spesso mia madre si lamentava della sua solitudine. Ma arrivò quest'armatura vuota in cerca di
gloria e sgominò i briganti. Riconosciuta mia madre come di
stirpe regale, la prese sotto la sua protezione e la condusse al
più vicino castello, quello di Cornovaglia, affidandola ai duchi. Io intanto ero rimasto nella spelonca, solo e affamato.
Mia madre appena poté confessò ai duchi l'esistenza del fi-
glioletto che aveva forzatamente abbandonato. Fui cercato da
servi muniti di torce e portato al castello. Per salvare l'onore
della famiglia di Scozia, legata ai Cornovaglia da vincoli di
parentela, fui adottato e riconosciuto come figlio dal duca e
dalla duchessa. La mia vita fu tediosa e oberata di costrizioni
come sempre quella dei cadetti di nobili famiglie. Non mi fu
più dato di vedere mia madre, che prese il velo in un lontano
convento. Il peso di questa montagna di falsità che ha distorto
il corso naturale della mia vita m'ha gravato addosso fin qui.
Ora finalmente sono riuscito a dire la verità. Qualsiasi cosa
accada, per me sarà certo meglio di com'è stato finora.

A tavola s'era intanto servito il dolce, un pan di Spagna dagli strati sovrapposti di delicati colori, ma tant'era lo sbalordi-
mento a quella sequela di rivelazioni che nessuna forchetta si
levava verso le bocche ammutolite.

– E voi, cosa avete da dire su questa storia? – chiese Carlomagno ad Agilulfo. Tutti notarono che non aveva detto: cavaliere.

– Sono menzogne. Sofronia era fanciulla. Sul fiore della
sua purezza, riposa il mio nome e il mio onore.

– Potete provarlo?

– Cercherò Sofronia.

– Pretendete di trovarla tal quale quindici anni dopo? –
disse, maligno, Astolfo. – Le nostre corazze di ferro battuto
hanno una durata ben più breve.

– Prese il velo subito dopo che l'avevo affidata a quella pia
famiglia.

– In quindici anni, coi tempi che corrono, nessun convento della cristianità si salva da dispersioni e saccheggi, e ogni monaca ha il tempo di smonacarsi e rimonacarsi almeno quattro o cinque volte...

– Comunque, una castità violata presuppone un violatore. Lo troverò e avrò da lui testimonianza della data sino alla quale Sofronia poté considerarsi ragazza.

– Vi do licenza di partire all'istante, se lo desiderate, – disse l'imperatore. – Penso che in questo momento nulla vi stia più a cuore del diritto di portare nome e armi, che ora vi viene contestato. Se questo giovane dice il vero, non potrei tenervi in servizio, anzi non potrei considerarvi sotto nessun punto di vista, nemmeno per gli arretrati del soldo –. E Carlomagno non poteva impedirsi dal dare al suo discorso un timbro di sbrigativa soddisfazione, come a dire: «Vedete che abbiamo trovato il sistema di liberarci di questo seccatore?»

L'armatura bianca ora pendeva tutta in avanti e mai come in quel momento aveva dato a vedere d'esser vuota. La voce ne usciva appena distinguibile: – Sì, mio imperatore, andrò.

– E voi? – Carlomagno si rivolse a Torrismondo. – Vi rendete conto che dichiarandovi nato fuor del matrimonio non potete rivestire il grado che vi spettava per i vostri natali? Sapete almeno chi sarebbe vostro padre? Avete speranza di farvi riconoscere da lui?

– Non potrò essere mai riconosciuto...

– Non è detto. Ogni uomo, giunto avanti negli anni, tende a far tornare tutti i conti nel bilancio della sua vita. Anch'io ho riconosciuto tutti i figli avuti da concubine, ed erano molti, e certo qualcuno non sarà neanche mio.

– Mio padre non è un uomo.

– E chi è mai? Belzebù?

– No, sire, – disse calmo Torrismondo.

– Chi allora?

Torrismondo avanzò nel mezzo della sala, pose un ginocchio a terra, levò gli occhi al cielo e disse: – È il Sacro Ordine dei Cavalieri del San Gral.

Un mormorio corse il banchetto. Qualcuno dei paladini si segnò.

– Mia madre era una bambina ardimentosa, – spiegò Torrismondo, – e correva sempre nel più profondo dei boschi che circondavano il castello. Un giorno, nel fitto della foresta, s'imbatté nei Cavalieri del San Gral, là accampati per fortificare il loro spirito nell'isolamento dal mondo. La bambina si mise a giocare con quei guerrieri e da quel giorno ogni volta che poteva eludere la sorveglianza familiare raggiungeva l'accampamento. Ma in breve tempo, da quei giochi fanciulleschi, tornò incinta.

Carlomagno restò un momento pensieroso, poi disse: – I Cavalieri del San Gral hanno fatto tutti voto di castità e nessuno di loro potrà riconoscerti come figlio.

– Né io d'altronde lo vorrei, – disse Torrismondo. – Mia madre non m'ha mai parlato d'un cavaliere in particolare, ma m'ha educato a rispettare come padre il Sacro Ordine nel suo complesso.

– Allora, – soggiunse Carlomagno, – l'Ordine nel suo complesso non risulta legato a nessun voto del genere. Nulla vieta dunque che si riconosca padre d'una creatura. Se tu riesci a raggiungere i Cavalieri del San Gral e a farti riconoscere come figlio di tutto il loro Ordine considerato collettivamente, i tuoi diritti militari, date le prerogative dell'Ordine, non sarebbero diversi da quelli che avevi come figlio d'una nobile famiglia.

– Partirò, – disse Torrismondo.

Serata di partenze, quella sera, là nel campo dei Franchi. Agilulfo preparò meticolosamente il suo equipaggio e il suo cavallo, e lo scudiero Gurdulù arraffò a casaccio coperte, striglie, pentole, ne fece un mucchio che gli impediva di vedere dove andava, prese dalla parte opposta del suo padrone, e galoppò via perdendo per strada ogni cosa.

Nessuno era venuto a salutare Agilulfo che partiva, tranne che poveri staffieri, mozzi di stalla e fabbri di fucina, i quali non facevano troppe distinzioni tra l'uno e l'altro e avevano capito che questo era un ufficiale più fastidioso ma anche più infelice degli altri. I paladini, con la scusa che non erano avvertiti dell'ora della partenza, non vennero; e d'altronde non era una scusa: Agilulfo da quand'era uscito dal banchetto non aveva più rivolto la parola a nessuno. La sua partenza non fu commentata: distribuite le mansioni in modo che nessuno dei suoi incarichi restasse scoperto, l'assenza del cavaliere inesistente fu considerata degna di silenzio come per intesa generale.

L'unica a restarne commossa, anzi sconvolta, fu Bradamante. Corse alla sua tenda, – Presto! – chiamò governanti, sguattere, fantesche, – Presto! – e gettava all'aria panni e corazze e lance e finimenti, – Presto! – e lo faceva non come suo solito nello spogliarsi o in uno scatto d'ira, ma per mettere in ordine, per fare un inventario delle cose che c'erano, e partire. – Preparatemi tutto, parto, parto, non resto qui un minuto di più, lui se n'è andato, l'unico per cui questa armata aveva un senso, l'unico che poteva dare un senso alla mia vita e alla mia guerra, e adesso non resta altro che un'accozzaglia di beoni e violenti me compresa, e la vita è un rotolarsi tra letti e bare, e lui solo ne sapeva la geometria segreta, l'ordine, la regola per capirne il principio e la fine! – E così dicendo indossava pezzo a pezzo l'armatura da campagna, la guarnacca color pervinca, e presto fu pronta in sella, mascolina in tutto tranne che nel fiero modo che hanno d'esser virili certe donne veramente donne, e spronò il cavallo al galoppo travolgendo palizzate e funi di tende e bancarelle di salumai, e presto sparì in un alto polverone.

Quel polverone vide Rambaldo che correva a piedi a cercarla e le gridò: – Dove vai, dove vai, Bradamante, ecco io son qui, per te, e tu vai via! – con quella testarda indignazione di chi è innamorato e vuol dire: «Son qui, giovane, carico d'amore, come può il mio amore non piacerle, cosa mai vuole costei che non mi prende, che non mi ama, cosa può volere di più di quel che io sento di poterle e di doverle dare?» e così imperversa e non si dà ragione e a un certo punto l'innamoramento di lei è pure innamoramento di sé, di sé innamorato di lei, è innamoramento di quel che potrebbero essere loro due insieme, e non sono. E in questa furia Rambaldo correva alla sua tenda, preparava cavallo armi bisacce, partiva anch'egli, perché la guerra la combatti bene soltanto dove tra le punte delle lance intravedi una bocca di donna, e tutto, le ferite il polverone l'odore dei cavalli, non ha sapore che di quel sorriso.

Anche Torrismondo partiva quella sera, triste anche lui, anche lui pieno di speranza. Era il bosco che voleva ritrovare, l'umido oscuro bosco dell'infanzia, la madre, le giornate della grotta, e più in fondo la pura confraternita dei padri, armati e veglianti attorno ai fuochi d'un nascosto bivacco, vestiti di bianco, silenziosi, nel più fitto della foresta, i rami bassi che quasi sfiorano le felci, e dalla terra grassa nascono funghi che mai vedono il sole.

Carlomagno, levatosi dal banchetto un po' traballante sulle gambe, sentite tutte quelle notizie di improvvise partenze, s'avviava al padiglione reale e pensava ai tempi in cui a partire erano Astolfo, Rinaldo, Guidon Selvaggio, Orlando, per imprese che finivano poi nei cantari dei poeti, mentre adesso non c'era verso di muoverli di qui a lì, quei veterani, tranne che per gli stretti obblighi del servizio. «Che vadano, son giovani, che facciano», diceva Carlomagno, con l'abitudine, propria degli uomini d'azione, a pensare che il movimento sia sempre un bene, ma già con l'amarezza dei vecchi che soffrono il perdersi delle cose d'una volta più di quanto non godano il sopravvenire delle nuove.

VIII

Libro, è venuta sera, mi sono messa a scrivere più svelta, dal fiume non viene altro che il rombo lassù della cascata, alla finestra volano muti i pipistrelli, abbaia qualche cane, qualche voce risuona dai fienili. Forse non è stata scelta male questa mia penitenza, dalla madre badessa: ogni tanto mi accorgo che la penna ha preso a correre sul foglio come da sola, e io a correrle dietro. È verso la verità che corriamo, la penna e io, la verità che aspetto sempre che mi venga incontro, dal fondo d'una pagina bianca, e che potrò raggiungere soltanto quando a colpi di penna sarò riuscita a seppellire tutte le accidie, le insoddisfazioni, l'astio che sono qui chiusa a scontare.

Poi basta il tonfo d'un topo (il solaio del convento ne è pieno), un buffo di vento improvviso che fa sbattere l'impannata (proclive sempre a distrarmi, m'affretto ad andarla a riaprire), basta la fine d'un episodio di questa storia e l'inizio d'un altro o soltanto l'andare a capo d'una riga ed ecco che la penna è ritornata pesante come una trave e la corsa verso la verità s'è fatta incerta.

Ora devo rappresentare le terre attraversate da Agilulfo e dal suo scudiero nel loro viaggio: tutto qui su questa pagina bisogna farci stare, la strada maestra polverosa, il fiume, il ponte, ecco Agilulfo che passa sul suo cavallo dallo zoccolo leggero, toc-toc toc-toc, pesa poco quel cavaliere senza corpo, il cavallo può fare miglia e miglia senza stancarsi, e il padrone poi è instancabile. Ora sul ponte passa un galoppo pesante: tututum! è Gurdulù che si fa avanti aggrappato al collo del suo cavallo, le due teste così vicine che non si sa se il cavallo pensi con la testa dello scudiero o lo scudiero con quella del cavallo. Traccio sulla carta una linea diritta, ogni tanto spezzata da angoli, ed è il percorso di Agilulfo. Quest'altra linea tutta ghirigori e andirivieni è il cammino di Gurdulù. Quando vede svolazzare una farfalla, subito Gurdulù le spinge dietro il cavallo, già crede d'essere in sella non del cavallo ma della farfalla e così esce di strada e vaga per i prati. Intanto Agilulfo cammina avanti, diritto, seguendo il suo cammino. Ogni tanto gli itinerari fuori strada di Gurdulù coincidono con invisibili scorciatoie (o è il cavallo che si mette a seguire un sentiero di sua scelta, poiché il suo palafreniere non lo guida) e dopo giri e giri il vagabondo si ritrova a fianco del padrone sulla strada maestra.

Qui in riva al fiume segnerò un mulino. Agilulfo si ferma a chiedere la strada. Gli risponde cortese la mugnaia e gli offre vino e pane, ma egli rifiuta. Accetta solo biada per il cavallo. La strada è polverosa e assolata; i buoni mugnai si meravigliano che il cavaliere non abbia sete.

Quando egli è ripartito, arriva, col rumore d'un reggimento al galoppo, Gurdulù. – Che l'avete visto il padrone?

– E chi è il tuo padrone?

– Un cavaliere... no: un cavallo...

– Sei al servizio d'un cavallo?

– No... è il mio cavallo che è al servizio d'un cavallo...

– E chi cavalca su quel cavallo?

– Eee... non si sa.

– E sul tuo cavallo chi cavalca?

– Mah! Domandatelo a lui!

– E nemmeno tu vuoi da mangiare né da bere?

– Sì, sì! Mangiare! Bere! – e s'ingozza.

Questa che disegno adesso è una città cinta da mura. Agilulfo deve attraversarla. Le guardie alla porta vogliono che scopra il viso; hanno l'ordine di non lasciar passare nessuno col volto nascosto, perché potrebb'essere il feroce brigante che imperversa nei dintorni. Agilulfo si rifiuta, viene alle armi con le guardie, forza il passaggio, scappa.

Oltre la città questo che vado tratteggiando è un bosco. Agilulfo lo batte in lungo e in largo finché non scova il tremendo bandito. Lo disarma e incatena e lo trascina davanti a

quegli sbirri che non volevano lasciarlo passare. – Eccovi in
ceppi chi tanto temevate!

– Oh, che tu sia benedetto, bianco cavaliere! Ma dicci chi
sei, e perché tieni chiusa la celata dell'elmo.

– Il mio nome è al termine del mio viaggio, – dice Agilulfo,
e fugge.

Nella città c'è chi dice che è un arcangelo e chi un'anima
del purgatorio. – Il cavallo correva leggero, – dice uno, – come se non avesse nessuno in sella.

Qui dove finisce il bosco, passa un'altra strada, che rag-
giunge anch'essa la città. È la strada che percorre Bradamante. Dice a quelli della città: – Cerco un cavaliere dall'armatura
bianca. So che è qui.

– No. Non c'è, – le rispondono.

– Se non c'è è proprio lui.

– Allora va' a cercarlo dov'è. Di qui è corso via.

– L'avete visto davvero? Un'armatura bianca che pare ci
sia dentro un uomo...

– E chi è se non un uomo?

– Uno che è più d'ogni altro uomo!

– Mi paiono tante diavolerie le vostre, – dice un vecchio,
– anche le tue, o cavaliere dalla voce dolce dolce!

Bradamante sprona via.

Dopo un poco, nella piazza della città è Rambaldo che fre-
na il suo cavallo. – Avete visto passare un cavaliere?

– Quale? Due ne sono passati e tu sei il terzo.

– Quello che correva dietro all'altro.

– È vero che uno non è un uomo?

– Il secondo è una donna.

– E il primo?

– Niente.

– E tu?

– Io? Io... sono un uomo.

– Vivaddio!

Agilulfo cavalcava seguito da Gurdulù. Una donzella corse
sulla strada, le chiome sparse, le vesti lacere e si buttò in ginocchio. Agilulfo fermò il cavallo. – Aiuto, nobile cavaliere, –
essa invocava, – a mezzo miglio di qui un feroce branco d'orsi

stringe d'assedio il castello della mia signora, la nobile vedova Priscilla. Ad abitare il castello siamo solo poche donne inermi. Nessuno può più entrare né uscire. Io mi son fatta calare con una corda giù dai merli e sono sfuggita alle unghie di quelle fiere per miracolo. Deh, cavaliere, vieni a liberarci!

– La mia spada è sempre al servizio delle vedove e delle creature inermi, – disse Agilulfo. – Gurdulù, prendi in sella questa giovinetta che ci guiderà al castello della sua padrona.

Andavano per un sentiero alpestre. Lo scudiero procedeva avanti ma non guardava nemmeno la strada; il petto della donna seduta tra le sue braccia appariva roseo e pieno dagli strappi del vestito, e Gurdulù ci si sentiva perdere.

La donzella stava voltata a guardare Agilulfo. – Che nobile portamento ha il tuo padrone! – disse.

– Uh, uh, – rispose Gurdulù e allungava una mano verso quel tiepido seno.

– È così sicuro e altero in ogni parola e in ogni gesto... – diceva quella, sempre con gli occhi su Agilulfo.

– Uh, – faceva Gurdulù e con tutte e due le mani, tenendo le briglie ai polsi, cercò di rendersi conto di come una persona potesse essere così soda e così morbida insieme.

– E la voce, – diceva lei, – tagliente, metallica...

Dalla bocca di Gurdulù usciva solo un cupo mugolio, anche perché l'aveva affondata tra il collo e la spalla della giovane e si perdeva in quel profumo.

– Chissà come sarà felice la mia padrona a venir liberata dagli orsi proprio da lui... Oh, come la invidio... Ma di': stiamo uscendo di strada! Cosa c'è, scudiero, sei distratto?

A una svolta del sentiero, un eremita tendeva la ciotola dell'elemosina. Agilulfo che a ogni mendicante che incontrava faceva di regola la carità nella misura fissa di tre soldi, fermò il cavallo e frugò nella borsa.

– Siate benedetto, cavaliere, – disse l'eremita intascando le monete, e gli fece cenno di chinarsi per parlargli nell'orecchio, – vi ricompenserò subito dicendovi: guardatevi dalla vedova Priscilla! Questa degli orsi è tutta una trappola: è lei stessa che li alleva, per farsi liberare dai più valenti cavalieri che passano sulla strada maestra e attirarli al castello ad alimentare la sua insaziabile lascivia.

– Sarà come dite voi, fratello, – rispose Agilulfo, – ma io sono cavaliere e sarebbe scortesia sottrarmi alla richiesta formale di soccorso d'una donna in lacrime.

– Non temete le fiamme della lussuria?

Agilulfo era un po' imbarazzato. – Ma, ora vedremo...

– Sapete cosa resta d'un cavaliere dopo un soggiorno in quel castello?

– Cosa?

– L'avete davanti agli occhi. Anch'io fui cavaliere, anch'io salvai Priscilla dagli orsi, ed ora eccomi qui –. In verità, era piuttosto mal ridotto.

– Farò tesoro della vostra esperienza, fratello, ma affronterò la prova, – e Agilulfo spronò via, raggiunse Gurdulù e la fante.

– Non so cos'hanno sempre da pettegolare questi eremiti, – disse la ragazza al cavaliere. – In nessuna categoria di religiosi né di laici si fanno tante chiacchiere e tanta maldicenza.

– Ce n'è molti, di eremiti, qui in giro?

– Ce n'è pieno. E sempre se ne aggiunge qualcuno di nuovo.

– Non sarò io di quelli, – fece Agilulfo. – Affrettiamoci.

– Odo il ringhio degli orsi, – esclamò la donzella. – Ho paura! Fatemi scendere e nascondere dietro questa siepe.

Agilulfo irrompe sullo spiazzo dove sorge il castello. Tutt'intorno è nero d'orsi. Alla vista del cavallo e del cavaliere, digrignano i denti e s'assiepano fianco a fianco a sbarrargli la strada. Agilulfo carica mulinando la lancia. Qualcuno ne infilza, altri ne stordisce, altri ne ammacca. Sopraggiunge sul suo cavallo Gurdulù e li insegue con lo spiedo. In dieci minuti quelli che non sono rimasti stesi come tanti tappeti sono andati a rimpiattarsi nelle più profonde foreste.

S'aperse la porta del castello. – Nobile cavaliere, potrà la mia ospitalità ripagarvi di quanto io vi devo? – Sulla soglia era apparsa Priscilla, attorniata dalle sue dame e fantesche. (Tra loro era la giovane che aveva accompagnato i due fin là;

non si capisce come, era già a casa e indossava non più le vesti lacere di prima ma un bel grembiule pulito).

Agilulfo, seguito da Gurdulù, fece il suo ingresso nel castello. La vedova Priscilla era una non tanto alta, non tanto in carne, ma ben lisciata, dal petto non vasto ma messo ben in fuori, certi occhi neri che guizzano, insomma una donna che ha qualcosa da dire. Era lì, davanti alla bianca armatura di Agilulfo, compiaciuta. Il cavaliere stava sostenuto, ma era timido.

– Cavaliere Agilulfo Emo Bertrandino dei Guildiverni, – disse Priscilla, – già conosco il vostro nome e so bene chi siete e chi *non* siete.

A quell'annuncio Agilulfo, come liberato da un disagio, depose la timidezza e assunse un'aria sufficiente. Ciononodimeno s'inchinò, piegò un ginocchio a terra, disse: – Servo vostro, – e s'alzò di scatto.

– Ho tanto inteso parlare di voi, – disse Priscilla, – e da tempo era mio ardente desiderio incontrarvi. Quale miracolo vi ha portato su questa strada così remota?

– Sono in viaggio per rintracciare prima che sia troppo tardi, – disse Agilulfo, – una verginità di or sono quindici anni.

– Non ho mai udito impresa cavalleresca che avesse una mèta così sfuggente, – disse Priscilla. – Ma se sono passati quindici anni, non ho scrupolo a farvi ritardare ancora una notte, chiedendovi di restare ospite del mio castello –. E s'avviò al suo fianco.

Le altre donne rimasero tutte con gli occhi addosso a lui, finché non sparì con la castellana in un seguito di sale. Allora si voltarono a Gurdulù.

– Oh, che bel tocco di palafreniere! – fanno, battendo le mani. Lui se ne sta lì come un babbeo, e si gratta. – Peccato abbia le pulci e puzzi tanto! – dicono. – Su, svelte, laviamolo! – Lo portano nei loro quartieri e lo spogliano nudo.

Priscilla aveva condotto Agilulfo a una tavola apparecchiata per due persone. – Conosco la vostra abituale temperanza, cavaliere, – gli disse, – ma non so come cominciare a farvi onore se non invitandovi a sedere a questo desco. Certamente,

– aggiunse maliziosa, – i segni di gratitudine che ho in animo d'offrirvi non si fermano qui.

Agilulfo ringraziò, sedette di fronte alla castellana, sminuzzò qualche briciola di pane tra le dita, stette qualche momento in silenzio, si schiarì la voce, e attaccò a parlare del più e del meno.

– Davvero strane e fortunose, signora, le venture che toccano in sorte a un cavaliere errante. Esse peraltro possono raggrupparsi in vari tipi. Primo... – E così conversa, affabile, preciso, informato, talora facendo affiorare un sospetto d'eccessiva meticolosità, subito corretto però dalla volubilità con cui passa a parlar d'altro, intercalando le frasi serie con motti di spirito e scherzi sempre di buona lega, dando sui fatti e sulle persone giudizi né troppo favorevoli né troppo contrari, tali sempre da poter esser fatti propri dall'interlocutrice, alla quale offre il destro di dir la sua, incoraggiandola con garbate domande.

– O che conversatore delizioso, – fa Priscilla, e si bea.

Tutt'a un tratto, così come aveva cominciato a discorrere, Agilulfo sprofonda nel silenzio.

– È ora che comincino i canti, – fece Priscilla e batté le mani. Entrarono nella sala le suonatrici di liuto. Una intonò la canzone che dice: «Il licorno coglierà la rosa»; poi quell'altra: «Jasmin, veulliez embellir le beau coussin».

Agilulfo ha parole d'apprezzamento per la musica e le voci.

Uno stuolo di giovinette entrò danzando. Avevano tuniche leggere e ghirlandette tra i capelli. Agilulfo accompagnava la danza battendo a ritmo coi suoi guanti di ferro sulla tavola.

Non meno festose erano le danze che si svolgevano in un'altra ala del castello, nei quartieri delle dame del seguito. Semisvestite, le giovani donne giocavano alla palla e pretendevano di far partecipare al loro gioco Gurdulù. Lo scudiero, vestito anche lui d'una tunichetta che quelle dame gli avevano prestato, anziché stare al suo posto ad aspettare che la palla gli venisse lanciata, le correva dietro e cercava d'impadronirsene in ogni modo, buttandosi a corpo morto addosso all'una o all'altra donzella, e in queste mischie spesso era colto da un'altra ispirazione e rotolava con la donna su uno dei morbidi giacigli che erano stesi là intorno.

– Oh, ma che fai? No, no, somaraccio! Ah, guardate cosa mi fa, no, voglio giocare alla palla, ah! ah! ah!

Gurdulù ormai non capiva più niente. Tra il bagno tiepido che gli avevano fatto fare, i profumi e quelle carni bianche e rosa, ormai il suo solo desiderio era di fondersi alla generale fragranza.

– Ah, ah, è di nuovo qui, uh mamma mia, ma senti un po', aaah...

Le altre giocavano alla palla come niente fosse, scherzavano ridevano cantavano: – Ola ola, la luna in alto vola...

La donzella che Gurdulù aveva strappato via, dopo un estremo lungo grido tornava tra le compagne, un po' affocata in viso, un po' stordita, e ridendo, battendo le mani: – Su, su, qua a me! – riprendeva a giocare.

Non passava molto, e Gurdulù rotolava addosso a un'altra.

– Via, sciò sciò, ma che noioso, ma che irruento, no, mi fai male, ma di'... – e soccombeva.

Altre donne e giovanette che non partecipavano ai giochi sedevano su panche e discorrevano tra loro:

– ... E perché Filomena, sapete, era gelosa di Clara ma invece... – e si sentiva abbrancare da Gurdulù alla vita, – Uh, che spavento! ... invece, dicevo, Viligelmo pare che andasse con Eufemia... ma dove mi porti...? – Gurdulù se l'era caricata in spalla. – ... Avete capito? Quell'altra scema intanto con la sua gelosia al solito... – continuava a chiacchierare e a gesticolare la donna, penzolando dalla spalla di Gurdulù, e spariva.

Non era passato molto tempo e ritornava, scarmigliata, una spallina strappata, e si rimetteva lì, fitto fitto: – È proprio così, vi dico, Filomena fece una scena a Clara e l'altro invece...

Dalla sala dei banchetti intanto danzatrici e suonatrici s'erano ritirate. Agilulfo si dilungò ad elencare alla castellana le composizioni che i musici dell'imperatore Carlomagno eseguivano più di sovente.

– Il cielo s'imbruna, – osservò Priscilla.

– È notte, è notte fonda, – ammise Agilulfo.

– La stanza che vi ho riservato...

– Grazie. Udite l'usignolo là nel parco.

– La stanza che vi ho riservato... è la mia...

– La vostra ospitalità è squisita... È da quella quercia che canta l'usignolo. Avviciniamoci alla finestra.

S'alzò, le porse il ferreo braccio, s'accostò al davanzale. Il gorgheggio degli usignoli gli diede lo spunto per una serie di riferimenti poetici e mitologici.

Ma Priscilla troncò netto: – Insomma l'usignolo canta per amore. E noi...

– Ah! l'amore! – gridò Agilulfo con un soprassalto di voce così brusco che Priscilla ne restò spaventata. E lui, di punto in bianco, si lanciò in una dissertazione sulla passione amorosa. Priscilla era teneramente accesa; appoggiandosi al suo braccio, lo spinse in una stanza dominata da un gran letto col baldacchino.

– Presso gli antichi, essendo l'amore considerato un dio... – continuava Agilulfo, fitto fitto.

Priscilla richiuse la porta a doppia mandata, si avvicinò a lui, chinò il capo sulla corazza e disse: – Ho un po' freddo, il camino è spento.

– Il parere degli antichi, – disse Agilulfo, – se fosse meglio amarsi in stanze fredde oppure calde, è controverso. Ma il consiglio dei più...

– Oh, come voi conoscete tutto dell'amore... – bisbigliava Priscilla.

– Il consiglio dei più, pur escludendo gli ambienti soffocanti, propende per un certo natural tepore...

– Devo chiamare le donne ad accendere il fuoco?

– Lo accenderò io stesso –. Esaminò la legna accatastata nel camino, vantò la fiamma di questo o di quel legno, enumerò i vari modi di accender fuochi all'aperto o in luoghi chiusi. Un sospiro di Priscilla l'interruppe; come rendendosi conto che questi nuovi discorsi stavano disperdendo la trepidazione amorosa che s'era andata creando, Agilulfo prese rapidamente ad infiorare il suo discorso sui fuochi di riferimenti e paragoni e allusioni al calore dei sentimenti e dei sensi.

Priscilla ora sorrideva, a occhi socchiusi, allungava le mani verso la fiamma che cominciava a scoppiettare e diceva: – Quale grato tepore... quanto dev'essere dolce gustarlo tra le coltri, coricati...

L'argomento del letto suggerì ad Agilulfo una serie di nuove osservazioni: secondo lui la difficile arte di fare il letto è ignota alle fantesche di Francia e nei più nobili palazzi non si trovano che lenzuola rincalzate male.

– O no, ditemi, anche il mio letto...? – domandò la vedova.

– Di certo il vostro è un letto da regina, superiore a ogni altro in tutti i territori imperiali, ma permettete che il mio desiderio di vedervi circondata solo di cose in ogni loro punto degne di voi mi porti a considerare con apprensione questa piega...

– Oh, questa piega! – gridò Priscilla, presa anch'essa ormai dallo struggimento di perfezione che Agilulfo le comunicava.

Disfecero il letto a strato a strato, scoprendo e recriminando piccole gibbosità, sbuffi, tratti troppo tesi o troppo rilassati, e questa ricerca ora diventava uno strazio lancinante ora un'ascesa in cieli sempre più alti.

Buttato il letto sossopra fino al paglione, Agilulfo prese a rifarlo secondo le regole. Era un'operazione elaborata: nulla deve essere fatto a caso, e vanno messi in opera accorgimenti segreti. Egli li andava spiegando diffusamente alla vedova. Ma ogni tanto c'era un qualcosa che lo lasciava insoddisfatto, e allora ricominciava da capo.

Dalle altre ali del castello risuonò un grido, anzi un muggito o raglio, incontenibile.

– Cos'è stato? – trasalì Priscilla.

– Niente, è la voce del mio scudiero, – disse lui.

A quel grido se ne mischiavano altri più acuti, come sospiri strillati che salivano alle stelle.

– Ma adesso che cos'è? – si domandò Agilulfo.

– Oh, sono le ragazze, – disse Priscilla, – giocano... si sa, la gioventù.

E continuavano a rassettare il letto, dando orecchio ogn'
tanto ai rumori della notte.

– Gurdulù grida...

– Che chiasso queste donne...

– L'usignolo...

– I grilli...

Il letto era ora pronto, senza pecche. Agilulfo si voltò verso
la vedova. Era nuda. Le vesti erano castamente scese al suolo

– Alle dame ignude si consiglia, – dichiarò Agilulfo, – come la più sublime emozione dei sensi, l'abbracciarsi a un guerriero in armatura.

– Bravo: lo vieni a insegnare a me! – fece Priscilla. – Non
sono mica nata ieri! – E in così dire, spiccò un salto e s'arrampicò ad Agilulfo, stringendo gambe e braccia attorno alla corazza.

Provò uno dopo l'altro tutti i modi in cui un'armatura può
essere abbracciata, poi, languidamente, entrò nel letto.

Agilulfo s'inginocchiò al capezzale. – I capelli, – disse.

Priscilla spogliandosi non aveva disfatto l'alta acconciatura
della sua bruna chioma. Agilulfo prese ad illustrare quanta
parte abbia nel trasporto dei sensi la capigliatura sparsa

– Proviamo.

Con mosse decise e delicate delle sue mani di ferro, le sciolse il castello di trecce facendo ricadere la chioma sul petto e
sulle spalle.

– Però, – soggiunse, – ha certamente più malizia colui che
predilige la dama dal corpo ignudo ma dal capo non solo acconciato di tutto punto, ma pure addobbato di veli e diademi

– Riproviamo?

– Sarò io a pettinarvi –. La pettinò, e dimostrò la sua va
lentia nell'intessere trecce, nel rigirarle e fissarle sul capo con
gli spilloni. Poi preparò una fastosa acconciatura di veli e vez-
zi. Così passò un'ora, ma Priscilla, quando egli le porse lo
specchio, non s'era mai vista così bella.

Lo invitò a coricarsi al suo fianco. – Dicono che Cleopatra
ogni notte, – egli le disse, – sognasse d'avere a letto un guer
riero in armatura.

– Non ho mai provato, – confessò lei. – Tutti se la tolgono assai prima

– Ebbene, adesso proverete –. E lentamente, senza gualcire le lenzuola, entrò armato di tutto punto nel letto e si stese composto come in un sepolcro.

– E neppure vi slacciate la spada dal budriere?

– La passione amorosa non conosce vie di mezzo.

Priscilla chiuse gli occhi, estasiata.

Agilulfo si sollevò su un gomito. – Il fuoco butta fumo. M'alzo a vedere come mai il camino non tira.

Alla finestra spuntava la luna. Tornando dal camino verso il letto, Agilulfo si arrestò: – Signora, andiamo sugli spalti a godere di questa tarda luce lunare.

La avvolse nel suo mantello. Allacciati, salirono sulla torre. La luna inargentava la foresta. Cantava il chiù. Qualche finestra del castello era ancora illuminata e ne partivano ogni tanto grida o risate o gemiti e il raglio dello scudiero.

– Tutta la natura è amore…

Tornarono nella stanza. Il camino era quasi spento. S'accoccolarono a soffiare sulle braci. A stare lì vicini, le rosee ginocchia di Priscilla sfiorando le metalliche ginocchiere di lui, nasceva una nuova intimità, più innocente.

Quando Priscilla tornò a coricarsi la finestra era sfiorata già dal primo chiarore. – Nulla trasfigura il viso d'una donna quanto i primi raggi dell'alba, – disse Agilulfo, ma perché il viso apparisse nella luce migliore fu costretto a spostare letto e baldacchino.

– Come sono? – chiese la vedova.

– Bellissima.

Priscilla era felice. Però il sole saliva rapido e per inseguirne i raggi, Agilulfo doveva spostare continuamente il letto.

– È l'aurora, – disse. La sua voce era già mutata. – Il mio dovere di cavaliere vuole che a quest'ora io mi metta in cammino.

– Di già! – gemette Priscilla. – Proprio adesso!

– Mi duole, gentile dama, ma sono spinto da un compito più grave.

– Oh, era così bello…

Agilulfo chinò il ginocchio. – Benedicetemi, Priscilla –.
S'alza, già chiama lo scudiero. Gira per tutto il castello e finalmente lo scova, sfinito, addormentato morto, in una specie
di canile. – Svelto, in sella! – Ma deve caricarlo di peso. Il sole
continuando la sua ascesa campisce le due figure a cavallo sull'oro delle foglie del bosco: lo scudiero come un sacco là in bilico, il cavaliere dritto e svettante come la sottile ombra d'un
pioppo.

Attorno a Priscilla erano accorse dame e fantesche.

– Com'è stato, padrona, com'è stato?

– Oh, una cosa, sapeste! Un uomo, un uomo...

– Ma diteci, raccontateci, com'è?

– Un uomo... un uomo... Una notte, un continuo, un paradiso...

– Ma che ha fatto? Che ha fatto?

– Come si fa a dire? Oh, bello, bello...

– Ma con tutto che è così, eh? Eppure... dite...

– Adesso non saprei come... Tante cose... Ma voi, piuttosto, con quello scudiero...?

– Eh? Oh, niente, non so, tu forse? no: tu! Macché, non ricordo...

– Ma come? vi si sentiva, care mie...

– Ma, chissà, poverino, io non ricordo, neanch'io ricordo,
forse tu... macché: io? Padrona, diteci di lui, del cavaliere,
eh? com'era Agilulfo?

– Oh, Agilulfo!

IX

Io che scrivo questo libro seguendo su carte quasi illeggibili una antica cronaca, mi rendo conto solo adesso che ho riempito pagine e pagine e sono ancora al principio della mia storia; ora comincia il vero svolgimento della vicenda, cioè gli avventurosi viaggi di Agilulfo e del suo scudiero per rintracciare la prova della verginità di Sofronia, i quali si intrecciano con quelli di Bradamante inseguitrice e inseguita, di Rambaldo innamorato e di Torrismondo in cerca dei Cavalieri del Gral. Ma questo filo, invece di scorrermi veloce tra le dita, ecco che si rilassa, che s'intoppa, e se penso a quanto ancora ho da mettere sulla carta d'itinerari e ostacoli e inseguimenti e inganni e duelli e tornei, mi sento smarrire. Ecco come questa disciplina di scrivana da convento e l'assidua penitenza del cercare parole e il meditare la sostanza ultima delle cose m'hanno mutata: quello che il volgo – ed io stessa fin qui – tiene per massimo diletto, cioè l'intreccio d'avventure in cui consiste ogni romanzo cavalleresco, ora mi pare una guarnizione superflua, un freddo fregio, la parte più ingrata del mio penso.

Vorrei correre a narrare, narrare in fretta, istoriare ogni pagina con duelli e battaglie quanti ne basterebbero a un poema, ma se mi fermo e faccio per rileggere m'accorgo che la penna non ha lasciato segno sul foglio e le pagine son bianche.

Per raccontare come vorrei, bisognerebbe che questa pagina bianca diventasse irta di rupi rossicce, si sfaldasse in una sabbietta spessa, ciottolosa, e vi crescesse un'ispida vegetazione di ginepri. In mezzo, dove serpeggia un malsegnato sentiero, farei passare Agilulfo, eretto in sella, a lancia in resta. Ma oltre che contrada rupestre questa pagina dovrebb'essere nello stesso tempo cupola del cielo appiattita qua sopra, tanto bassa che in mezzo ci sia posto soltanto per un volo gracchiante di corvi. Con la penna dovrei riuscire a incidere il foglio, ma con leggerezza, perché il prato dovrebbe figurare percorso dallo strisciare d'una biscia invisibile nell'erba, e la brughiera attraversata da una lepre che ora esce al chiaro, si ferma, annusa intorno nei corti mustacchi, è già scomparsa.

Ogni cosa si muove nella liscia pagina senza che nulla se ne veda, senza che nulla cambi sulla sua superficie, come in fondo tutto si muove e nulla cambia nella rugosa crosta del mondo, perché c'è solo una distesa della medesima materia, proprio come il foglio su cui scrivo, una distesa che si contrae e raggruma in forme e consistenze diverse e in varie sfumature di colori, ma che può pur tuttavia figurarsi spalmata su di una superficie piana, anche nei suoi agglomerati pelosi o pennuti o nocchieruti come un guscio di tartaruga, e una tale pelosità o pennutezza o nocchierutaggine alle volte pare che si muova, ossia ci sono dei cambiamenti di rapporti tra le varie qualità distribuite nella distesa di materia uniforme intorno, senza che nulla sostanzialmente si sposti. Possiamo dire che l'unico che certamente compie uno spostamento qua in mezzo è Agilulfo, non dico il suo cavallo, non dico la sua armatura, ma quel qualcosa di solo, di preoccupato di sé, d'impaziente, che sta viaggiando a cavallo dentro l'armatura. Intorno a lui le pigne cadono dal ramo, i rii scorrono tra i ciottoli, i pesci nuotano nei rii, i bruchi rodono le foglie, le tartarughe arrancano col duro ventre al suolo, ma è soltanto un'illusione di movimento, un perpetuo volgersi e rivolgersi come l'acqua delle onde. E in quest'onda si volge e si rivolge Gurdulù, prigioniero del tappeto delle cose, spalmato anche lui nella stessa pasta con le pigne i pesci i bruchi i sassi le foglie, mera escrescenza della crosta del mondo.

Quanto mi riesce più difficile segnare su questa carta la corsa di Bradamante, o quella di Rambaldo, o del cupo Torrismondo! Bisognerebbe che ci fosse sulla superficie uniforme un leggerissimo affiorare, come si può ottenere rigando dal di

sotto il foglio con uno spillo, e quest'affiorare, questo tendere
fosse però sempre carico e intriso della generale pasta del
mondo e proprio lì fosse il senso e la bellezza e il dolore, e lì il
vero attrito e movimento.

Ma come posso andare avanti nella storia, se mi metto a
maciullare così le pagine bianche, a scavarci dentro valli e anfratti, a farvi scorrere grinze e scalfitture, leggendo in esse le
cavalcate dei paladini? Meglio sarebbe, per aiutarmi a narrare, se mi disegnassi una carta dei luoghi, con il dolce paese di
Francia, e la fiera Bretagna, ed il canale d'Inghilterra colmo
di neri flutti, e lassù l'alta Scozia, e quaggiù gli aspri Pirenei,
e la Spagna ancora in mano infedele, e l'Africa madre di serpenti. Poi, con frecce e con crocette e con numeri potrei segnare il cammino di questo o quell'eroe. Ecco che già posso
con una linea rapida nonostante alcune giravolte, far approdare in Inghilterra Agilulfo e farlo dirigere verso il monastero
dove da quindici anni è ritirata Sofronia.

Arriva, e il monastero è un ammasso di rovine.

– Troppo tardi giungete, nobile cavaliere, – dice un vec
chio, – ancora queste valli risuonano delle grida di quelle
sventurate. Una flotta di pirati moreschi, sbarcata su queste
coste, saccheggiò or non è molto il convento, portò via schiave tutte le religiose e appiccò fuoco alle mura.

– Portò via? Dove?

– Schiave da esser vendute al Marocco, signor mio.

– C'era tra quelle suore una che al secolo era figlia del re d
Scozia, Sofronia?

– Ah, volete dire suor Palmira! Se c'era? Subito se la car
carono in spalla, quei ribaldi! Non più una giovinetta, era ancor sempre ben piacente. La ricordo come fosse ora, che gr
dava ghermita da quei brutti ceffi.

– Eravate presente al saccheggio?

– Che volete, noi del paese, si sa, si è sempre in piazza.

– E non portaste soccorso?

– A chi? Be', signor mio, cosa volete, così tutto d'un tratto… noi non s'aveva comandi, né esperienza… Tra fare e far
male si è pensato di non fare.

– E, ditemi, questa Sofronia, al convento, menava vita pia?

– Monache di questi tempi ce n'è di tutte le sorta, ma suor Palmira era la più pia e casta di tutto il vescovado.

– Presto, Gurdulù, andiamo al porto ed imbarchiamoci per il Marocco.

Tutto questo che ora contrassegno con righine ondulate è il mare, anzi l'Oceano. Ora disegno la nave su cui Agilulfo compie il suo viaggio, e più in qua disegno un'enorme balena, con il cartiglio e la scritta «Mare Oceano». Questa freccia indica il percorso della nave. Posso fare pure un'altra freccia che indichi il percorso della balena; to': s'incontrano. In questo punto dell'Oceano dunque avverrà lo scontro della balena con la nave, e siccome la balena l'ho disegnata più grossa, la nave avrà la peggio. Disegno ora tante frecce incrociate in tutte le direzioni per significare che in questo punto tra la balena e la nave si svolge un'accanita battaglia. Agilulfo si batte da suo pari e infigge la sua lancia in un fianco del cetaceo. Un getto nauseante d'olio di balena lo investe, che io rappresento con queste linee divergenti. Gurdulù salta sulla balena e si dimentica della nave. A un colpo di coda, la nave si rovescia. Agilulfo con l'armatura di ferro non può che colare dritto a picco. Prima d'essere del tutto sommerso dalle onde, grida allo scudiero: – Ritrovati al Marocco! Io vado a piedi!

Difatti, calando giù per la profondità di miglia e miglia, Agilulfo scende in piedi sulla sabbia del fondo del mare, e prende a camminare di buon passo. Incontra spesso mostri marini e se ne difende a colpi di spada. L'unico inconveniente per un'armatura in fondo al mare sapete anche voi qual è: la ruggine. Ma essendo stata irrorata da capo a piedi d'olio di balena, la bianca armatura ha addosso uno strato d'unto che la mantiene intatta.

Nell'Oceano ora disegno una testuggine. Gurdulù ha ingurgitato una pinta d'acqua salata prima di capire che non è il mare che deve stare dentro a lui ma è lui che deve stare nel mare; e finalmente si è aggrappato al guscio d'una grossa testuggine marina. Un po' lasciandosi trasportare, un po' cercando di dirigerla a ganascini e a pizzicotti, s'avvicina alle coste dell'Africa. Qui s'impiglia in una rete di pescatori saracini.

Tratte le reti a bordo, i pescatori vedono apparire in mezzo ad un guizzante branco di triglie un uomo dalle vesti muffite, ricoperto d'erbe marine. – L'uomo-pesce! L'uomo-pesce! – gridano.

– Macché uomo-pesce: è Gudi-Ussuf! – dice il capo-pesca. – È Gudi-Ussuf, io lo conosco!

Gudi-Ussuf era infatti uno dei nomi con cui attorno alle cucine maomettane era designato Gurdulù, quando senz'accorgersene passava le linee e si trovava negli accampamenti del sultano. Il capo pescatore era stato soldato dell'esercito moresco in terra di Spagna; conoscendo Gurdulù come fisico robusto e animo docile, lo prese con sé per farne un pescatore d'ostriche.

Stavano una sera i pescatori, e Gurdulù in mezzo a loro, seduti sui sassi della riva marocchina, aprendo a una a una le ostriche pescate, quando dall'acqua spunta un cimiero, un elmo, una corazza, insomma un'armatura tutta intera che camminando se ne viene passo passo a riva. – L'uomo-aragosta! L'uomo-aragosta! – gridano i pescatori, correndo pieni di paura a nascondersi tra gli scogli.

– Macché uomo-aragosta! – dice Gurdulù. – È il mio padrone! Sarete stracco, cavaliere. Ve la siete fatta tutta a piedi!

– Non sono stanco affatto, – replica Agilulfo. – E tu, cosa fai qui?

– Cerchiamo perle per il sultano, – interviene l'ex soldato, – che ogni sera deve regalare a una moglie diversa una perla nuova.

Avendo trecentosessantacinque mogli, il sultano ne visitava una per notte, quindi ogni moglie veniva visitata una sola volta all'anno. A quella che visitava, egli usava portare in dono una perla, perciò ogni giorno i mercanti dovevano fornirgli una perla fresca fresca. Poiché quel giorno i mercanti avevano esaurito la loro scorta, s'erano rivolti ai pescatori che gli procurassero una perla ad ogni costo.

– Voi che così bene riuscite a camminare sul fondo del mare, – disse ad Agilulfo l'ex soldato, – perché non vi associate alla nostra impresa?

– Un cavaliere non s'associa a imprese che abbiano come scopo il guadagno, specie se condotte da nemici della sua religione. Vi ringrazio, o pagano, per aver salvato e nutrito questo mio scudiero, ma che il vostro sultano stanotte non possa regalare nessuna perla alla sua trecentosessantacinquesima sposa non m'importa proprio un fico.

– Importa molto a noi, che saremo fatti frustare, – fece il pescatore. – Stanotte non sarà una notte nuziale come le altre. Tocca a una sposa nuova, che il sultano va a visitare per la prima volta. È stata comprata or è quasi un anno da certi pirati, e ha atteso fino ad ora il suo turno. È sconveniente che il sultano si presenti da lei a mani vuote, tanto più che si tratta d'una vostra correligionaria, Sofronia di Scozia, di stirpe reale, portata al Marocco come schiava e subito destinata al gineceo del nostro sovrano.

Agilulfo non dette a vedere la sua emozione. – Vi darò modo di cavarvi d'impaccio, – disse. – I mercanti propongano al sultano di far portare alla nuova sposa non la solita perla ma un regalo che possa alleviare la sua nostalgia del paese lontano: cioè una completa armatura di guerriero cristiano.

– E dove troveremo quest'armatura?

– La mia! – disse Agilulfo.

Sofronia attendeva che venisse sera nel suo quartiere del palazzo delle mogli. Dalla grata della finestra cuspidata guardava le palme del giardino, le vasche, le aiole. Il sole s'abbassava, il muezzin lanciava il suo grido, nel giardino s'aprivano i profumati fiori del tramonto.

Bussano. È l'ora! No, sono i soliti eunuchi. Portano un regalo da parte del sultano. Un'armatura. Un'armatura tutta bianca. Chissà cosa vuol dire. Sofronia, di nuovo sola, si rimise alla finestra. Da quasi un anno era lì. Appena comprata come sposa, le avevano assegnato il turno d'una moglie da poco ripudiata, un turno che sarebbe toccato dopo più di undici mesi. Star lì nel gineceo senza far niente, un giorno dopo l'altro, era una noia peggio del convento.

– Non temete, nobile Sofronia, – disse una voce alle sue

spalle. Si voltò. Era l'armatura che parlava. – Sono Agilulfo dei Guildiverni che già altra volta salvò la vostra immacolata virtù.

– Oh, aiuto! – aveva trasalito la sposa del sultano. E poi, ricomponendosi: – Ah, sì, mi era parso che quest'armatura bianca non mi fosse nuova. Siete voi che arrivaste nel momento giusto, anni fa, per impedire che un brigante abusasse di me...

– Ed ora arrivo nel momento giusto per salvarvi dall'obbrobrio delle nozze pagane.

– Già... Sempre voi, siete...

– Adesso, protetta da questa spada, vi accompagnerò fuori dai dominî del sultano.

– Già... Si capisce...

Quando gli eunuchi vennero ad annunciare l'arrivo del sultano, furono passati a fil di spada. Avvolta in un mantello, Sofronia correva per i giardini al fianco del Cavaliere. I dragomanni diedero l'allarme. Poco poterono le pesanti scimitarre contro l'esatta agile spada del guerriero dalla bianca corazza. E il suo scudo sostenne bene l'assalto delle lance di tutto un drappello. Gurdulù coi cavalli attendeva dietro a un fico d'India. In porto, una feluca era già pronta a partire per le terre cristiane. Sofronia dalla tolda vedeva allontanarsi le palme della spiaggia.

Ora disegno, qui nel mare, la feluca. La faccio un po' più grossa della nave di prima, perché anche se incontrasse la balena non succedano disastri. Con questa linea ricurva segno il percorso della feluca che vorrei far arrivare fino al porto di San Malò. Il guaio è che qui all'altezza del golfo di Biscaglia c'è già un tale pasticcio di linee che si intersecano, che è meglio far passare la feluca un po' più in qua, su per di qui, su per di qui, ed ecco accidenti che va a sbattere contro le scogliere di Bretagna! Fa naufragio, cola a picco, e a stento Agilulfo e Gurdulù riescono a portare Sofronia in salvo a riva.

Sofronia è stanca. Agilulfo decide di farla rifugiare in una grotta e di raggiungere insieme allo scudiero il campo di Carlomagno per annunciare che la verginità è ancora intatta e così la legittimità del suo nome. Ora io segno la grotta con una crocetta in questo punto della costa bretone per poterla ritrovare poi. Non so cosa sia questa linea che pure passa in questo punto: ormai la mia carta è un intrico di righe tracciate in tutti i sensi. Ah, ecco, è una linea che corrisponde al percorso di Torrismondo. Dunque il pensieroso giovane passa proprio di qui, mentre Sofronia giace nella caverna. Anch'egli s'approssima alla grotta, entra, la vede.

X

Com'era giunto là, Torrismondo? Nel tempo che Agilulfo era passato di Francia in Inghilterra, d'Inghilterra in Africa e d'Africa in Bretagna, il cadetto putativo dei duchi di Cornovaglia aveva percorso in lungo e in largo le foreste delle nazioni cristiane in cerca dell'accampamento segreto dei Cavalieri del San Gral. Poiché d'anno in anno il Sacro Ordine usa cambiare le sue sedi e non palesa mai la sua presenza ai profani, Torrismondo non trovava alcun indizio da seguire nel suo itinerario. Andava a caso, rincorrendo una sensazione remota che per lui era tutt'uno con il nome del Gral; ma era l'Ordine dei pii Cavalieri che cercava o piuttosto inseguiva il ricordo della sua infanzia nelle brughiere della Scozia? Talvolta, l'aprirsi improvviso d'una valle nera di larici, o un precipizio di rocce grige in fondo al quale rombava un torrente bianco di spuma, lo riempivano d'una commozione inspiegabile, che egli prendeva per un avvertimento. «Ecco, essi forse sono qui, sono vicini». E se da quella plaga si levava un lontano e cupo suono di corno, allora Torrismondo non aveva più dubbi, si metteva a battere ogni anfratto a palmo a palmo cercando una traccia. S'imbatteva tutt'al più in qualche cacciatore smarrito o in un pastore col suo gregge.

Giunto nella remota terra di Curvaldia, si fermò a un villaggio e chiese a quei rustici la carità di un po' di ricotta e di pan bigio.

– Darvene, vi se ne dà volentieri, signorino, – disse un capraio, – ma vedete qui me, mia moglie e i figli come siamo ridotti scheletriti! Le oblazioni che dobbiamo fare ai cavalieri sono già tante! Questo bosco formicola di colleghi vostri, ancorché vestiti differente. Ce n'è tutta una truppa, e quanto al rifornirsi, voi capite, sono tutti addosso a noi!

– Cavalieri che abitano nel bosco? E come vestono?

– Il mantello è bianco, l'elmo è d'oro, con due ali bianche di cigno sui lati.

– E sono molto pii?

– Oh, per esser pii sono pii. E col denaro non si sporcano certo le mani perché non hanno un soldo. Ma di pretese ne hanno, e a noi tocca obbedire! Ora siamo rimasti a stecchetto: è carestia. Quando verranno la prossima volta, cosa gli si dà?

Il giovane già correva verso il bosco.

Tra i prati, per le acque calme d'un ruscello, passava un lento branco di cigni. Torrismondo camminava per la riva, seguendoli. Di tra le fronde risuonò un arpeggio: «Flin, flin, flin!» Il giovane andava avanti e il suono pareva ora seguirlo ora precederlo: «Flin, flin, flin!» Dove le fronde diradavano apparve una figura umana. Era un guerriero con l'elmo guarnito di ali bianche, che reggeva una lancia e insieme una piccola arpa sulla quale, a tratti, provava quell'accordo: «Flin, flin, flin!» Non disse nulla; i suoi sguardi non evitavano Torrismondo ma gli passavano sopra quasi non lo percepissero, eppure pareva che lo stesse accompagnando: quando tronchi e arbusti li separavano, gli faceva ritrovare la strada richiamandolo con uno dei suoi arpeggi: «Flin, flin, flin!» Torrismondo avrebbe voluto parlargli, domandargli, ma lo seguiva zitto e intimidito.

Sbucarono in una radura. Da ogni parte erano guerrieri armati di lance, con corazze d'oro, avvolti in lunghi mantelli bianchi, immobili, voltati ognuno in una direzione diversa, con lo sguardo nel vuoto. Uno imbeccava un cigno con chicchi di granone, volgendo gli occhi altrove.

A un nuovo arpeggio del suonatore, un guerriero a cavallo rispose alzando il corno e mandando un lungo richiamo. Quando tacque, tutti quei guerrieri si mossero, fecero alcuni passi ognuno nella sua direzione, e si fermarono di nuovo.

– Cavalieri… – si fece forza a dire Torrismondo, – scusatemi, forse sbaglio, ma non siete voi forse i Cavalieri del Gra…

– Non pronunciarne mai il nome! – l'interruppe una voce

alle sue spalle. Un cavaliere, dal capo canuto, era fermo vicino a lui. – Non ti basta esser venuto a turbare il nostro pio raccoglimento?

– Oh, perdonatemi! – gli si rivolse il giovane. – Sono così felice d'essere tra voi! Sapeste quanto vi ho cercato!

– Perché?

– Perché... – e la smania di proclamare il suo segreto fu più forte del timore di commettere un sacrilegio, – ... perché sono vostro figlio!

Il cavaliere anziano restò impassibile. – Qui non si conoscono padri né figli, – disse dopo un momento di silenzio. – Chi entra nel Sacro Ordine abbandona tutte le parentele terrene.

Torrismondo, più che ripudiato, si sentì deluso: magari si sarebbe aspettata una ripulsa sdegnata da parte di quei suoi casti padri, ch'egli avrebbe controbattuta adducendo prove, invocando la voce del sangue; ma questa risposta così calma, che non negava la possibilità dei fatti, ma escludeva ogni discussione per una questione di principio, era scoraggiante.

– Non ho altra aspirazione che d'essere riconosciuto figlio di questo Sacro Ordine, – provò a insistere, – per il quale nutro una ammirazione sconfinata!

– Se ammiri tanto il nostro Ordine, – disse l'anziano, – non dovresti avere altra aspirazione che d'essere ammesso a farne parte.

– E sarebbe possibile, voi dite? – esclamò Torrismondo, subito attratto dalla nuova prospettiva.

– Quando te ne fossi reso degno.

– Cosa bisogna fare?

– Purificarsi gradatamente d'ogni passione e lasciarsi possedere dall'amore del Gral.

– Oh, voi lo pronunciate, il nome?

– Noi Cavalieri possiamo; voi profani, no.

– Ma ditemi, perché tutti qui tacciono e voi siete il solo a parlare?

– È a me che spetta il compito dei rapporti con i profani. Essendo le parole spesso impure, i Cavalieri preferiscono astenersene, se non per lasciar parlare attraverso le loro labbra il Gral.

– Ditemi: cosa devo fare per cominciare?

– Vedi quella foglia d'acero? Una goccia di rugiada vi si è posata. Tu sta' fermo, immobile, e fissa quella goccia sulla foglia, immedesimati, dimentica ogni cosa del mondo in quella goccia, finché non sentirai d'aver perso te stesso e d'essere pervaso dall'infinita forza del Gral.

E lo piantò lì. Torrismondo guardò fisso la goccia, guardò, guardò, gli venne da pensare ai casi suoi, vide un ragno che calava sulla foglia, guardò il ragno, guardò il ragno, si rimise a guardare la goccia, mosse un piede che gli formicolava, uffa! era annoiato. Intorno apparivano e sparivano nel bosco cavalieri che muovevano lentamente i passi, a bocca aperta e occhi sgranati, accompagnati da cigni di cui ogni tanto accarezzavano il morbido piumaggio. Qualcuno d'essi tutt'a un tratto allargava le braccia e spiccava una piccola corsa, emettendo un grido sospirato.

– Ma quelli là, – Torrismondo non poté trattenersi dal chiedere all'anziano, che era ricomparso nei pressi, – cosa gli succede?

– L'estasi, – disse l'anziano, – cioè qualcosa che tu non conoscerai mai se sei così distratto e curioso. Quei fratelli hanno finalmente raggiunto la completa comunione col tutto.

– E quegli altri? – chiese il giovane. Certi cavalieri andavano ancheggiando, come colti da dolci brividi, e facevano boccucce.

– Sono ancora a uno stadio intermedio. Prima di sentirsi una cosa sola con il sole e le stelle, il novizio sente come avesse dentro di sé solo le cose più vicine, ma molto intensamente. Questo, specie ai più giovani, fa un certo effetto. A quei nostri fratelli che tu vedi, lo scorrere del ruscello, lo stormire delle fronde, il crescere sotterraneo dei funghi comunicano una specie di gradevole lentissimo solletico.

– E non si stancano, alla lunga?

– Raggiungono man mano gli stadi superiori, in cui non sono più soltanto le vibrazioni più vicine ad occuparli ma il grande respiro dei cieli, e piano piano si distaccano dai sensi.

– Succede a tutti?

– A pochi. E in modo completo a uno soltanto di noi, l'Eletto, il Re del Gral.

Erano giunti a uno spiazzo dove un gran numero di cavalieri facevano esercizi d'armi davanti a una tribuna con baldacchino. Sotto quel baldacchino era seduto, o meglio raggomitolato, immobile, qualcuno che pareva, più che un uomo, una mummia, vestita anch'essa con l'uniforme del Gral, ma d'una foggia più fastosa. Gli occhi li aveva aperti, anzi sbarrati, nella faccia rinsecchita come una castagna.

– Ma è vivo? – chiese il giovane.

– È vivo, ma ormai è tanto preso dall'amore del Gral che non ha più bisogno di mangiare, né di muoversi, né di fare i suoi bisogni, né quasi di respirare. Non vede né sente. Nessuno conosce i suoi pensieri: essi certo riflettono il percorso di lontani pianeti.

– Ma perché lo fanno assistere a una parata militare, se non vede?

– Ciò è nei riti del Gral.

I cavalieri si esercitavano tra loro in assalti di scherma. Muovevano le spade a scatti, guardando nel vuoto, e i loro passi erano duri e improvvisi come se non potessero prevedere mai cos'avrebbero fatto un attimo dopo. Eppure non sbagliavano una botta.

– Ma come possono combattere, con quell'aria da mezz'addormentati?

– È il Gral che è in noi a muovere le nostre spade. L'amore dell'universo può prendere forma di tremendo furore e spingerci a infilzare amorosamente i nemici. Il nostro Ordine è invincibile in guerra proprio perché combattiamo senza fare alcuno sforzo né alcuna scelta ma lasciando che il sacro furore si scateni attraverso i nostri corpi.

– E la va sempre bene?

– Sì, per chi ha perso ogni residuo di volontà umana e lascia che sia soltanto la forza del Gral a muovere ogni suo minimo gesto.

– Ogni minimo gesto? Anche adesso che state camminando?

L'anziano avanzava come un sonnambulo. – Certamente.
Non sono io che muovo il mio piede: lascio che sia mosso.
Prova. Si comincia tutti di lì.

Torrismondo provò, ma – primo – non c'era verso di riu-
scirci e – secondo – non ci provava nessun gusto. C'era il bosco, verde e frondoso, tutto frulli e squittii, dove gli sarebbe
piaciuto correre, districarsi, scovare selvaggina, opporre a
quell'ombra, a quel mistero, a quella natura estranea, se stesso, la sua forza, la sua fatica, il suo coraggio. Invece, doveva
star lì a ciondolare come un paralitico.

– Lasciati possedere, – lo ammoniva l'anziano, – lasciati
possedere dal tutto.

– Ma a me, veramente, – sbottò Torrismondo, – quel che
piacerebbe è d'essere io a possedere, non d'esser posseduto.

L'anziano incrociò i gomiti sul viso in modo da tapparsi insieme occhi ed orecchi. – Ne hai ancora di cammino da compiere, ragazzo.

Torrismondo rimase all'accampamento del Gral. Si sforza-
va d'imparare, d'imitare i suoi padri o fratelli (non sapeva più
come chiamarli), cercava di soffocare ogni moto dell'animo
che gli paresse troppo individuale, di fondersi nella comunione con l'infinito amore del Gral, stava attento a percepire
ogni minimo indizio di quelle ineffabili sensazioni che mandavano in estasi i cavalieri. Ma i giorni passavano e la sua purifi-
cazione non faceva un passo avanti. Tutto quello che più piaceva a loro, a lui dava fastidio: quelle voci, quelle musiche,
quello star sempre lì pronti a vibrare. E soprattutto la vicinanza continua dei confratelli, vestiti in quella maniera, mezzi
nudi con la corazza e l'elmo d'oro, con le carni bianche bianche, alcuni un po' vecchiotti, altri giovinetti delicati, permalo-
si, gelosi, suscettibili, gli diventava sempre più antipatica.
Con la storia poi che era il Gral a muoverli, si lasciavano andare a ogni rilassatezza di costumi e pretendevano d'esser
sempre puri.

Il pensiero ch'egli poteva esser stato generato così con gli
occhi fissi nel vuoto, senza nemmeno badare a quello che facevano, dimenticandosene subito, gli riusciva insopportabile.

Venne il giorno della riscossione dei tributi. Tutti i villaggi intorno al bosco dovevano in ricorrenze stabilite versare ai Cavalieri del Gral un dato numero di forme di ricotta, di cesti di carote, di sacchi d'orzo e agnellini di latte.

S'avanzò un'ambasceria di paesani. – Noi si voleva dire che l'annata, per tutta la terra di Curvaldia, è stata magra. Neanche sappiamo come sfamare i nostri figli. La carestia tocca il ricco come il povero. Pii cavalieri, siamo qui umilmente a chiedervi che ci perdoniate i tributi, per stavolta.

Il Re del Gral, sotto il baldacchino, stava zitto e fermo come sempre. A un certo punto, lentamente, disgiunse le mani che aveva intrecciate sulla pancia, le levò al cielo (aveva delle unghie lunghissime) e la sua bocca disse: – Iiih...

A quel suono, tutti i Cavalieri avanzarono a lance puntate contro i poveri Curvaldi. – Aiuto! Difendiamoci! – gridarono quelli. – Corriamo ad armarci d'asce e di falci! – e si dispersero.

I Cavalieri, gli sguardi rivolti al cielo, al suono dei corni e dei timbri, marciarono sui villaggi curvaldi nella notte.

Dai filari di luppolo e dalle siepi saltavano fuori villici armati di forche fienaie e di roncole, cercando di contestar loro il passo. Ma poco poterono contro le inesorabili lance dei Cavalieri. Rotte le sparute linee dei difensori, essi si buttavano coi pesanti cavalli da guerra contro le capanne di pietre e paglia e fango diroccandole sotto gli zoccoli, sordi alle grida delle donne, dei vitelli e degli infanti. Altri cavalieri reggevano torce accese, ed appiccavano fuoco ai tetti, ai fienili, alle stalle, ai miseri granai, finché i villaggi non erano ridotti a roghi belanti e urlanti.

Torrismondo, spinto nella corsa dei Cavalieri, era stravolto. – Ma ditemi, perché? – gridava all'anziano, tenendogli dietro, come all'unico che potesse ascoltarlo. – Non è dunque vero che siete pervasi dall'amore del tutto! Ehi, attento, investite quella vecchia! Come avete cuore d'infierire su questi derelitti? Al soccorso, le fiamme s'appiccano a quella culla! Ma che fate?

– Non voler scrutare i disegni del Gral, novizio! – lo ammonì l'anziano. – Non siamo noi a far questo; è il Gral, che è in noi, che ci muove! Abbandonati al suo furioso amore!

Ma Torrismondo era sceso di sella, si lanciava a soccorrere una madre, a ridarle in braccio un bambino caduto.

– No! Non portatemi via tutto il raccolto! Ho faticato tanto! – urlava un vecchio.

Torrismondo fu al suo fianco. – Molla il sacco, brigante! – e s'avventò su un cavaliere strappandogli il maltolto.

– Che tu sia benedetto! Sta' con noi! – dissero alcuni di quei tapini che ancora tentavano con forconi e coltellacci e scuri di attestarsi a difesa dietro un muro.

– Disponetevi a semicerchio, diamo loro addosso tutti insieme! – gridò loro Torrismondo e si mise alla testa della milizia paesana curvalda.

Ora ricacciava i Cavalieri fuor delle case. Si trovò faccia a faccia con l'anziano e altri due armati di torce. – È un traditore, prendetelo!

S'accese una gran zuffa. I Curvaldi ci davano coi girarrosti, e le donne e i ragazzi con le pietre. A un tratto suonò il corno. – Ritirata! – Di fronte alla riscossa curvalda i Cavalieri avevano ripiegato in più punti e adesso sgombravano il villaggio.

Anche quel drappello che stringeva dappresso Torrismondo, arretrò. – Via, fratelli! – gridò l'anziano, – lasciamoci condurre dove ci porta il Gral!

– Trionfi il Gral! – fecero in coro gli altri voltando le briglie.

– Evviva! Ci hai salvati! – e i paesani s'affollavano attorno a Torrismondo. – Sei cavaliere ma generoso! Finalmente ce n'è uno! Resta con noi! Dicci quello che vuoi: te lo daremo!

– Ormai... quello che voglio... io non so più... – balbettava Torrismondo.

– Neanche noi sapevamo nulla, neppure d'essere persone umane, prima di questa battaglia... E adesso ci par di potere... di volere... di dover far tutto... Anche se è dura... – e si voltavano a piangere i loro morti.

– Non posso restar con voi... Non so chi sono... Addio... – e già galoppava via.

– Torna! – gli gridavano quelle popolazioni ma Torrismondo già s'allontanava dal villaggio, dal bosco del Gral, dalla Curvaldia.

Riprese il suo vagabondare per le nazioni. Ogni onore e ogni piacere egli aveva sdegnato fin allora, vagheggiando come solo ideale il Sacro Ordine dei Cavalieri del Gral. E ora che quell'ideale era svanito, quale mèta poteva dare alla sua inquietudine?

Si cibava di frutti selvatici nei boschi, di minestrone di fagioli nei conventi che incontrava per via, di ricci di mare sulle coste rocciose. E sulla spiaggia di Bretagna, cercando ricci appunto in una grotta, ecco che scorge una donna addormentata.

Quel desiderio che l'aveva mosso per il mondo, di luoghi vellutati da una morbida vegetazione, percorsi da un basso vento radente, e di terse giornate senza sole, ecco che finalmente al vedere quelle lunghe nere ciglia abbassate sulla guancia piena e pallida, e la tenerezza di quel corpo abbandonato, e la mano posata sul colmo seno, e i molli capelli sciolti, e il labbro, l'anca, l'alluce, il respiro, ora pare che quel desiderio si acqueti.

Chino su di lei, stava guardandola, quando Sofronia aperse gli occhi. – Non mi farete del male, – disse, mite. – Cosa andate cercando tra questi scogli deserti?

– Sto cercando qualcosa che sempre mi è mancata e solo ora che vi vedo so cos'è. Come siete giunta su questa riva?

– Fui costretta a nozze, ancorché monaca, con un seguace di Maometto, le quali non furono però mai consumate in quanto essendo io la trecentosessantacinquesima un intervento d'armi cristiane mi portò fin qui, vittima, peraltro, d'un naufragio nel viaggio di ritorno, così come all'andata d'un saccheggio di ferocissimi pirati.

– Capisco. E siete sola?

– Il salvatore è andato giù ai quartieri imperiali per sbrigare, a quanto ho inteso, certe pratiche.

– Vorrei offrirvi la protezione della mia spada, ma temo che il sentimento che mi ha infiammato alla vostra vista non trasmodi in propositi che voi potreste considerare non onesti.

– Oh, non fatevi scrupolo, sapete, ne ho viste tante. Benché, ogni volta, quando s'arriva al punto, salta su il salvatore, sempre lui.

– Arriverà anche stavolta?

– Mah, non è mai detto.

– Qual è il vostro nome?

– Azira; o suor Palmira. Secondo se nel gineceo del sultano o in convento.

– Azira, mi pare d'avervi sempre amata... d'essermi già smarrito in voi..

XI

Carlomagno cavalcava verso la costa di Bretagna. – Ora vediamo, ora vediamo, Agilulfo dei Guildiverni, state calmo. Se quel che mi dite è vero, se questa donna ha ancora addosso la stessa verginità che aveva or sono quindici anni, niente da dire, siete stato armato cavaliere a buon diritto, e quel giovinotto voleva darcela a intendere. Per accertarmi ho fatto venire al nostro seguito una comare esperta nelle faccende di donne; noi soldati per queste cose, eh già, non si ha la mano...

La vecchietta, issata sul cavallo di Gurdulù, ciangottava: – Sì, sì, maestà, sarà fatto a puntino, anche se nasceranno due gemelli... – Era sorda e non aveva ancora capito di cosa si trattava.

Nella grotta entrano per primi due ufficiali del seguito, con torce. Tornano sbigottiti: – Sire, la vergine giace in un amplesso con un giovane soldato.

Gli amanti vengono tratti al cospetto dell'imperatore.

– Tu, Sofronia! – grida Agilulfo.

Carlomagno fa sollevare il viso del giovane. – Torrismondo!

Torrismondo balza verso Sofronia. – Tu sei Sofronia? Ah, madre mia!

– Conoscete questo giovane, Sofronia? – chiede l'imperatore.

La donna china il capo, pallida. – Se è Torrismondo, lo crebbi io stessa, – dice con un fil di voce.

Torrismondo balza in sella. – Ho commesso un incesto netando! Non mi vedrete mai più! – sprona e corre verso il bosco, sulla dritta.

Agilulfo sprona a sua volta. – Non vedrete neppur più me! – dice. – Non ho più nome! Addio! – e s'addentra nel bosco, a mano manca.

Tutti sono rimasti costernati. Sofronia tiene il volto nascosto tra le mani.

S'ode un galoppo a dritta. È Torrismondo che torna fuori del bosco a gran carriera. Grida: – Ma come? Ma se fino a poco fa era vergine? Come ho fatto a non pensarci subito? Era vergine! Non può essere mia madre!

– Ci vorrete spiegare, – dice Carlomagno.

– In verità, Torrismondo non è mio figlio, bensì mio fratello, o meglio fratellastro, – dice Sofronia. – La regina di Scozia nostra madre, essendo il re mio padre in guerra da un anno, lo diede alla luce dopo un fortuito incontro – pare – col Sacro Ordine dei Cavalieri del Gral. Avendo il re annunciato il suo ritorno, quella perfida creatura (tale infatti sono costretta a giudicare nostra madre) con la scusa di farmi portare a passeggio il fratellino, mi fece sperdere nei boschi. Ordì un tremendo inganno al marito che sopraggiungeva. Gli disse che io, tredicenne, ero fuggita per dare alla luce un bastardello. Trattenuta da un malinteso rispetto filiale, non tradii mai questo segreto di nostra madre. Vissi nelle brughiere col fratellastro infante e furono anche per me anni liberi e felici, al confronto di quelli che m'attendevano, nel convento dove fui costretta dai duchi di Cornovaglia. Non conobbi uomo fino a stamane, all'età di trentatré anni, e il primo incontro con un uomo, ahimè, risulta essere un incesto...

– Vediamo un po' con calma come stanno le cose, – fa Carlomagno, conciliante. – L'incesto c'è sempre, però, tra fratellastro e sorellastra, non è poi dei più gravi...

– Non c'è incesto, sacra maestà! Rallegrati, Sofronia! – esclama Torrismondo, raggiante in viso. – Nelle ricerche sulla mia origine ho appreso un segreto che avrei voluto custodire per sempre: colei che credevo mia madre, cioè tu, Sofronia, sei nata non dalla regina di Scozia, ma figlia naturale del re, dalla moglie d'un castaldo. Il re ti fece adottare da sua moglie, cioè da quella che apprendo ora essere stata mia madre, e che a te fu soltanto matrigna. Ora comprendo come ella, obbligata dal re a fingersi tua madre contro la sua volontà, non vedesse l'ora di sbarazzarsi di te; e lo fece attribuendoti il frutto d'una sua colpa passeggera, cioè io. Figlia tu del re di Scozia e d'una contadina, io della regina e del Sacro Ordine, non abbiamo nessun legame di sangue, ma soltanto il legame amoroso stretto liberamente qui or è poco e che spero ardentemente tu voglia riannodare.

– Mi pare che tutto si risolva per il meglio... – dice Carlomagno, fregandosi le mani. – Ma non tardiamo a rintracciare quel nostro bravo cavalier Agilulfo e a rassicurarlo che il suo nome e il suo titolo non corrono più alcun pericolo.

– Andrò io, maestà! – dice un cavaliere correndo avanti. È Rambaldo.

Entra nel bosco. Grida: – Cavaliereee! Cavaliere Agilulfooo! Cavaliere dei Guildiverniii! Agilulfo Emo Bertrandino dei Guildiverni e degli Altri di Corbentraz e Sura, cavaliere di Selimpia Citeriore e Feeez! È tutto a postooo! Tornaaate! – Gli risponde solo l'eco.

Rambaldo prese a battere il bosco sentiero per sentiero, e fuor dei sentieri per dirupi e torrenti, chiamando, tendendo l'orecchio, cercando un segno, una traccia. Ecco un'impronta di ferri di cavallo. In un punto appaiono marcate più fonde come se l'animale vi si fosse fermato. Di lì la traccia degli zoccoli riprende più leggera, come se il cavallo fosse stato lasciato correr via. Ma dallo stesso punto si diparte un'altra traccia, un'orma di passi in scarpe di ferro. Rambaldo la seguì.

Tratteneva il fiato. Giunse a una radura. Ai piedi d'una quercia, sparsi in terra, erano un elmo rovesciato dal cimiero color dell'iride, una corazza bianca, i cosciali i bracciali le manopole, tutti insomma i pezzi dell'armatura di Agilulfo, alcuni disposti come nell'intenzione di formare una piramide ordinata, altri rotolati al suolo alla rinfusa. Appuntato all'elsa della spada, era un cartiglio: «Lascio questa armatura al cavaliere Rambaldo di Rossiglione». Sotto c'era un mezzo svolazzo, come d'una firma cominciata e subito interrotta.

– Cavaliere! – chiama Rambaldo, rivolto verso l'elmo, verso la corazza, verso la quercia, verso il cielo, – Cavaliere! Riprendete l'armatura! Il vostro grado nell'esercito e nella nobiltà di Francia è incontestabile! – E cerca di rimettere insieme l'armatura, di farla stare in piedi, e continua a gridare: – Ci siete, cavaliere, nessuno può più negarlo, ormai! – Non gli risponde alcuna voce. L'armatura non sta su, l'elmo rotola in terra. – Cavaliere, avete resistito per tanto tempo con la vostra sola forza di volontà, siete riuscito a far sempre tutto come se esisteste: perché arrendervi tutt'a un tratto? – Ma non sa più da che parte rivolgersi: l'armatura è vuota, non vuota come prima, vuota anche di quel qualcosa che era chiamato il cavaliere Agilulfo e che adesso è dissolto come una goccia nel mare.

Rambaldo ora si slaccia la sua corazza, si spoglia, infila l'armatura bianca, calza l'elmo di Agilulfo, stringe in mano lo scudo e la spada, salta a cavallo. Così armato compare al cospetto dell'imperatore e del suo seguito.

– Ah, Agilulfo, siete tornato, tutto bene, eh?

Ma dall'elmo risponde un'altra voce. – Non sono Agilulfo, maestà! – La celata si solleva e appare il viso di Rambaldo. – Del cavaliere dei Guildiverni è rimasta solo la bianca armatura e questa carta che me ne assegna il possesso. Ora non vedo l'ora di gettarmi in battaglia!

Le trombe suonano l'allarme. Una flotta di feluche ha sbarcato un esercito saracino in Bretagna. L'armata franca corre a indrappellarsi. – Il tuo desiderio è esaudito, – fa re Carlo, – ecco l'ora di batterti. Fa' onore alle armi che porti. Ancorché di carattere difficile, Agilulfo il soldato lo sapeva fare!

L'esercito franco tien testa agli invasori, apre una breccia nel fronte saracino e il giovane Rambaldo è il primo a farvi impeto. S'azzuffa, colpisce, si difende, un po' ne dà e un po' ne piglia. Dei maomettani molti mordono la terra. Rambaldo quanti ce ne stanno sulla lancia, tanti ne infilza uno dietro l'altro. Già i drappelli invasori ripiegano, si pigiano intorno alle feluche ormeggiate. Incalzati dalle armi franche, gli sconfitti prendono il largo, tranne quelli rimasti ad inzuppar di sangue moro la grigia terra di Bretagna.

Rambaldo esce dalla battaglia vittorioso e incolume; ma l'armatura, la candida intatta impeccabile armatura di Agilulfo adesso è tutta incrostata di terra, spruzzata di sangue nemico, costellata d'ammaccature, bugni, sgraffi, slabbri, il cimiero mezzo spennato, l'elmo storto, lo scudo scrostato proprio in mezzo al misterioso stemma. Ora il giovane la sente come l'armatura sua, di lui Rambaldo di Rossiglione; il primo disagio provato a indossarla è ormai lontano: ormai gli calza come un guanto.

Galoppa, solo, sul dosso d'una collina. Una voce risuona acuta dal fondo della valle. – Ehi, lassù, Agilulfo!

Un cavaliere sta correndo verso di lui. Sull'armatura indossa una sopravveste color pervinca. È Bradamante che lo sta inseguendo. – Ti ho finalmente ritrovato, bianco cavaliere!

«Bradamante, non sono Agilulfo: son Rambaldo!» lui le vorrebbe subito gridare, ma pensa che è meglio dirglielo da vicino, e volta il cavallo per raggiungerla.

– Finalmente sei tu a corrermi incontro, inafferrabile guerriero! – esclama Bradamante. – Oh, mi fosse dato di vederti correre appresso a me, anche tu, l'unico uomo i cui atti non sono buttati lì come vien viene, improvvisati, faciloni, come quelli della solita canea che mi vien dietro! – E in così dire, volta il cavallo e prova a sfuggirgli, sempre però girando il capo a vedere se lui sta al gioco e la rincorre.

Rambaldo è impaziente di dirle: «Non ti accorgi che anch'io sono uno che si muove maldestro, che ogni mio gesto tradisce il desiderio, l'insoddisfazione, l'inquietudine? Ma anch'io quello che voglio è soltanto l'essere uno che sa quello che vuole!» e per dirglielo galoppa seguendo lei che ride e dice: – Questo è il giorno che avevo sempre sognato!

L'ha persa di vista. C'è una valle erbosa e solitaria. Il cavallo di lei è legato a un gelso. Tutto somiglia a quella prima volta che l'aveva inseguita e ancora non sospettava che fosse una donna. Rambaldo scende da cavallo. Ecco: la vede, sdraiata su un declivio di muschio. S'è tolta l'armatura, veste una corta tunica color topazio. Da sdraiata apre le braccia a lui. Rambaldo viene avanti nell'armatura bianca. È questo il momento di dirle: «Non sono Agilulfo, l'armatura di cui ti innamorasti guarda ora come risente della gravezza d'un corpo, ancorché giovane e agile come il mio. Non vedi come questa corazza ha perso il suo inumano candore ed è diventata un abito dentro il quale si fa la guerra, esposto a tutti i colpi, un paziente e utile arnese?» Questo vorrebbe dirle, e invece sta lì con le mani che gli tremano, muove passi esitanti verso di lei. Forse la cosa migliore sarebbe scoprirsi, togliersi l'armatura, palesarsi come Rambaldo, ora per esempio che lei tiene chiusi gli occhi, con un sorriso come d'attesa. Il giovane si strappa di dosso l'armatura, ansioso: adesso Bradamante aprendo gli occhi lo riconoscerà:.. No: ha posato una mano sul viso come non volesse turbare con lo sguardo l'invisibile approssimarsi del cavaliere inesistente. E Rambaldo si butta su di lei.

– Oh, sì, ne ero certa! – esclama Bradamante, a occhi chiusi. – Ero sempre stata certa che sarebbe stato possibile! – e si stringe a lui, ed in una febbre che è pari da parte d'entrambi, si congiungono. – O sì, o sì, ne ero certa!

Ora che anche questo si è compiuto, è il momento di guardarsi negli occhi.

«Mi vedrà, – pensa rapido in un lampo di orgoglio e di speranza Rambaldo, – capirà tutto, capirà che è stato giusto e bello così e mi amerà per la vita!»

Bradamante apre gli occhi. – Ah, tu!

Si stacca dal giaciglio, spinge indietro Rambaldo.

– Tu! Tu! – grida con la bocca piena di rabbia, gli occhi che schizzano lacrime: – Tu! Impostore!

È in piedi, brandisce la spada, l'alza su Rambaldo, gli dà addosso, ma di piatto, sul capo, lo stordisce, e tutto quel che lui è riuscito a dirle alzando le mani disarmate forse per difendersi forse per abbracciarla, è stato: – Ma di', ma di', non era forse bello...? – Poi perde i sensi, e solo gli arriva confuso lo scalpito del cavallo di lei che parte.

Se infelice è l'innamorato che invoca baci di cui non sa il sapore, mille volte più infelice è chi questo sapore gustò appena e poi gli fu negato. Rambaldo continua la sua vita di impavido soldato. Dove più folta è la mischia, là si fa strada la sua lancia. Se nel turbinare delle spade, vede un lampo color pervinca, accorre, – Bradamante! – grida, ma sempre invano.

L'unico a cui vorrebbe confessare le sue pene, è scomparso. Talora girando per i bivacchi, il modo d'una corazza di star eretta sui fiancali, o il sollevarsi a scatto d'una gomitiera, lo fanno trasalire, perché gli ricordano Agilulfo. E se il Cavaliere non si fosse dissolto, se avesse trovato un'altra armatura? Rambaldo s'avvicina e dice: – Non per recarvi offesa, collega, ma vorrei che alzaste la celata del vostro elmo.

Spera ogni volta di trovarsi di fronte un cavo vuoto: invece c'è sempre un naso che sormonta due baffi arricciati. – Perdonatemi, – mormora e va via.

Anche qualcun altro va cercando Agilulfo: è Gurdulù, che ogni volta che vede una pentola vuota, o un comignolo, o una tinozza, si ferma e esclama: – Sor padrone! Comandi, sor padrone!

Seduto su di un prato ai margini d'una strada, stava facendo un lungo discorso nella bocca d'un fiasco, quando una voce lo interpella: – Chi cerchi lì dentro, Gurdulù?

Era Torrismondo, che celebrate solennemente le nozze con Sofronia alla presenza di Carlomagno, cavalcava con la sposa e un ricco seguito per la Curvaldia, di cui è stato nominato conte dall'imperatore.

– Il mio padrone, cerco, – dice Gurdulù.

– Dentro quel fiasco?

– Il mio padrone è uno che non c'è; quindi può non esserci tanto in un fiasco quanto in un'armatura.

– Ma il tuo padrone si è dissolto nell'aria!

– Allora, io sono lo scudiero dell'aria?

– Sarai il mio scudiero, se mi segui.

Giunsero in Curvaldia. Il paese non si riconosceva più. Al posto dei villaggi erano sorte città con palazzi di pietra, e mulini, e canali.

– Sono tornato, buona gente, per restare con voi...

– Evviva! Bene! Viva lui! Viva la sposa!

– Aspettate a sfogare la vostra felicità alla notizia che sto per darvi: l'imperatore Carlomagno, al cui sacro nome d'ora innanzi v'inchinerete, mi ha investito del titolo di Conte di Curvaldia!

– Ah... Ma... Carlomagno...? Veramente...

– Non capite? Ora avete un conte! Vi difenderò ancora contro le angherie dei Cavalieri del Gral!

– Oh, quelli è da un pezzo che li abbiamo cacciati via da tutta la Curvaldia! Vedete, noi per tanto tempo si è sempre obbedito... Ma adesso abbiamo visto che si può viver bene senza dover nulla né a cavalieri né a conti... Coltiviamo le terre, abbiamo messo su delle botteghe d'artigiano, dei mulini, cerchiamo da noi di far rispettare le nostre leggi, di difendere i nostri confini, insomma si tira avanti, non ci possiamo lamentare. Voi siete un giovane generoso e non dimentichiamo quel che avete fatto per noi... A star qui vi si vorrebbe... ma alla pari...

– Alla pari? Non mi volete come conte? Ma è un ordine dell'imperatore, non capite? È impossibile che vi rifiutate!

– Eh, si dice sempre così: impossibile... Anche togliersi di dosso quelli del Gral pareva che fosse impossibile... E allora avevamo solo roncole e forconi... Noi non si vuole male a nessuno, signorino, e a voi meno che a tutti... Siete un giovane che vale, avete pratica di tante cose che noi non si sa... Se vi fermate qui alla pari con noi e non fate prepotenze, forse diventerete lo stesso il primo tra noi...

– Torrismondo, io sono stanca di tante traversie, – disse Sofronia sollevando il velo. – Questa gente ha l'aria ragionevole e cortese e la città mi pare più bella e meglio fornita di tante... Perché non cerchiamo di venire a un accomodamento?

– E il nostro seguito?

– Diventeranno tutti cittadini di Curvaldia, – risposero gli abitanti, – e avranno secondo quello che varranno.

– Dovrò considerare pari a me questo scudiero, Gurdulù, che non sa neppure se c'è o se non c'è?

– Imparerà anche lui... Neppure noi sapevamo d'essere al mondo... Anche ad essere si impara...

XII

Libro, ora sei giunto alla fine. Ultimamente mi sono messa a scrivere a rotta di collo. Da una riga all'altra saltavo tra le nazioni e i mari e i continenti. Cos'è questa furia che m'ha preso, quest'impazienza? Si direbbe che sono in attesa di qualcosa. Ma cosa mai possono attendere le suore, qui ritirate appunto per star fuori delle sempre cangianti occasioni del mondo? Cos'altro io aspetto tranne nuove pagine da vergare e i consueti rintocchi della campana del convento?

Ecco, si sente un cavallo venir su per la ripida strada, ecco che si ferma proprio qui alla porta del monastero. Il cavaliere bussa. Dalla mia finestrella non si riesce a vederlo, ma ne intendo la voce. – Ehi, buone suore, ehi, udite!

Ma non è questa la voce, o sbaglio? sì, è proprio quella! è la voce di Rambaldo che ho fatto tanto a lungo risuonare per queste pagine! Cosa vuole qui, Rambaldo?

– Ehi, buone suore, sapreste dirmi di grazia se ha trovato rifugio in questo convento una guerriera, la famosa Bradamante?

Ecco, cercando Bradamante per il mondo, Rambaldo doveva pure arrivare fin qui.

Sento la voce della sorella guardiana che risponde: – No, soldato, qui non ci sono guerriere, ma solo povere pie donne che pregano per scontare i tuoi peccati!

Ora sono io che corro alla finestra e grido: – Sì, Rambaldo, sono qui, aspettami, sapevo che saresti venuto, ora scendo, partirò con te!

E in fretta mi strappo la cuffia, le bende claustrali, la sottana di saio, traggo fuori dal cassone la mia tunichetta color topazio, la corazza, gli schinieri, l'elmo, gli speroni, la sopravveste pervinca. – Aspettami, Rambaldo, sono qui, io, Bradamante!

Sì, libro. Suor Teodora che narrava questa storia e la guerriera Bradamante siamo la stessa donna. Un po' galoppo per i campi di guerra tra duelli e amori, un po' mi chiudo nei conventi, meditando e vergando le storie occorsemi, per cercare di capirle. Quando venni a chiudermi qui ero disperata d'amore per Agilulfo, ora ardo per il giovane e appassionato Rambaldo.

Per questo la mia penna a un certo punto s'è messa a correre. Incontro a lui, correva; sapeva che non avrebbe tardato ad arrivare. La pagina ha il suo bene solo quando la volti e c'è la vita dietro che spinge e scompiglia tutti i fogli del libro. La penna corre spinta dallo stesso piacere che ti fa correre le strade. Il capitolo che attacchi e non sai ancora quale storia racconterà è come l'angolo che svolterai uscendo dal convento e non sai se ti metterà a faccia con un drago, uno stuolo barbaresco, un'isola incantata, un nuovo amore.

Corro, Rambaldo. Non saluto nemmeno la badessa. Già mi conoscono e sanno che dopo zuffe e abbracci e inganni ritorno sempre a questo chiostro. Ma adesso sarà diverso.. Sarà...

Dal raccontare al passato, e dal presente che mi prendeva la mano nei tratti concitati, ecco, o futuro, sono salita in sella al tuo cavallo. Quali nuovi stendardi mi levi incontro dai pennoni delle torri di città non ancora fondate? quali fumi di devastazioni dai castelli e dai giardini che amavo? quali impreviste età dell'oro prepari, tu malpadroneggiato, tu foriero di tesori pagati a caro prezzo, tu mio regno da conquistare, futuro..

[1959]

Nota 1960

Raccolgo in questo volume tre storie che ho scritto nel decennio '50-60 e che hanno in comune il fatto di essere inverosimili e di svolgersi in epoche lontane e in paesi immaginari. Date queste caratteristiche comuni e nonostante altre caratteristiche non omogenee, si pensa che costituiscano, come suol dirsi, un «ciclo», anzi un «ciclo compiuto» (cioè finito, in quanto non ho intenzione di scriverne altre). È una buona occasione che mi si presenta per rileggerle e cercar di rispondere a domande che avevo finora eluso ogni volta che me le ero poste: perché ho scritto queste storie? che cosa volevo dire? che cosa ho in effetti detto? che senso ha questo tipo di narrativa nel quadro della letteratura d'oggi?

Io, prima, facevo dei racconti «neorealistici», come si diceva allora. Cioè raccontavo delle storie successe non a me ma ad altri, o che immaginavo che fossero successe o potessero succedere, e questi altri erano gente, come si dice, «del popolo», ma sempre un po' degli irregolari, comunque persone curiose, che fosse possibile rappresentare solo dalle parole che dicono e dai gesti che fanno, senza perdersi molto dietro ai pensieri e ai sentimenti. Scrivevo svelto, a frasette brevi. Quello che mi interessava rendere era un certo slancio, un certo piglio. Mi piacevano le storie che si svolgono all'aria aperta, e in posti pubblici, per esempio una stazione, con quel tanto di rapporti umani tra gente che si trova per caso; non m'interessavano – e forse non sono molto cambiato da allora – la psicologia, l'interiorità, gli interni, la famiglia, il costume, la società (specie se buona società).

Non per niente avevo cominciato con delle storie di partigiani: venivano bene perché erano storie avventurose, tutte movimento, tutte spari, un po' crudeli e un po' spaccone come nello spirito dei tempi, e con la «suspense» che nella narrativa è come il sale. Anche un breve romanzo avevo scritto, nel '46, *Il sentiero dei nidi di ra-*

gno, in cui ci davo dentro a tutto spiano con la brutalità neorealista, e invece i critici cominciarono a dire che ero «favoloso». Io stavo al gioco: capivo benissimo che il pregio è d'essere favolosi quando si parla di proletariato e di fattacci di cronaca, mentre a esserlo parlando di castelli e di cigni non c'è nessuna bravura.

Così provai a scrivere altri romanzi neorealistici, su temi della vita popolare di quegli anni, ma non riuscivano bene, e li lasciavo manoscritti nel cassetto. Se pigliavo a raccontare su un tono allegro, suonava falso; la realtà era troppo più complessa; ogni stilizzazione finiva per essere leziosa. Se usavo un tono più riflessivo e preoccupato, tutto sfumava nel grigio, nel triste, perdevo quel timbro che era mio, cioè l'unica giustificazione del fatto che a scrivere fossi io e non un altro. Era la musica delle cose che era cambiata: la vita sbandata del periodo partigiano e del dopoguerra s'allontanava nel tempo, non s'incontravano più tutti quei tipi strani che ti raccontavano storie eccezionali, o magari s'incontravano ancora, ma non veniva più da identificarsi in loro e nelle loro storie. La realtà entrava in binari diversi, esteriormente più normali, diventava istituzionale; le classi popolari era difficile vederle se non attraverso le loro istituzioni; e anch'io ero entrato a far parte d'una categoria regolare: quella del personale intellettuale delle grandi città, in abito grigio e camicia bianca. Però è troppo facile dar la colpa alle circostanze esterne, pensavo; forse non ero un vero scrittore, ero uno che aveva scritto, come tanti, portato sull'onda d'un periodo di cambiamenti; e poi la vena mi s'era inaridita.

Così, in uggia con me stesso e con tutto, mi misi, come per un passatempo privato, a scrivere *Il visconte dimezzato*, nel 1951. Non avevo nessun proposito di sostenere una poetica piuttosto che un'altra né alcuna intenzione d'allegoria moralistica o, meno che mai, politica in senso stretto. Certo risentivo, pur senza rendermene ben conto, dell'atmosfera di quegli anni. Eravamo nel cuore della guerra fredda, nell'aria era una tensione, un dilaniamento sordo, che non si manifestavano in immagini visibili ma dominavano i nostri animi. Ed ecco che scrivendo una storia completamente fantastica, mi trovavo senz'accorgermene a esprimere non solo la sofferenza di quel particolare momento ma anche la spinta a uscirne; cioè non accettavo passivamente la realtà negativa ma riuscivo a riimmettervi il movimento, la spacconeria, la crudezza, l'economia di stile, l'ottimismo spietato che erano stati della letteratura della Resistenza.

In partenza avevo solo questa spinta, e una storia in mente, o meglio un'immagine. All'origine di ogni storia che ho scritto c'è un'immagine che mi gira per la testa, nata chissà come e che mi porto dietro magari per anni. A poco a poco mi viene da sviluppare questa immagine in una storia con un principio e una fine, e nello stesso tempo – ma i due processi sono spesso paralleli e indipendenti – mi convinco che essa racchiude qualche significato. Quando comincio a scrivere però, tutto ciò è nella mia mente ancora in uno stato lacunoso, appena accennato. È solo scrivendo che ogni cosa finisce per andare al suo posto.

Dunque, da un po di tempo pensavo a un uomo tagliato in due per lungo, e che ognuna delle due parti andava per conto suo. La storia di un soldato, in una guerra moderna? Ma la solita satira espressionista era fritta e rifritta: meglio una guerra dei tempi andati, i Turchi, un colpo di scimitarra, no: meglio un colpo di cannone, così si sarebbe creduto che una metà era andata distrutta, invece poi saltava fuori. Allora i Turchi col cannone? Sì, le guerre austro-turche, fine Seicento, principe Eugenio, ma tutto lasciato un po' nel vago, il romanzo storico non m'interessava (ancora). Dunque: una metà sopravvive, l'altra comparirà in un secondo tempo. Come differenziarle? Il sistema d'effetto sicuro è fare una metà buona e una cattiva, un contrasto alla R. L. Stevenson, come *Dr Jekyll and Mr Hyde* e i due fratelli del *Master of Ballantrae*. Così la storia s'organizzava su se stessa secondo uno schema perfettamente geometrico. E i critici potevano cominciare ad andare su una falsa strada: dicendo che quel che mi stava a cuore era il problema del bene e del male. No, non mi stava a cuore per niente, non avevo pensato neanche per un minuto al bene e al male. Come un pittore può usare un ovvio contrasto di colori perché gli serve a dare evidenza a una forma, così io avevo usato un ben noto contrasto narrativo per dare evidenza a quel che mi interessava, cioè il dimidiamento.

Dimidiato, mutilato, incompleto, nemico a se stesso è l'uomo contemporaneo; Marx lo disse «alienato», Freud «represso»; uno stato d'antica armonia è perduto, a una nuova completezza s'aspira. Il nocciolo ideologico-morale che volevo coscientemente dare alla storia era questo. Ma più che lavorare ad approfondirlo sul piano filosofico, ho badato a dare al racconto uno scheletro che funzionasse come un ben connesso meccanismo, e carne e sangue di libere associazioni d'immaginazione lirica.

L'esemplificazione dei tipi di mutilazione dell'uomo contemporaneo non potevo caricarla sul protagonista, che aveva già il suo daffare a mandare avanti il meccanismo della storia, e l'ho distribuita su alcune figure di contorno. Una di esse – ed è si può dire l'unica che abbia un puro e semplice ruolo didascalico –, Mastro Pietrochiodo carpentiere, costruisce forche e strumenti di tortura i più perfezionati possibile cercando di non pensare a cosa servono, così come... così come naturalmente lo scienziato o il tecnico d'oggi che costruisce bombe atomiche o comunque dispositivi di cui non sa la destinazione sociale e cui l'impegno esclusivo nel «far bene il proprio mestiere» non può bastare a mettere a posto la coscienza. Il tema dello scienziato «puro», privo (o non libero) d'un'integrazione con l'umanità vivente, salta fuori anche nel personaggio del dottor Trelawney, che però era nato in tutt'altro modo, come una figuretta di gusto stevensoniano, evocata dagli altri riferimenti a quel clima, e che ha acquistato anche una sua autonomia psicologica.

A un modo d'immaginazione più complesso appartengono i due «cori» dei lebbrosi e degli ugonotti, nati da un fondo lirico visionario forse su spunti di vecchie tradizioni storiche locali (villaggi di lebbrosi nell'entroterra ligure o provenzale; stanziamenti di ugonotti fuggiti dalla Francia nel Cuneese, dopo la revoca dell'editto di Nantes o, prima ancora, dopo la notte di San Bartolomeo). I lebbrosi sono venuti a rappresentare per me l'edonismo, l'irresponsabilità, la felice decadenza, il nesso estetismo-malattia, in un certo modo il decadentismo artistico e letterario contemporaneo ma anche di sempre (l'Arcadia). Gli ugonotti sono il dimidiamento opposto, il moralismo, ma come immagine sono qualcosa di più complesso ancora perché c'entra una specie d'esoteria familiare (ipotetica origine – a tutt'oggi non ancora verificata – del mio cognome): una illustrazione (satirica e ammirativa al tempo stesso) delle origini protestanti del capitalismo secondo Max Weber e, per analogia, d'ogni altra società basata su un moralismo fattivo; e una evocazione – più simpatetica che satirica questa – di un'etica religiosa senza religione.

Tutti gli altri personaggi del *Visconte dimezzato* mi pare che non abbiano altro senso che la loro funzionalità nell'intreccio narrativo. Qualcuno mi è venuto abbastanza bene – cioè ha acquistato vita propria – come la balia Sebastiana, e – nella sua breve comparsa – il vecchio visconte Aiolfo. Il personaggio della ragazza (la pastorella Pamela) è appena uno schematico ideogramma di concretezza femminile in contrasto con la disumanità del dimezzato.

E lui, Medardo, il dimezzato? Ho detto che aveva meno libertà degli altri, con un itinerario predeterminato dagli appuntamenti con l'intreccio. Ma pur così costretto è riuscito a manifestare una fondamentale ambiguità, corrispondente a qualcosa di non ancora ben chiarito nella mente dell'autore. Il mio intento era combattere tutti i dimidiamenti dell'uomo, auspicare l'uomo totale, questo è certo. Ma di fatto il Medardo intero dell'inizio, indeterminato com'è, non ha personalità né volto; del Medardo reintegrato della fine non si sa più nulla; e chi vive nel racconto è solo Medardo in quanto metà di se stesso. E queste due metà, queste due contrapposte immagini di disumanità, risultavano più umane, muovevano un rapporto contraddittorio, la metà cattiva, così infelice, di pietà, e la metà buona, così compunta, di sarcasmo; e ad entrambe facevo declamare un elogio del dimidiamento come vero modo d'essere, dagli opposti punti di vista, e un'invettiva contro l'«ottusa interezza». Sarà perché, nato in un'epoca di dimidiamento, il racconto finiva per esprimere suo malgrado la coscienza dimidiata? O non piuttosto perché vera integrazione umana non è in un miraggio d'indeterminata totalità o disponibilità o universalità ma in un approfondimento ostinato di ciò che si è, del proprio dato naturale e storico e della propria scelta volontaria, in un'autocostruzione, in una competenza, in uno stile, in un codice personale di regole interne e di rinunce attive, da seguire fino in fondo? Il racconto mi richiamava per sua spontanea interna propulsione a quello che è sempre stato e resta il mio vero tema narrativo: una persona si pone volontariamente una difficile regola e la segue fino alle ultime conseguenze, perché senza di questa non sarebbe se stesso né per sé né per gli altri.

Tema che ritroviamo in un'altra storia, *Il barone rampante*, scritta qualche anno più tardi, nel 1956-57. Anche qui la data di composizione illumina sullo stato d'animo. È un'epoca di ripensamento del ruolo che possiamo avere nel movimento storico, mentre nuove speranze e nuove amarezze si alternano. Nonostante tutto, i tempi portano verso il meglio; si tratta di trovare il giusto rapporto tra la coscienza individuale e il corso della storia.

Anche qui avevo da tempo un'immagine in testa: un ragazzo che sale su di un albero; sale, e cosa gli succede? sale, ed entra in un altro mondo; no: sale, e incontra personaggi straordinari; ecco: sale, e d'albero in albero viaggia per giorni e giorni, anzi, non torna più giù, si rifiuta di scendere a terra, passa sugli alberi tutta la vita. Dovevo farne la storia d'una fuga dai rapporti umani, dalla società, dalla politica eccetera? No, sarebbe stato troppo ovvio e futile: il gioco cominciava a interessarmi solo se facevo di questo personaggio che rifiuta di camminare per terra come gli altri non un misantropo ma un uomo continuamente dedito al bene del prossimo, inserito nel movimento dei suoi tempi, che vuole partecipare a ogni aspetto della vita attiva: dall'avanzamento delle tecniche all'amministrazione locale, alla vita galante. Sempre però sapendo che per essere *con* gli altri veramente, la sola via era d'essere separato dagli altri, d'imporre testardamente a sé e agli altri quella sua incomoda singolarità e solitudine in tutte le ore e in tutti i momenti della sua vita, così come è vocazione del poeta, dell'esploratore, del rivoluzionario.

Per esempio, l'episodio degli Spagnoli era uno dei pochi che mi fossero chiari già dall'inizio: il contrasto tra chi si trova ad essere sugli alberi per motivi contingenti, e, cessati questi motivi, scende; e il «rampante» per vocazione interiore che resta sugli alberi anche quando non c'è nessun motivo esterno per restarci.

L'uomo completo, che nel *Visconte dimezzato* non avevo ancora proposto chiaramente, qui nel *Barone rampante* si identificava con colui che realizza una sua pienezza sottomettendosi a un'ardua e riduttiva disciplina volontaria. Stava succedendo con questo personaggio qualcosa per me d'insolito: lo prendevo sul serio, ci credevo, m'identificavo con lui. Aggiungi che cercando un'epoca passata per situarvi un improbabile paese ricoperto d'alberi, mi ero lasciato catturare dal fascino del Settecento e del periodo di rivolgimenti tra quel secolo e il seguente. Ecco che il protagonista, il barone Cosimo di Rondò, uscendo dalla cornice burlesca della vicenda, mi si veniva configurando in un ritratto morale, con connotati culturali ben precisi; le ricerche dei miei amici storici, sugli illuministi e giacobini italiani, diventavano un prezioso stimolo per la fantasia. Anche il personaggio femminile (Viola) entrava nel gioco delle prospettive etiche e culturali: a contrasto con la determinatezza illuminista, la spinta barocca e poi romantica verso il tutto che rischia sempre di diventare spinta distruttiva, corsa verso il nulla.

Il barone rampante mi venne dunque molto diverso dal *Visconte dimezzato*. Invece d'un racconto fuori dal tempo, dallo scenario appena accennato, dai personaggi filiformi ed emblematici, dall'intreccio di favoletta per bambini, ero continuamente attratto, nello scrivere, a fare un «pastiche» storico, un repertorio d'immagini settecentesche, suffragato di date e correlazioni con avvenimenti e personaggi famosi; un paesaggio e una natura, immaginari sì, ma descritti con precisione e nostalgia; una vicenda che si preoccupava di rendere giustificabile e verosimile perfino l'irrealtà della trovata iniziale; insomma, avevo finito per prender gusto al *romanzo*, nel senso più tradizionale della parola.

Sui personaggi comprimari, nati per spontanea proliferazione di quest'atmosfera romanzesca, c'è poco da dire. Il dato che li accomuna quasi tutti è d'essere dei solitari, ognuno con una maniera sbagliata d'esserlo, intorno a quell'unica maniera giusta che è quella del protagonista. Si veda il Cavalier Avvocato, che ripete molti dei tratti del dottor Trelawney. Il Settecento, gran secolo d'eccentrici, pareva fatto apposta per situare questa galleria di tipi strambi. Ma allora anche Cosimo poteva essere inteso come un eccentrico che cerca di dare un significato universale alla sua eccentricità? Così considerato, *Il barone rampante* non esauriva il problema che mi ero posto. È chiaro che oggi viviamo in un mondo di non eccentrici, di persone cui la più semplice individualità è negata, tanto sono ridotte a una astratta somma di comportamenti prestabiliti. Il problema oggi non è ormai più della perdita d'una parte di se stessi, è della perdita totale, del non esserci per nulla.

Dall'uomo primitivo che, essendo tutt'uno con l'universo, poteva esser detto ancora inesistente perché indifferenziato dalla materia organica, siamo lentamente arrivati all'uomo artificiale che, essendo tutt'uno coi prodotti e con le situazioni, è inesistente perché non fa più attrito con nulla, non ha più rapporto (lotta e attraverso la lotta armonia) con ciò che (natura o storia) gli sta intorno, ma solo astrattamente «funziona».

Questo nodo di riflessioni s'era andato per me a poco a poco identificando con un'immagine che da tempo mi occupava la mente: un'armatura che cammina e dentro è vuota. Provai a scriverne la storia (nel 1959), ed è quella del *Cavaliere inesistente*, che nella trilogia può occupare tanto l'ultimo posto quanto il primo, in omaggio alla priorità cronologica dei paladini di Carlomagno, e anche perché, rispetto agli altri due racconti, può essere considerato più un'introduzione che un epilogo. Ma è anche un libro scritto in un'epoca di prospettive storiche più incerte che non nel '51 o nel '57; con un maggiore sforzo d'interrogazione filosofica, che però nello stesso tempo si risolve in un abbandono lirico maggiore.

Agilulfo, il guerriero che non esiste, prese i lineamenti psicologici d'un tipo umano molto diffuso in tutti gli ambienti della nostra società; il mio lavoro con questo personaggio si presentò subito facile. Dalla formula Agilulfo (inesistenza munita di volontà e coscienza) ricavai, con un procedimento di contrapposizione logica (cioè partendo dall'idea per arrivare all'immagine, e non viceversa come faccio di solito), la formula esistenza priva di coscienza, ossia identificazione generale col mondo oggettivo, e feci lo scudiero Gurdulù. Questo personaggio non riuscì ad avere l'autonomia psicologica del primo. E ciò è comprensibile, perché di prototipi di Agilulfo se ne incontrano dappertutto mentre i prototipi di Gurdulù si incontrano solo nei libri degli etnologi.

Questi due personaggi, uno privo di individualità fisica e l'altro d'individualità di coscienza, non potevano sviluppare una storia; erano semplicemente l'enunciazione del tema, che doveva essere svolto da altri personaggi in cui l'esserci e il non esserci lottassero all'interno della stessa persona. Chi non sa ancora se c'è o non c'è, è il giovane; quindi un giovane doveva essere il vero protagonista di questa storia. Rambaldo, paladino stendhaliano, cerca le prove d'esserci, come tutti i giovani fanno. La verifica dell'essere è nel fare; Rambaldo sarà la morale della pratica, dell'esperienza, della storia. Mi serviva un altro giovane, Torrismondo, e ne feci la morale dell'assoluto, per cui la verifica dell'esserci deve derivare da qualcos'altro che se stesso, da quel che c'era prima di lui, il tutto da cui s'è staccato.

Per il giovane, la donna è quel che sicuramente c'è; e feci due donne: una, Bradamante, l'amore come contrasto, come guerra, cioè la donna del cuore di Rambaldo; l'altra – appena accennata –, Sofronia, l'amore come pace, nostalgia del sonno prenatale, la donna del cuore di Torrismondo. Bradamante, amore come guerra, cerca il diverso da sé, quindi il non-essere, perciò è innamorata di Agilulfo.

Mi restava da esemplificare l'esistere come esperienza mistica, d'annullamento nel tutto, Wagner, il buddismo dei Samurai; e vennero fuori i Cavalieri del Gral. E – in contrasto a questo – l'esistere come esperienza storica, presa di coscienza d'un popolo fin lì tenuto fuori dalla storia (concetto molte volte ben espresso da Carlo Levi), e opposi ai Cavalieri del Gral il popolo dei Curvaldi, tanto miseri e angariati da non saper nemmeno d'essere al mondo, e che lo impareranno lottando.

Ora c'erano tutti gli elementi che volevo; bastava lasciarli muovere da quel tanto di trepidazione esistenziale che portavano in sé; ma stavolta non mi sarei lasciato calare nella vicenda come nel *Barone rampante*, cioè non avrei finito per credere a quel che raccontavo; qui il racconto era e doveva essere quello che si dice un «divertimento». Questa formula del «divertimento» io l'ho sempre intesa che chi deve divertirsi è il lettore: ciò non vuol dire che sia altrettanto un divertimento per lo scrittore, il quale deve raccontare con distacco, alternando slanci a freddo e slanci a caldo, autocontrollo e spontaneità, ed è in realtà il modo di scrivere che dà più fatica e tensione nervosa. Pensai allora di estrapolare questo mio sforzo dello scrivere facendone un personaggio: e feci la monaca scrivana, come se fosse lei a narrare, e questo serviva a darmi delle spinte più riposate e spontanee, e mandava avanti il resto.

Avrete visto che in tutte e tre le storie ho avuto bisogno di un personaggio che dicesse «io» forse per correggere la freddezza oggettiva propria del raccontare favoloso con quest'elemento ravvicinatore e lirico, del quale la narrativa moderna pare non possa fare a meno. Ho scelto ogni volta un personaggio marginale o comunque senza una funzione nell'intreccio: nel *Visconte dimezzato* un «io» ragazzo, una specie di Carlino di Fratta, perché non c'è sistema meglio collaudato in questi casi che veder tutto attraverso occhi fanciulleschi. Per *Il barone rampante* avevo il problema di correggere la mia spinta troppo forte a identificarmi col protagonista, e qui misi in opera il ben noto dispositivo Serenus Zeitblom; cioè fin dalle prime battute mandai avanti come «io» un personaggio di carattere antitetico a Cosimo, un fratello posato e pieno di buon senso. Stavolta, nel *Cavaliere inesistente*, usai un «io» completamente fuori dalla narrazione, e ne feci, tanto per avere un gioco di contrasti in più, una monaca.

La presenza d'un «io» narratore-commentatore fece sì che parte della mia attenzione si spostasse dalla vicenda all'atto stesso dello scrivere, al rapporto tra la complessità della vita e il foglio su cui questa complessità si dispone sotto forma di segni alfabetici. A un certo punto era solo questo rapporto a interessarmi, la mia storia diventava soltanto la storia della penna d'oca della monaca che correva sul foglio bianco.

Mi accorgevo intanto, andando avanti, come tutti i personaggi del racconto s'assomigliassero, mossi com'erano dalla stessa trepidazione, e anche la monaca, la penna d'oca, la mia stilografica, io stesso, tutti eravamo la stessa persona, la stessa cosa, la stessa ansia, lo stesso insoddisfatto cercare. Come succede al narratore – a chiunque sta facendo una cosa, credo –, che tutto ciò che pensa gli si trasforma in quel che fa – cioè in racconto –, tradussi quest'idea in un'ultima giravolta narrativa. Cioè feci della monaca narratrice e della guerriera Bradamante la stessa persona. È un colpo di scena che mi è venuto in mente all'ultimo momento e mi pare che non significhi nulla di più di quel che vi ho detto. Ma se voi volete credere che significhi, che so io, l'intelligenza interiorizzatrice e la vitalità estroversa che devon essere tutt'uno, siete anche padroni di crederlo.

Così come siete padroni d'interpretare come volete queste tre storie, e non dovete sentirvi vincolati affatto dalla deposizione che ora ho reso sulla loro genesi. Ho voluto farne una trilogia d'esperienze sul come realizzarsi esseri umani: nel *Cavaliere inesistente* la conquista dell'*essere*, nel *Visconte dimezzato* l'aspirazione a una completezza al di là delle mutilazioni imposte dalla società, nel *Barone rampante* una via verso una completezza non individualistica da raggiungere attraverso la fedeltà a un'autodeterminazione individuale: tre gradi d'approccio alla libertà. E nello stesso tempo ho voluto che fossero tre storie, come si dice, «aperte», che innanzitutto stiano in piedi come storie, per la logica del succedersi delle loro immagini, ma che comincino la loro vera vita nell'imprevedibile gioco d'interrogazioni e risposte suscitate nel lettore. Vorrei che potessero essere guardate come un albero genealogico degli antenati dell'uomo contemporaneo, in cui ogni volto cela qualche tratto delle persone che ci sono intorno, di voi, di me stesso.

Italo Calvino

Giugno 1960

Nota

Il testo riproduce l'ultima edizione dell'opera pubblicata, vivente l'autore, da Garzanti nel maggio del 1985.

Indice

«I nostri antenati»
di Italo Calvino
Oscar grandi classici
Arnoldo Mondadori Editore

Questo volume è stato stampato
presso Mondadori Printing S.p.A.
Stabilimento NSM - Cles (TN)
Stampato in Italia - Printed in Italy